Das Buch

Die Gruppe 47 ist bereits wenige Jahre nach ihrem Ende zum Mythos geworden. Man weiß von ihrer Wirkung bis in unsere Tage hinein. Um so erstaunter ist man, wenn man erfährt, wie spontan, persönlich und heiter es bei den Lesungen oft genug zuging, wie wenig das alles »organisiert« war. Der Reiz einer ersten Begegnung mit neuer Literatur läßt sich im nachhinein nicht wiederherstellen; dennoch erscheint es wünschenswert, das wieder greifbar zu machen, worum es damals eigentlich ging: die vorgetragenen Texte. Das vorliegende Lesebuch stellt neben den zehn Lesestücken, für die der Preis der Gruppe 47 vergeben wurde, vor allem jene dritte Generation von Schriftstellern vor, die in den sechziger Jahren zum erstenmal bei Tagungen der Gruppe zu Wort kamen. Gerade die Texte dieser Autoren erscheinen heute besonders interessant, weil hier der Brückenschlag zwischen den Generationen am besten gezeigt werden kann, den Hans Werner Richter und die Gruppe 47 zuwege gebracht haben.

Der Herausgeber

Hans A. Neunzig, geboren am 18. März 1932 in Meißen, Lektor, Übersetzer, Herausgeber, Autor, leitete von 1974 bis 1982 die Nymphenburger Verlagshandlung. Lebt heute als freier Publizist in Utting am Ammersee. Veröffentlichungen u. a.: ›Johannes Brahms‹, Monographie (1973); ›Johannes Brahms. Der Komponist des deutschen Bürgertums‹, Biographie (1976); ›Der Ruf‹, Auswahl (Hrsg. 1976); ›Hans Werner Richter und die Gruppe 47‹ (Hrsg. 1979); ›Die besten Kurzgeschichten der Welt. Die story-Bibliothek – ein Querschnitt‹ (Hrsg. 1982); ›Johannes Brahms. Symphonische Sommer‹ (1983); ›Frühlingssinfonie. Clara Wieck und Robert Schumann. Die Geschichte einer Leidenschaft in Dokumenten‹ (1983).

Lesebuch der Gruppe 47

Herausgegeben und mit einem Nachwort von
Hans A. Neunzig

Deutscher
Taschenbuch
Verlag

Zum 75. Geburtstag von Hans Werner Richter

Goethe-Institut Glasgow
WITHDRAWN
Glasgow G3 6AX
Telefon: 041-332 2555/6
830
(082)
LES
85/111

Originalausgabe
November 1983
Deutscher Taschenbuch Verlag GmbH & Co. KG,
München
Alle Rechte vorbehalten
Umschlaggestaltung: Celestino Piatti
Umschlagfotos: Antonie Richter, München
Gesamtherstellung: C. H. Beck'sche Buchdruckerei,
Nördlingen
Printed in Germany · ISBN 3-423-10246-2

Inhalt

Damals . . .
für Hans Werner Richter
– und in Erinnerung an die Gruppe 47

Damals,
als noch der Schutt
tausendjähriger Reiche,
getränkt mit Blut,
die Zukunft
begrub,
fand einer den Mut,
an die Kraft der Worte
zu glauben
und an den Trost
der Freundschaft.

Auf nichts gestützt
als auf sich selbst
und versehen mit Wechseln,
die nur Hoffnung deckte,
ermunterte er seinesgleichen,
zu sagen,
was sie litten
und nicht mehr zu leiden
gewillt waren.

HEINZ FRIEDRICH

Heinz Friedrich
Das Jahr 47

1947: ein intensiver Sommer, überfüllte Züge, winzige Fettrationen, internationale Konferenzen und enttäuschte Hoffnungen. Es wurde viel von Frieden gesprochen, von Menschenwürde und von Kollektivschuld. An den Bahnhöfen der großen Städte boten zwielichtige Gestalten Lucky Strike und Chesterfield zwischen fünf und sechs Mark das Stück an. Die Spruchkammern liefen auf vollen Touren, und Hunderttausende von deutschen Kriegsgefangenen warteten noch in amerikanischen, französischen, englischen und russischen Gefangenenlagern auf ihre Heimkehr. Wer damals die Wiederbewaffnung Deutschlands gefordert hätte oder die Auferstehung des Krupp-Konzerns, wäre eingesperrt worden: entweder ins Irrenhaus oder ins Gefängnis. In Berlin gab es noch keine Mauer; dafür tagte, wenn auch schon nicht mehr ganz einmütig, der Kontrollrat. In Frankfurt durfte sich unter der Obhut der westlichen Alliierten die Keimzelle einer innerdeutschen Selbstverwaltung etablieren: der Bizonen-Wirtschaftsrat. Die sowjetisch besetzte Zone nahm an diesem Wirtschaftsrat nicht teil – die Spaltung Deutschlands bereitete sich vor. Aber die Kommunistische Partei arbeitete noch legal in den westlichen Besatzungsgebieten. Am Sender in Frankfurt arbeiteten, von den Amerikanern eingesetzt, in führenden Positionen Hans Mayer, Stephan Hermlin und Golo Mann.

Elend in den Trümmerstädten. Ein Care-Paket aus Übersee, angefüllt mit Zucker, Reis, Fett, Schokolade, Kaffee und Zigaretten, war beneideter Reichtum, und mancher gab gern sein mühsam aus dem Bomben-Inferno gerettetes Meißner Porzellan gegen Butter und Fleischkonserven her. Der Schwarzhandel blühte und die Prostitution aus Hunger: eine Liebesnacht für ein halbes Kilo Brot war leicht zu haben. Unmöglich, sich vorzustellen, aus dem Schutt der Cities würden sich je wieder Versicherungspaläste, Kaufhäuser, Verwaltungsgebäude und Villen erheben. Wer ein Zimmer hatte mit gerissenen Wänden und halbverfaulten Tapeten, war froh. Ein Sessel mit Papierbezug schien höchster Komfort. Täglich wurden Flüchtlinge aus den polnisch besetzten Ostgebieten aus Güterzügen in die Trümmerlandschaft gespien. Die Familien rückten zusammen und schufen widerwillig Platz. Der Begriff »Flüchtling« wurde zu einem Schimpfwort, die deutsche Not entfesselte die niedrigsten Instinkte. Amerikas Perfektionismus, aus dem Elend angestaunt wie das Paradies, eroberte die Seelen und Gehirne; angebetet wie ein Götze, erschien er vielen Deutschen als die höchst erreichbare und erstrebenswerte Stufe menschlicher Entwicklung. Das »Volk der Dichter und Denker« begann zum kapitalistischen Materialismus zu pervertieren – der Grundstein zum Wirtschaftswunder wurde gelegt.

Man versucht sich zu erinnern, aber das Gedächtnis gibt nur Bruchstücke her: Bildfetzen und Impressionen aus einem quälenden Traum, den man frühmorgens mit kaltem Wasser abduscht. Den PKW in der Garage, im Wohnzimmer Television und Stereo-Anlage, den Grill und den Eisschrank in der Küche, fernbeheizt und abends französischer Cognac: aus dieser Perspektive wird die Not zur Legende. Grimms Märchen aus dem Jahr 47, den Kindern am flackernden Schwedenkamin erzählt.

Und staunend liest man in den alten, schon angegilbten Blättern, was sich damals eine politisch und menschlich schwer geprüfte Generation von der Seele schrieb – was man sich selbst von der Seele schrieb. Kein konformistischer Fraktionszwang, keine Rücksichten auf Cliquen oder einflußreiche Männer engten diese Texte ein. Man hatte nichts zu verlieren, man bewies Mut. Heute die Regierung zu kritisieren ist ein Kinderspiel, bei dem keiner etwas riskiert. Damals der Militärregierung am Zeuge zu flicken war höchst gefährlich – man mußte leiblich für die geäußerte Meinung einstehen, man konnte eingesperrt werden und überdies Schreib- und Redeverbot erhalten. Aber was galten diese Aussichten, was galten sechs Monate hinter Gittern angesichts der faszinierenden Chance, für eine geistige und politische Neuordnung zu plädieren, die dem zermarterten Kontinent Europa vielleicht eine Wiedergeburt schenken konnte? Die Fehler der Vergangenheit waren schwer; aber sollten wir sie vergebens durchlitten haben? Mußten wir nicht die Konsequenz daraus ziehen, durften wir schweigen, wenn bereits kurz nach dem Debakel des Zusammenbruchs von Siegern und Besiegten kurzsichtig die Schlingen gelegt wurden, in denen sich die Zukunft hoffnungslos zu verfangen drohte? Wenn eine Gruppe von Menschen nach dem 8. Mai 1945 das Recht – und vielleicht sogar die moralische Pflicht – hatte, sich zu Wort zu melden und mit dem Finger auf die Krebsschäden Europas hinzuweisen, dann war es die junge Generation der damals Zwanzig- bis Vierzigjährigen. Ihr war auf den Schlachtfeldern des

Zweiten Weltkrieges die Sinnlosigkeit des europäischen Bruderkrieges offenbar geworden und die fade Brüchigkeit einer haßerfüllten Propaganda, die Nationen aufeinanderhetzte. Ohne Illusionen kehrte sie heim aus den Drecklöchern der vier Himmelsrichtungen, die besten Jahre hatte sie an Vormärsche und Rückzugsgefechte, an Kesselschlachten und Bombenangriffe verschenkt. Die nationalen Phrasen waren dieser Generation ebenso verhaßt wie die verkitschten Schalmeienklänge einer Pseudohumanität oder der ideologisch-militanten Arbeiter-Internationale. Die Zwanzig- bis Vierzigjährigen wollten reinen Tisch machen mit der Vergangenheit, mit Ernst blickten sie voraus, mit Energie und kompromißlos forderten sie das vereinte Europa ohne nationale Ressentiments und ohne Vorurteile, ein Europa ohne Sieger und Besiegte, ein solidarisches Europa, das die Freiheit garantiert.

Die Hellsicht, mit der 1947 die Schriftsteller und Publizisten der jungen Generation die große (vielleicht einmalige) Chance Europas erkannten, mit der sie aber auch präzis die Ansatzpunkte einer falschen, kleinlichen, engstirnigen, egoistischen Entwicklung der Nachkriegspolitik aufspürten und demonstrierten, verblüfft den Leser von heute und mutet ihn an wie Prophetie. Aber diese Prophetie war realistische Erfahrung, realistische Einschätzung der Lage: sie war nichts anderes als das Ergebnis eines gesunden, durch Erfahrung noch hellhöriger gewordenen Menschenverstandes.

Können Dichter, können Publizisten die Welt verändern? Gottfried Benn hat einmal diese Frage gestellt und sie negativ beantwortet. Die Geschichte der jungen Schriftstellergeneration nach dem Zusammenbruch des Zweiten Weltkrieges scheint für diese pessimistische Antwort den Beweis anzutreten. So mutig diese jungen Publizisten auch auftraten, so wenig sie ein Blatt vor den Mund nahmen, so leidenschaftlich sie debattierten und anklagten: die Entwicklung schritt ignorant über sie hinweg, ja: sie riß sie mit. Zwar kapitulierten sie nicht vor der restaurativen Heraufkunft des Wirtschaftswunders, aber sie konnten dieser Entwicklung nicht mehr die kompromißlose, alles hinter sich lassende polemische Energie des Jahres 1947 entgegensetzen.

Im Jahre 1947 war eigentlich der Kampf der Jungen um eine geistige und politische Neuordnung unserer zerrütteten Nachkriegswelt schon verloren, die Wende war schon eingetreten. Sie war eingetreten mit dem Wechsel in der Herausgeberschaft der Zeitschrift ›Der Ruf‹ – einer Zeitschrift, die, verantwortet von Hans Werner Richter und Alfred Andersch, in Deutschland eine geradezu sensationelle Bedeutung gewonnen hatte. Mitten in der härtesten Besatzungsdiktatur und unmittelbar nach der bedingungslosen Kapitulation Deutschlands erhoben hier junge Deutsche ihre Stimme und forderten Gerechtigkeit und Wahrheit und Freiheit. Sie machten das allgemeine heuchlerische Phrasengedresch von Umerziehung und Besatzungsdemokratie nicht mit und verlangten mit Nachdruck (wobei sie keine publizistischen Glacéhandschuhe anzogen) nicht nur Gedanken-, sondern auch Bewegungsfreiheit. Sie brandmarkten die Politik der Sieger als vorgestrig, als kolonialistisch und als menschenunwürdig, kurz: als uneuropäisch. Zugleich aber erteilten sie, um allen Mißverständnissen vorzubeugen, den Revisionisten unter ihren Landsleuten ebenso deutliche Abfuhren. Und sie wiesen warnend auf die zukünftige Ost-West-Entwicklung hin, auf die Teilung Deutschlands und den endgültigen Verlust der Oder-Neiße-Gebiete. Aber die, an deren Adresse diese Warnrufe gerichtet waren, hielten sich die Ohren zu. Sie ärgerten sich, sie fühlten sich gestört – und es kam zum Zwist mit den ›Ruf‹-Herausgebern Andersch/Richter.

Die Entlassung der Herausgeber im März des Jahres 1947 ist ein wichtiger Einschnitt in der deutschen Nachkriegspublizistik. Die entschlossensten Schreiber verloren ihr Sprachrohr, ihre Stimme verlor an Kraft.

Nimmt es wunder, daß die jungen Schriftsteller und Publizisten nach dem Verlust des ›Ruf‹ eine neue Plattform suchten, auf der sie ihre Ideen vortragen konnten? Zunächst verhandelte Hans Werner Richter mit der Wochenzeitung ›Die Epoche‹ (die Ende 1947 durch Einspruch der amerikanischen Militärregierung das Zeitliche segnete) – aber an der Ignoranz der damaligen Lizenzträger scheiterte eine Zusammenarbeit. Dann wurde, einige Wochen später, auf einer denkwürdigen Autorentagung des Stahlberg-Verlages in Altenbeuern bei Rosenheim, ein neuer Plan geboren – ein Plan, der die Geburtsstunde der Gruppe 47 vorbereitete.

Der Stahlberg-Verlag, von Inge Stahlberg 1946 gegründet, hatte eine broschierte Buchreihe ins Leben gerufen, die unter dem Titel ›Ruf der Jugend‹ Arbeiten junger Autoren der Öffentlichkeit vorstellte. Auch heute noch ist die Lektüre dieser Reihe höchst aufschlußreich, obwohl die Texte strengen kritischen Maßstäben kaum mehr standhalten. Das Suchende, Eruptive, die formalistischen Unsicherheiten oder auch Manierismen der hier abgedruckten Arbeiten mindern nämlich nicht den schmerzlichen Ernst und die herbe Lebenserfahrung der jungen Schriftsteller, die, noch beeinflußt vom ästhetischen Diktat der jüngsten Vergangenheit, eine poetische Formel für die Gegenwart zu finden versuchten. Vom 25. bis zum 29. Juli 1947 versammelten sich nun auf dem Gut der Gräfin Degenfeld in Altenbeuern die vom Stahlberg-Verlag eingeladenen Autoren, darunter auch einige Mitarbeiter des ›Ruf‹. Rudolf Alexander Schröder, mit Gräfin Degenfeld befreundet und früher gemeinsam mit Hugo von Hofmannsthal und Rudolf Borchardt häufiger Gast in Altenbeuern, war, wenn man so will, der geistige »Schirmherr« der Tagung: er leitete sie ein durch ein wohlabgewogenes, verständnisvolles und zugleich sanft ermahnendes Referat zum Thema ›Vom Beruf des Dichters in der Zeit‹ – ein Referat, das die Zuhörer wohl ehrerbietig zur Kenntnis nahmen, dessen unrevolutionäre Weisheit jedoch manchen zu heimlichem Widerspruch herausforderte. Auch der gescheite, vielleicht ein wenig zu gelehrte und dunkle Vortrag von Heinrich Ringleb über den ›Dichter in der Zeit‹ machte wenig Furore, obwohl die darin vorgebrachten Gedanken und Einsichten sich heute, beim nochmaligen Lesen, schon von den Formulierungen her zumindest als bedenkenswert erweisen. An den Ausführungen, die ich selbst unter der ziemlich kecken Überschrift ›Meine Gedanken zur geistigen Lage der jungen Generation‹ vortrug, erhitzten sich die Gemüter. Es gab heftige Diskussionen, und die Tagung spaltete sich in zwei Lager. Die eine Partei vertrat, wenn man das in der überschauenden Rückerinnerung einmal so schematisch ausdrücken darf, eine reaktionäre poésie pure und verwahrte sich gegen das in dem Referat ausgesprochene Engagement für den Gegenwartsbezug der Dichtung. Auch der revolutionäre Elan wurde gerügt. Die andere Partei, es waren die Autoren, die dem einstigen ›Ruf‹ nahestanden, schlugen sich auf die Seite des Referenten und erregten sich über die Unaufgeschlossenheit und Weltfremdheit der Diskussionsgegner, deren Ästhetizismus ihnen verdächtig erschien.

Unter einem Apfelbaum lagerten wir uns dann in einer Mittagspause um Hans Werner Richter. »Wir müßten den ›Ruf‹ wiederhaben«, meinte Richter. Aber den konnten wir nicht wiederbekommen. »Wir müssen eine neue Zeitschrift gründen«, sagte Richter. Alle pflichteten bei. »Eine literarische Zeitschrift, in der wir unsere Arbeiten vorlegen, in der wir diskutieren können«, fuhr Richter fort. »Übrigens«, setzte er noch hinzu, »ich finde das gar nicht so dumm mit dieser Tagung. So was sollte man öfter machen. Manuskripte vorlesen, diskutieren – da kommt was dabei heraus. Nur die richtigen Leute müssen zusammenkommen – das hier ist zu gemischt.«

Ilse Schneider-Lengyel, glückliche Besitzerin eines kleinen Häuschens am Bannwaldsee nahe Hohenschwangau im Allgäu, machte den Vorschlag, das Autorentreffen dort, allerdings unter sorgsamer Auswahl der Gäste, zu wiederholen. Richter fand diesen Vorschlag großartig; wir könnten dann auch gleich, so meinte er, über unsere neue Zeitschrift diskutieren.

So kam es zur ersten Tagung der Gruppe 47, die damals noch nicht Gruppe 47 hieß. Der Name stammt von Hans Georg Brenner, und er wurde erst nach dem Treffen am Bannwaldsee erfunden. Als Richter im September 1947 einlud, dachte niemand an Gruppenbildung. Wir wollten die Zeitschrift vorbereiten und uns bei dieser Gelegenheit ein paar neue Arbeiten vorlesen, die vielleicht für den Abdruck infrage kämen.

Nun, der Anmarsch nach Bannwaldsee war recht beschwerlich, nur wenige der eingeladenen Autoren konnten erscheinen. Aber immerhin traf sich am Bahnhof in Weilheim, nach zermürbender Anfahrt von München her (wir wurden ins Abteil gepreßt wie Räucherheringe in die Holzkiste), ein Häuflein unentwegter Literaten, um schäbige Koffer, zerkratzte Aktentaschen und Rucksäcke in den Omnibus nach Hohenschwangau umzuladen. Aber der fahrplanmäßige Omnibus war besetzt, und der Sonder-Omnibus, der für uns bereitstehen sollte, kam nicht. Was tun? Walter Maria Guggenheimer, dessen bayerisches Idiom uns für Verhandlungen mit dem Omnibusfahrer besonders geeignet erschien, konnte mit seinem folkloristischen Charme auch nichts ausrichten. Schließlich brachen Wolfdietrich Schnurre und Walter Guggenheimer auf, um in der Stadt ein Auto aufzutreiben. Sie kamen nach etwa einer Stunde zurück mit einem schrecklich stinkenden Holzgas-LKW, auf dem nun die literarische Reisegesellschaft höchst unliterarisch und mit schwarz rauchendem Holzgas-Schornstein hügelauf, hügelab durchs Alpenvorland geschaukelt wurde: Wolfgang Bächler, Maria und Heinz Friedrich, Dr. Guggenheimer, Isolde und Walter Kolbenhoff, Nicolaus Sombart, Toni und Hans Werner Richter, Wolfdietrich Schnurre, Freia von Wühlisch, Walter Hilsbecher, Friedrich Minnsen, Franz Wischnewsky, Heinz Ulrich, alle ehemalige Mitarbeiter des ›Ruf‹.

Am idyllischen Bannwaldsee angekommen – nachbarlich

grüßte die Avantgardisten König Ludwigs Traumschloß Neuschwanstein –, begann zunächst eine gründliche Säuberungsaktion. Die Fahrt im offenen Wagen hatte deutliche Spuren hinterlassen: rußgeschwärzt, staubgrau und mit schmerzenden Gliedern sprangen wir von der LKW-Pritsche. Nackt – die meisten hatten kein Badezeug mit – tummelten wir uns im See: abgemagerte Figuren, die für eine Stunde die Illusion unbeschwerter Ferienfreuden genossen.

Es ist heilsam, rückschauend dieser Einzelheiten wieder zu gedenken – Einzelheiten, die angesichts flotter Wagenparks vor den späteren Tagungsstätten der Gruppe 47 wie eine rührende Legende anmuten. Aber was galt damals die Bequemlichkeit eines Hotelzimmers mit Bad oder die Reise im eigenen Auto? Man wollte sich treffen, man wollte miteinander reden, man wollte sich zu gemeinsamer Aktion zusammenschließen ohne den Glanz illustrer publicity. Die Aufgabe war stärker als der persönliche Ehrgeiz, und die menschliche Freundschaft verdrängte den Gedanken an das literarische Geschäft. Man nahm gern die Strapazen einer Vorwährungsreise auf sich, man nahm die Unbequemlichkeiten eines Nachtlagers in freundlichen, aber überbelegten Nachtquartieren hin um den Preis einer intensiven und produktiven Diskussion.

Intensiv und produktiv waren die Diskussionen in Bannwaldsee. Wir hockten völlig unkonventionell in Ilse Schneider-Lengyels Stube auf dem Fußboden, rauchten nicht immer wohlriechendes Tabaksgewächs und lasen unsere Arbeiten vor. Hans Werner Richter, ohne Zuruf auf selbstverständliche und sympathische Weise primus inter pares, leitete die zum Teil hitzigen Auseinandersetzungen mit humoriger Überlegenheit, und was den Debattanten an spitzfindiger Formulierungsgabe mangelte, wurde durch freundschaftliche Offenheit ausgeglichen. Keiner nahm dem anderen etwas übel, denn man war sich einig in der gemeinsamen Zielsetzung: der deutschen Literatur aus dem Geiste der jungen Generation eine neue, realistische, von falschem Gefühlsüberschwang befreite Perspektive anzuzeigen.

Gewiß: auch die in Bannwaldsee vorgelesenen Arbeiten waren keine Meisterwerke eines neuen Stils, sie waren unvergoren, unreif und zum Teil sogar dilettantisch. Aber sie waren ehrlich, sie verabscheuten formalistische Spielereien und versuchten, dem Menschen inmitten einer Welt der zerbrochenen Werte und der verlorenen Illusionen einen verläßlichen Standort zuzuweisen. Daher wurde in Bannwaldsee auch viel energischer über den Inhalt der Texte als über deren formale Qualitäten gesprochen.

Der intime Stil dieses Treffens hat, obwohl er späterhin nie wieder erreicht wurde, als Ferment alle Tagungen der Gruppe 47 ausgezeichnet und letzten Endes den Bestand dieser literarischen Gemeinschaft trotz voreiliger Nekrologe für zwei Jahrzehnte garantiert. Autoren, die später zur Gruppe 47 hinzustießen, ordneten sich diesem Stil widerspruchslos unter; manche bereicherten ihn um neue Impulse, manche versuchten ihn aufzubrechen. Aber das Fluidum von Bannwaldsee war nicht umzubringen. Selbst die Monstre-Veranstaltung der Gruppe 47 in Aschaffenburg (Herbst 1960), an der weit über hundert Personen teilnahmen und Rundfunkmikrophone Lesungen und Diskussionen einfingen – selbst diese Umkehrung der ursprünglichen Konzeption konnte die Gruppe 47 nicht zersprengen.

Das Ergebnis von Bannwaldsee klingt nicht sensationell: man wurde sich einig, eine Probenummer für die neue Zeitschrift auszuarbeiten und auf dem nächsten Treffen, das recht bald stattfinden sollte, zur Diskussion zu stellen.

Dieses nächste Treffen fand am 8. und 9. November 1947 in Herrlingen bei Ulm im Haus von Hanns Arens und seiner Frau Odette Arens statt – und zwar mit einem Teilnehmerkreis, der die kleine Gruppe von Bannwaldsee eindrucksvoll erweiterte. Hans Werner Richter legte die Probenummer der neuen Zeitschrift vor, die ›Skorpion‹ heißen sollte (heute eine publizistische Rarität) und die im Impressum den Stamm der Gruppe 47 vollzählig verzeichnete.

Denn eine Gruppe 47 gab es inzwischen. Hans Georg Brenner hatte ihr – wie schon vermerkt – den Namen gegeben, und Hans Werner Richter, fasziniert von der Idee einer Schriftstellergemeinschaft ohne Vereinsstatus und ohne Generalsekretär, wurde ihr Begründer.

Die Zeitschrift ›Skorpion‹ aber erschien nie. Zunächst gab es Lizenzschwierigkeiten, und als diese Schwierigkeiten überwunden waren, brach eine schlechte Zeit an für Blätter dieser Art: die Währungsreform zerstörte alle Hoffnungen.

Aber die Gruppe 47, einmal etabliert, bestand auch ohne Zeitschrift fort, und ihre Tagungen waren – obwohl die Initiatoren nun schon die Vierzig oder gar die Fünfzig überschritten – jeweils interessante Bekundungen der jungen deutschen Literatur.

Man mag die Geschichte der Gruppe 47 beurteilen wie man

will: als gescheiterten Versuch, Publizistik und Literatur zu einer geistig-politischen Aktionseinheit zu verschmelzen, als literarische Cliquenwirtschaft oder als fröhliche Schreibkumpanei – folgenlos geblieben ist sie nicht. Sie mit der deutschen Nachkriegsliteratur schlechthin zu identifizieren, wäre allerdings Hochstapelei. Aber die Tatsache, daß es die Gruppe 47 gab, hat zweifellos die deutsche Literatur nach 45 beeinflußt. Auch die Autoren, die ihr nicht nahestanden, nahmen zumindest von ihr Kenntnis oder setzten sich mit ihr auseinander. Allerdings war die Auseinandersetzung nicht einfach, denn die Gruppe 47 ließ sich weder ideologisch noch stilistisch festlegen. Dank Richters exemplarischer Toleranz war das Spektrum der Autoren, die er im Laufe zweier Jahrzehnte einlud, breit und bunt: Es reichte von Böll und Grass bis zu Ingeborg Bachmann und Paul Celan, von Walter Jens und Martin Walser bis Peter Handke und Barbara Frischmuth, von Wolfgang Hildesheimer bis Hans Magnus Enzensberger – um nur ein paar Namen willkürlich aus der langen Namensliste herauszugreifen.

Vielleicht hat die Gruppe 47 Schriftsteller wie diese nicht geprägt, aber sie haben die Gruppe 47 geprägt. Durch sie wurde die Gruppe das, was sie werden konnte: ein Ort, an dem die deutsche Nachkriegsliteratur mit sich selbst ins Gespräch kam. Seit den Tagen der Romantik gab es wohl keinen Abschnitt der Literaturgeschichte, in dem das Epochengespräch mit ähnlicher Intensität und in einem so großen Kreis von zeitgenössischen Schriftstellern geführt wurde wie hier in den Jahren zwischen 1947 bis 1967 – und darüber hinaus. Es währt unter denen, die damals »dabei« waren, bis heute ...

Guntram Vesper
Eingeladen meiner Hinrichtung beizuwohnen: Pulvermühle 1967

Eines alltäglichen Junimorgens liegt ein Brief im Kasten, aus Berlin oder München: Hans Werner Richter hat dir geschrieben. Du liest die zehn, allenfalls fünfzehn handschriftlichen Worte: ...wenn Sie lesen wollen, hier die Einladung ...schreiben Sie, ob Sie wollen oder nicht! Du greifst zur Zeitung und willst deinen Morgenkaffee fortsetzen; aber du kommst nicht recht zur Ruhe, untersuchst das Kuvert und findest einen bunten Prospekt: Gasthof und Pension Pulvermühle, 8551 Waischenfeld Fränkische Schweiz. Du schaust dir auch das Foto an: solide Gebäude aus deutscher Feudalzeit: in denen wirst du also drei Tage zubringen: wie? Aber als du auf der Rückseite des Zettels Verse findest, wächst deine Zuversicht; auch der Wirt ist ein Dichter: Hast du satt das Weltgewühle,/dann reise in die »Pulvermühle«/hier kann der Gast in frohen Stunden,/als Mensch in der Natur gesunden«, schreibt da der Kaspar Bezold. Die Interpunktion will dir altfränkisch erscheinen. Du ziehst die Hülle von der Olivetti und bittest gruppenerfahrene Bekannte um Rat und Tat. Innerhalb einer Woche weißt du dann, daß du Prosatexte, besser Gedichte, am besten beides oder am allerbesten gar nichts vorliest, daß du zurückhaltend auftreten sollst, nein, auf den Putz hauen, am besten gar nicht hinfahren. Und du fragst dich: bei welcher Gruppe war denn der, und wo hat eigentlich der vorgelesen? Alle dagegen sagen dir: die Kosten trägt jeder selbst. Und gleich machst du dich auf den Weg, willst hundert Mark borgen, so viel, schätzt du, wird ein Debüt kosten (und es stimmt).

Dann ist es soweit, der 5. Oktober ist angebrochen: ein windiger Donnerstag, weiß Gott. Ich habe lange geschlafen, jetzt stopfe ich den Schlafanzug in die neue Reisetasche (Wildbison, sagte der Verkäufer, das hält ein Leben lang; seis drum, in Waischenfeld beginnt die Amortisation). Ich nehme die Manuskripte vom Schreibtisch, ich habe mich nun doch für Gedichte entschieden, habe in zwei Tagen fünfzehn gruppenfeste Stücke geschrieben, wie immer wars fünf vor zwölf, als ich anfing. Nach dem Mittagessen eile ich im geborgten Opel Rekord Baujahr 63 der Autobahn zu, biege mit quietschenden Reifen in die

Auffahrt ein und fange auch schon an, die Lastwagen nach rechts zu pflügen: eine Wohltat die Lichthupe. Ich durchmesse germanische und andere Kernlande, herbstliche Wälder, Spessart und was weiß ich; von hier ist mancher aufgebrochen: Ostland, Westmark, Nordmark, Tripolis, jetzt bin ich an der Reihe und am Drücker. In der Raststätte Würzburg einen Kaffee, schnell schnell, es dämmert, und Grass ist vielleicht vor mir da. Später dann ist für mich die Autobahn zu Ende, Forchheim kommt in Sicht, wird umfahren; überall gleich, diese Stadtränder: mittelgroße Betriebe, Hitler-Siedlungen, Tanklager, Gasometer: hier hat die Zivilisation sich übergeben. Ich säge mich in Täler, weiß die Straßen von Bächen begleitet, von überhängenden Felsen bedroht: vorwärts vorwärts, Goethe jedenfalls war langsamer gen Italien. Anscheinend komme ich dem Ziel näher; vor mir fährt ein Ford aus München, hält an jedem Einzelgehöft, sucht auch die Pulvermühle. Endlich hängt eine Leuchtreklame in den Bäumen, führt eine Bohlenbrücke nach rechts und ins wahrhaft Ungewisse, drauf ein breitschultriger Mann, in der Hand ein Schild: Gaststättenbetrieb geschlossen. Er will mich nicht passieren lassen: Soldat an der Wisent; durchs aufgekurbelte Fenster wird er besiegt: mit stählernem Blick und schnarrender Stimme kommst du auch in der Provinz voran. Ich rangiere zwischen einen Citroën aus Frankfurt (Unseld von Suhrkamp, wie ich später erfahren werde) und einen R 4 (Rolf Haufs aus Berlin). Ich komme in die Pulvermühle, rechts steht die Theke, im Hintergrund tut sich ein weiter Raum auf: Grass, das erkenne ich bald, war nun doch vor mir da, er ißt schon Abendbrot; Härtling trinkt Bier, Walser gestikuliert, Lettau schweigt (noch). Hinter einem Tisch hat sich Hans Werner Richter, aus Bansin auf Usedom gebürtig, wo ich mal sechs Wochen im Zeltlager gewesen bin, verschanzt; er trägt braune Haut aus Samarkand und Freundlichkeit unter die Leute, nebenbei verteilt er die Zimmer. Ich stelle mich vor (aha der, wird er denken, so sieht der also aus, naja). Mit Auto, fragt er. Ja, sage ich. Einzelzimmer? Ja (nachts, denke ich, löst sich die Gruppe wohl auf, da will auch ich meine Ruhe haben). Dann also die Sonne unten im Ort. Prima, sage ich und fädle mich gleich drauf aus der Lücke zwischen Unseld und Haufs. Die Sonne ist alt, so alt müßte eigentlich verboten sein: aber dann doch wieder recht gemütlich das Zimmer Nummer eins: die Bauernstube, die ich beziehe.

Abendessen in der Pulvermühle: setzen Sie sich hin, wo Platz ist, sagt Hans Werner Richter und gibt mir einen aufmunternden Stoß. Blindlings gerate ich an den Tisch mit dem Preisträger vom letzten (bacchantisch: Peter Bichsel) und dem von diesem Mal (Jürgen Becker; aber der weiß noch nichts von seinem Glück). Ich esse gekochten Schinken und trinke Bier (bitter, bitter! und alles dann: teuer, teuer!). Bekannte Gesichter heben sich ab: Hans Bender lächelt, Karsunke vom ›kürbiskern‹ aus München begrüßt mich, ich spreche mit Tsakiridis. Es wird spät. Nachts schrecke ich aus dem Schlaf: ich habe geträumt, der Gang sei nicht drin gewesen und das Auto vom Parkplatz in die Wisent gerollt. Ich träume sonst nie.

Freitagmorgen gegen Zehn versammelt sich alles: Schriftsteller, Dichtersfrauen, Journalisten und Hunde (nur die Leute vom Fernsehen müssen auf dem Hof bleiben) im großen Saal. Richter sitzt unter Girlanden und bunten Glühbirnen vom letzten Tanzabend vor dem Podium; zu seiner Rechten schweigt der »elektrische Stuhl«, er wird auch später nie knarren. Dann hebt das Ballett der Debütanten, Arrivierten, Geheimtips, der Verlegerschaustücke und Streber an, wird mittags kurz unterbrochen, setzt sich bis zum Abend fort: viel wird einem zugemutet, man nimmt es hin, und gerne. In der Magengegend ein flaues Gefühl: vegetatives Nervensystem, die massenhaften Zigaretten. Du weißt nicht, wann du aufgerufen wirst, du wartest, es bekommt dir nicht, aber du hast es so gewollt, hast hundert Mark angelegt: also bleib sitzen.

Anderntags konzentrierst du dich am besten auf die Texte. Die Namen sind bekannter, die Texte farbiger, die Lesungen geschulter geworden. Zwischendurch wird die Resolution gegen Springer diskutiert: hundert Schriftsteller verderben den Text, achtzig unterschreiben. Als der Schwede Gustafsson in seiner Erzählung gerade den Falken loslassen will (wem ist Bakunin wohl im Zug begegnet; ich werde es nie erfahren), drängen sich Marschmusik, Lautsprecherworte in jedermanns Ohr: Unruhe im Saal. Man dreht den Kopf zur Tür, auf geht sie, ein tritt der große kleine Augstein. Lachen, Entspannung. Augstein setzt sich, Gustafsson setzt an fortzufahren. Auf geht die Tür: ein Fremder! Einer, der nicht dazugehört, jung, dick, mit ernstem Gesicht geht er durch den Mittelgang, um den Hals ein Schild: hier tagt die Familie Saubermann. Richter geleitet ihn hinaus,

Luftballons platzen. Die Gruppe tröpfelt auf den Hof. Wir sehen uns dem SDS gegenüber, kubanische Konfrontation, aber wer ist wer? Die Freunde fordern: Preis der Gruppe für Hans Günter Wallraf, verkünden: lieber tot als Höllerer, verlangen: Resolution gegen Springer. Lettau verliest vor dem Mikro unseren Text: Genossen! Der SDS zeigt sich betroffen, faßt sich dann, einer ruft durchs Megafon: so ganz befriedigt uns das doch nicht. Aber die Dichter haben ihre Arbeit getan. Mögen jene sie fortsetzen. Rückzug ins Haus, allgemeines Kaffeetrinken im Wintergarten, wer Lust hat, kann sehen, wie im Garten ›Bild‹-Zeitungen verbrannt werden.

Das Fest zum 20. Jahrestag der Gruppenbildung findet uns vier Stunden später alle wieder im Saal; eine Beat-Band macht aus uns etwas, das könnte auch ein Kegel-, Schützen-, Taubenzüchter-Verein sein. Augstein trinkt viel Bier, Walser ist von der Politik noch nicht losgekommen (wieso auch?). Grass hat seinen Ärger über Lettau vergessen und tanzt Shake, Hans Werner Richter ist auch hier die Seele vonnet Jantse, Erich Fried eilt, Papiere unter dem Arm, von Tisch zu Tisch, und Reich-Ranicki lacht diabolisch. Es dauert dies bis zum Morgen; man hat sich privatisiert, Literatur ist erst anderntags, sonntags, wieder gefragt.

Du hast verschlafen und hastig gefrühstückt und wärst beinahe im Auto geblieben, weils keinen Parkplatz mehr gab und: heute passiert *es*, aber dann sitzt du doch auf dem harten Stuhl in der Reihe, schon wieder eine Zigarette in der Hand, warum auch nicht, hast doch Quadronal genommen. Und Hans Werner Richter nickt lächelnd in deine Richtung, du denkst, er meint Walser schräg hinter dir, aber nein: dich.

Also doch. Ich stehe auf und gehe die Gasse lang, in der Jackentasche die Gedichte; sechs zu lesen, ist mir gesagt worden, sei vornehm. Ich lese fünf. Das erste Stück schließt mit der Zeile: hier lebte Marx für Historiker und Biografen; die Weiche muß eingangs gestellt werden, find ich. Einmal glaube ich, eine Zeile ausgelassen zu haben. Schließlich bin ich am Ende. Hans Werner Richter fordert zur Diskussion auf. Schweigen. Das, denke ich, kann mir als Schlimmstes begegnen (vorgekommen ist es auf dieser Tagung öfter). Fried bittet um nochmaliges Lesen. Ich lese. Fried lobt. Rühmkorf lobt, Höllerer lobt, Karsunke lobt: kluge Sachen werden gesagt, die ich, dort vorn neben Richter sitzend, nicht verstehe und auch nicht behalten habe. Aber schon meldet sich Grass und findet schlecht, daß ich vorher wisse, was ich schreiben wolle; Reich-Ranicki, mir vis-a-vis, meldet sich ebenfalls, steht auf, legt los: der frühe Erich Weinert. Und auch sonst, sagt er, habe er Ähnliches schon hundert Mal in der DDR-Lyrik gelesen. In der Pause will Höllerer mein Gedicht geschrieben sehen, Rühmkorf rät, die Texte an ›konkret‹ zu schicken, Unseld begrüßt mich, mit Piper ergibt sich ein Gespräch. Jetzt könnte ich abfahren. Aber erst bekommt Becker noch den Preis und Glückwünsche, dann hebt die Verabschiedung an; endlich gehts in Richtung Forchheim durch die Täler; ade Kaspar Bezold, ich begegnete dir nachts auf dem Hof und hielt dich für einen Schriftsteller und fragte nach dem Klo: lebe wohl, und vielleicht sehen wir uns wieder, dann ohne Gruppe. Abends bin ich wieder zu Hause. Wie, fragt mein Diener, ists gewesen? Ach wissen Sie, sage ich, es war menschlich, ja das: menschlich wars.

Hans Werner Richter
Günter Eich

Er war bescheiden, zurückhaltend, jemand, der ihn nicht genau kannte, hätte gesagt, »ein stiller Mensch«. Sein Gesicht war auf den ersten Eindruck nichtssagend, das Gesicht eines Lehrers vielleicht, eines Oberlehrers. Niemand konnte ahnen, was sich dahinter verbarg. Ich wußte fast nichts von ihm, nichts von seinem Leben vor dem Krieg und während des Krieges, nichts von seiner Jugend, seiner Kindheit. Es hat mich auch nicht interessiert, und ich habe nie danach gefragt. In dieser Zeit, wenige Jahre nach dem Krieg, war es unwichtig. Ich hatte einige seiner Kriegsgefangenengedichte im ›Ruf‹ abgedruckt. Der Schriftsteller Horst Lange hatte mich auf ihn aufmerksam gemacht. Dort hinten in den oberbayerischen Bergen, so sagte er, sitzt ein begabter Lyriker. Ob er mir nicht einmal einige seiner neuesten Kriegsgefangenengedichte schicken dürfe. So lernten wir uns kennen. Die Gedichte erschienen im November 1946 im ›Ruf‹. Aus der ersten Begegnung entstand eine lange Freundschaft, die viele Jahre bestand. Eines Tages kam er zu mir und schlug mir eine Stadt als Tagungsort der Gruppe 47 vor. Es war eine kleine Stadt, und sie hieß Marktbreit. Sie sei, sagte er, etwas abgelegen, dort seien wir ganz unter uns. Ich war damit einverstanden, wollte aber die Stadt vorher kennenlernen. So fuhren wir beide im März 1949 nach Marktbreit.

Wir fuhren mit einem Personenzug, der auf jeder Station hielt. D-Züge dorthin gab es nicht, oder noch nicht. Wir mußten zweimal umsteigen. Alles um uns herum war noch geprägt vom Krieg und von den ersten Nachkriegsjahren. Wir saßen in einem Dritter-Klasse-Abteil auf geschwungenen Holzbänken, und er sprach von seiner Frau, die gerade gestorben war, wenige Tage zuvor, was ich erst jetzt erfuhr. Ich hatte seine Frau nur zweimal gesehen, und jedesmal hatte mich ihr Anblick erschreckt, etwas Verfallenes, Hexenartiges war von ihr ausgegangen, ihre viel zu langen Fingernägel gaben ihren nervösen Händen etwas Krallenartiges, ihre Augen flackerten leicht, wenn man sie ansprach, und ihre Antworten waren stockend, mehr geflüstert als gesprochen und oft unverständlich. Mir wurde nicht ganz klar, wie sie gestorben war. Aber ich saß ihm gegenüber und hörte ihm zu. Sie war morphiumsüchtig, sagte er; und nach und nach erfuhr ich die Geschichte dieser Ehe. Er hatte sehr gelitten, mehr vielleicht, als er mir eingestand. Immer wieder war er gezwungen gewesen, Morphium zu beschaffen, dabei sei er die schwierigsten Wege gegangen, immer wieder habe er sich erniedrigen müssen. Er erzählte mir nicht alles, und alles war wohl auch nicht erzählbar. Er schwieg zwischendurch, oft eine halbe Stunde lang und sah zum Fenster hinaus, er wollte das alles nicht aussprechen, und mußte es doch erzählen.

Ich erfuhr nicht, woher er diese Frau kannte, wie und wo er sie kennengelernt hatte, was er erzählte, waren immer nur Wiederholungen, anders formuliert, über ihre Interessen, über ihre Art, sich zu geben, über ihre Forderungen und ihre Verzweiflungen, über ihre Selbstmordabsichten, wenn sie unter Morphiumentzug leben mußte. Dies habe ihn veranlaßt, sich immer erneut auf die Suche nach Rezeptquellen zu machen, ja, sie habe ihm auch leid getan, nie habe er es mit ansehen können: diese Krämpfe, dieses ganz und gar Außer-sich-Sein; aber manchmal frage er sich heute, ob er sie überhaupt geliebt habe.

Er sprach mehr zu sich selbst, mehr zum Abteilfenster hinaus, nur hin und wieder kam sein Blick zu mir, streifte mich flüchtig und verschloß sich gleich wieder. Einmal sagte er: »Entschuldige, daß ich dir das alles erzähle, es wird dich gar nicht interessieren, und eigentlich wollte ich es dir auch nicht erzählen.«

Ich weiß nicht mehr, was ich darauf geantwortet habe, wahrscheinlich habe ich gesagt: »Es interessiert mich sehr« oder etwas Ähnliches. Ich war befangen und empfand etwas wie Unbehagen, das ich zu unterdrücken versuchte, ich spielte den Gleichgültigen und den zugleich Interessierten und gab mir Mühe, mitfühlend zu wirken.

Ich versuchte, mir das alles vorzustellen, sein Leben in diesen Nachkriegsjahren, in einem kleinen Zimmer, einem zerbombten Haus, in alten verschlissenen Möbeln, mit dieser kranken, süchtigen Frau, arm, ohne Geld, und immer auf der Suche nach Morphium. Er schwieg jetzt, schwieg lange, als bereue er es nun, gesprochen zu haben. Der Zug, so schien mir, fuhr immer langsamer, blieb unnötig lange auf den Stationen stehen und zuckelte dann weiter.

Es war Nachmittag, als wir in Marktbreit ausstiegen. Das Bahnhofsgebäude sah verwittert aus, als sei es aus der Kaiserzeit übriggeblieben. Alles wirkte trostlos auf uns, die fast leeren Straßen, die vereinzelten Pferdefuhrwerke, die niedrigen Häuser. Wir blieben vor dem Bahnhofseingang stehen, es regnete leicht, und wir wußten nicht, wohin wir gehen sollten, natürlich zum Marktplatz, ins Rathaus, in irgendeinen Gasthof, aber wir hatten plötzlich keine Lust mehr. Er stand mir gegenüber, sein Gesicht nicht weit von dem meinen entfernt, und plötzlich liefen Tränen über sein Gesicht, er sagte, er stammelte es fast: »Sie hätte nicht sterben müssen, nein, das hätte sie nicht.« Er weinte, und für einen Augenblick schien er mir völlig verzweifelt, er gab sich die Schuld am Tod seiner Frau, er hätte sie aus der Anstalt zurückholen müssen, wohin er sie wenige Wochen vor ihrem Tod gebracht hatte, er hätte anders handeln müssen, ganz anders, er bezichtigte sich der Schuld und wartete doch gleichzeitig auf eine Antwort von mir. Ich versuchte, ihn zu beruhigen, jetzt empfand ich echtes Mitgefühl für ihn, ja, ich wollte ihn trösten, mußte ihm darüber hinweghelfen, bevor wir in die Stadt gingen. Es fiel mir schwer, sehr schwer, ich sagte etwas von der Unabwendbarkeit des Schicksals, er hätte sie nicht retten können, er sei völlig schuldlos. Es waren Worte, Allgemeinplätze, die jeder hätte sagen können, doch er beruhigte sich, vielleicht waren es gerade diese nichtssagenden Worte, die er in diesem Augenblick brauchte. Er sagte: »Entschuldige, komme ich dir nicht zu sentimental vor?«, und ich antwortete: »Nein, nein«, und dann gingen wir in die Stadt.

Wir fanden alles, was wir suchten, einen großen Gasthof, in dem alle wohnen konnten, und ein seltsames, fast mittelalterliches Gebäude, der Rest einer ehemaligen Burg vielleicht, das Rathaus, mit einem Turm, der ganz oben einen großen Raum besaß, in dem wir tagen konnten. Der Raum nannte sich »das Hochzeitszimmer«. Das Rathaus stand gleich neben dem Gasthof, nur ein paar Schritte entfernt, eine ausgetretene Wendeltreppe führte in dem Turm zum »Hochzeitszimmer« hinauf. Nachdem ich mir das alles genau angesehen hatte, schien mir das Ganze außerordentlich gut für uns geeignet.

Wir fuhren noch am selben Tag zurück, aber wir sprachen nicht mehr von seiner gerade verstorbenen Frau.

Vier Wochen später trafen wir uns alle in dem Gasthof. Ich weiß heute nicht mehr, wer alles an der Tagung teilnahm, aber die Zimmer reichten gerade aus, ja, wir besetzten den ganzen Gasthof. Alles war noch ein wenig primitiv. Es gab noch kein fließendes Wasser in den Zimmern, und um die Toilette zu finden, mußte man durch das halbe Haus rennen. Bier gab es noch nicht, dafür aber ein Getränk, das sich Molke nannte. Es schmeckte entfernt nach Bier, hatte aber kaum etwas mit richtigem Bier zu tun. Alle waren mit der Eisenbahn gekommen, und einige sahen aus, als hätten sie sich die ganze Strecke erwandert. Autos hatten wir zu dieser Zeit alle noch nicht. Niemandem sah man die Strapazen an, die er auf sich genommen hatte, um hierher zu kommen. Sie alle waren ja Strapazen gewöhnt und scheuten sie nicht.

Wie wir den ersten Abend in dem Gasthof verbracht haben, ist mir nicht mehr bewußt, ich erinnere mich nur, daß wir sehr fröhlich waren und voller Neugier auf den nächsten Tag. Günter Eich war schon vor mir gekommen, er war gut gelaunt und hatte wohl Abstand zum Tod seiner Frau gewonnen, so daß er wieder lachen konnte. Gewiß, er lachte selten offen und laut. Sein Humor war hintergründiger, ein schwarzer Humor, fast könnte man sagen, eine Art leiser Humor, der manchmal anarchische Züge annahm. Er las am nächsten Tag ein paar Gedichte. Seine Stimme veränderte sich, sobald er zu lesen begann. Sie zu beschreiben fällt mir schwer. Es war der leicht schwebende Ton, ein Klang voll wissender Trauer, ich möchte sagen, die Stimme selbst war poetisch. Es gab nur wenige Autoren, die ihre Gedichte so eindrucksvoll lesen konnten. Er hatte auch an diesem Tag Erfolg wie immer. Auf seine Lesung folgten ein paar Minuten zögerndes Schweigen, bis sich der eine oder der andere zu Wort meldete. Es war keine Weihestunde, das war es nicht, mit einem solchen Verhalten hätte man ihn wohl gekränkt. Auch er liebte den rauhen und radikalen Ton, der unter uns herrschte.

Ein Jahr zuvor, in Jugenheim, war er auf eine seltsame Idee gekommen, er las, mit meiner Einwilligung, einige Gedichte von Droste-Hülshoff, von Theodor Storm und von Emanuel Geibel vor, und wir gaben sie als Gedichte junger Autoren aus, die man mir eingeschickt habe. Nach einem verblüfften sehr langen Schweigen sagte einer: »Merkwürdig, mir kommen die Gedichte seltsam verstaubt vor. Oder irre ich mich.« Die Namen wurden genannt, und Günter Eichs Auftritt endete in einem allgemeinen Gelächter. Mir ist dabei nicht klar geworden, ob er sich über die anderen lustig machen oder ob er nur ihre kritischen Fähigkeiten prüfen wollte.

Doch zurück zu Marktbreit. Dort saßen wir, drei Tage lang, in dem Turmzimmer, das sich »Hochzeitszimmer« nannte, lasen, kritisierten und diskutierten. Das Zimmer war holzgetäfelt, ein paar alte Stühle, ein kleiner Tisch, ein verschlissenes Sofa, das war alles. Die meisten hockten auf dem Boden oder in den

Fensternischen, stundenlang, es störte sie nicht. Ich weiß nicht mehr genau, wer dort alles gelesen hat, Alfred Andersch war dabei, Wolfgang Bächler, Ilse Schneider-Lengyel, Walter Kolbenhoff, Nicolaus Sombart. Die Kritik gefiel mir nicht sonderlich. Es schlich sich ein gereizter, leicht hämischer Ton ein, den ich zu unterdrücken versuchte, was mir aber nicht immer gelang. Der Ton ging von einem Mann aus, den ich leichtsinnigerweise eingeladen hatte, einem protestantischen Pastorensohn, der sich für einen bedeutenden Kritiker hielt. Es gelang mir nicht, ihn zum Schweigen zu bringen. Die anderen reagierten darauf nun ebenfalls gereizt. Einige fühlten sich gekränkt, beleidigt, mißverstanden. Das »Hochzeitszimmer« nahm zeitweise einen explosiven Charakter an. Es sah aus, als würde ich diese Tagung nicht gut zu Ende bringen. Die allgemeine Nervosität und Gereiztheit wurde jede Viertelstunde auch noch von dem dröhnenden Klang der Turmuhr unterbrochen und gleichzeitig erhöht, ein Glockenklang, bei dem man seine eigene Stimme nicht verstand.

Manchmal unterbrach ich die Kritik, schnitt ihr einfach das Wort ab und gab mich härter, als ich war oder sein wollte. Trotzdem vergingen die drei Tage, ohne daß die untergründig schwelende Unruhe zum Ausbruch kam, abends im Gasthof siegte wieder die Harmonie, siegte die Freundschaft, die so stark vorhandene Gemeinsamkeit.

Es kam der letzte Tag, ein Sonntag. Wir saßen im »Hochzeitszimmer«, als ein Faß Wein hereingerollt wurde, ja, ein ganzes Faß. Es wurde durch die Tür hereinbugsiert, und mir war nicht klar, wie man es die Wendeltreppe hinaufgeschafft hatte. Es war ein Geschenk des Bürgermeisters. Es wurde mit großem Hallo empfangen, und die meisten waren dafür, es gleich anzuzapfen. Aber ich war damit nicht einverstanden. Es wollten noch einige am Nachmittag lesen, und eine weinselige Zuhörerschaft, das schien mir zu gefährlich. Ich vertröstete auf den Abend, dann wollten wir ja unser Abschlußfest feiern, und dafür, so sagte ich, sei der Wein gerade richtig.

So lasen wir am Nachmittag angesichts des Weinfasses, das vor mir stand, es gab das übliche Hin und Her, doch der gereizte Ton hatte sich immer noch nicht ganz gegeben. Es war kurz vor dem Abschluß, als sich Nicolaus Sombart meldete, er habe, sagte er, über einige der anwesenden Autoren satirische Glossen geschrieben, ob er die noch lesen dürfe. Mir schien ein solcher Versuch angesichts der unterschwelligen Unruhe nicht angebracht, doch alle waren dafür, sie wollten hören, was der Nicolaus Sombart über den einen oder den anderen da geschrieben hatte. Es machte sie neugierig. Unwillig gab ich nach, schloß aber vorher die Tagung mit ein paar Worten ab und sagte schließlich: »So und jetzt kann sich jemand anderes auf meinen Stuhl setzen. Was jetzt kommt, hat nichts mehr mit der Gruppe 47 zu tun.« Um das zu demonstrieren, wollte ich nicht mehr dabei sein. Ich verließ das »Hochzeitszimmer«, ging die Wendeltreppe hinunter und hinüber in den Gasthof.

Ich weiß nicht mehr, wie lange ich dort saß und womit ich mir die Zeit vertrieb, es mögen ein oder auch zwei Stunden gewesen sein, als Günter Eich hereinkam und mich aufforderte, sofort zurück in den Turm zu kommen: »Die streiten sich alle, die sind alle durcheinander.« Ich lief hinter ihm her, die Wendeltreppe hinauf, und blieb erschrocken an der Tür des »Hochzeitszimmers« stehen. Sie stritten sich nicht nur, sie beschimpften sich. Einer warf dem anderen vor, daß er gar nicht schreiben könne, jeder hielt den anderen für einen Dilettanten. Sie hatten das Weinfaß angezapft, gefüllte Gläser in den Händen, schienen sie mir fast alle betrunken. Überraschend schnell mußte der Frankenwein seine Wirkung getan haben. Er war, wie sich später herausstellte, geschwefelt und hatte alle in einer Weise streitsüchtig gemacht, die ich nicht für möglich gehalten hätte. Hilflos stand ich an der Tür, ich mußte den Streit schlichten, es war meine Aufgabe, sie zu beruhigen, aber ich kam mir ohnmächtig gegenüber dem Wein und seiner Wirkung vor. Ganze Gruppen standen sich gegenüber, Gruppen von drei, vier Mann, ihre Schimpfereien aufeinander arteten aus in persönliche Kränkungen, Beleidigungen, jeden Augenblick konnten sie aufeinander losgehen, um ihre Auseinandersetzungen auch handgreiflich auszutragen. Auf meinem Stuhl aber saß der Mann, der den hämischen, gereizten, leicht gehässigen Ton in diese Tagung hineingetragen hatte, der protestantische Pastorensohn, und lachte, es kam mir vor, als hätte er Kienspäne in den Händen, um sie immer erneut in das Feuer des ausgebrochenen Streits zu werfen. Er hatte, auch das erfuhr ich erst später, die Diskussion nach der Lesung von Nicolaus Sombart geleitet und sie in diesen Streit ausarten lassen, wenn nicht sogar hineingeführt.

Mein erster Versuch, mich zwischen die Streitenden zu stellen, mißlang. Man nahm keine Notiz von mir. Ich versuchte, sie zu beruhigen, ich appellierte an ihre Vernunft, aber sie ließen sich nicht unterbrechen und schoben meine Worte mit einer zornigen Handbewegung beiseite. Ganze Kaskaden von gehässigen Sätzen flogen hin und her. Ich wurde ärgerlich, ja, ich spürte, wie der Streit auch auf mich übergriff, bald war ich auf der einen Seite, bald auf der anderen. Einige riefen mir zu: »Halt dich da raus. Es geht dich nichts an.« Trotzdem gab ich vorerst nicht auf, doch auch ich wurde immer zorniger. Am liebsten wäre ich zu dem Weinfaß gegangen, wo ein paar Gläser standen, und hätte sie wütend in das »Hochzeitszimmer« geworfen. Ich fand mich nicht mehr zurecht, und jetzt begann auch ich von dem Wein zu trinken, in dem Glauben, er könne mich beruhigen. Doch ich war im Rückstand, ich konnte die anderen nicht mehr einholen, sie waren schon alle betrunken. Jede Viertelstunde aber dröhnte dazu die Turmuhr, und es kam mir vor, als sei auch sie nicht mehr ganz nüchtern. So blieb ich mit zunehmender Mutlosigkeit an dem Weinfaß stehen, hörte Unsinnigkeit hier und Maßlosigkeit dort und hoffte auf irgendein Ende. Einige lallten schon, saßen auf dem Boden, ließen aber von den anderen nicht ab.

Draußen war bereits Nacht, als ich mich entschloß, das Ganze in einer Art zu beenden, die mir nicht sehr lag. Ich sagte, das Zimmer müsse geräumt werden, der Bürgermeister verlange es, ich sagte es so energisch und so laut ich konnte, fast im Befehlston. Der Bürgermeister sei verärgert über unser Benehmen, er hätte nichts gegen unseren Streit, nur sollten wir ihn bitte drüben im Gasthof fortsetzen. Im Gasthof, so dachte ich, müßten sie sich beruhigen, mußte alles ein Ende haben. Zugleich begriff ich, daß ich nicht mehr notwendig war. Ich konnte gehen, es war nicht mehr meine Sache, nicht mehr das, was ich gewollt hatte. So ging ich als erster, ich ging die Wendeltreppe hinunter, und dort, ganz unten, stand Günter Eich, er, der mir diese Stadt vorgeschlagen hatte und mit dem ich vor vier Wochen hierher gefahren war. Er sagte, zwei- oder dreimal, und jetzt begriff ich erst, warum er weinte: »Das ist das Ende der Gruppe 47.«

Am nächsten Morgen hatte sich zwar der Streit gelegt, aber viele sprachen nicht mehr miteinander, ja, sie beachteten einander kaum. Auf dem Bahnsteig, als der Zug einlief, stiegen alle in verschiedene Abteile, verfeindete Gruppen, die nichts mehr miteinander zu tun haben wollten. Günter Eich umarmte meine Frau mit den Worten: »Wir werden uns nie wiedersehen«, und ich stand daneben und dachte, welch ein Zusammenbruch, hatte aber keineswegs die Absicht, aufzugeben.

Zwei feindliche, feindselige Gruppen waren entstanden, und

auf dem Umsteigebahnhof im Wartesaal saß jede Gruppe in einer anderen Ecke des Saals. So fuhren wir nach München zurück, unausgeschlafen, zerschlagen, müde und traurig. Einige der Tagungsteilnehmer sahen grün und gelb aus, als kämen sie aus einem Fegefeuer, in dem sie über Literatur gesprochen hatten.

Das war im April 1949.

Ein Jahr später in Inzigkofen – 1950 – wurde zum ersten Mal der Preis der Gruppe 47 vergeben. Alle nahmen nach dem Ende der Lesungen an der Wahl teil, und in freier und geheimer Abstimmung wurde Günter Eich gewählt. Marktbreit und der weinselige Streit in dem »Hochzeitszimmer« waren vergessen.

Erst achtzehn Jahre später kam es wieder zu ernsthaften Auseinandersetzungen. Das war 1967 in der Pulvermühle, einem Gasthof auf dem Lande, in der Fränkischen Schweiz. Günter Eich saß vor mir, dicht vor meinem Stuhl, etwas tiefer als ich. Nun war er nicht mehr glatt rasiert wie damals in Marktbreit, sondern trug einen eisengrauen Bart, der mich an die letzten Jahre von Hemingway erinnerte, mit dem er doch so wenig gemeinsam hatte.

Vor dem Gasthof demonstrierten Studenten, die sich zum Ziel gesetzt hatten, uns politisch zu beeinflussen. Sie verbrannten ihnen nicht genehme Zeitungen unter den Obstbäumen, lärmten mit Lautsprechern herum und gaben uns ihre Parolen bekannt. Im Saal selbst war Streit entstanden. Günter Grass gegen Reinhard Lettau, dessen Anrede »Genosse« er zurückwies, und gegen Martin Walser. Diesmal war es ein politischer Streit. Es ging um die Parteinahme für die draußen demonstrierenden Studenten, es kam zu einer Art Fraktionsbildung, noch nicht voll sichtbar, aber spürbar.

Für einen Augenblick war ich wieder hilflos wie seinerzeit in Marktbreit, die Auseinandersetzungen konnten in einen allgemeinen Streit mit unkontrollierbaren Folgen ausarten. In dieser Spannung öffnete sich die Tür und ein Mann als Clown verkleidet bewegte sich, die Hand voller Luftballons, mit dem Ausruf »Familie Saubermann« durch den Mittelgang. Ehe noch jemand etwas sagen konnte, war meine Frau aufgesprungen, war ihm entgegengegangen und hatte den zurückweichenden jungen Mann mit dem Ausruf »Raus« wieder ausgesperrt. Doch der Streit ging weiter.

Da beugte sich Günter Eich vor, stand halb von seinem Stuhl auf und sagte: »Lass mich jetzt lesen.«

Kaum hatte er auf dem Stuhl neben mir Platz genommen, begann er zu lesen, und schon nach den ersten Sätzen trat Ruhe ein, dann Stille, gespannte Aufmerksamkeit. Die sich erhoben hatten, um sich über die Stuhlreihen hinweg anzuschreien, setzten sich wieder. Günter Eich nahm sie gefangen, nicht nur mit seiner Stimme, mit der Art wie er las, sondern auch mit dem, was er las. Er las Aphorismen, ich will sie hier einmal so nennen, aber es war mehr als das, und ich finde heute noch nicht die rechte Bezeichnung dafür. Er las von »Vater Staat« und »Mutter Natur«, und jeder Satz hatte mehr Gewicht als alles, was bis dahin gesagt worden war. Die Gefahr war überstanden, und das Gewitter verzog sich so schnell, wie es gekommen war.

Günter Eich war oft dabei, fast auf allen Tagungen, meist las er mit Erfolg, einmal wurde ihm der Entwurf eines Hörspiels verrissen, doch dies ist am stärksten in meiner Erinnerung geblieben: seine Tränen in Marktbreit und sein Sieg über polemische und gehässige Streitsucht in der Pulvermühle.

Lyrik und Prosa,
die mit dem Preis der Gruppe 47 ausgezeichnet wurde

Günter Eich

Ende eines Sommers

Wer möchte leben ohne den Trost der Bäume!

Wie gut, daß sie am Sterben teilhaben!
Die Pfirsiche sind geerntet, die Pflaumen färben sich,
während unter dem Brückenbogen die Zeit rauscht.

Dem Vogelzug vertraue ich meine Verzweiflung an.
Er mißt seinen Teil von Ewigkeit gelassen ab.
Seine Strecken
werden sichtbar im Blattwerk als dunkler Zwang,
die Bewegung der Flügel färbt die Früchte.

Es heißt Geduld haben.
Bald wird die Vogelschrift entsiegelt,
unter der Zunge ist der Pfennig zu schmecken.

D-Zug München-Frankfurt

Die Donaubrücke von Ingolstadt,
das Altmühltal, Schiefer bei Solnhofen,
in Treuchtlingen Anschlußzüge –

Dazwischen
Wälder, worin der Herbst verbrannt wird,
Landstraßen in den Schmerz,
Gewölk, das an Gespräche erinnert,
flüchtige Dörfer, von meinem Wunsch erbaut,
in der Nähe deiner Stimme zu altern.

Zwischen den Ziffern der Abfahrtszeiten
breiten sich die Besitztümer unserer Liebe aus.
Ungetrennt
bleiben darin die Orte der Welt,
nicht vermessen und unauffindbar.

Der Zug aber
treibt an Gunzenhausen und Ansbach
und an Mondlandschaften der Erinnerung
– der sommerlich gewesene Gesang
der Frösche von Ornbau –
vorbei.

Gegenwart

An verschiedenen Tagen gesehen,
die Pappeln der Leopoldstraße,
aber immer herbstlich,
immer Gespinste nebliger Sonne
oder von Regengewebe.

Wo bist du, wenn du neben mir gehst?

Immer Gespinste aus entrückten Zeiten,
zuvor und zukünftig:
Das Wohnen in Höhlen,
die ewige troglodytische Zeit,
der bittere Geschmack vor den Säulen Heliogabals
und den Hotels von St. Moritz.
Die grauen Höhlen, Baracken,
wo das Glück beginnt,
dieses graue Glück.

Der Druck deines Armes, der mir antwortet,
der Archipelag, die Inselkette, zuletzt Sandbänke,
nur noch erahnbare Reste
aus der Süße der Vereinigung.
(Aber du bist von meinem Blute,
über diesen Steinen, neben den Gartensträuchern,
ausruhenden alten Männern auf der Anlagenbank
und dem Rauschen der Straßenbahnlinie sechs,
Anemone, gegenwärtig
mit der Macht des Wassers im Aug
und der Feuchtigkeit der Lippe –)

Und immer Gespinste, die uns einspinnen,
Aufhebung der Gegenwart,
ungültige Liebe,
der Beweis, daß wir zufällig sind,
geringes Laub an Pappelbäumen
und einberechnet von der Stadtverwaltung,
Herbst in den Rinnsteinen
und die beantworteten Fragen des Glücks.

Der große Lübbe-See

Kraniche, Vogelzüge,
deren ich mich entsinne,
das Gerüst des trigonometrischen Punkts.

Hier fiel es mich an,
vor der dunklen Wand des hügeligen Gegenufers,
der Beginn der Einsamkeit,
ein Lidschlag, ein Auge,
das man ein zweites Mal nicht ertrüge,
das Taubenauge mit sanftem Vorwurf,
als das Messer die Halsader durchschnitt,
der Beginn der Einsamkeit,
hier ohne Boote und Brücken,
das Schilf der Verzweiflung,
der trigonometrische Punkt,
Abmessung im Nichts,
während die Vogelzüge sich entfalten,
Septembertag ohne Wind,
güldene Heiterkeit, die davonfliegt,
auf Kranichflügeln, spurlos.

Fränkisch-tibetischer Kirschgarten

Gebet im Ohr der Stare
aus den Zellen der Klosterstadt,
über den Kirschenhängen
die Aderung im Blatt,

mit Rost- und Regenzeichen
geschrieben auf flatterndes Gras,
was von zerfransten Bändern
zornig der Paßwind las,

von einem Wolkenschatten
in die Kirschenhaut geprägt,
ein Rauschen, das die Schnecke
in ihrem Hause trägt,

das vom Boden des Kessels
aufsteigt, eine Welle im Tee,
über den Pilgerzelten
gehißt als Fahne von Schnee.

Der Mann in der blauen Jacke

Der Mann in der blauen Jacke,
der heimgeht, die Hacke geschultert, –
ich sehe ihn hinter dem Gartenzaun.

So gingen sie abends in Kanaan,
so gehen sie heim aus den Reisfeldern von Burma,
den Kartoffeläckern von Mecklenburg,
heim aus Weinbergen Burgunds und kalifornischen Gärten.

Wenn die Lampe hinter beschlagenen Scheiben aufscheint,
neide ich ihnen ihr Glück, das ich nicht teilen muß,
den patriarchalischen Abend
mit Herdrauch, Kinderwäsche, Bescheidenheit.

Der Mann in der blauen Jacke geht heimwärts;
seine Hacke, die er geschultert hat,
gleicht in der sinkenden Dämmerung einem Gewehr.

Kurz vor dem Regen

Gleich wird es regnen, nimm die Wäsche herein!
Auf der Leine die Klammern schwanken.
Ein Wolkenschatten verdunkelt den Stein.
Die Dächer sind voller Gedanken.

Sie sind gedacht in Ziegel und Schiefer,
gekalkten Kaminen und beizendem Rauch.
Mein Auge horcht den bestürzenden Worten, –
o lautloser Spruch aus dem feurigen Strauch!

Ein Schluchzen beginnt in mir aufzusteigen.
Die wandernden Schatten ändern den Stein.
Ein Windstoß zerrt an den flatternden Hemden.
Gleich regnet es. Hol die Wäsche herein!

Augenblick im Juni

Wenn das Fenster geöffnet ist,
Vergänglichkeit mit dem Winde hereinweht,
mit letzten Blütenblättern der roten Kastanie
und dem Walzer »Faszination«
von neunzehnhundertundvier,
wenn das Fenster geöffnet ist
und den Blick freigibt auf Floßhafen und Stapelholz,
das immer bewegte Blattgewirk der Akazie, –
wie ein Todesurteil ist der Gedanke an dich.
Wer wird deine Brust küssen
und deine geflüsterten Worte kennen?

Wenn das Fenster geöffnet ist
und das Grauen der Erde hereinweht –

Das Kind mit zwei Köpfen,
– während der eine schläft, schreit der andere –
es schreit über die Welt hin
und erfüllt die Ohren meiner Liebe mit Entsetzen.
(Man sagt, die Mißgeburten nähmen seit Hiroshima zu.)

Wenn das Fenster geöffnet ist, gedenke ich derer,
die sich liebten im Jahre neunzehnhundertundvier
und der Menschen des Jahres dreitausend,
zahnlos, haarlos.

Wem gibst du den zerrinnenden Blick, der einst mein war?
Unser Leben, es fähret schnell dahin als flögen wir davon,
und in den Abgründen wohnt verborgen das Glück.

Novemberstrand

Keine Fährten im Sand, aber die Wellenränder
mit Quallen und Algenteilchen,
Holzsplittern, Unbestimmbarem,
und die Welle, die zurückläuft,
daß hinter der Feuchtigkeit der Sand sich wieder erhellt,
so als begebe sich eine schnelle Dämmerung, –
etwas besinnt sich in mir.

Das Rauschen gibt Antwort auf eine Frage, die ich nicht weiß.
Bernsteinsplitter, Muschelschale, ein toter Fisch –
Ich schaue aus nach der Flaschenpost, die mich aus einem
verlorenen Leben erreichen wird,
in den Strömungen hin und durch die Jahre zu mir getrieben.
Meine Hand wird zittern, wenn sie den Korken öffnet,
das halb verwischte Geschriebene sichtbar wird, die späte
Frage,
für die eine Antwort heute in den Ohren mir rauscht.

Heinrich Böll
Die schwarzen Schafe

Offenbar bin ich ausersehen, dafür zu sorgen, daß die Kette der schwarzen Schafe in meiner Generation nicht unterbrochen wird. Einer muß es sein, und ich bin es. Niemand hätte es je von mir gedacht, aber es ist nichts daran zu ändern: ich bin es. Weise Leute in unserer Familie behaupten, daß der Einfluß, den Onkel Otto auf mich ausgeübt hat, nicht gut gewesen ist. Onkel Otto war das schwarze Schaf der vorigen Generation und mein Patenonkel. Irgendeiner muß es ja sein, und er war es. Natürlich hatte man ihn zum Patenonkel erwählt, bevor sich herausstellte, daß er scheitern würde; und auch mich, mich hat man zum Paten eines kleinen Jungen gemacht, den man jetzt, seitdem ich für schwarz gehalten werde, ängstlich von mir fernhält. Eigentlich sollte man uns dankbar sein; denn eine Familie, die keine schwarzen Schafe hat, ist keine charakteristische Familie.

Meine Freundschaft mit Onkel Otto fing früh an. Er kam oft zu uns, brachte mehr Süßigkeiten mit, als mein Vater für richtig hielt, redete, redete und landete zuletzt einen Pumpversuch.

Onkel Otto wußte Bescheid; es gab kein Gebiet, auf dem er nicht wirklich beschlagen war: Soziologie, Literatur, Musik, Architektur, alles; und wirklich: er wußte was. Sogar Fachleute unterhielten sich gern mit ihm, fanden ihn anregend, intelligent, außerordentlich nett, bis der Schock des anschließenden Pumpversuches sie ernüchterte; denn das war das Ungeheuerliche: er wütete nicht nur in der Verwandtschaft, sondern stellte seine tückischen Fallen auf, wo immer es ihm lohnenswert erschien.

Alle Leute waren der Meinung, er könne sein Wissen »versilbern« – so nannten sie es in der vorigen Generation, aber er versilberte es nicht, er versilberte die Nerven der Verwandtschaft.

Es bleibt sein Geheimnis, wie er es fertigbrachte, den Eindruck zu erwecken, daß er es an diesem Tage nicht tun würde. Aber er tat es. Regelmäßig. Unerbittlich. Ich glaube, er brachte es nicht über sich, auf eine Gelegenheit zu verzichten. Seine Reden waren so fesselnd, so erfüllt von wirklicher Leidenschaft, scharf durchdacht, glänzend witzig, vernichtend für seine Gegner, erhebend für seine Freunde, zu gut konnte er über alles sprechen, als daß man hätte glauben können, er würde . . .! Aber er tat es. Er wußte, wie man Säuglinge pflegt, obwohl er nie

Kinder gehabt hatte, verwickelte die Frauen in ungemein fesselnde Gespräche über Diät bei gewissen Krankheiten, schlug Pudersorten vor, schrieb Salbenrezepte auf Zettel, regelte Quantität und Qualität ihrer Trünke, ja er wußte, wie man sie hält: ein schreiendes Kind, ihm anvertraut, wurde sofort ruhig. Es ging etwas Magisches von ihm aus. Genauso gut analysierte er die Neunte Sinfonie von Beethoven, setzte juristische Schriftstücke auf, nannte die Nummer des Gesetzes, das in Frage kam, aus dem Kopf ...

Aber wo immer und worüber immer das Gespräch gewesen war, wenn das Ende nahte, der Abschied unerbittlich kam, meist in der Diele, wenn die Tür schon halb zugeschlagen war, steckte er seinen blassen Kopf mit den lebhaften, schwarzen Augen noch einmal zurück und sagte, als sei es etwas Nebensächliches, mitten in die Angst der harrenden Familie hinein, zu deren jeweiligem Oberhaupt: »Übrigens, kannst du mir nicht ...?«

Die Summen, die er forderte, schwankten zwischen einer und fünfzig Mark. Fünfzig war das allerhöchste, im Laufe der Jahrzehnte hatte sich ein ungeschriebenes Gesetz gebildet, daß er mehr niemals verlangen dürfe. »Kurzfristig!« fügte er hinzu. Kurzfristig war sein Lieblingswort. Er kam dann zurück, legte seinen Hut noch einmal auf den Garderobenständer, wickelte den Schal vom Hals und fing an zu erklären, wozu er das Geld brauche. Er hatte immer Pläne, unfehlbare Pläne. Er brauchte es nie unmittelbar für sich, sondern immer nur, um endlich seiner Existenz eine feste Grundlage zu geben. Seine Pläne schwankten zwischen einer Limonadenbude, von der er sich ständige und feste Einnahmen versprach, und der Gründung einer politischen Partei, die Europa vor dem Untergang bewahren würde.

Die Phrase »Übrigens, kannst du mir ...« wurde zu einem Schreckenswort in unserer Familie, es gab Frauen, Tanten, Großtanten, Nichten sogar, die bei dem Wort »kurzfristig« einer Ohnmacht nahe waren.

Onkel Otto – ich nehme an, daß er vollkommen glücklich war, wenn er die Treppe hinunterraste – ging nun in die nächste Kneipe, um seine Pläne zu überlegen. Er ließ sie durch den Kopf gehen bei einem Schnaps oder drei Flaschen Wein, je nachdem, wie groß die Summe war, die er herausgeschlagen hatte.

Ich will nicht länger verschweigen, daß er trank. Er trank, doch hat ihn nie jemand betrunken gesehen. Außerdem hatte er offenbar das Bedürfnis, allein zu trinken. Ihm Alkohol anzubieten, um dem Pumpversuch zu entgehen, war vollkommen zwecklos. Ein ganzes Faß Wein hätte ihn nicht davon abgehalten, beim Abschied, in der allerletzten Minute, den Kopf noch einmal zur Tür hereinzustecken und zu fragen: »Übrigens, kannst du mir nicht kurzfristig . . .?«

Aber seine schlimmste Eigenschaft habe ich bisher verschwiegen: er gab manchmal Geld zurück. Manchmal schien er irgendwie auch etwas zu verdienen; als ehemaliger Referendar machte er, glaube ich, gelegentlich Rechtsberatungen. Er kam dann an, nahm einen Schein aus der Tasche, glättete ihn mit schmerzlicher Liebe und sagte: »Du warst so freundlich, mir auszuhelfen, hier ist der Fünfer!« Er ging dann sehr schnell weg und kam nach spätestens zwei Tagen wieder, um eine Summe zu fordern, die etwas über der zurückgegebenen lag. Es bleibt sein Geheimnis, wie es ihm gelang, fast sechzig Jahre alt zu werden, ohne das zu haben, was wir einen richtigen Beruf zu nennen gewohnt sind. Und er starb keineswegs an einer Krankheit, die er sich durch seinen Trunk hätte zuziehen können. Er war kerngesund, sein Herz funktionierte fabelhaft, und sein Schlaf glich dem eines gesunden Säuglings, der sich vollgesogen hat und vollkommen ruhigen Gewissens der nächsten Mahlzeit entgegenschläft. Nein, er starb sehr plötzlich: ein Unglücksfall machte seinem Leben ein Ende, und was sich nach seinem Tode vollzog, bleibt das Geheimnisvollste an ihm.

Onkel Otto, wie gesagt, starb durch einen Unglücksfall. Er wurde von einem Lastzug mit drei Anhängern überfahren, mitten im Getriebe der Stadt, und es war ein Glück, daß ein ehrlicher Mann ihn aufhob, der Polizei übergab und die Familie verständigte. Man fand in seinen Taschen ein Portemonnaie, das eine Muttergottes-Medaille enthielt, eine Knipskarte mit zwei Fahrten und vierundzwanzigtausend Mark in bar sowie das Duplikat einer Quittung, die er dem Lotterie-Einnehmer hatte unterschreiben müssen, und er kann nicht länger als eine Minute, wahrscheinlich weniger, im Besitz des Geldes gewesen sein, denn der Lastwagen überfuhr ihn kaum fünfzig Meter vom Büro des Lotterie-Einnehmers entfernt. Was nun folgte, hatte für die Familie etwas Beschämendes. In seinem Zimmer herrschte Armut: Tisch, Stuhl, Bett und Schrank, ein paar Bücher und ein großes Notizbuch, und in diesem Notizbuch eine genaue Aufstellung aller derer, die Geld von ihm zu bekommen hatten, einschließlich der Eintragung eines Pumps vom Abend vorher, der ihm vier Mark eingebracht hatte. Außerdem ein sehr kurzes Testament, das mich zum Erben bestimmte.

Mein Vater als Testamentsvollstrecker wurde beauftragt, die schuldigen Summen auszuzahlen. Tatsächlich füllten Onkel Ottos Gläubigerlisten ein ganzes Quartheft aus, und seine erste Eintragung reichte bis in jene Jahre zurück, wo er seine Referendarlaufbahn beim Gericht abgebrochen und sich plötzlich anderen Plänen gewidmet hatte, deren Überlegung ihn soviel Zeit und soviel Geld gekostet hatte. Seine Schulden beliefen sich insgesamt auf fast fünfzehntausend Mark, die Zahl seiner Gläubiger auf über siebenhundert, angefangen von einem Straßenbahnschaffner, der ihm dreißig Pfennig für ein Umsteigebillett vorgestreckt hatte, bis zu meinem Vater, der insgesamt zweitausend Mark zurückzubekommen hatte, weil ihn anzupumpen Onkel Otto wohl am leichtesten gefallen war.

Seltsamerweise wurde ich am Tage des Begräbnisses großjährig, war also berechtigt, die Erbschaft von zehntausend Mark anzutreten, und brach sofort mein eben begonnenes Studium ab, um mich anderen Plänen zu widmen. Trotz der Tränen meiner Eltern zog ich von zu Hause fort, um in Onkel Ottos Zimmer zu ziehen, es zog mich zu sehr dorthin, und ich wohne heute noch dort, obwohl meine Haare längst angefangen haben, sich zu lichten. Das Inventar hat sich weder vermehrt noch verringert. Heute weiß ich, daß ich manches falsch anfing. Es war sinnlos, zu versuchen, Musiker zu werden, gar zu komponieren, ich habe kein Talent dazu. Heute weiß ich es, aber ich habe diese Tatsache mit einem dreijährigen vergeblichen Studium bezahlt und mit der Gewißheit, in den Ruf eines Nichtstuers zu kommen, außerdem ist die ganze Erbschaft dabei draufgegangen, aber das ist lange her.

Ich weiß die Reihenfolge meiner Pläne nicht mehr, es waren zu viele. Außerdem wurden die Fristen, die ich nötig hatte, um ihre Sinnlosigkeit einzusehen, immer kürzer. Zuletzt hielt ein Plan gerade noch drei Tage, eine Lebensdauer, die selbst für einen Plan zu kurz ist. Die Lebensdauer meiner Pläne nahm so rapid ab, daß sie zuletzt nur noch kurze, vorüberblitzende Gedanken waren, die ich nicht einmal jemand erklären konnte, weil sie mir selbst nicht klar waren. Wenn ich bedenke, daß ich mich immerhin drei Monate der Physiognomik gewidmet habe, bis ich mich zuletzt innerhalb eines einzigen Nachmittags entschloß, Maler, Gärtner, Mechaniker und Matrose zu werden, und daß ich mit dem Gedanken einschlief, ich sei zum Lehrer geboren, und aufwachte in der felsenfesten Überzeugung, die Zollkarriere sei das, wozu ich bestimmt sei . . .!

Kurz gesagt, ich hatte weder Onkel Ottos Liebenswürdigkeit noch seine relativ große Ausdauer, außerdem bin ich kein Redner, ich sitze stumm bei den Leuten, langweile sie und bringe meine Versuche, ihnen Geld abzuringen, so abrupt, mitten in ein Schweigen hinein, daß sie wie Erpressungen klingen. Nur mit Kindern werde ich gut fertig, wenigstens diese Eigenschaft scheine ich von Onkel Otto als positive geerbt zu haben. Säuglinge werden ruhig, sobald sie auf meinen Armen liegen, und wenn sie mich ansehen, lächeln sie, soweit sie überhaupt schon lächeln können, obwohl man sagt, daß mein Gesicht die Leute erschreckt. Boshafte Leute haben mir geraten, als erster männlicher Vertreter die Branche der Kindergärtner zu gründen und meine endlose Planpolitik durch die Realisierung dieses Plans zu beschließen. Aber ich tue es nicht. Ich glaube, das ist es, was uns unmöglich macht: daß wir unsere wirklichen Fähigkeiten nicht versilbern können – oder wie man jetzt sagt: gewerblich ausnutzen.

Jedenfalls eins steht fest: wenn ich ein schwarzes Schaf bin – und ich selbst bin keineswegs davon überzeugt, eines zu sein –, wenn ich es aber bin, so vertrete ich eine andere Sorte als Onkel Otto: ich habe nicht seine Leichtigkeit, nicht seinen Charme und außerdem, meine Schulden drücken mich, während sie ihn offenbar wenig beschwerten. Und ich tat etwas Entsetzliches: ich kapitulierte – ich bat um eine Stelle. Ich beschwor die Familie, mir zu helfen, mich unterzubringen, ihre Beziehungen spielen zu lassen, um mir einmal, wenigstens einmal, eine feste Bezahlung gegen eine bestimmte Leistung zu sichern. Und es gelang ihnen. Nachdem ich die Bitten losgelassen, die Beschwörungen schriftlich und mündlich formuliert hatte, dringend, flehend, war ich entsetzt, als sie ernst genommen und realisiert wurden, und tat etwas, was bisher noch kein schwarzes Schaf getan hat: ich wich nicht zurück, setzte sie nicht drauf, sondern nahm die Stelle an, die sie für mich ausfindig gemacht hatten. Ich opferte etwas, was ich nie hätte opfern sollen: meine Freiheit!

Jeden Abend, wenn ich müde nach Hause kam, ärgerte ich mich, daß wieder ein Tag meines Lebens vergangen war, der mir nur Müdigkeit eintrug, Wut und ebensoviel Geld, wie nötig war, um weiterarbeiten zu können; wenn man diese Beschäftigung Arbeit nennen kann: Rechnungen alphabetisch zu sortieren, sie zu lochen und in einen nagelneuen Ordner zu klemmen, wo sie das Schicksal, nie bezahlt zu werden, geduldig erleiden; oder Werbebriefe zu schreiben, die erfolglos in die Gegend reisen und nur eine überflüssige Last für den Briefträger sind; manchmal auch Rechnungen zu schreiben, die sogar gelegentlich bar bezahlt wurden. Verhandlungen mußte ich führen mit Reisenden, die sich vergeblich bemühten, jemand jenen Schund anzudrehen, den unser Chef herstellte. Unser Chef, dieses rastlose Rindvieh, der nie Zeit hat und nichts tut, der die wertvollen Stunden des Tages zäh zerschwätzt – tödlich sinnlose Existenz –, der sich die Höhe seiner Schulden nicht einzugestehen wagt, sich von Bluff zu Bluff durchgaunert, ein Luftballonakrobat, der den einen aufzublasen beginnt, während der andere eben platzt: übrig bleibt ein widerlicher Gummilappen, der eine Sekunde vorher noch Glanz hatte, Leben und Prallheit.

Unser Büro lag unmittelbar neben der Fabrik, wo ein Dutzend Arbeiter jene Möbel herstellten, die man kauft, um sich sein Leben lang darüber zu ärgern, wenn man sich nicht entschließt, sie nach drei Tagen zu Anmachholz zu zerschlagen: Rauchtische, Nähtische, winzige Kommoden, kunstvoll bepinselte kleine Stühle, die unter dreijährigen Kindern zusammenbrechen, kleine Gestelle für Vasen oder Blumentöpfe, schundigen Krimskrams, der sein Leben der Kunst eines Schreiners zu verdanken scheint, während in Wirklichkeit nur ein schlechter Anstreicher ihnen mit Farbe, die für Lack ausgegeben wird, eine Scheinschönheit verleiht, die die Preise rechtfertigen soll.

So verbrachte ich meine Tage einen nach dem andern – es waren fast vierzehn – im Büro dieses unintelligenten Menschen, der sich selbst ernst nahm, sich außerdem für einen Künstler hielt, denn gelegentlich – es geschah nur einmal, während ich da war – sah man ihn am Reißbrett stehen, mit Stiften und Papier hantieren und irgendein wackliges Ding entwerfen, einen Blumenständer oder eine neue Hausbar, weiteres Ärgernis für Generationen.

Die tödliche Sinnlosigkeit seiner Apparate schien ihm nicht aufzugehen. Wenn er ein solches Ding entworfen hatte – es geschah, wie gesagt, nur einmal, solange ich bei ihm war –, raste er mit seinem Wagen davon, um eine schöpferische Pause zu machen, die sich über acht Tage hinzog, während er nur eine Viertelstunde gearbeitet hatte. Die Zeichnung wurde dem Meister hingeschmissen, der sie auf seine Hobelbank legte, sie stirnrunzelnd studierte, dann die Holzbestände musterte, um die

Produktion anlaufen zu lassen. Tagelang sah ich dann, wie sich hinter den verstaubten Fenstern der Werkstatt – er nannte es Fabrik – die neuen Schöpfungen türmten: Wandbretter oder Radiotischchen, die kaum den Leim wert waren, den man an sie verschwendete.

Einzig brauchbar waren die Gegenstände, die sich die Arbeiter ohne Wissen des Chefs herstellten, wenn seine Abwesenheit für einige Tage garantiert war: Fußbänkchen oder Schmuckkästen von erfreulicher Solidität und Einfachheit; die Urenkel werden auf ihnen noch reiten oder ihren Krempel darin aufbewahren: brauchbare Wäschegestelle, auf denen die Hemden mancher Generation noch flattern werden. So wurde das Tröstliche und Brauchbare illegal geschaffen.

Aber die wirklich imponierende Persönlichkeit, die mir während dieses Intermezzos beruflicher Wirksamkeit begegnete – war der Straßenbahnschaffner, der mir mit seiner Knipszange den Tag ungültig stempelte; er hob diesen winzigen Fetzen Papier, meine Wochenkarte, schob ihn in die offene Schnauze seiner Zange, und eine unsichtbar nachfließende Tinte machte zwei laufende Zentimeter darauf – einen Tag meines Lebens – hinfällig, einen wertvollen Tag, der mir nur Müdigkeit eingebracht hatte, Wut und ebensoviel Geld, wie nötig war, um weiter dieser sinnlosen Beschäftigung nachzugehen. Schicksalhafte Größe wohnte diesem Mann in der schlichten Uniform der städtischen Bahnen inne, der jeden Abend Tausende von Menschentagen für nichtig erklären konnte.

Noch heute ärgere ich mich, daß ich meinem Chef nicht kündigte, bevor ich fast gezwungen wurde, ihm zu kündigen; daß ich ihm den Kram nicht hinwarf, bevor ich fast gezwungen wurde, ihn hinzuwerfen: denn eines Tages führte mir meine Wirtin einen finster dreinblickenden Menschen ins Büro, der sich als Lotterie-Einnehmer vorstellte und mir erklärte, daß ich Besitzer eines Vermögens von 50000 DM sei, falls ich der und der sei und sich ein bestimmtes Los in meiner Hand befände. Nun, ich war der und der, und das Los befand sich in meiner Hand. Ich verließ sofort ohne Kündigung meine Stelle, nahm es auf mich, die Rechnungen ungelocht, unsortiert liegenzulassen, und es blieb mir nichts anderes übrig, als nach Hause zu gehen, das Geld zu kassieren und die Verwandtschaft durch den Geldbriefträger den neuen Stand der Dinge wissen zu lassen.

Offenbar erwartete man, daß ich bald sterben oder das Opfer eines Unglücksfalles werden würde. Aber vorläufig scheint kein

Auto ausersehen, mich des Lebens zu berauben, und mein Herz ist vollkommen gesund, obwohl auch ich die Flasche nicht verschmähe. So bin ich nach Bezahlung meiner Schulden der Besitzer eines Vermögen's von fast 30000 DM, steuerfrei, bin ein begehrter Onkel, der plötzlich wieder Zugang zu seinem Patenkind hat. Überhaupt, die Kinder lieben mich ja, und ich darf jetzt mit ihnen spielen, ihnen Bälle kaufen, sie zu Eis einladen, Eis mit Sahne, darf ganze riesengroße Trauben von Luftballons kaufen, Schiffschaukeln und Karusselle mit der lustigen Schar bevölkern.

Während meine Schwester ihrem Sohn, meinem Patenkind, sofort ein Los gekauft hat, beschäftige ich mich jetzt damit, zu überlegen, stundenlang zu grübeln, wer mir folgen wird in dieser Generation, die dort heranwächst; wer von diesen blühenden, spielenden, hübschen Kindern, die meine Brüder und Schwestern in die Welt gesetzt haben, wird das schwarze Schaf der nächsten Generation sein? Denn wir sind eine charakteristische Familie und bleiben es. Wer wird brav sein, bis zu jenem Punkt, wo er aufhört, brav zu sein? Wer wird sich plötzlich anderen Plänen widmen wollen, unfehlbaren, besseren? Ich möchte es wissen, ich möchte ihn warnen, denn auch wir haben unsere Erfahrungen, auch unser Beruf hat seine Spielregeln, die ich ihm mitteilen könnte, dem Nachfolger, der vorläufig noch unbekannt ist und wie der Wolf im Schafspelz in der Horde der anderen spielt ...

Aber ich habe das dunkle Gefühl, daß ich nicht mehr so lange leben werde, um ihn zu erkennen und einzuführen in die Geheimnisse; er wird auftreten, sich entpuppen, wenn ich sterbe und die Ablösung fällig wird, er wird mit erhitztem Gesicht vor seine Eltern treten und sagen, daß er es satt hat, und ich hoffe nur insgeheim, daß dann noch etwas übrig sein wird von meinem Geld, denn ich habe mein Testament verändert und habe den Rest meines Vermögens dem vermacht, der zuerst die untrüglichen Zeichen zeigt, daß er mir nachzufolgen bestimmt ist ...

Hauptsache, daß er ihnen nichts schuldig bleibt.

Ilse Aichinger
Spiegelgeschichte

Wenn einer dein Bett aus dem Saal schiebt, wenn du siehst, daß der Himmel grün wird, und wenn du dem Vikar die Leichenrede ersparen willst, so ist es Zeit für dich, aufzustehen, leise, wie Kinder aufstehen, wenn am Morgen Licht durch die Läden schimmert, heimlich, daß es die Schwester nicht sieht – und schnell!

Aber da hat er schon begonnen, der Vikar, da hörst du seine Stimme, jung und eifrig und unaufhaltsam, da hörst du ihn schon reden. Laß es geschehen! Laß seine guten Worte untertauchen in dem blinden Regen. Dein Grab ist offen. Laß seine schnelle Zuversicht erst hilflos werden, daß ihr geholfen wird. Wenn du ihn läßt, wird er am Ende nicht mehr wissen, ob er schon begonnen hat. Und weil er es nicht weiß, gibt er den Trägern das Zeichen. Und die Träger fragen nicht viel und holen deinen Sarg wieder herauf. Und sie nehmen den Kranz vom Deckel und geben ihn dem jungen Mann zurück, der mit gesenktem Kopf am Rand des Grabes steht. Der junge Mann nimmt seinen Kranz und streicht verlegen alle Bänder glatt, er hebt für einen Augenblick die Stirne und da wirft ihm der Regen ein paar Tränen über die Wangen. Dann bewegt sich der Zug die Mauern entlang wieder zurück. Die Kerzen in der kleinen, häßlichen Kapelle werden noch einmal angezündet und der Vikar sagt die Totengebete, damit du leben kannst. Er schüttelt dem jungen Mann heftig die Hand und wünscht ihm vor Verlegenheit viel Glück. Es ist sein erstes Begräbnis und er errötet bis zum Hals hinunter. Und ehe er sich verbessern kann, ist auch der junge Mann verschwunden. Was bleibt jetzt zu tun? Wenn einer einem Trauernden viel Glück gewünscht hat, bleibt ihm nichts übrig, als den Toten wieder heimzuschicken.

Gleich darauf fährt der Wagen mit deinem Sarg die lange Straße wieder hinauf. Links und rechts sind Häuser und an allen Fenstern stehen gelbe Narzissen, wie sie ja auch in alle Kränze gewunden sind, dagegen ist nichts zu machen. Kinder pressen ihre Gesichter an die verschlossenen Scheiben, es regnet, aber eins davon wird trotzdem aus der Haustür laufen. Es hängt sich hinten an den Leichenwagen, wird abgeworfen und bleibt zurück. Das Kind legt beide Hände über die Augen und schaut euch böse nach. Wo soll denn eins sich aufschwingen, solang es auf der Friedhofsstraße wohnt?

Dein Wagen wartet an der Kreuzung auf das grüne Licht. Es regnet schwächer. Die Tropfen tanzen auf dem Wagendach. Das Heu riecht aus der Ferne. Die Straßen sind frisch getauft und der Himmel legt seine Hand auf alle Dächer. Dein Wagen fährt aus reiner Höflichkeit ein Stück neben der Trambahn her. Zwei kleine Jungen am Straßenrand wetten um ihre Ehre. Aber der auf die Trambahn gesetzt hat, wird verlieren. Du hättest ihn warnen können, aber um dieser Ehre willen ist noch keiner aus dem Sarg gestiegen.

Sei geduldig. Es ist ja Frühsommer. Da reicht der Morgen noch lange in die Nacht hinein. Ihr kommt zurecht. Bevor es dunkel wird und alle Kinder von den Straßenrändern verschwunden sind, biegt auch der Wagen schon in den Spitalshof ein, ein Streifen Mond fällt zugleich in die Einfahrt. Gleich kommen die Männer und heben deinen Sarg vom Leichenwagen. Und der Leichenwagen fährt fröhlich nach Hause.

Sie tragen deinen Sarg durch die zweite Einfahrt über den Hof in die Leichenhalle. Dort wartet der leere Sockel schwarz und schief und erhöht, und sie setzen den Sarg darauf und öffnen ihn wieder und einer von ihnen flucht, weil die Nägel zu fest eingeschlagen sind. Diese verdammte Gründlichkeit!

Gleich darauf kommt auch der junge Mann und bringt den Kranz zurück, es war schon hohe Zeit. Die Männer ordnen die Schleifen und legen ihn vornehin, da kannst du ruhig sein, der Kranz liegt gut. Bis morgen sind die welken Blüten frisch und schließen sich zu Knospen. Die Nacht über bleibst du allein, das Kreuz zwischen den Händen, und auch den Tag über wirst du viel Ruhe haben. Du wirst es später lange nicht mehr fertig bringen, so still zu liegen.

Am nächsten Tag kommt der junge Mann wieder. Und weil der Regen ihm keine Tränen gibt, starrt er ins Leere und dreht die Mütze zwischen seinen Fingern. Erst bevor sie den Sarg wieder auf das Brett heben, schlägt er die Hände vor das Gesicht. Er weint. Du bleibst nicht länger in der Leichenhalle. Warum weint er? Der Sargdeckel liegt nur mehr lose und es ist heller Morgen. Die Spatzen schreien fröhlich. Sie wissen nicht, daß es verboten ist, die Toten zu erwecken. Der junge Mann geht vor deinem Sarg her, als stünden Gläser zwischen seinen Schritten. Der Wind ist kühl und verspielt, ein unmündiges Kind.

Sie tragen dich ins Haus und die Stiegen hinauf. Du wirst aus dem Sarg gehoben. Dein Bett ist frisch gerichtet. Der junge Mann starrt durch das Fenster in den Hof hinunter, da paaren sich zwei Tauben und gurren laut, geekelt wendet er sich ab.

Und da haben sie dich schon in das Bett zurückgelegt. Und sie haben dir das Tuch wieder um den Mund gebunden, und das Tuch macht dich so fremd. Der Mann beginnt zu schreien und wirft sich über dich. Sie führen ihn sachte weg. »Bewahret Ruhe«! steht an allen Wänden, die Krankenhäuser sind zur Zeit überfüllt, die Toten dürfen nicht zu früh erwachen.

Vom Hafen heulen die Schiffe. Zur Abfahrt oder zur Ankunft? Wer soll das wissen? Still! Bewahret Ruhe! Erweckt die Toten nicht, bevor es Zeit ist, die Toten haben einen leisen Schlaf. Doch die Schiffe heulen weiter. Und ein wenig später werden sie dir das Tuch vom Kopf nehmen müssen, ob sie es wollen oder nicht. Und sie werden dich waschen und deine Hemden wechseln und einer von ihnen wird sich schnell über dein Herz beugen, schnell, solang du noch tot bist. Es ist nicht mehr viel Zeit und daran sind die Schiffe schuld. Der Morgen wird schon dunkler. Sie öffnen deine Augen und die funkeln weiß. Sie sagen jetzt auch nichts mehr davon, daß du friedlich aussiehst, dem Himmel sei Dank dafür, es erstirbt ihnen im Mund. Warte noch! Gleich sind sie gegangen. Keiner will Zeuge sein, denn dafür wird man heute noch verbrannt.

Sie lassen dich allein. So allein lassen sie dich, daß du die Augen aufschlägst und den grünen Himmel siehst, so allein lassen sie dich, daß du zu atmen beginnst, schwer und röchelnd und tief, rasselnd wie eine Ankerkette, wenn sie sich löst. Du bäumst dich auf und schreist nach deiner Mutter. Wie grün der Himmel ist!

»Die Fieberträume lassen nach«, sagt eine Stimme hinter dir, »der Todeskampf beginnt«!

Ach die! Was wissen die?

Geh jetzt! Jetzt ist der Augenblick! Alle sind weggerufen. Geh, eh sie wiederkommen und eh ihr Flüstern wieder laut wird, geh die Stiegen hinunter, an dem Pförtner vorbei, durch den Morgen, der Nacht wird. Die Vögel schreien in der Finsternis, als hätten deine Schmerzen zu jubeln begonnen. Geh nach Hause! Und leg dich in dein eigenes Bett zurück, auch wenn es in den Fugen kracht und noch zerwühlt ist. Da wirst du schneller gesund! Da tobst du nur drei Tage lang gegen dich und trinkst dich satt am grünen Himmel, da stößt du nur drei Tage lang die Suppe weg, die dir die Frau von oben bringt, am vierten nimmst du sie.

Und am siebenten, der der Tag der Ruhe ist, am siebenten gehst du weg. Die Schmerzen jagen dich, den Weg wirst du ja finden. Erst links, dann rechts und wieder links, quer durch die Hafengassen, die so elend sind, daß sie nicht anders können, als zum Meer zu führen. Wenn nur der junge Mann in deiner Nähe wäre, aber der junge Mann ist nicht bei dir, im Sarg warst du viel schöner. Doch jetzt ist dein Gesicht verzerrt von Schmerzen, die Schmerzen haben zu jubeln aufgehört. Und jetzt steht auch der Schweiß wieder auf deiner Stirne, den ganzen Weg lang, nein, im Sarg, da warst du schöner!

Die Kinder spielen mit den Kugeln am Weg. Du läufst in sie hinein, du läufst, als liefst du mit dem Rücken nach vorn, und keines ist dein Kind. Wie soll denn auch eines davon dein Kind sein, wenn du zur Alten gehst, die bei der Kneipe wohnt? Das weiß der ganze Hafen, wovon die Alte ihren Schnaps bezahlt.

Sie steht schon an der Tür. Die Tür ist offen und sie streckt dir ihre Hand entgegen, die ist schmutzig. Alles ist dort schmutzig. Am Kamin stehen die gelben Blumen und das sind dieselben, die sie in die Kränze winden, das sind schon wieder dieselben. Und die Alte ist viel zu freundlich. Und die Treppen knarren auch hier. Und die Schiffe heulen, wohin du immer gehst, die heulen überall. Und die Schmerzen schütteln dich, aber du darfst nicht schreien. Die Schiffe dürfen heulen, aber du darfst nicht schreien. Gib der Alten das Geld für den Schnaps! Wenn du ihr erst das Geld gegeben hast, hält sie dir deinen Mund mit beiden Händen zu. Die ist ganz nüchtern von dem vielen Schnaps, die Alte. Die träumt nicht von den Ungeborenen. Die unschuldigen Kinder wagen's nicht, sie bei den Heiligen zu verklagen, und die schuldigen wagen's auch nicht. Aber du – du wagst es!

»Mach mir mein Kind wieder lebendig!«

Das hat noch keine von der Alten verlangt. Aber du verlangst es. Der Spiegel gibt dir Kraft. Der blinde Spiegel mit den Fliegenflecken läßt dich verlangen, was noch keine verlangt hat.

»Mach es lebendig, sonst stoß ich deine gelben Blumen um, sonst kratz ich dir die Augen aus, sonst reiß ich deine Fenster auf und schrei über die Gasse, damit sie hören müssen, was sie wissen, ich schrei – –«

Und da erschrickt die Alte. Und in dem großen Schrecken, in dem blinden Spiegel erfüllt sie deine Bitte. Sie weiß nicht, was sie tut, doch in dem blinden Spiegel gelingt es ihr. Die Angst wird furchtbar und die Schmerzen beginnen endlich wieder zu jubeln. Und eh du schreist, weißt du das Wiegenlied: Schlaf, Kindlein, schlaf! Und eh du schreist, stürzt dich der Spiegel die finsteren Treppen wieder hinab und läßt dich gehen, laufen läßt er dich. Lauf nicht zu schnell!

Heb lieber deinen Blick vom Boden auf, sonst könnt es sein, daß du da drunten an den Planken um den leeren Bauplatz in einen Mann hineinläufst, in einen jungen Mann, der seine Mütze dreht. Daran erkennst du ihn. Das ist derselbe, der zuletzt an deinem Sarg die Mütze gedreht hat, da ist er schon wieder! Da steht er, als wäre er nie weggewesen, da lehnt er an den Planken. Du fällst in seine Arme. Er hat schon wieder keine Tränen, gib ihm von den deinen. Und nimm Abschied, eh du dich an seinen Arm hängst. Nimm von ihm Abschied! Du wirst es nicht vergessen, wenn er es auch vergißt: Am Anfang nimmt man Abschied. Ehe man miteinander weitergeht, muß man sich an den Planken um den leeren Bauplatz für immer trennen.

Dann geht ihr weiter. Es gibt da einen Weg, der an den Kohlenlagern vorbei zur See führt. Ihr schweigt. Du wartest auf das erste Wort, du läßt es ihm, damit dir nicht das letzte bleibt. Was wird er sagen? Schnell, eh ihr an der See seid, die unvorsichtig macht! Was sagt er? Was ist das erste Wort? Kann es denn so schwer sein, daß es ihn stammeln läßt, daß es ihn zwingt, den Blick zu senken? Oder sind es die Kohlenberge, die über die Planken ragen und ihm Schatten unter die Augen werfen und ihn mit ihrer Schwärze blenden? Das erste Wort – jetzt hat er es gesagt: es ist der Name einer Gasse. So heißt die Gasse, in der die Alte wohnt. Kann denn das sein? Bevor er weiß, daß du das Kind erwartest, nennt er dir schon die Alte, bevor er sagt, daß er dich liebt, nennt er die Alte. Sei ruhig! Er weiß nicht, daß du bei der Alten schon gewesen bist, er kann es auch nicht wissen, er weiß nichts von dem Spiegel. Aber kaum hat er's gesagt, hat er es auch vergessen. Im Spiegel sagt man alles, daß es vergessen sei. Und kaum hast du gesagt, daß du das Kind erwartest, hast du es auch verschwiegen. Der Spiegel spiegelt alles. Die Kohlenberge weichen hinter euch zurück, da seid ihr an der See und seht die weißen Boote wie Fragen an der Grenze eures Blicks, seid still, die See nimmt euch die Antwort aus dem Mund, die See verschlingt, was ihr noch sagen wolltet.

Von da ab geht ihr viele Male den Strand hinauf, als ob ihr ihn hinabgingt, nach Hause, als ob ihr weglieft, und weg, als gingt ihr heim.

Was flüstern die in ihren hellen Hauben?

»Das ist der Todeskampf!« Die laßt nur reden.

Eines Tages wird der Himmel blaß genug sein, so blaß, daß seine Blässe glänzen wird. Gibt es denn einen anderen Glanz als den der letzten Blässe?

An diesem Tag spiegelt der blinde Spiegel das verdammte Haus. Verdammt nennen die Leute ein Haus, das abgerissen wird, verdammt nennen sie das, sie wissen es nicht besser. Es soll euch nicht erschrecken. Der Himmel ist jetzt blaß genug. Und wie der Himmel in der Blässe erwartet auch das Haus am Ende der Verdammung die Seligkeit. Vom vielen Lachen kommen leicht die Tränen. Du hast genug geweint. Nimm deinen Kranz zurück. Jetzt wirst du auch die Zöpfe bald wieder lösen dürfen. Alles ist im Spiegel. Und hinter allem, was ihr tut, liegt grün die See. Wenn ihr das Haus verlaßt, liegt sie vor euch. Wenn ihr durch die eingesunkenen Fenster wieder aussteigt, habt ihr vergessen. Im Spiegel tut man alles, daß es vergeben sei.

Von da ab drängt er dich, mit ihm hineinzugehen. Aber in dem Eifer entfernt ihr euch davon und biegt vom Strand ab. Ihr wendet euch nicht um. Und das verdammte Haus bleibt hinter euch zurück. Ihr geht den Fluß hinauf und euer eigenes Fieber fließt euch entgegen, es fließt an euch vorbei. Gleich läßt sein Drängen nach. Und in demselben Augenblick bist du nicht mehr bereit, ihr werdet scheuer. Das ist die Ebbe, die die See von allen Küsten wegzieht. Sogar die Flüsse sinken zur Zeit der Ebbe. Und drüben auf der anderen Seite lösen die Wipfel endlich die Krone ab. Weiße Schindeldächer schlafen darunter.

Gib acht, jetzt beginnt er bald von der Zukunft zu reden, von den vielen Kindern und vom langen Leben, und seine Wangen brennen vor Eifer. Sie zünden auch die deinen an. Ihr werdet streiten, ob ihr Söhne oder Töchter wollt, und du willst lieber Söhne. Und er wollte sein Dach lieber mit Ziegeln decken und du willst lieber – – – aber da seid ihr den Fluß schon viel zu weit hinaufgegangen. Der Schrecken packt euch. Die Schindeldächer auf der anderen Seite sind verschwunden, da drüben sind nur mehr Auen und feuchte Wiesen. Und hier? Gebt auf den Weg acht. Es dämmert – so nüchtern, wie es nur am Morgen dämmert. Die Zukunft ist vorbei. Die Zukunft ist ein Weg am Fluß, der in die Auen mündet. Geht zurück!

Was soll jetzt werden?

Drei Tage später wagt er nicht mehr, den Arm um deine Schultern zu legen. Wieder drei Tage später fragt er dich, wie du heißt, und du fragst ihn. Nun wißt ihr voneinander nicht einmal mehr die Namen. Und ihr fragt auch nicht mehr. Es ist schöner so. Seid ihr nicht zum Geheimnis geworden?

Jetzt geht ihr endlich wieder schweigsam nebeneinander her. Wenn er dich jetzt noch etwas fragt, so fragt er, ob es regnen wird. Wer kann das wissen? Ihr werdet immer fremder. Von der Zukunft habt ihr schon lange zu reden aufgehört. Ihr seht euch nur mehr selten, aber noch immer seid ihr einander nicht fremd genug. Wartet, seid geduldig. Eines Tages wird es so weit sein. Eines Tages ist er dir so fremd, daß du ihn auf einer finsteren Gasse vor einem offenen Tor zu lieben beginnst. Alles will seine Zeit. Jetzt ist sie da.

»Es dauert nicht mehr lang«, sagen die hinter dir, »es geht zu Ende!«

Was wissen die? Beginnt nicht jetzt erst alles?

Ein Tag wird kommen, da siehst du ihn zum ersten Mal. Und er sieht dich. Zum ersten Mal, das heißt: Nie wieder. Aber erschreckt nicht! Ihr müßt nicht voneinander Abschied nehmen, das habt ihr längst getan. Wie gut es ist, daß ihr es schon getan habt!

Es wird ein Herbsttag sein, voller Erwartung darauf, daß alle Früchte wieder Blüten werden, wie er schon ist, der Herbst, mit diesem hellen Rauch und mit den Schatten, die wie Splitter zwischen den Schritten liegen, daß du die Füße daran zerschneiden könntest, daß du darüberfällst, wenn du um Äpfel auf den Markt geschickt bist, du fällst vor Hoffnung und vor Fröhlichkeit. Ein junger Mann kommt dir zu Hilfe. Er hat die Jacke nur lose umgeworfen und lächelt und dreht die Mütze und weiß kein Wort zu sagen. Aber ihr seid sehr fröhlich in diesem letzten Licht. Du dankst ihm und wirfst ein wenig den Kopf zurück und da lösen sich die aufgesteckten Zöpfe und fallen herab. »Ach«, sagt er, »gehst du nicht noch zur Schule?« Er dreht sich um und geht und pfeift ein Lied. So trennt ihr euch, ohne einander nur noch einmal anzuschauen, ganz ohne Schmerz und ohne es zu wissen, daß ihr euch trennt.

Jetzt darfst du wieder mit den kleinen Brüdern spielen und du darfst mit ihnen den Fluß entlang gehen, den Weg am Fluß unter den Erlen, und drüben sind die weißen Schindeldächer wie immer zwischen den Wipfeln. Was bringt die Zukunft?

Keine Söhne. Brüder hat sie dir gebracht, Zöpfe, um sie tanzen zu lassen, Bälle, um zu fliegen. Sei ihr nicht böse, es ist das beste, das sie hat. Die Schule kann beginnen.

Noch bist du ein wenig zu groß, noch mußt du auf dem Schulhof während der großen Pause in Reihen gehen und flüstern und erröten und durch die Finger lachen. Aber warte noch ein Jahr und du darfst wieder über die Schnüre springen und nach den Zweigen haschen, die über die Mauern hängen. Die fremden Sprachen hast du schon gelernt, doch so leicht bleibt es nicht. Deine eigene Sprache ist viel schwerer. Noch schwerer wird es sein, lesen und schreiben zu lernen, doch am schwersten ist es, alles zu vergessen. Und wenn du bei der ersten Prüfung alles wissen mußtest, so darfst du doch am Ende nichts mehr wissen. Wirst du das bestehen? Wirst du still genug sein? Wenn du genug Furcht hast, um den Mund nicht aufzutun, wird alles gut.

Du hängst den blauen Hut, den alle Schulkinder tragen, wieder an den Nagel und verläßt die Schule. Es ist wieder Herbst. Die Blüten sind lange schon zu Knospen geworden, die Knospen zu nichts und nichts wieder zu Früchten. Überall gehen kleine Kinder nach Hause, die ihre Prüfung bestanden haben, wie du. Ihr alle wißt nichts mehr. Du gehst nach Hause, dein Vater erwartet dich und die kleinen Brüder schreien so laut sie können und zerren an deinem Haar. Du bringst sie zur Ruhe und tröstest deinen Vater.

Bald kommt der Sommer mit den langen Tagen. Bald stirbt deine Mutter. Du und dein Vater, ihr beide holt sie vom Friedhof ab. Drei Tage liegt sie noch zwischen den knisternden Kerzen, wie damals du. Blast alle Kerzen aus, eh sie erwacht! Aber sie riecht das Wachs und hebt sich auf die Arme und klagt leise über die Verschwendung. Dann steht sie auf und wechselt ihre Kleider.

Es ist gut, daß deine Mutter gestorben ist, denn länger hättest du es mit den kleinen Brüdern allein nicht machen können. Doch jetzt ist sie da. Jetzt besorgt sie alles und lehrt dich auch das Spielen noch viel besser, man kann es nie genug gut können. Es ist keine leichte Kunst. Aber das Schwerste ist es noch immer nicht.

Das Schwerste bleibt es doch, das Sprechen zu vergessen und das Gehen zu verlernen, hilflos zu stammeln und auf dem Boden zu kriechen, um zuletzt in Windeln gewickelt zu werden. Das Schwerste bleibt es, alle Zärtlichkeiten zu ertragen und nur mehr zu schauen. Sei geduldig! Bald ist alles gut. Gott weiß den Tag, an dem du schwach genug bist.

Es ist der Tag deiner Geburt. Du kommst zur Welt und schlägst die Augen auf und schließt sie wieder vor dem starken Licht. Das Licht wärmt dir die Glieder, du regst dich in der Sonne, du bist da, du lebst. Dein Vater beugt sich über dich.

»Es ist zu Ende –« sagen die hinter dir, »sie ist tot!«

Still! Laß sie reden!

Ingeborg Bachmann

Die große Fracht

Die große Fracht des Sommers ist verladen,
das Sonnenschiff im Hafen liegt bereit,
wenn hinter dir die Möwe stürzt und schreit.
Die große Fracht des Sommers ist verladen.

Das Sonnenschiff im Hafen liegt bereit,
und auf die Lippen der Galionsfiguren
tritt unverhüllt das Lächeln der Lemuren.
Das Sonnenschiff im Hafen liegt bereit.

Wenn hinter dir die Möwe stürzt und schreit,
kommt aus dem Westen der Befehl zu sinken;
doch offnen Augs wirst du im Licht ertrinken,
wenn hinter dir die Möwe stürzt und schreit.

Holz und Späne

Von den Hornissen will ich schweigen,
denn sie sind leicht zu erkennen.
Auch die laufenden Revolutionen
sind nicht gefährlich.
Der Tod im Gefolge des Lärms
ist beschlossen von jeher.

Doch vor den Eintagsfliegen und den Frauen
nimm dich in acht, vor den Sonntagsjägern,
den Kosmetikern, den Unentschiedenen, Wohlmeinenden,
von keiner Verachtung getroffnen.

Aus den Wäldern trugen wir Reisig und Stämme,
und die Sonne ging uns lange nicht auf.
Berauscht vom Papier am Fließband,
erkenn ich die Zweige nicht wieder,
noch das Moos, in dunkleren Tinten gegoren,

noch das Wort, in die Rinden geschnitten,
wahr und vermessen.

Blätterverschleiß, Spruchbänder,
schwarze Plakate ... Bei Tag und bei Nacht
bebt, unter diesen und jenen Sternen,
die Maschine des Glaubens. Aber ins Holz,
solang es noch grün ist, und mit der Galle,
solang sie noch bitter ist, bin ich
zu schreiben gewillt, was im Anfang war!

Seht zu, daß ihr wachbleibt!

Der Spur der Späne, die flogen, folgt
der Hornissenschwarm, und am Brunnen
sträubt sich der Lockung,
die uns einst schwächte,
das Haar.

Nachtflug

Unser Acker ist der Himmel,
im Schweiß der Motoren bestellt,
angesichts der Nacht,
unter Einsatz des Traums –

geträumt auf Schädelstätten und Scheiterhaufen,
unter dem Dach der Welt, dessen Ziegel
der Wind forttrug – und nun Regen, Regen, Regen
in unserem Haus und in den Mühlen
die blinden Flüge der Fledermäuse.
Wer wohnte dort? Wessen Hände waren rein?
Wer leuchtete in der Nacht,
Gespenst den Gespenstern?

Im Stahlgefieder geborgen, verhören
Instrumente den Raum, Kontrolluhren und Skalen
das Wolkengesträuch, und es streift die Liebe

unsres Herzens vergessene Sprache:
kurz und lang lang ... Für eine Stunde
rührt Hagel die Trommel des Ohrs,
das, uns abgeneigt, lauscht und verwindet.

Nicht untergegangen sind Sonne und Erde,
nur als Gestirne gewandert und nicht zu erkennen.

Wir sind aufgestiegen von einem Hafen,
wo Wiederkehr nicht zählt
und nicht Fracht und nicht Fang.
Indiens Gewürze und Seiden aus Japan
gehören den Händlern
wie die Fische den Netzen.
Doch ein Geruch ist zu spüren,
vorlaufend den Kometen,
und das Gewebe der Luft,
von gefallnen Kometen zerrissen.
Nenn's den Status der Einsamen,
in dem sich das Staunen vollzieht.
Nichts weiter.

Wir sind aufgestiegen, und die Klöster sind leer,
seit wir dulden, ein Orden, der nicht heilt und nicht lehrt.
Zu handeln ist nicht Sache der Piloten. Sie haben
Stützpunkte im Aug und auf den Knien ausgebreitet
die Landkarte einer Welt, der nichts hinzuzufügen ist.

Wer lebt dort unten? Wer weint ...
Wer verliert den Schlüssel zum Haus?
Wer findet sein Bett nicht, wer schläft
auf den Schwellen? Wer, wenn der Morgen kommt,
wagt's, den Silberstreifen zu deuten: seht, über mir ...
Wenn das Wasser von neuem ins Mühlrad greift,
wer wagt's, sich der Nacht zu erinnern?

Große Landschaft bei Wien

Geister der Ebene, Geister des wachsenden Stroms,
zu unsrem Ende gerufen, haltet nicht vor der Stadt!
Nehmt auch mit euch, was vom Wein überhing
auf brüchigen Rändern, und führt an ein Rinnsal,
wen nach Ausweg verlangt, und öffnet die Steppen!

Drüben verkümmert das nackte Gelenk eines Baums,
ein Schwungrad springt ein, aus dem Feld schlagen
die Bohrtürme den Frühling, Statuenwäldern weicht
der verworfene Torso des Grüns, und es wacht
die Iris des Öls über den Brunnen im Land.

Was liegt daran? Wir spielen die Tänze nicht mehr.
Nach langer Pause: Dissonanzen gelichtet, wenig cantabile.
(Und ihren Atem spür ich nicht mehr auf den Wangen!)
Still stehn die Räder. Durch Staub und Wolkenspreu
schleift den Mantel, der unsre Liebe deckte, das Riesenrad.

Nirgends gewährt man, wie hier, vor den ersten Küssen
die letzten. Es gilt, mit dem Nachklang im Mund
weiterzugehn und zu schweigen. Wo der Kranich
im Schilf der flachen Gewässer seinen Bogen vollendet,
tönender als die Welle, schlägt ihm die Stunde im Rohr.

Asiens Atem ist jenseits.

Rhythmischer Aufgang von Saaten, reifer Kulturen
Ernten vorm Untergang, sind sie verbrieft, so weiß ichs
dem Wind noch zu sagen. Hinter der Böschung
trübt weicheres Wasser das Aug, und es will
mich noch anfallen trunkenes Limesgefühl;
unter den Pappeln am Römerstein grab ich
nach dem Schauplatz vielvölkriger Trauer,
nach dem Lächeln Ja und dem Lächeln Nein.

Alles Leben ist abgewandert in Baukästen,
neue Not mildert man sanitär, in den Alleen
blüht die Kastanie duftlos, Kerzenrauch
kostet die Luft nicht wieder, über der Brüstung

im Park weht so einsam das Haar, im Wasser
sinken die Bälle, vorbei an der Kinderhand
bis auf den Grund, und es begegnet
das tote Auge dem blauen, das es einst war.

Wunder des Unglaubens sind ohne Zahl.
Besteht ein Herz darauf, ein Herz zu sein?
Träum, daß du rein bist, heb die Hand zum Schwur,
träum dein Geschlecht, das dich besiegt, träum
und wehr dennoch mystischer Abkehr im Protest.
Mit einer andern Hand gelingen Zahlen
und Analysen, die dich entzaubern.
Was dich trennt, bist du. Verström,
komm wissend wieder, in neuer Abschiedsgestalt.

Dem Orkan voraus fliegt die Sonne nach Westen,
zweitausend Jahre sind um, und uns wird nichts bleiben.
Es hebt der Wind Barockgirlanden auf,
es fällt von den Stiegen das Puttengesicht,
es stürzen Basteien in dämmernde Höfe,
von den Kommoden die Masken und Kränze ...

Nur auf dem Platz im Mittagslicht, mit der Kette
am Säulenfuß und dem vergänglichsten Augenblick
geneigt und der Schönheit verfallen, sag ich mich los
von der Zeit, ein Geist unter Geistern, die kommen.

Maria am Gestade –
das Schiff ist leer, der Stein ist blind,
gerettet ist keiner, getroffen sind viele,
das Öl will nicht brennen, wir haben
alle davon getrunken – wo bleibt
dein ewiges Licht?

So sind auch die Fische tot und treiben
den schwarzen Meeren zu, die uns erwarten.
Wir aber mündeten längst, vom Sog
anderer Ströme ergriffen, wo die Welt
ausblieb und wenig Heiterkeit war.
Die Türme der Ebene rühmen uns nach,
daß wir willenlos kamen und auf den Stufen
der Schwermut fielen und tiefer fielen,
mit dem scharfen Gehör für den Fall.

Adriaan Morriën
Zu große Gastlichkeit verjagt die Gäste

Es war sein erster Besuch im Ausland. Vor dem Bahnhof, im Fremdenverkehrsbüro, bekam er die Adresse einer Pensionsinhaberin. Die Pension lag ziemlich in der Nähe, wie er auf dem Stadtplan feststellte, den er sich an einem Kiosk gekauft hatte, so daß es sich nicht lohnte, die Elektrische zu benutzen. Er machte sich auf den Weg, den Koffer in der Hand, und ein paar Minuten später fühlte er, wie ihm der Schweiß aus den Achselhöhlen tropfte.

Er blieb dann und wann stehen und tat dabei so, als kennte er den Weg genau. Dennoch blieb es nicht aus, daß die Leute ihn ansahen, die einen aus Neugierde, die anderen mit jener Hilfsbereitschaft, die nur auf ein Wort oder einen Wink wartete, um sich zu betätigen. Vor allem letztere mochte er nicht, die gutherzigen Männer und Frauen, die einen Fremden seiner Hilflosigkeit nicht überlassen können. Er ärgerte sich dauernd, wenn er auf Reisen war. Die Freude des Schauens wurde ihm vergällt durch die Absichtlichkeit, mit der er die unbekannten Landschaften und fremden Städte betrachtete, und durch das Gefühl, daß alles Betrachten flüchtig und deshalb nutzlos blieb. Eigentlich haßte er das Reisen, das Suchen einer fremden Adresse, den Anblick eines unbekannten Gesichtes. Sobald er sein Bad verließ, überkam ihn Ekel vor den Menschen.

Die Pensionsinhaberin wohnte im dritten Stock eines riesengroßen Hauses, das früher sicher im Ganzen von einem General oder Minister bewohnt worden war. Es stand in einem Garten, der schon lange nicht mehr gepflegt wurde und nur nach Farnkraut und Brennesseln roch. Nicht ohne Mühe hatte er es gefunden, denn in der beginnenden Dämmerung waren die Hausnummern kaum noch erkennbar. Auch fehlten viele Häuser in der Reihe, die während des Krieges zerbombt worden waren. Die Fassade zeigte Fenster und an den oberen Stockwerken steinerne Balkons mit kurzen, dicken Säulen. Der Efeu hatte es schon bei der ersten Etage aufgegeben. An der Seitenwand befanden sich zwei Türen, beide mit einer kleinen Freitreppe und mit Namenschildern, die der Reisende mittlerweile nicht mehr entziffern konnte. Er drückte gegen die erste und größere Tür, denn zu Hause hatte man ihm erzählt, im Ausland würden die Türen meist nicht abgeschlossen. Aber diese war abgeschlossen, und in dem Vorflur, in den er durch das Gitterfenster einen Blick werfen konnte, sah er nur vage den Anfang einer breiten Treppe. Er drückte auf den Klingelknopf, aber alles blieb still. Minuten vergingen. Er versank in Willenlosigkeit, und am liebsten hätte er vergessen, daß er auf Reisen war und ein Unterkommen für die Nacht suchte. Er dachte an sein Zimmer in der Heimat, an die Kuhlen in den Kissen und Matratzen seines Bettes, an den ihm so lieben Essensgeruch. Selbst der Ärger, den er zu Hause öfters hatte, fehlte ihm hier. Es war denn auch ein vaterländischer Ärger.

Schließlich nahm er den Koffer und stieß gegen die zweite Tür, die tatsächlich nicht abgeschlossen war, aber viel unansehnlicher aussah als die andere. Auch die kleine Holztreppe ohne Teppich, mit dem wackligen Geländer, war wenig dazu angetan, ihm einen gloriosen Empfang zu bereiten. Es roch nach Staub und Kalk. Auf dem Absatz der ersten Etage geriet er in der Dunkelheit auf eine Wendeltreppe. In dem engen Raum, der für sie ausgespart war, drehte sich die Treppe wie die Schale eines Apfels. Aber das enttäuschte ihn weiter nicht. Er wußte aus Erfahrung, daß ihm die großen Türen meist verschlossen blieben, und daß er, wo immer er auch anklopfte, den Nebeneingang benutzte.

Als er die dritte Etage erreicht hatte, machte er eine kleine Pause. Sein Herz klopfte, und sein Hemd war naß von Schweiß. Warum war er nicht zu Hause geblieben, anstatt mit sauberer Leibwäsche und einem schweren Koffer eine so weite Reise zu unternehmen?

An der Tür war keine Klingel zu finden. Als er nichts hörte, wiederholte er das Klopfen. Dann vernahm er Geräusche im Haus, Schritte näherten sich und die Tür wurde geöffnet. In dem Lichtschein stand eine kleine ziemlich beleibte Frau mittleren Alters. Er reichte ihr den Zettel des Verkehrsbüros, worauf sie ihn bat, einzutreten. Er kam in eine große Küche, die man vergebens mit zahllosen Flaschen, Dosen, Büchsen und Eßgeschirr zu füllen versucht hatte. In der Ecke stand ein Herd mit Pfannen und Töpfen, der beinahe die halbe Wand für sich in Anspruch nahm. Das Licht kam von einer Blechlampe, die an einer dünnen Schnur hing. Alles glänzte vor Fett. Es war kühl in der Küche, und der Essensgeruch schien sich auf den Boden gesenkt zu haben.

Die Frau begann sofort in der fremden Sprache zu reden. Er stellte befriedigt fest, daß der Sprachunterricht in seiner Jugend nicht umsonst gewesen war. Sie hätte eigentlich nichts mehr frei, aber da es so spät wäre, würde sie es irgendwie schon einrichten. Am nächsten Tag würde ein Zimmer frei.

Er versuchte, ihr klarzumachen, daß er hier nur schlafen wollte, ohne Frühstück oder andere Mahlzeiten. Aber sie war ihm durch einen langen, dunklen Flur vorangegangen, der auf eine Art Diele mündete, einen rechteckigen Raum mit Sofas, Schränken, Kleidern und Decken, Bildern, ungeheuerlichen Nippsachen, wie einem Elefantenzahn und einem Damensattel, einem Staubsauger, Kisten und irdenem Geschirr. Die Frau führte ihn in einen zweiten Raum. Anscheinend war es ein Wohnzimmer, ebenfalls voll von Möbeln und Büchern in Schränken von verschiedener Größe, das Zimmer jemandes, der ein langes Eheleben hinter sich hatte, aber immer noch den Drang nach weiterer Entwicklung in sich spürte. Sie bat ihn, Platz zu nehmen, und ließ ihn dann allein. Auf einem Damenschreibtisch mit Büchern, Zeitungen, Photographien und Schreibutensilien brannte eine Stehlampe mit einem Schirm aus Perlen. In der Nähe der Glastüren, von denen die eine nach einem Balkon offen stand, hatte das Abendlicht noch etwas Kraft.

Er hatte sich auf den Rand eines Stuhles gesetzt und den Koffer in Reichweite neben sich gestellt. Er hatte das Gefühl, in eine Falle geraten und als Gast in Besitz genommen zu sein, bevor er noch das Bett gesehen hatte, in dem er schlafen sollte. In Gedanken zählte er sein Geld, und schon sah er sich eine Banknote wechseln. Was für unnötige Bewegungen hatte er tagsüber gemacht. Und er hatte noch nicht einmal seinen Mantel ausziehen können. Er sehnte sich nach Bedienung, nach kahlen, weißen Wänden und dem Anblick eines Metallbettes.

Als die Frau immer noch nicht zurückkam, stand er auf und ging langsam auf den Schreibtisch zu. Auf der Tischplatte lag neben etwas Kleingeld ein Schlüsselbund. Er wäre gern allein in dem Haus gewesen, um die Briefe in den aufgeschnittenen Umschlägen zu lesen. Die Photographien zeigten die Pensionsinhaberin als Kind und als junge Frau, in der komischen Kleidung der Vergangenheit und mit einem glücklichen Lächeln, das natürlich nicht hatte standhalten können. Er faßte aber nichts an, auch später so wenig wie möglich, denn alle Gegenstände zeigten deutlich, daß sie einem anderen gehörten. Schon jetzt hatte er einen Widerwillen dagegen, die Luft einzuatmen, in der ihr Körper sich aufgehalten hatte. Schließlich trat er auf den Balkon hinaus, auf dem Gartenmöbel aus Rohr standen. Die Tassen, Teller und eine große Kaffeekanne mit wattiertem Kaffeewärmer verrieten, wo die Inhaberin und ihre Gäste gesessen hatten. Er nahm auf einem der Stühle Platz und steckte sich eine Zigarette an, deren Rauch er in die stille Abendluft über dem Garten und der einsamen Straße blies. In der Ferne, unter dem bewölkten Himmel, dröhnte der Lärm der Stadt. Hinter ihm lag die bedrückende Stille des Hauses. Das also war seine Ankunft in dem fremden Land, hier auf dem kleinen Balkon an der hohen Wand eines Hauses, das von der Vernichtung verschont geblieben war. Jedenfalls war das Sitzen gleich, hier und anderswo. Vages Heimweh füllte ihn wie ein kaum spürbarer Mangel an Luft. Außer dem Kauf des Stadtplans hatte er noch kein Geld ausgegeben, und das gab ihm das Gefühl, sich noch nicht mit dem fremden Volk vermischt zu haben. Immer noch war seine weite Reise eine Illusion, der die erste unzweideutige Bezahlung ein Ende bereiten würde. Er wurde ruhiger, seine Augen schlossen sich, ohne daß er deshalb einschlief. Das Rütteln des Zuges wirkte noch in ihm weiter.

Die Wirtin entriß ihn seinem Dösen. Sie hatte sich umgezogen, und während sie hin und her lief, eine Schublade oder einen Schrank zu öffnen, hatte er Gelegenheit, sie genauer zu betrachten. Sie trug einen Rock und dazu eine Spitzenbluse, die ihr eine unglaubwürdige Jugend verlieh. Dieser Eindruck wurde noch durch das blonde Wuschelhaar und die kleinen Schuhe mit hohen Absätzen verstärkt. Sie hatte sich verschwenderisch aber sehr schlecht gepudert, und auch die Schminke und das Lippenrot waren sehr nachlässig aufgelegt. War die Eile oder ein beschlagener Spiegel daran schuld? Oder gehörte sie zu jenen Frauen, die zu kokett sind, um auf das make-up zu verzichten, und zu eingebildet, ihm die notwendige Sorgfalt zu widmen? Anscheinend hatten ihre Bücherschränke etwas damit zu tun, dachte er. Bei soviel echter oder vermeintlicher Belesenheit blieb die Sorge um den Körper ein Ehrgeiz für niedere Klassen und Stände, zu denen man teilweise noch gehört. Nein, es war altgewohnte Nachlässigkeit: ein Drang nach Jugend, das Bedürfnis, als Dame zu gelten, mangelnder Widerstand gegen das Kaufen kosmetischer Dinge, Unterschätzung des männlichen Geschmacks, soziale Verderbtheit. Und das ohne die Vollkommenheit, durch die es nicht nur annehmbar, sondern auch ein Mittel der Verführung wird. Alles wurde noch zweifelhafter durch den übermäßigen Gebrauch eines Parfums, das nicht, wie es sich gehört, schwach und doch bestimmt ihre Gestalt und ihr Wesen umschwebte, sondern das sie hinter sich herschleppte wie einen Sack mit einem Loch.

Es war deutlich zu erkennen, daß sie etwas suchte, was sie nicht finden konnte, und daß es täglich vorkam. Sie wühlte in Papieren, verrückte Gegenstände, öffnete eine Schublade nach der andern und setzte sich dann an einen Tisch, um etwas zu schreiben. Unterdessen redete sie in einem fort, aber da sie auch ihre eigenen Gedanken äußerte, wußte der Reisende nicht, wann er ihr aus Höflichkeit antworten mußte. Außerdem schien das Verstehen der fremden Sprache doch schwieriger, wenn nicht von alltäglichen Dingen die Rede war. Welche Last bedeuteten die Unterschiede der einzelnen Sprachen und die gegensätzlichen Bewegungen von Mund und Zunge! Selbst das Schweigen war noch ein Ausdruck nationaler Eigenart.

Als sie aufstand, bemerkte sie, daß er immer noch den Mantel anhatte. »Ziehen Sie doch den Mantel aus und machen Sie es sich bequem«, sagte sie, mit verbindlichem Lächeln in Richtung auf das Mobiliar blickend. Aber gleich hinterher fügte sie hinzu: »Nein, lassen Sie ihn lieber an. Wir wollen in der Stadt essen. Sie gehen doch mit? Hier wird heute abend nicht gekocht.«

Er benutzte die Gelegenheit, sie nach dem WC und dem Bad zu fragen. Sie begleitete ihn in die Diele und zeigte ihm den Weg. »Wie heißen Sie?« fragte sie ihn, wobei sie ihn scharf ansah. Er antwortete der Wahrheit gemäß, aber sein Name schien für sie unaussprechbar. »Wissen Sie was, ich nenne Sie einfach Herr Ausländer.«

Inzwischen hatte er doch seinen Mantel ausgezogen, aber da sie immer noch sprach und die Todesstrafe längst verdient hatte, konnte er sich nicht entfernen. Sie erzählte ihm schnell, das Dienstmädchen hätte Ausgang und sie schriebe für Zeitungen (sie wäre keine gewöhnliche Pensionsinhaberin, fügte er in Gedanken mechanisch, aber widerwillig hinzu). Wie kommst du hier nur wieder raus? Anscheinend wohnte ein Landsmann von ihm bei ihr, der ebenfalls mit zum Essen ging.

Das größte Durcheinander herrschte wohl in dem Badezimmer, ein Durcheinander von Gegenständen, die sich nicht vertrugen und sich voreinander bis an den äußersten Rand der Glasplatte und des Waschbeckens verzogen hatten. An den Stangen hingen allerlei Bade- und Handtücher, und sogar der einzige Stuhl war mit Kleidern bedeckt. Er hatte sich bis auf das

Hemd ausgezogen und aus seinem Koffer ein Tuch mit Seife, Zahnpasta und Zahnbürste hervorgeholt. Er wußte nicht, wo er das alles lassen sollte, während er sich wusch. Wenn etwas ihn anekeln konnte, dann war es das Badezimmer anderer Leute. Der Anblick einer Zahnpastentube ohne Schraubdeckel, ein Kamm mit Haaren, ein Döschen Rouge, unter dessen Deckel das Deckpapier heraushing, und eine Puderquaste, die frauliche Schnurrbärte gestreichelt hatte, ließen ihn die ganze Menschheit hassen. Nichts ging über den Geschmack des eigenen Mundes. Selbst im Spiegel schien noch etwas von ihr haften geblieben zu sein. Und wie oft mußte sie ihren Körper gewaschen haben, daß der Boden ihrer Badewanne so braun geworden war? Er dachte an ihre Zehen, den beschämendsten Teil des menschlichen Körpers. Schließlich steckte er Zahnpasta und Zahnbürste in die Hosentasche, legte sich das Handtuch um den Nacken und drehte den Wasserhahn weit auf, um das tiefste Leitungswasser über Gesicht und Hände strömen zu lassen. Dann putzte er sich die Zähne. Der Pfefferminzgeschmack erfrischte ihn, wie es das Wasser bereits getan hatte. Seine Augenlider klebten nicht mehr, und seine Stirn war frei von Staub, bereit für hellere Gedanken.

Der Landsmann schien Bankbeamter und Junggeselle zu sein. Er hatte die Hälfte seines Lebens in Pensionen verbracht und fing sofort an über die Frau des Hauses herzuziehen. Um seine Worte abzuschwächen, fügte er hinzu, sie meinte es aber gut. Er war noch nicht alt und wechselte mühelos von Verdrießlichkeit zur Ausgelassenheit über. Sein Haar war dünn und glatt, sein gelbes Gesicht, in dem die schönen Augen und ein goldener Eckzahn besonders auffielen, war häßlich. Wahrscheinlich war er auch einer der letzten Kneiferträger der Welt. Später erzählte die Pensionsinhaberin, er wäre ein schwieriger Mensch, mit allerlei Krankheiten behaftet und zum Unglück geboren. Kürzlich wäre er noch die Treppe heruntergefallen, und er sei kaum imstande, sich hinkend fortzubewegen. Als die Pensionsinhaberin sich ihnen zugesellte – sie befanden sich in der Diele, und unser Reisender mußte dauernd nach dem Damensattel sehen –, fing der Bankbeamte gleich an, in seiner Landessprache allerlei Häßliches über sie zu sagen, ohne sie dabei anzusehen, und in einem Ton, als spräche er über ganz gleichgültige Dinge. Sie sah ihn mißtrauisch an, ihr Gesicht bebte vor Unentschlossenheit, vor Verlangen nach einem bestimmten Ausdruck, ganz einerlei, ob es Ekel, Traurigkeit oder tiefes Beleidigtsein war. Aber ihre

Augen sahen nichts als die verräterischen Bewegungen der Zungen und Lippen, und ihre Ohren hörten nur für sie unverständliche Worte. Schließlich entfernte sie sich, und der Bankbeamte brach in lautes Lachen aus. Er hinkte in das Badezimmer, um sich zu rasieren und das Problem des verfügbaren Waschraums auf seine Weise zu lösen.

Etwa eine halbe Stunde später machten sie sich auf den Weg. Durch die Unruhe und Hast der Frau getäuscht, aus der er schloß, daß sie sich beeilen müßten, hatte sich der Reisende fix und fertig angezogen, und stand sich nun die Beine in den Leib. Er hatte sich in die Diele begeben, um dadurch zum Ausdruck zu bringen, daß er fertig wäre. Hier hing eine altmodische Lampe, deren Verfertiger mehr Wert auf Verzierung als auf Leuchtkraft gelegt hatte. Das Ergebnis war ein schwacher Lichtschein, ein Nachtlicht, das nicht traurig sondern verlassen stimmte und dem überladenen Raum das Aussehen eines Auktionslokals gab. Nur schwer hatte er sich bezwungen, Schränke und Kisten nicht von ihrem Platz zu schieben und aufzubrechen. Ein Umzugsinstinkt, von dem er bisher keine Ahnung gehabt hatte, war in ihm wach geworden. Abwechselnd ließen die Pensionsinhaberin und der Bankbeamte auf sich warten. Und selbst als sie schon auf dem Flur standen, kehrte sie wieder um, um den Hausschlüssel zu holen, obwohl ihr Mieter ihr versicherte, er hätte einen Schlüssel bei sich. »Sie ist wieder mal wütend auf mich«, bemerkte er, »und das bringt sie unter anderem dadurch zum Ausdruck, daß sie ohne ihren Hausschlüssel nicht ausgeht. Sie sollten die mal kennenlernen.« – Die gemeinsame Sprache klang in der Stille des Hauses und für jemanden, der sich den ganzen Tag bemüht hatte, die fremden Worte auszusprechen, unheilvoll.

Sie gingen über die breite Steintreppe, die der Reisende vor einer Stunde nicht hatte benützen dürfen, nach unten. Ein Druck auf einen Knopf hatte auf allen Treppenabsätzen das Licht in Gang gebracht. Das Geräusch des Zählers, der die Stromzufuhr regelte, begleitete sie bei ihrem Abstieg, dem Eintracht fehlte. Voran ging die Frau, viel zu schnell in ihren kleinen Schuhen. Sie lief nicht nur, sondern bewegte auch ihre Hände und ihren Kopf, während ihr Mund keinen Augenblick still stand. Ihr folgte der Reisende, der jetzt auch noch den Friedensstifter spielen mußte, ein menschliches Niemandsland, voll widerstreitender Gefühle. Aber die Treppenstufen bereiteten ihm die kindliche Freude eines noch nicht begangenen

Wegs. Der Bankbeamte beschloß den Zug. Er hielt sich am Treppengeländer fest, um seinen unsicheren Schritten Stetigkeit zu geben. Das Hinken gab seinen Bewegungen etwas Sprunghaftes. Auch er sprach, jetzt wieder in der fremden Sprache und über den Kopf des Reisenden hinweg, zu der Frau, deren Eifer endlich einem löblichen Ziel galt. Zwischen diesen sprechenden Menschen hatte der Reisende das Gefühl, als bildeten sie eine Waage, die durch sein Schweigen im Gleichgewicht gehalten wurde. Es war eine edle Aufgabe, die seinen Gefühlen sehr entgegenkam.

Als sie das Haus verließen, sahen sie, daß es regnete. Die Frau hatte es natürlich zuerst gemerkt, und während der Bankbeamte noch damit beschäftigt war, die Tropfen mit seiner großen, langen Nase aufzufangen, war sie die Treppe schon wieder hinaufgeeilt, um ihren Regenschirm zu holen, wobei sie den Duft ihres Parfums als Pfand hinterließ. Der Bankbeamte schickte sich mit mürrischer Gelassenheit und deutlicher Schadenfreude in ihre Selbstaufopferung, die für ihn voller Vorwurf war. Das Rauschen des Regens auf den dunklen Garten war so schön, daß man ihm gern lauschte. Der Bankbeamte zündete sich die Zigarette an, die der Reisende abgeschlagen hatte.

Endlich waren sie dann unwiderruflich und einträchtig unterwegs. Die Frau ging zwischen den beiden Männern und gab das Tempo an, dem die anderen springend und gelassen folgten. Der Bankbeamte hielt außerdem den Schirm über sie, den er ihr nach einem kurzen Wortwechsel abgenommen hatte. »Sie wehrt sich natürlich«, sagte er zu dem Reisenden in ihrer Muttersprache, »aber ich kenne sie. Sie ist kokett wie eine Ratte. Hielte ich den Regenschirm nicht, wäre sie todunglücklich.« Und nach kurzem Schweigen, währenddessen er einen weiten Sprung ausführte: »Sonst müßten Sie es tun.«

An diesem Abend kehrten sie spät nach Hause zurück. Sie hatten in einem Restaurant in einer der belebtesten Straßen der Stadt gegessen, und als die Rechnung kam, sah der Reisende mit einem Blick, wie eng er bereits mit dem fremden Volk verbunden war. Betrübt und geizig hatte er eine neue Banknote aus der Hand gegeben und dafür von dem Kellner eine Anzahl kleiner, schmutziger Scheine zurückbekommen.

Das Essen hatte dem Reisenden schlecht geschmeckt. In Gesellschaft ließ er sich leicht überreden, Gerichte zu bestellen, die er nicht kannte, und die sich dann als Enttäuschung herausstellten. Man konnte in Restaurants im Ausland nicht vorsichtig genug sein. Nun saß er vor einem Teller mit Kartoffelsalat, der für eine Zunge und einen Gaumen, die an den Reiz der heimatlichen Gerichte gewöhnt waren, mit zu viel Zwiebeln angemacht war. Auch wurde, wie ihm schien, in den ausländischen Küchen verschwenderisch mit Essig umgegangen. Und dann herrschte der kulinarische Brauch, zu den Mahlzeiten große Gläser Bier zu trinken, in denen der Hunger ertrank. Es geht nichts über Mäßigkeit, dachte er wütend. Ein zu voller Magen mindert die menschliche Würde. Heute abend rumort es in meinem Gedärm.

Der Streit zwischen der Pensionsinhaberin und dem Bankbeamten dauerte auch bei Tisch weiter. Aber die Annahme, daß dieser Streit allein sie beschäftigte, wäre eine Verkennung ihrer Beweglichkeit gewesen. Sie fand Gelegenheit, den Herrn Ausländer über Zweck und Ziel seiner Reise zu befragen und sich mit zwei oder drei Kellnern zu unterhalten, die lächelnd, mit dampfenden Schüsseln und ungeduldigen Gästen im Hintergrund, an ihrem Tisch halt machen mußten; mit dem Inhaber des Restaurants, einem beschämend freundlichen Mann; und mit einer Dame, die mit ihrem kleinen Hund hinter ihnen saß. Außerdem erzählte sie dauernd Geschichten, Anekdoten und Wortspiele, stellte Fragen, auf die sie keine Antwort erwartete, und lieferte so den Beweis für eine umfassende, wenn auch oberflächliche Bildung. Es bedurfte keines allzu großen Scharfsinns, um zu erkennen, daß diese Frau geschieden sein mußte. Die Welt war nicht besser geworden, seit die Frauen das Recht hatten, sich in den Vorzimmern aufzuhalten, dachte der Reisende, der noch ein paar Jahre lang über die Ehe nachdenken wollte.

Als die Pensionsinhaberin erfuhr, daß der Reisende mit einem journalistischen Auftrag ins Ausland gefahren war, bot sie ihm gleich Gratis-Pension und den ganzen Umfang ihrer Freundschaften und Beziehungen an. Aber nach der ersten Freude darüber, einen Kollegen bei sich beherbergen zu können, rief sie verwundert: »Sind Sie wirklich Journalist? Sie machen einen so schüchternen Eindruck.« Nicht jedem gegenüber, dachte der Reisende. Aber er antwortete: »Es ist nur ein kleiner Auftrag. Und außerdem schreibe ich für die schüchternen Leser der Zeitung.« Widerwillig versuchte er, seine Dankbarkeit mit der hier üblichen übertriebenen Höflichkeit auszudrücken. Aber er verirrte sich in den fremden Worten wie jemand, der zum erstenmal Spaghetti ißt. Er empfand eine späte Liebe zu seinem Volk, dessen Schwerfälligkeit im Verkehr es von den anderen Menschen unterschied. Er sehnte sich nach der robusten Gleichgültigkeit, die zu Haus gang und gäbe war, nach der Mordlust an den Haltestellen der Straßenbahn und auf den Bahnsteigen.

Während sich der Reisende mit der Frau unterhielt, saß der Bankbeamte stillschweigend da und aß. Sein Gesicht, das gelb und heiter war wie das eines Opernsängers oder eines Schurken, brachte vor allem Verkanntsein zum Ausdruck. Auch er sehnte sich nach etwas Höherem als einem vollen Magen. Ein Hauch von Schwermut lag wie Schminke auf seinem Gesicht, eine trügerische Desillusion, die den Anschein erweckte, lauter edlen Gefühlen entsprossen zu sein. Auch seine Eitelkeit hatte, dank seiner Hautfarbe, einen tragischen Akzent. Der Reisende, der ihn halb von der Seite beobachtete, entdeckte nun auch den Nutzen des Kneifers: das Profil der Augäpfel blieb frei, so daß diese lieben, durch ihre Farbe, Größe und Form fast fraulichen Kugeln ihre ganze Verführungskraft unbehindert auch seitwärts entfalten konnten. Plötzlich sah ihn der Bankbeamte an, ohne den Kopf zu bewegen, so daß die Blicke, nicht durch das Glas korrigiert, mit vager Hilflosigkeit die Augen des andern anflehten. Der Reisende war durch die optische Frage einen Augenblick lang wie gelähmt, als wäre er gestorben, und nur langsam kehrte er, den Kopf voller Erinnerungen, ins Leben zurück. Inzwischen hatten auf dem Gesicht des Bankbeamten die ersten Gefühle anderen Platz gemacht: seine Fröhlichkeit begann unter einer Schicht aus Melancholie, die plötzlich überflüssig geworden war, durchzubrechen. Er nahm an dem Gespräch teil und machte den bösartigen Vorschlag, ihr Zusammensein in einem Nachtlokal fortzusetzen. In seiner Muttersprache klärte er den Reisenden über die Reize der Frauen und Mädchen auf, die sie dort antreffen würden. Die Pensionsinhaberin, wütend über die Zweisprachigkeit, die ihre oratorische Kraft halbierte, begann unruhig zu werden. Ihr Gesicht bebte wieder wie heute nachmittag in der Diele, auf der Suche nach dem ihr vertrauten Lebensstil. Zwischen diesen beiden Feuern blieb für den Reisenden nur eine vorsichtige Scheinheiligkeit übrig, die ihn zwang, seine Gesichtsmuskeln in Zucht zu halten. Er betrachtete die Hände seiner Wirtin, deren Nägel unter dem Lack die Küchenarbeit verrieten. Ihr make-up begann abzubröckeln: Schnurrbarthaare, eine Warze, ein Pickel und die robuste Farbe einer durchaus körperlichen Gesundheit verlangten ihr Recht.

Der Bankbeamte wiederholte seinen Vorschlag nicht, und das

war wohl der Grund, weshalb sie nach dem Besuch eines lauten, wenn auch ganz harmlosen Cafés auf seine Kosten mit einer Taxe nach Hause fuhren. Eng zusammen sitzend, kamen sie schnell in das dunklere Viertel der Stadt, außerhalb des eigentlichen Zentrums. Es regnete immer noch, und keiner sprach ein Wort, als wären alle Sprachen der Welt außerstande, das auszudrücken, was unter dem ledernen Verdeck eines Autos in den Köpfen von drei Bummlern vor sich ging. Die Frau saß zwischen den beiden Männern, und ihr Körper bot gegenseitige Berührungsflächen, worauf anscheinend kein besonderer Wert gelegt wurde. Sah sie deshalb so traurig und still aus, als sie endlich das Haus erreichten und die Freitreppe hinaufgingen? Sie hatte ihren wippenden Eifer in eine müde Feierlichkeit verwandelt, die so gut der späten Stunde entsprach, in der alle Geräusche verstummt waren. In die Stille klangen nur ihre Schritte, das Ticken des Zählers und das Klirren des Schlosses.

In der Diele, in der der Reisende verwundert das alte Umzugsdurcheinander wiederfand, wurde sie von ihrer gewohnten Energie ergriffen. Es mußte noch ein Bett für den Gast gerichtet werden. Erst jetzt erfuhr der Reisende, daß er in einer Art Kontor schlafen sollte, in einem der großen Zimmer, das an einen Geschäftsmann vermietet war und früh am Morgen für eine Sekretärin geräumt werden mußte, die hier ihre Briefe tippte und telephonierte. Es war wahrscheinlich das einzige Zimmer im Haus, in dem Raum und Möbel zueinander paßten. Es lag neben dem des Bankbeamten, aber es war größer, weil ihm die halbe Breite der Diele hinzugefügt war. Es war ein länglicher, hoher Raum, mit Glastüren nach dem Balkon, von denen die eine offen stand, so daß die langen Fenstervorhänge gespensterhaft nach innen flatterten. Neben dem Fenster stand ein Schreibtisch mit Telephon, Lampe, Schreibmaschine und Papieren unter einem Beschwerer, an der einen Wand ein großes Sofa und davor ein kleiner Tisch und ein paar Sessel, die augenscheinlich bei Geschäftsbesprechungen benutzt wurden. An der anderen Wand, in der Ecke neben einem Schrank, ein unvorstellbar großer Diwan, auf dem Riesen sich ihrem Liebesspiel hätten hingeben können. Auf und neben diesem Diwan lagen Felle. Das Zimmer bot genügend Raum für allerlei körperliche Bewegung. Es roch nach Regen, Zigarettenrauch und alten, lange nicht mehr ausgeklopften Polstermöbeln. Der Fußboden und die Möbel selbst waren ohne Staub, so daß wenigstens der Schein der Sauberkeit gewahrt blieb. Da der Reisende nichts zu zahlen brauchte, konnte mit Recht von ihm verlangt werden, daß er beim Herrichten des Bettes half. Er schleppte Kleider, Laken, Tücher und Kissen herbei, überließ es aber seiner Wirtin, das Bett fertig zu machen. Sie sagte immer noch kein Wort, aber ihr Schweigen, über das er sich eigentlich hätte freuen sollen, reizte ihn, seine Sprachkenntnisse zu versuchen. Wo blieben die Anekdoten, die Geschichten, die Wortspiele? fragte er sich. Hatte sie in dem hohen Gebirge des Tages die Grenze der Stille, die Schneegipfel heiterer Sprachlosigkeit erreicht? Er hatte Gründe, daran zu zweifeln. Diese Frau war keine Bergsteigerin, wenn sie es vielleicht auch glaubte. Er verlangte darnach, in Ruhe gelassen zu werden, unbelauert in seiner eigenen Torheit. Er sah ihren Eifer, ihre abscheuliche Körperlichkeit, die sich bewegte löblichen Eingebungen entsprechend. Ach, Gott, seufzte er, während er seinen Koffer öffnete, gib allem Körperlosen eine Seele, etwas, das erst beim Tode stirbt.

Schließlich wurde er aufgefordert, dem Bankbeamten beim Aufstellen seines Bettes zu helfen. Aus der Diele mußte ein Diwan in sein Zimmer getragen werden, nachdem man zuerst durch das Verschieben und Verstellen von allerlei Möbelstücken Platz geschaffen hatte. Dann wurde, diesmal mit Hilfe der Wirtin, die dazu einen Schrank aufschloß, auch für ihn Laken, Dekken und Kissen geholt. Der Bankbeamte hatte seine Schuhe ausgezogen, was ihn aber nicht vom Hinken befreite. Sein Gesicht war verdrießlich. Sein einwandfreier Anzug mit Oberhemd und steifem Kragen war nicht imstande seine Häßlichkeit zu mindern. Er gab seiner Verstimmung aber etwas Strenges und Offizielles. »Jeden Abend dasselbe Theater«, brummte er, »als wäre das Schlafen eine Strafe.« Ja, dachte der Reisende, wenn das mit so viel Mühe verbunden ist, wäre es vielleicht besser, aufzubleiben. Wann würden sie sich endlich in Ruhe lassen? Er beschloß, auf seinen Aufenthalt im Badezimmer zu verzichten, in das sich der Bankbeamte bereits mit dem Handtuch um den Hals und kraft seiner älteren Rechte auf den Weg gemacht hatte.

Nachdem er gute Nacht gewünscht hatte, schloß er sich in seinem Schlafsaal ein. Er kam sich ein wenig lächerlich vor, aber er freute sich, daß er nun endlich allein war. Wie weit lagen das Verlangen nach einem Bett und die Erfüllung dieses so berechtigten Wunsches auseinander. Bei jedem Kleidungsstück, das er ablegte, fühlte er sich leichter. Sein Körper sprengte zeitweilige Bande, um die eigene, ihm fast fremd gewordene Nacktheit wiederzufinden: ein Kleinmut, der in dem großen Raum verlorenging. Ein letzter Rest von Neugierde trieb ihn nach dem Schreibtisch und überall dahin, wo er vielleicht etwas finden konnte, was nach seinem Geschmack war. Eine leere Zigarettenschachtel, eine leere Flasche, eine Zeitschrift mit Bildern von Frauen, von denen manche nackt waren, das war augenscheinlich alles, was die Geschäftswelt nach ihrer Tagesarbeit hinterlassen hatte. Er setzte sich auf das Bett. Sollte er den Pyjama anziehen oder unbekleidet schlafen gehen? Er entschloß sich zu letzterem. Er hatte keine Decke, stellte er jetzt fest. Seine Wirtin hatte anstatt der Decke das Fell doppelt gelegt. Es war warm genug, aber es roch nach Staub. Es wird nicht einfach sein, dachte er, die Einheit zwischen Schläfer und Bett heute nacht zu bewahren.

Bevor er sich schlafen legte, mußte er die halbe Länge des Zimmers durchschreiten, um das Licht auszudrehen. Neben dem Schalter blieb er einen Augenblick stehen, um sich die Situation einzuprägen. Er sah seine Kleider über dem Sofa hängen, todähnliche Andeutungen einer menschlichen Form, seine leeren Schuhe mitten im Zimmer stehen und das aufgeschlagene Bett. Die Laken waren wenigstens sauber und kühl. Sie strahlten eine kindliche Naivität aus. »Wartet nur«, murmelte er, »ich werd euch schon zerknautschen.«

Am nächsten Morgen wurde er durch den Lärm von Zimmermannsarbeit geweckt, der durch die offene Balkontür ins Zimmer drang. Es war hell, und die Sonne schien. Im Hause herrschte Stille. Das Fell war von dem Diwan gerutscht, und sein Körper, den nur ein Laken bedeckte, war kalt geworden. Er hatte vage Erinnerungen an einen unruhigen Schlaf, an einen Kampf mit der nicht befestigten Decke, wodurch ihm die Nacht entsetzlich lang vorkam. Fröstelnd und mit einer Müdigkeit, die den Beginn des Tages Lügen strafte, stand er auf, um einen Blick nach draußen zu werfen. Außer den Zimmerleuten, die an der anderen Seite arbeiteten, war niemand auf der Straße. Er konnte nun besser sehen, welchen Schaden der Krieg verursacht hatte. Überall lagen Häuser in Schutt, Ruinen, die so lange nach dem Einsturz das Recht auf Weiterbestehen erworben hatten, mit Gras und Unkraut an sandigen Stellen. Hier und da standen noch Bruchstücke von Giebeln; durch die Fensterlöcher blinkte der Morgenhimmel mit lichtblauer Geziertheit. Die Gärten hatten den Krieg längst vergessen, und allerlei Schäden waren mit Grün bedeckt. Selbst zu den Ruinen gaben eiserne Gitter und

Kieswege Zugang. Die ganze Umgebung hatte etwas Ländliches, Sauberes in der Stille des jungen Tages. Das Sonnenlicht, das aus einem tiefen Winkel des Himmels strömte, strich über alles hin, ohne irgendwas zu belasten. Es wehte ein feiner, kühler Wind, der ihm die Fenstervorhänge an den Körper drückte, was ihn an die Verkleidungsspiele in seiner Jugend erinnerte. Von so viel vernunftloser Aufgewecktheit fast überzeugt, ging er wieder ins Bett und zog das Fell über sich. Sein Körper wurde warm: eine ungestüme Wärme, die tote Stellen aus ihrem Schlaf weckte und ihn ungeduldig machte, den Tag, der so offensichtlich begonnen hatte, in die Hand zu nehmen. Aber es dauerte noch lange, bis er im Haus die ersten Geräusche vernahm.

Hinterher begriff der Reisende nicht, weshalb er es bei der Frau fünf Tage ausgehalten hatte. War es die Folge seines Geizes oder seiner Trägheit, tiefer in das fremde Land einzudringen, dessen Eingangstür diese halbzerstörte Stadt war? Oder war die Hitze schuld, die jeden Tag drückender wurde und ihn jeden Entschluß hinauszuschieben drängte? Er führte das Leben eines Gefangenen oder eines Königs, der seinen Palast nur in Gesellschaft verläßt. Meist gingen sie nach dem Lunch, der, verglichen mit dem Frühstück, hastig und improvisiert aufgetragen wurde und der Sorgfalt der Hausfrau schon halbwegs entglitten war, in die Stadt. Die Morgenstunden verbrachte der Reisende im Wohnzimmer oder auf dem Balkon, wenn es noch nicht zu warm war. Immer wieder gab ihm die Pensionsinhaberin ein Buch in die Hand, das er lesen sollte. Schon bildeten die Bücher einen ganzen Stapel, den sie nach seiner Abreise wieder wegräumen mußte. Sie ließ Müßiggang nur dann gelten, wenn ein Stück Kultur ihn ausfüllte. Auch in dieser Hinsicht wich sein Geschmack von dem ihren ab. Fern von seinem eigenen Bücherschrank schöpfte er seine Bildung vor allem aus entrüsteter Selbstbetrachtung.

In der Stadt wollte sie alles sehen und alles zeigen. Vor jeder Ankündigung eines Konzertes oder einer Theatervorstellung blieb sie stehen, in jede Ausstellung lief sie hinein. Und es gab viele Ausstellungen in dem fremden Land, als könnte sich dieses Volk seine Selbstachtung nur mit dem Zeichenstift, der Töpferscheibe und dem Bildhauerhammer beweisen. Die Volkskunst blühte, sie wurde jedenfalls mit vorsichtigen Händen behütet. Eines Mittags besuchten sie eine Ausstellung rhythmischer Malerei und Plastik. Alle Ausdrucksmöglichkeiten waren auf Urformen zurückgeführt, monotone Linien, die an die Illustrationen esoterischer Handbücher oder an Quer- und Durchschnitte von Geweben und Zellen erinnerten.

Sie besuchten auch die Parks der Stadt: große, staubige Beete zwischen eingefallenen Häusern. Es war Wahnsinn in dem dichten Grün und den steinernen Brunnen mit alten Statuen. Aber auch der Friede langsamer Spaziergänger, Frauen mit Kindern, Mädchen, die in der fremden Sprache lachten und sich gegenseitig anstießen. Mit Selbstbewunderung stellte der Reisende fest, daß er für diese träumende oder scherzende Ruhe empfänglich war. Aber der Anblick der Schuhe seiner Begleiterin ließ ihn den alten Pegelstand seiner Verstimmung bald wieder erreichen. Er war darauf bedacht, nicht zu dicht neben ihr herzugehen, sie nicht zu berühren, aus seiner Höhe auf sie herabzusehen, um deutlich zu machen, daß keine Liebesbande zwischen ihnen bestanden. Was die Höflichkeit von ihm verlangte, tat er mit desinfizierter Förmlichkeit. Dennoch begann er, Mitleid für sie zu empfinden, den gemilderten Ärger, den jeder Schurke auf die Dauer für sein Schlachtopfer verspürt. Sein Ekel wurde dadurch noch größer. Es wurde Zeit, daß er sie verließ und vergaß.

Sie besuchten zahlreiche Freunde und Bekannte der Pensionsinhaberin in allen Teilen der Stadt. Oft bemerkte der Reisende erst im allerletzten Augenblick, daß sie einen Besuch machten. Augenscheinlich fand seine Freundin für ihre Ruhelosigkeit eine Stütze in der Überzeugung, daß sie es gut mit ihm meinte und ein löbliches Werk tat, wenn sie ihn mit alten Buchhändlern, mit Photographen ohne Atelier, Näherinnen, dicken Studentinnen, bejahrten Tänzerinnen und lauten Hausmüttern bekannt machte. Die Leute wohnten ohne Ausnahme in den obersten Etagen. Bevor er es merkte, lief er schon die Treppen hinauf, um in die Gehörgänge des Hauses einzudringen. Überall wurde er mit großer Gastlichkeit und Begeisterung empfangen. Man mußte schon ein Ungeheuer sein, um hier Ekel zu erwecken. Es wurde viel gesprochen, und abends war sein Mund müde von dem Lächeln und der Reue darüber.

Täglich machte die Pensionsinhaberin neue Freundschaften. Sobald sie in einem Café an einem Tisch Platz genommen hatten, suchte sie Annäherung an die Gäste. Sie hatte einen nie versagenden Instinkt, in Gesellschaft die Witwe eines Professors oder die Tochter eines früheren Ministers zu entdecken. Sie erkundigte sich nach dem Wohl und Weh von Kellnern, Postboten und Zeitungsverkäufern. Aber sie wurde eifersüchtig, wenn er das Fräulein in einer Würstchenbude niedlich fand. Es gäbe Grenzen, schien sie dann, plötzlich sprachlos geworden, mit mürrischem Rücken sagen zu wollen. Er sah in der Hitze der Stadt Schweißtropfen auf ihrer Oberlippe perlen. Das make-up, mit dem sie das Haus verließ, hielt ihr Gesicht keine fünf Minuten lang trocken und kühl.

Eines Mittags betraten sie eine kleine alte Kirche, die nur leicht beschädigt war. Es war hier kühl, und die Dämmerung hatte zwischen den bunten Fenstern alle Farben. Ein Sängerchor probte. Sie setzten sich einen Augenblick in den hinteren Teil der Kirche, um zuzuhören, aber schon bald saß er allein, denn die Anwesenheit von Unbekannten zog sie unwiderstehlich nach vorn. Daß diese Neugierde den Krieg überlebt hatte, konnte er einfach nicht begreifen. Sie würde das Böse und den Untergang noch an ihren Busen drücken. Der Chor sang alte Lieder, Kanons und Fugen. Es klang fröhlich, aber gekünstelt, wenn man an die Innenstadt dachte, die keine fünfzig Meter von der Kirche entfernt war und deren Lärm in die Stille der Gesangspausen drang. Es war, als versänken Sänger und Zuhörer je länger desto tiefer in der Zeit. Die Holzbänke mit den dicken, alten Bibeln, die großen Fliesen, über die die Pensionsinhaberin nach vorn ihrem Heil immer näher schlurfte, der Kreis aus Männern und Frauen mit dem barocken Aufbau ihres Gesanges über ihnen, das alles glich der Erinnerung eines längst Gestorbenen. Vorn, wo der Chor aufgestellt war, leuchtete helleres, kaum noch farbiges Licht, ein kleiner Himmel vergangener Illusionen. Ob die Pensionsinhaberin sich bis dahin wagte? Ja. Als eine Pause gemacht wurde, näherte sie sich, um ihre Komplimente anzubringen. Von fern sah der Reisende die Wortspiele und Sprüche von ihren Lippen springen. Aber auch ohne ihr Zutun hatte sich durch das Sprechen und Lachen der Sänger und Sängerinnen das Himmlische bereits in Alltäglichkeit verwandelt. Spielenderweise kehrten die Toten ins Leben zurück. Der Reisende ärgerte sich über die Leichtigkeit, mit der seine Begleiterin sich mit ihren Landsleuten unterhielt und in jeder Gesellschaft, dank der gemeinsamen Sprache, Annäherung suchte. Dem eigenen Volk gegenüber war nur Mißtrauen angebracht. Zu viel Verständnis trübte die klare Feindschaft des Lebens.

Schon einmal hatten sie, durch die Hitze dazu gezwungen,

eine Kirche betreten, der Reisende nur, um körperliches Labsal, ein paar Atemzüge fauler Luft zu finden. In katholischen Kirchen kniete seine Wirtin nachlässig und unbeholfen nieder, um zu beten oder den Anschein frommer Betrachtung zu erwekken. Nach einer Stille, die nie lange dauerte, aber ihre Muskeln wohl erstaunen ließ, stand sie auf, schlug ein Kreuz und tauchte ihre Finger in ein Becken mit Weihwasser. Ebenso fromm nahm sie auf der Bank einer protestantischen Kirche Platz, um aus dem Unterschied des Rituals, der beide Formen frommen Zeitvertreibs voneinander trennt, eine ebenso anmaßende Stille zu schaffen. Wie würde sie sich wohl in einer Moschee oder Synagoge benehmen? Übrigens sollte das Knien jungen Tänzerinnen vorbehalten bleiben.

Manche Kirchen waren halb zerstört. Die unbeschädigten Teile waren mit Brettern verschalt, weißem Holz, das unwillkürlich den Blick nach oben zog und am Sonntagmorgen nicht wenig unbeabsichtigte Andacht hervorrufen mußte. Um die Kirche herum lagen schwere, unschuldige Steinblöcke, als könnten derartig gewaltige Bauwerke auch ihre Blätter verlieren.

An den Besuch der Kirchen wurde der Reisende erinnert, als sie eines Abends eine ›Hamlet‹-Aufführung besuchten. Das Stück wurde in einem Klosterhof gespielt. Schauspieler und Zuschauer hatten den freien Himmel über sich, der langsam seine Farbe verlor und die ersten Sterne erscheinen ließ. Auf dem Rasen des Innenhofs standen lange Reihen von Stühlen. Man konnte auch von den Wandelgängen aus zusehen, die von Säulen begrenzt waren, an denen Kletterpflanzen in die Höhe strebten. Das Kloster selbst war zum größten Teil zerstört. An Schutthaufen und Trümmern des Gebäudes vorbei erreichte man das Allerheiligste, diesen Kern der Welt. Die Bühne hatte keinen Vorhang, und der Szenenwechsel vollzog sich vor den Augen der Zuschauer. Die Stimmen schienen nicht größer, die Leidenschaften nicht heftiger als sie in Wirklichkeit waren, als könnten sie sich nicht von der Erde lösen. Der Reisende fühlte sich in dieser Mischung aus Intimität und Unendlichkeit, in diesem Ineinanderströmen von Leidenschaft und Entsagung wohl. Er neigte von Natur aus zur Ergebung, zu einer Neugierde, die keinen Finger rührte und kein Auge bewegte. Wieder, wie in der Kirche, saß er allein im Dunkeln. Er hatte es aufgegeben, seiner Wirtin zu folgen, die von dem einen unbesetzten Stuhl nach dem anderen gelaufen war. Sie war ein Raubtier, hatte er endlich entdeckt, nur darauf aus, die Welt zu verschlingen.

Während der Pause gingen sie hinter die Bühne, was hier ganz einfach war. Die Pensionsinhaberin kannte Ophelia, eine junge Schauspielerin in einem tief ausgeschnittenen, gelbseidenen Kleid. Während sie mit ihr sprachen, lehnte sich das Mädchen gegen eine Balustrade, die ihre Brüste stützte und zur Schau stellte, von ihren braunen Flechten umrahmt. Sie bedeckte die bloßen Ellbogen mit ihren Händen, wegen der Kühle, die jahrhundertelange Gottesfurcht zwischen den Mauern hinterlassen hatte. Ihr Gesicht war von einer Schicht Schminke geschützt, die ihr Lächeln im Zwang hielt und die Mimik eines alltäglichen Gesprächs verstärkte. Gegen dieses geschminkte Gesicht hob sich die nackte Haut ihrer Brüste und Arme wie ein Ausbruch obszöner Keuschheit ab. Schauspielerinnen sehen aus wie Huren, dachte der Reisende gerührt, und unwillkürlich griff er nach dem Umschlag, in dem er sein Geld verwahrte. Weshalb konnte er das Spiel mit dieser Ophelia nicht fortsetzen, wenn sie auf der Bühne aus ihrem Tod erwacht und wieder ein gewöhnliches Mädchen geworden war, das sich bücken mußte, um ihre Strümpfe anzuziehen? Aber seine Wirtin stand wie eine Aufforderung zu vollkommener Enthaltsamkeit zwischen ihnen.

Während er mit der Pensionsinhaberin dauernd unterwegs war, hatte der Reisende von seinem Landsmann nur wenig zu sehen bekommen. Morgens beim Aufstehen begegnete er ihm meist in der Diele. Sie wechselten ein paar Worte in ihrer Muttersprache. Das Hinken drohte Gewohnheit zu werden, und der Reisende hatte sich damit abgefunden. Manchmal fragte ihn der Bankbeamte, wo sie am Tage vorher gewesen wären, immer in einem ironischen Ton, der je nach dem Thema in Verdrießlichkeit oder in die naive Wichtigtuerei eines Kaufmanns überging. Tagsüber schloß er sich in seinem Zimmer ein, mag der Himmel wissen, in welche Berechnungen vertieft. Dann und wann hörte man ihn husten oder einen Stuhl rücken, nur um geheimnisvoll zu wirken. Abends war keine Spur von ihm zu entdecken. Gewöhnlich trugen die Pensionsinhaberin und der Reisende seinen Diwan in sein Zimmer, ehe sie ihr eigenes Bett richteten.

Der Reisende hatte in seinem Schlaf jene Gleichmäßigkeit erreicht, die die lose Decke erforderlich machte, und morgens stellte er stolz fest, daß das Fell nicht vom Bett gerutscht war.

Unsere größten Siege werden im Schlaf- und Wohnzimmer errungen. Er empfand eine tiefe Zärtlichkeit für den Inhalt seines Koffers, die Kleider und die Toiletteartikel, die ihn aus dem fernen Vaterland begleitet hatten. Liebevoll ordneten seine Finger alles in dem kleinen Raum. In Gedanken nannte er jeden Gegenstand bei seinem Namen. Von der eigenen Sprache ging, selbst wenn sie unausgesprochen und nur Möglichkeit blieb, ein durchdringender Trost aus, der seine Einsamkeit vergrößerte, aber auch überwölbte. Die einfachsten Worte wurden Liebesworte. Hinter ihm, in der Ferne, lag seine Heimat. Sie bestand noch immer, das nahm er voller Vertrauen an. In seiner Erinnerung hatte er sie von allen Unannehmlichkeiten befreit, die an der Grenze auf jeden verlorenen Sohn warteten. Er sah sie auftauchen im Jenseits seiner Heimkehr.

Am Samstagabend wollte die Pensionsinhaberin mit ihm zum Apfelweintrinken gehen. Es war ein alter Volksbrauch, in einem bestimmten Viertel der Stadt den neuen Apfelwein zu probieren. Auch der Bankbeamte war mit von der Partie, und als die drei das Haus verließen, schien, bis auf eine kleine Steigerung gegenseitiger Menschenkenntnis, alles beim alten.

Das Apfelweinviertel lag auf dem anderen Ufer des Flusses. Man erreichte es nach einer langen Trambahnfahrt. In fast allen Straßen dieses Stadtteils befand sich eine kleine Wirtschaft mit einem Kranz aus Apfellaub über der Tür. Straßenweit hörte man Gesang. Es regnete wie am ersten Abend, und sie suchten nicht lange. Später meinte der Reisende, daß die Einrichtung dieser Kneipen überall dieselbe war. Hinter der kleinen Schankstube, wo ein paar alte Männer um den Schanktisch saßen, befand sich ein länglicher Raum, eine Art Scheune, ohne jeden Schmuck, ohne Bequemlichkeit, mit hölzernem Fußboden und langen Tischen auf Böcken. An den Tischen saßen die Gäste auf rohen Holzbänken. Jeder hatte eine große Kanne Apfelwein vor sich stehen. Es war keine Gelegenheit, sich abzusondern oder eine eigene Gesellschaft zu bilden. Das Trinken hatte augenscheinlich einen verbrüdernden Zweck, und das machte den Reisenden von vornherein etwas verlegen. In der Nähe eines offenen Fensters, hinter dem der Regen in einem Nebel aus Lampenlicht und Zigarettenrauch sichtbar wurde, lehnte ein Harmonikaspieler an der Wand.

Nach einigem Suchen fanden sie einen Platz, und noch bevor sie den Apfelwein bestellen konnten, waren sie in die allgemeine

Fröhlichkeit aufgenommen. Der Reisende fühlte, wie jemand seinen Arm ergriff, und er nach dem Takt von Gesang und Musik hin- und hergewiegt wurde. Vorsichtig und beschämt blickte er um sich. Er fragte sich, ob er jemals, selbst in seiner Heimat, so viele häßliche Menschen beieinander gesehen hätte. Durch einfache Kontrastwirkung wurde die Pensionsinhaberin eine blühende Frau mit glatter, kaum gerunzelter Haut und mit Händen ohne Schwielen und Narben. Sie sang lachend aus voller Brust mit, und die ersten Schweißtropfen zeigten sich auf ihrer Oberlippe. Sie schunkelte, schon eng verbrüdert, mit einem breitschultrigen Zwerg, der ihren bloßen Oberarm gefaßt hatte. Auch der Bankbeamte hatte weniger Mühe als der Reisende. Er sah vornehm aus, und die Kraft seiner Stimme machte ihn um zwanzig Jahre jünger.

Der Reisende wunderte sich über seine Anwesenheit, als hätten alle Anstrengungen der letzten Tage sich nur auf dieses Ziel hin bewegt. Anscheinend bedeuteten Armut und Mangel an äußerer Schönheit für alle diese Menschen kein Hindernis, sich zu amüsieren. Ihr Vergnügen war nicht ohne eine Schamlosigkeit, die so wenig dem eigenen Volkscharakter zu entsprechen schien.

Als das Lied zu Ende war, hob jeder seinen Krug hoch und tat einen ordentlichen Zug. Es wurde gelacht und geplaudert. Witze wurden von einem Tisch zum andern erzählt. Häßliche Gesichter sahen einander verliebt in die Augen. Eine dicke, alte Frau kletterte mit viel Mühe und Fröhlichkeit auf ihren Stuhl. Dennoch herrschte eine rätselhafte Disziplin, die sich der Reisende später am Abend zu erklären versuchte. War es Müdigkeit nach dem Elend des Krieges? War es der Anteil, den jeder von ihnen an der Niederlage hatte? Oder war es einfach die Folge des geringen Alkoholgehalts des Apfelweins, der den Durst löschte, bevor der Trunkenheit eine Chance gegeben war?

Ganze Familien, Großvater und jüngstes Kind eingeschlossen, hatten sich aufgemacht, dieses Fest zu feiern. Es glich einer Heckengemeinde, einer Gemeinschaft von Heiligen, die zu arm war, eine Kirche aus Stein zu bauen. Sie verband ein Glaube, der für das kleinste Hirn und die schmutzigsten Hände paßte. Du übertreibst, tadelte sich der Reisende, deine motorische Ohnmacht spielt dir einen Streich. Ist es nicht anbetungswürdig, daß Menschen im Beisein von anderen ihren Mund sperrangelweit aufreißen?

Kellner, die sich äußerlich nur durch eine Schürze von den Durchschnittsgästen unterschieden, füllten die leeren Gläser und brachten den Neuangekommenen frische Krüge. Es wurde auch Brot feilgeboten, in Kringeln oder allerlei anderen Figuren gebacken, süß oder mit Salzkörnern auf der Kruste. Die Pensionsinhaberin kaufte eine Tüte Salzstengel. Sie wollte nichts von dem Fest versäumen. Sie glaubte an ihr Heil, das war ihr deutlich anzusehen. Ihre Kenntnis der Volkssprache kam ihr sehr zustatten. Sie mußte nur laut schreien und ihre Weisheit immer wiederholen. Aber eine so große Liebe zum Wort wurde durch derartiges Mißgeschick kaum geschwächt. Sie liebte ihr Volk in allen Schichten. Das gab ihr unbegrenzte Möglichkeiten zu gesellschaftlichem Verkehr.

Der Reisende betrachtete seinen Landsmann. In Gedanken ersehnte er einen Seitenblick aus den schönen Augen. Sogar für einen kleinen Beweis seiner Verdrießlichkeit wäre er dankbar gewesen. Aber der Bankbeamte lebte allein mit dem häßlichen Teil seines Gesichtes. So lassen sich Söhne des gleichen Stamms im Stich, dachte der Reisende betrübt.

»Amüsieren Sie sich, Herr Ausländer?« rief die Pensionsinhaberin ihm zu. Er lachte und nickte wie jemand, der unter vorgehaltenem Revolver sein Geld rausrückt. Sie reichte ihm einen Salzstengel.

Lange nach Mitternacht verließen sie die letzte Kneipe, die schließen mußte. Der Reisende hatte nicht alle Kannen leer getrunken, die vor ihm hingestellt wurden, aber doch genug Apfelwein in sich hineingeschüttet, um eine leichte Trunkenheit zu spüren, die sich mühevoll einen Weg durch große Mengen ganz gewöhnlichen Apfelsaftes hatte bahnen müssen, eine Trunkenheit voller Widersinn, weil die richtige Gesellschaft fehlte. Der Bankbeamte hatte sie im Stich gelassen. In sicherem Abstand folgte der Reisende seiner Wirtin, die ihren Anteil an Apfelwein in noch größere Gesprächigkeit und Beweglichkeit umgesetzt hatte. Hin und wieder stimmte sie ein Liedchen an. Sie hatte noch gar keine Lust, nach Hause zu gehen.

Wie echte Trunkenbolde torkelten sie aus der einen Straße in die andere, auf der Suche nach Lärm, Licht und einem letzten Glas, müde der Volksversammlung, an der sie teilgenommen hatten, nach auserlesener Gesellschaft verlangend, die die Rückkehr in das eigene Bett ermöglicht und versüßt. Diese Gesellschaft fanden sie in einer kleinen Wirtschaft, in die sie, nachdem der Kellner einen Blick in die leere, dunkle Straße geworfen hatte, nicht ohne Geheimnistuerei eingelassen wurden. Man war schon beim Aufräumen. Der größte Teil des Lokals war in Dunkelheit gehüllt, die Kellner stellten die Stühle auf die Tische. Vorn, unter dem Licht einer einsamen Lampe, saßen ein paar junge Männer und Frauen, denen sich die Pensionsinhaberin und der Reisende zugesellten. Man versuchte, Wein zu bestellen, aber die sonst so dienstfertigen Kellner hatten viel von ihrem Eifer eingebüßt. Endlich erschien ein Mädchen mit Gläsern und einigen Flaschen Wein. Es wurde eingeschenkt, angestoßen und getrunken. Es war jedenfalls echter Traubenwein, der stärker als sonst auf die allgemeine Trunkenheit wirkte.

Zum erstenmal seit seinem Aufenthalt in dem fremden Land fühlte der Reisende etwas wie Gemütlichkeit. Die Pensionsinhaberin saß fern von ihm. Sie war mit einem noch jungen Mann in ein Gespräch vertieft. Durch das Sausen seiner Trommelfelle hindurch hörte der Reisende die großen Zauberworte, die überall in der Welt dieselben sind und alle Kriege überflüssig machen. (Später erzählte ihm die Pensionsinhaberin, der junge Mann wäre Psychologe in städtischen Diensten.) Der Reisende selbst saß neben einem Mädchen, das seine Aufmerksamkeit zwischen ihm und seinem Begleiter teilte. Sie war ein wenig betrunken und neckte den Reisenden mit seiner Dicke, die nicht übertrieben war, aber keinen Hinweis auf durchstandene Hungerjahre zuließ. Als der Reisende nach ihrer Hand tastete, überließ sie sie ihm sofort. Sie ist mit einem Wortspiel zu fangen, überlegte er. Eine Anekdote, ein bestimmter Tonfall, und sie fällt mir mit einer Umarmung um den Hals, die erst auf dem Boden ihr Ende findet. Aber ihr Freund hielt sie fest. Die Gastlichkeit seines Volkes hinderte ihn nicht, eifersüchtig zu sein. Schließlich fragte der Reisende das Mädchen, ob sie keine Zwillingsschwester hätte. Sie drehte sich um und zeigte auf ein paar Plätze weiter. Es wäre die Schwester ihres Freundes, erklärte sie ihm, zufrieden, daß ein so schweres Problem sich so leicht zu lösen schien. Aber es tat ihr doch leid, daß sie sich nun von ihm trennen sollte, und der Reisende teilte ihren Schmerz. Seine Neugierde nach der anderen kam ihm jetzt schon als Treuebruch vor. Er brauchte keine fünf Minuten, um verliebt zu werden.

Als sie auch diese Kneipe verlassen mußten, gingen sie zusammen nach Hause. Der Reisende hatte seiner neuen Freundin den Arm gereicht, und unwillkürlich blieben sie hinter den anderen zurück. Er achtete nicht auf die Schritte der Pensionsinhaberin, die mit ihrem Psychologen voranging. Sie hätte ihm seine Liebesfreude vergällt.

Es war ein süßes Kind, das neben ihm herging. Sie trug ein altes, nicht gerade modisches Kleid, das sie zu einem armen Mädchen machte und seiner beginnenden Verliebtheit einen Schimmer jenes Mitleids gab, das Reisende oft nötig haben, um ihre Gefühle zu rechtfertigen und ihre Trunkenheit zu mildern. Sie war Krankenschwester und kam aus dem Norden des Landes, in den sie am Ende des Krieges geflohen war. Ihre Worte ließen eine Tragödie von Entbehrungen und Vergewaltigungen vermuten. Der Reisende fühlte, daß er nicht weiter fragen durfte, daß ihre Vergangenheit in diesen Andeutungen beschlossen bleiben mußte. Ihre Liebe war noch zu jung, um sie durch Verdruß und Nachdenken zu entweihen. Eine Zeitlang sprachen nur ihre Schultern und Hände miteinander. Sie hatten für ihre Umgebung, die dunklen Häuserruinen, die nur hier und da durch Laternen erleuchtet wurden, kaum einen Blick. Sie war daran gewöhnt, und der Reisende hatte kein Interesse an nächtlichen Sehenswürdigkeiten. Es war still, eine hohe, weite Stille, auf deren Boden ihre Schritte aufklangen, ihr leichtes, schwebendes und manchmal lachendes Geplauder. Vorn, bei den andern, war von dem langen Abend noch ein letzter Rest Ausgelassenheit übriggeblieben, der vor allem an Plätzen und Straßenkreuzungen aufwallte, als besäße der Raum andere Verlokkungen als die, die mit Schweigen beantwortet werden. Einer der jungen Männer ließ sein Mädchen stehen und versuchte, an einem Laternenpfahl in die Höhe zu klettern, ein Unternehmen, das die Gesellschaft nach dem Lächeln, zu dem sie sich verpflichtet fühlte, als unangebracht abtat.

Endlich erreichten sie den Fluß. Der Druck der Häuser glitt von ihnen ab. Der Raum fiel ihnen zu Füßen, aber ohne sich zu erniedrigen. Der langsame Zug der Wolken, die das Licht des unsichtbaren Mondes siebten und verbreiteten, wurde mit mattem Glanz vom Wasser wiederholt. Der Fluß lag in einem tiefen, breiten Bett, ohne Schiffe, eine Nacktheit, die Stillstand und Förmlichkeit verschmähte. Zu beiden Seiten, am Fuße der hohen Kais, befand sich zwischen Wasser und Mauern ein schmaler Streifen Erde, der hier und da mit Gebüsch begrünt war. Lagerplätze für Holz, Bootshäuser und ein verlassenes Lokal zeugten von dem Betrieb, der hier tagsüber herrschte oder früher geherrscht hatte. Hohe Bogenbrücken verbanden die Ufer mit den Giebeln ausgebrannter Kaufmannshäuser. An der andern Seite des Flusses lag das Zentrum, ein Denkmal der Vernichtung.

Sobald die anderen das Wasser sahen, wollten sie schwimmen. Die Eiligsten liefen bereits die Kaitreppen hinab. Der Reisende, von einer vaterländischen Angst vor Erkältung und Rheumatismus ergriffen, beschloß, lieber trocken zu bleiben. Dieser Beschluß brachte ihn gleich zu sich selbst und gab ihm die Zuschauerrolle wieder, die er einen Augenblick lang aufgegeben hatte. Das Mädchen löste sich aus seiner Umarmung. Er mußte sie dem nächtlichen Dämmerlicht, das dem Blick nur vage Umrisse gab, und einem Verlangen, an dem er nur in Gedanken teilnehmen konnte, überlassen. Langsamer als die anderen ging er, Gebärden suchend, nach unten, wo jene sich schon auszogen.

Die Pensionsinhaberin hatte sich mit ihrem Landsmann abgesondert, ohne den Reisenden weiter zu beachten. Er konnte es sich nicht versagen, nach ihr zu schauen, aus einer Neugierde heraus, deren er sich schämte, die ihn aber befähigte, sich an ihr wegen alles dessen zu rächen, was sie ihm im Laufe der Woche angetan hatte. Nicht ohne Zimperlichkeit zog sie, wie er mit glücklichem Lächeln sah, ihre Kleider aus. Aber die Dunkelheit verwischte jeden Unterschied zwischen Keuschheit und Herausforderung. Gebückt, die Hose noch an, die Hände vor den Brüsten, als fürchtete sie, sie könnten auf die Erde fallen, lief sie über die niedrigen Steine und tauchte ins Wasser, in dem die anderen Köpfe schon herumtrieben. Sie schwamm wie ein Tier, sah der Reisende, als kröche sie auf Händen und Füßen durch das Wasser. Der Rücken ragte aus dem Strom, nicht der flache Rücken eines Menschen, sondern der runde einer unbehaarten Ratte. Erst jetzt begriff der Reisende, was der Bankbeamte über ihre Eitelkeit gesagt hatte. Diese Erkenntnis gab seinen Gefühlen die Abrundung, nach der er schon auf so vielen Umwegen gestrebt hatte. Und als das Mädchen ihm später erzählte, sie müßte am nächsten Mittag wieder in ihr Krankenhaus zurück, beschloß auch er, nicht länger zu bleiben.

Von diesem Augenblick an fühlte er sich glücklich und hochherzig, ein Henker, der die Hinrichtung hinter sich hat und nur noch mit Toten verkehrt. Auch das Mädchen hatte die süße Unantastbarkeit einer Toten. Als sie ihm nach dem Bad ihre triefende Nacktheit zeigte, mit einem Ölflecken auf einem ihrer Oberschenkel, und ihm wie ein Fisch in die Arme fiel, träumte er nur noch, daß er sie sauber rieb und ihre kalten Lippen küßte. Auch die anderen Schwimmer kamen ans Ufer. Ihr Geschrei überließ das Wasser seiner beispiellosen Selbstgenügsamkeit.

Am folgenden Tag wurde der Reisende spät, mit einer Erinnerung an Glockengeläut, wach. Beim Frühstück sagte er, während er mit Widerwillen sein Ei schälte und sich dabei eines Hornlöffels bediente, seiner Wirtin, er wolle mit dem Mittagszug abfahren. Die Pensionsinhaberin erschrak über seine Entschlossenheit. Ihre Gesprächigkeit brach zusammen. Sie stand vom Tisch auf und mußte auf einmal allerlei im andern Teil der Wohnung in Ordnung bringen. Wahrscheinlich wollte sie ihre Wut an Töpfen und Pfannen auslassen, dachte der Reisende nicht ohne Mitleid. Aber in Gedanken hatte er schon Abschied von ihr genommen und sich für ihre Anwesenheit auf der Erde nicht für verantwortlich erklärt. Später am Tage versuchte sie, ihn zu überreden, noch zu bleiben. Sie berief sich dabei auf alles das, was sie noch nicht besichtigt hatten: Kirchhöfe, wo berühmte Menschen begraben lagen, Schulen, Schlachthäuser, Liebeslauben außerhalb der Stadt, in denen die Dichter ihres Volkes vor unsterblichen Frauen gekniet hatten. Der Reisende lächelte erhaben, aber unerbittlich. Nur einen Kniefall würde er noch machen, um die Riemen seines Koffers festzuzurren. Sein Gebrauch der fremden Sprache war auf einmal viel sicherer geworden. Die Liebe zu unseren Mitmenschen ist nie größer, als wenn wir im Begriff sind, sie zu verlassen.

Die Pensionsinhaberin begleitete ihn zum Bahnhof, nachdem er sich von dem Bankbeamten, der gerade unrasiert und mürrisch sein Zimmer verließ, verabschiedet hatte. Er beneidete den Reisenden, der ihn so schön von der Besorgtheit der Wirtin befreit hatte. Mit gehobenem Selbstvertrauen, weil sein Abschied von zwei Menschen bedauert wurde, ging der Reisende mit der Pensionsinhaberin die breite Steintreppe hinab. Sie hatten die Straße noch nicht erreicht, als ihm der Schweiß aus den Achseln zu tropfen begann; ein Schweiß, der dieses Mal im voraus gerächt war.

Im Zentrum der Stadt raste der Verkehr, als gäbe es keine Sonntagsheiligung, mit einem Eifer, dem es beispielsweise einerlei war, ob jemand in aller Ruhe an einen bloßen Frauenarm denken wollte. Unter dem senkrechten Mittagslicht glich diese Zusammenstellung von Plätzen und Straßen, mit den leeren Stellen halb oder ganz zerstörter Gebäude, weiß, staubig, voll des Lärms der Straßenbahnen, Autos und Stimmen, einer vorzeitigen Hölle. Sie war der blinde Fleck auf der Netzhaut der Erde, eine Bewegung voller Selbstbetrug. Überall wurde gebaut, um die Lücken zu füllen und das Licht in feste Bahnen zu leiten. Die Zimmerleute und Maurer in ihren bekalkten Kitteln, die sie an Arbeitstagen mit langen Leitern schuften sahen, hohe Gerüste erkletternd, hatten den Reisenden an Theaterdiener denken lassen. Irgendwo mußte eine Maschinerie sein, die die Aufstellung der Kulissen regelte und abends die langen Vorhänge aus Stille und Finsternis herunterließ. Wo schliefen all die vielen Menschen? fragte sich der Reisende. Was mußte alles bis in die späten Stunden umgeräumt werden, bevor jeder einen Platz hatte, wo er sein müdes Haupt hinlegen konnte. Offenbar blieb nach einem Bombardement immer mehr Hausrat als Wohnraum übrig. In den Seitenstraßen, wo es viel stiller war, gab es noch Hoffnung. Hier und da hatte man die Ruinen mit Sand und Erde geglättet und kleine Gärten angelegt, wo Menschen unter einem Sonnenschirm saßen. Man hatte noch Zeit, nach dem Himmel mit einer verirrten Wolke zu sehen.

In der Nähe des Bahnhofs kaufte der Reisende einen Strauß Blumen für seine Wirtin. Sie fühlte sich geschmeichelt und glücklich, aber sie mußte ihre aufschwellende Gesprächigkeit den letzten wenigen Minuten anpassen. Er dankte ihr mit einer Herzlichkeit, die für ihn voller Ironie war. Während der Zug sich in Bewegung setzte, gab sie ihm noch allerlei Ratschläge. Sie lief ein Stückchen mit, aber das konnte sie nicht lange durchhalten. Schließlich blieb sie stehen, die Blumen an die Brust gedrückt. So sah der Reisende sie zum letztenmal: ein Traum, nicht mehr beängstigend, denn das Erwachen war in vollem Gang. Er ging in den Speisewagen, und während er an einem der kleinen Tische Platz nahm, fuhr der Zug über die Flußbrükke. An beiden Ufern des Stroms lag die Stadt, freundlich und zerschunden, in dem hohen Sonnenlicht. Ein Kellner legte mit anbetenswerter Unterwürfigkeit eine Karte vor ihn hin. Ich will ein Glas Wein trinken, dachte der Reisende und schaute nachdenklich auf die Stadt, die sich durch die Geschwindigkeit des Zuges wie eine Grammophonplatte drehte. Zu große Gastlichkeit verjagt die Gäste, sagte er sich. Ein schöner Gedanke für eine Lichtreklame in allen Hauptstädten der Welt.

Martin Walser
Templones Ende

Herr Templone war nicht der Mann, der auf das erste beste Geflüster hin seine Villa verkauft und das schattige, in den Wald hineingebaute Villenviertel verlassen hätte, um irgendwo in der Stadt drin in einem hundertfenstrigen Mietshaus Unterschlupf zu suchen. Ja, wenn eine ganz neue und giftige Insektenart in Bernau eingefallen wäre, wenn sich in dem moosigen Waldboden, auf dem das Viertel gebaut war, eine erdzerwühlende böse Tierart niedergelassen hätte, die alle Wurzeln vernichten, die Häuser unterhöhlen und dadurch zum Einsturz bringen konnte, wenn es Gründe dieser Art gewesen wären, hätte Herr Templone, der sein Vermögen durch Grundstücksspekulationen erworben hatte, wahrscheinlich auch an Verkauf gedacht. Aber vielleicht hätte er sogar dann noch den Kampf aufgenommen, um dem Ungeziefer Herr zu werden, hätte versucht, seinen Besitz gegen diesen Angriff aus dem Boden und von den Bäumen her zu verteidigen.

Die Gefahren, die das Villenviertel zur Zeit zu bedrohen schienen, waren anderer Art, vielleicht waren sie schlimmer als die giftigste Insektensorte, vielleicht waren sie viel, viel harmloser, daß man das nicht recht wußte, war vielleicht sogar das Schlimmste.

Als Herr Templone vor dem Krieg seinen Besitz in Bernau erworben hatte, konnte er das Gefühl haben, einen sehr glücklichen Kauf getan zu haben. Mit den Nachbarn hatten er und seine Tochter Klara in bestem Einvernehmen gelebt. Man hatte Feste gefeiert, hatte sich regelmäßig besucht, ohne die Geselligkeit zu übertreiben. Nach dem Kriege aber wechselten viele Häuser ihre Besitzer, und die Mauern zwischen den einzelnen Grundstücken schienen von Jahr zu Jahr höher zu wachsen, und was hinter den Mauern der Nachbarn geschah, wußte Templone nicht mehr. Er vermutete, daß die neuen Besitzer, die sich nach dem Krieg in das Viertel eingekauft hatten, die da und dort alte Nachbarschaften durch ihre Neubauten und ihre Käufe getrennt und zerstört hatten, untereinander einen regen gesellschaftlichen Verkehr unterhielten; sie feierten mehr Feste als er und seine Bekannten früher gefeiert hatten.

Und glichen sie einander nicht, als wären sie alle untereinander verwandt? Oder gehörten sie gar einer Sekte an, einer Sekte, die den Plan gefaßt hatte, ganz Bernau für ihre Mitglieder zu erobern?

Je mehr Herr Templone vereinsamte, desto schärfer beobachtete er. Oft lag er abendelang hinter seinen Mauern und lauschte hinüber in die fremden Gärten und versuchte zu verstehen, was dort gesprochen wurde, warum dort so grell und so laut gelacht wurde. Daß nämlich sehr laut gelacht, aber nur sehr leise gesprochen wurde, das bestärkte Herrn Templone in seinen Ahnungen, daß sich etwas vorbereitete, was gegen ihn gerichtet war, gegen alle Besitzer, die noch aus der Zeit vor dem Kriege übrig geblieben waren. Templone beschloß, seine Tochter, sich und seinen Besitz zu verteidigen. Zuerst versuchte er, die Altansässigen zu einigen: jeder sollte mit seiner Unterschrift schwarz auf weiß versprechen, seinen Besitz nicht ohne Einwilligung der anderen zu verkaufen, kein Fremder sollte sich ohne die Genehmigung aller Ansässigen ins Viertel einkaufen dürfen. Aber die Zeiten nach dem Krieg waren so verwirrt und so voller unvorhersehbarer Ereignisse, daß der und jener Hals über Kopf verkaufen mußte, ohne sich noch an ein Versprechen halten zu können. Und Templone hatte keine Macht, jemanden zu zwingen, ein Versprechen zu halten. Einer nach dem anderen zog weg, alle Beschwörungen Templones blieben fruchtlos. Man warf ihm Egoismus vor, sagte ihm ins Gesicht, daß jeder im Staate die Freiheit habe, sich zu bewegen, wohin er wolle, empfahl ihm, er möge doch seinen Besitz auch verkaufen, es zwinge ihn ja niemand, hierzubleiben. Templone aber war der Meinung, man müsse das Viertel halten, weil es doch offensichtlich geworden sei, daß die neuen Käufer unter einer Decke stünden, daß wahrscheinlich eine Organisation am Werke sei, das Villenviertel Bernau planmäßig zu erobern, eine ausländische oder staatsfeindliche Organisation gar! Und da dürfe man nicht weichen, nicht nachgeben, der Grundbesitz verpflichte zum Aushalten! Umsonst, umsonst! Einer nach dem anderen verkaufte. Und als man gar davon sprach, daß das Verkaufen nicht mehr so glatt ging, daß gewisse Käufer sich frech und schamlos darauf berufen hätten, daß dieses Viertel gewissermaßen ein verlorenes Viertel sei, daß sie genau wüßten, wie sehr den Villenbesitzern daran gelegen sei, von hier wegzukommen, und als es gar vorgekommen sein sollte, daß ein Käufer von einer Verhandlung laut lachend aufgestanden sei, das Haus verlassen habe mit dem Ruf, er werde die Villa in absehbarer Zeit auch umsonst haben können, ohne einen Pfennig Geld, da waren viele Villenbesitzer nur noch darauf bedacht, für sich allein zu handeln und ohne Benachrichtigung der Nachbarn so rasch als möglich zu verkaufen. Es wurden nicht einmal mehr Abschiedsbesuche gemacht. Eines Morgens merkte man, daß in der Nachbarvilla neue Gesichter auftauchten, dann wußte man, wieder hatte einer verkauft. Einige inserierten in großen ausländischen Zeitungen, weil sie fürchteten, es habe sich auf dem inländischen Immobilienmarkt schon herumgesprochen, wie in Bernau die Villen verschleudert wurden. Aber drei, vier Besitzer hatte Templone immer noch zu halten vermocht! Er hatte ihnen zu guter Letzt bewiesen, die Panikstimmung, die sich in Bernau verbreitete, sei wahrscheinlich nur die Machenschaft einer großen Immobilienfirma, die auf diese Weise ein ganzes Viertel zu lächerlichen Preisen aufkaufen wolle. Templone glaubte nicht alles, was er seinen Freunden vortrug. Auch ihm war es nicht ganz angenehm, in einem Haus zu wohnen, das, wenn man es verkaufen wollte, keinen Wert mehr hatte. Er und seine Freunde waren zu sehr daran gewöhnt, daß die Annehmlichkeiten ihres Villendaseins, daß ihr Selbstbewußtsein und ihre Sicherheit letztlich darauf beruhten, daß sie auf wertvollen Besitzungen lebten, auf teurem Grund und Boden, teuer, nicht bloß zum Verkaufen, sondern teuer, um darauf zu leben.

Ja, es war schon ein arger Widerstreit in jedem Besitzerhirn, und es bedurfte großer Anstrengungen, die Freude an der Villa und am Garten aufrechtzuerhalten, wenn man wußte, daß alles täglich wertloser wurde. Templone beschloß die Reden an seine Freunde immer mit dem Satz: »Ja, wenn die Luft schlechter würde, wenn die Blumen ihre Farben, die Tannen ihr Grün verlören und die Mauern abzubröckeln begännen, dann wäre es höchste Zeit, zu verkaufen. Aber was kümmern sich die Blumen, die Tannen und die Mauern um die Grundstückspreise? Einen Dreck! Also werden wir das gleiche tun und unseren Besitz genießen, ohne an die Zahlen der Spekulanten zu denken.«

Da seine Freunde wußten, daß Templone sein Vermögen mit Grundstücksspekulationen erworben hatte, glaubten sie ihm und blieben vorerst noch in Bernau, mieden aber die neuen Nachbarn mit Vorsatz und Plan als wären die lauter Aussätzige.

Templone sorgte dafür, daß man sich untereinander häufiger traf, Feste feierte, musizierte und die alten Freundschaften vorsätzlich vertiefte. Seine Tochter Klara, ein stilles zartes Fräulein von achtunddreißig Jahren, unterstützte ihn in allen seinen Unternehmungen. Beide hatten Jahre hindurch ein recht zurückgezogenes Leben geführt; feste, anscheinend ganz unumstößliche Gewohnheiten hatten sich entwickelt. Vater und Tochter sahen sich nur zweimal am Tage, beim Frühstück und beim Mittagessen, danach nahm jeder seine Route auf, die ihn durch das ganze Haus führte, aber so, daß sich die Wege der beiden an diesem Tag nicht mehr kreuzten. Templone pflegte vom Mittagstisch aufzustehen, einen Gruß in die Serviette zu murmeln und gleichzeitig den Stuhl, auf dem er gesessen hatte, ganz dicht an den Tisch zu rücken; dann ging er in die Bibliothek, um alte Zeitungsbände durchzublättern. Seine Bibliothek bestand ausschließlich aus gebundenen Zeitungen der letzten fünfzig Jahre. Er hatte begonnen, diese Zeitungen vom ersten Jahrgang an noch einmal durchzuarbeiten; vor allem die Seiten, auf denen die Wirtschaftsberichte standen. Seine Tochter Klara wußte, daß ihr Vater zwei Stunden bei den Zeitungen bleiben würde. Sie hatte also zwei Stunden Zeit, im Garten herumzugehen, ohne Gefahr zu laufen, auf ihren Vater zu treffen. Mit weit ausgreifenden Schritten ging sie über die hintere Terrasse in den Garten, in einer geraden Linie quer über die Wiese bis zum ersten Blumenrondell; da blieb sie ruckartig stehen, als sehe sie diese Blumenanlage zum erstenmal, beugte sich über die Blüten oder, wenn es Herbst und Winter war, legte die Hand auf die blattlosen Ranken und Zweige und reckte den Kopf hoch, daß der hagere Hals sich weit aus dem nüchternen Kragen dehnte; so blieb sie lange stehen, lächelte wie in Erinnerungen und dachte in jeder Sekunde daran, daß sie sich sinnvoll benehmen müsse, weil ihr vielleicht jemand zusehe; sie hatte immer das Gefühl, daß sie über eine Mauer hinweg oder durch einen Vorhangspalt beobachtet werde. Ohne dieses Gefühl hätte sie nicht leben können; die unablässig beobachtenden Augen waren für sie zur Verpflichtung geworden, sich sinnvoll zu benehmen. Sie war ängstlich darauf bedacht, von ihren Beobachtern in jedem Augenblick verstanden zu werden, weil sie die Beobachter nicht verlieren wollte; wenn sie nicht mehr das Gefühl gehabt hätte, daß ihr immer jemand zuschaute, hätte sich die Einsamkeit von den hohen Zimmerdecken der Villa, von den dunklen Flurwänden und von den ausgedorrten alten Bäumen herabgestürzt auf sie und sie erdrückt, erwürgt, sofort getötet. Nur von ihrem Vater wollte sie nicht gesehen werden. Der hätte vielleicht Fragen gestellt. Vielleicht hätte er ihr Benehmen sogar sonderbar gefunden.

Wenn Herr Templone seine Zeitungen gelesen hatte – was er übrigens mit dem gleichen gierigen Interesse besorgte, wie wenn die Zeitungen gerade erst am Vormittag ins Haus gekommen wären – wenn er das hinter sich hatte, legte er sich einen Mohairshawl um und wanderte in den Ostflügel seiner Villa, beging Zimmer um Zimmer, prüfte die Fenster, die Beleuchtung, die Schrankschlösser und den Inhalt vieler Schubladen. Klara aber schlüpfte durch eine enge Souterraintür in den westlichen Flügel des graugelben Gebäudes und arbeitete sich durch die Gänge und Zimmer, die in diesem Teil des Hauses lagen; sie hatte in jedem Zimmer etwas zu besorgen, und sie wußte allen ihren Besorgungen einen Anschein von Notwendigkeit zu geben. Sie nahm an einem Tag alle Bilder in allen Zimmern von den Wänden und hängte sie in anderen Zimmern auf. Weil nun die Bilder sehr verschiedene Ausmaße hatten, und weil die Tapeten an den Stellen, an denen Bilder gehangen hatten, noch von viel frischerer Farbe waren, sah sie am nächsten Tag sofort, wenn ein kleines Bild in einem größeren Rechteck frischfarbiger Tapete hing, sah also, daß sie unbedingt und sofort wieder korrigieren mußte. Dann sprang sie munter und aufgeregt solange zwischen den Zimmern hin und her, bis wieder alle Bilder am rechten Platz hingen. Dann war es meistens schon Dämmerzeit. Das war die Stunde, wo ihr das ganze Haus gehörte, weil ihr Vater im Zwielicht den Garten besuchte. Klara benützte diese Zeit zu überraschenden Besuchen kreuz und quer durchs ganze Haus. Sie tat so, als wolle sie ihren Beobachtern entkommen, aber immer wenn sie annehmen durfte, daß sie jetzt alle Verfolger abgeschüttelt hatte, wartete sie mitten in einem langen Flur, zündete alle Lichter an und lenkte die Beobachter durch lautes Singen wieder auf ihre Spur. Hörte sie dann ihren Vater über die Hinterterrasse das Haus betreten, flüchtete sie rasch in ihre eigene Wohnung, die aus drei Zimmern bestand, mit Küche und Bad. Rasch verschloß sie alle Zugänge, zog sich aus und badete sich, weil sie sich auf ihren Wanderungen durch die vielen Zimmer, in denen die Vergangenheit nistete, über und über mit Spinnweb und Staub bezogen hatte. Das Bad dehnte sie bis tief in die Nacht hinein, weil sie das Gefühl hatte, daß ganze Galerien von Zuschauern abzufüttern waren. Nur an Festtagen ging Klara abends noch einmal zu ihrem Vater hinunter, setzte sich neben ihn, bereit, die eine oder andere frostige Zärtlichkeit von ihm entgegenzunehmen.

So zirkulierten die beiden seit Jahren sanft und gleichmäßig wie die Ströme einer Warmluftheizung durch ihr großes Haus. Aber als rundum die neuen Nachbarn auftauchten, änderte sich alles. Templone brauchte seine Tochter. Und Klara ließ ihren Vater nicht im Stich. Sie band ihr bis dahin wildverwehtes Haar in einen strengen Knoten, zog wärmere Unterwäsche an und spielte auf dem Flügel hektische Märsche. Zuerst wurden nach allen Seiten reichende Beobachtungsstände eingerichtet. Sorgfältig bauten sie Fernrohre auf, drapierten sie mit Vorhängen, umgaben sie zur Tarnung mit harmlosen Vogelkäfigen, Blumentöpfen, Hirschgeweihen, Garderobeständern und verblichenen Gobelins. Abwechselnd hielten sie nun Wache, rannten von Fernrohr zu Fernrohr, um die Gewohnheiten und Geheimnisse ihrer neuen Nachbarn kennenzulernen, um gewappnet zu sein gegen alle Überraschungen, die sich jenseits ihrer Gartenmauern vorbereiten konnten. Und abends schlich Herr Templone in gebückter Haltung, seine Tochter an der Hand hinter sich herziehend, zur Gartenmauer, verbreiterte die glitzernde Spur der Glasscherben auf der Mauerkrone, säte Eisenhaken und scharfe Blechschnitzel nach einem von ihm selbst gezeichneten Plan und preßte sein Ohr und das seiner Tochter gegen das rauhe Mauerwerk, um aus dem Wortgeschwirre und laut aufbrausenden Gelächter jenseits der Mauer seine Schlüsse zu ziehen. Nun hatte Herr Templone – was er früher immer abgelehnt hätte – sogar einen Untermieter aufgenommen, hatte ihm eine ganze Etage im Westflügel der Villa überlassen, zu einer lächerlich geringen Miete übrigens, bloß, weil er ein Beispiel geben wollte, wie man sich in diesen Tagen zu verhalten habe; Professor Priamus, der neue Untermieter, war nämlich eine Art Opfer jener Ereignisse, die Herrn Templone so arg beunruhigten. Er hatte seit Jahrzehnten eine Villa bewohnt, die ihm nicht gehörte. Der Besitzer, der sich die meiste Zeit im Ausland aufhielt, hatte aber wahrscheinlich von seinem Verwalter erfahren, wie es um die Grundstücks- und Villenpreise in Bernau stand und hatte nichts Besseres zu tun gewußt, als kurzerhand seinen ganzen Besitz zu verkaufen. Professor Priamus hatte dem Besitzer lange handgeschriebene Briefe geschickt, hatte sie an die Hotels adressiert, in denen sich allem Vernehmen nach der Besitzer gerade aufhielt, hatte auch den Vermerk »Wenn abgereist, bitte nachschicken«, nicht vergessen, aber sei es, daß jener Herr mit einer von der Post nicht mehr zu erreichenden Geschwindigkeit von Hotel zu Hotel reiste, sei es, daß er gar nicht antworten wollte, auf jeden Fall hatte der Professor auf keinen seiner Klagebriefe eine Antwort bekommen. Er mußte die Villa räumen. Da hatte Templone eingegriffen und hatte den Professor und seine elftausend Bücher und seine verblichenen Papierbündel bei sich aufgenommen und die einem gestorbenen Raubvogel ähnelnde Haushälterin auch. Professor Priamus, der die letzten Jahre hindurch kaum von seinen Papieren aufzublicken die Zeit gehabt hatte, nahm seine wissenschaftlichen Arbeiten im Hause Templone sofort wieder auf. Aber Herrn Templone gelang es, den alten Professor einmal zwei Nachtstunden hindurch von seinen Papieren abzuziehen und ihn auf die Gefahren, die ringsum drohten, aufmerksam zu machen. Der Professor lächelte zwar jahrhunderttief vor sich hin, versprach aber doch, Herrn Templone einmal auf einem Erkundungsgang zur Gartenmauer zu begleiten. Als Klara und ihr Vater ihn immer wieder dazu drängten, schlich er tatsächlich eines Abends mit an die Gartenmauer, aber weil er den unebenen Gartenboden nicht gewöhnt war, stürzte er einige Male so empfindlich, daß er die Gartenmauer nicht erreichte; mit Hilfe der Haushälterin mußten sie ihn, der jammernd und kaum noch atmend in ihren Armen lag, in seine Arbeitsstube hinauftragen, mußten ihn verbinden, seine arg zerschundenen zarten Glieder bandagieren und ihn auf seinen hartnäckigen Wunsch gleich wieder an den Schreibtisch setzen, wo er auch sofort wieder zu lächeln begann und gleich darauf bat, man möge ihn jetzt bitte nicht noch einmal stören, weil er am letzten Kapitel des dritten Bandes seiner ›Geschichte der Vandalenzüge‹ zu arbeiten habe. Da begann auch schon die Haushälterin, Templone und Klara hinauszudrängen, an der Tür zischte sie ihnen noch nach. Templone war enttäuscht, schloß sich noch enger mit seiner Tochter Klara zusammen und begann mit seinen zwei letzten Freunden regelmäßige Sitzungen zu veranstalten, zu denen er auch Professor Priamus mit Gewalt aus seinen Papieren herauszog. Templones Freunde waren alte Herrn wie er selbst, schlappbäuchig, die Gesichter durch Fältelung zu stetem Grinsen verzerrt; aber Templone trug nicht, wie sie, versabberte Westen und fleckige Hosen, er war auch zarthäutiger und schöner als sie, denn er war nicht lange verheiratet gewesen, während sie zu jeder Sitzung noch ihre Frauen mitbrachten, alte Wesen in bläßliche Rüschen und Volants verpackt, flache kleine Körper von endlosen Perlenschnüren unregelmäßig gefesselt. Obermedizinalrat der eine, der andere: Hofrat und ehemaliger Kammersänger. Templone ließ immer viel Alkohol servieren, um die Sitzungen fröhlich zu machen. Klara mußte sich an den Flügel setzen, der Hofrat und Kammersänger mußte sich dazustellen, alle anderen hatten ihre Stühle dem Musikzentrum zuzudrehen, hatten ihre Gläser vors Gesicht zu halten, ein »Prosit« auszubringen und dann andächtig zuzuhören, was die mißhandelten Stimmbänder des Hofrats und Kammersängers unter der grellen und gierig sich vordrängenden Begleitung Klaras noch hergaben. Herr Templone inszenierte diese Sitzungen so geräuschvoll als möglich, riß dazu noch Fenster und Türen auf, weil er Wert darauf legte, daß die neuen Nachbarn jenseits der Gartenmauern hörten, daß es auch bei ihm hoch hergehe, daß man auch in den Häusern der Alteingesessenen noch übermütig und voller Lebenslust sei, ein Zeichen dafür, daß man sich noch lange nicht unterkriegen lasse. Darum erzählte der zartgebaute Finanzier Templone, der sein Leben lang ein stiller und vor sich hinlächelnder Mensch gewesen war, jetzt vor allen seinen Gästen die gewagtesten Geschichten und Witze, die er sich aus den alten Zeitungen extra zu diesem Zweck heraussuchte; und wenn das Gelächter, der brechende Diskant der zwei alten Damen, das Gekrächze der Haushälterin des Professors – nie hätte er früher eine solche Person in seinem Salon ertragen, jetzt war sie ihm zur bloßen Geräuschverstärkung als schrilles Instrument geradezu willkommen – dann die hüstelnden Baßstimmen seiner zwei Freunde und das schüttere Stimmchen des Professors und die harte Fistelstimme seiner Tochter, wenn dieses Stimmenaufgebot nicht ausreichte, um die Fröhlichkeit seines Hauses auch noch in der Nachbarschaft hörbar zu machen, so brachte er es über sich, nach seinen Geschichten selbst in ein sich grell überschlagendes Gelächter auszubrechen, das er, auf- und abschwellend, so lange aus seinem Munde preßte, als er auch nur noch ein Quentchen Luft in den Lungen hatte. Verständlich, daß ihn das sehr anstrengte. Er schämte sich auch, weil es ihm zutiefst fremd war, sich so aufzuführen – aber er wagte es nicht, seinen Gästen den Sinn dieser Sitzungen, den Zweck seines eigenen, oft peinlich übertriebenen Gebarens mitzuteilen. Er wollte doch beweisen, daß es immer noch eine Lust war, in Bernau zu leben.

Mit Schrecken bemerkte er, daß seine Tochter Klara dabei auf eine sonderbare Art aufzublühen begann. Sie trank bei diesen Gesellschaften mehr als alle anderen, sie begann mitzusingen, wenn sie den Kammersänger begleiten sollte, und was noch viel, viel schlimmer war, sie begann den alten Professor Priamus zu umwerben, und was das schlimmste war, der kam ihren Werbungen entgegen, flirtete mit ihr auf eine Weise, daß Herrn Templone das Blut in den Adern rückwärts lief. Aber er mußte ja dankbar sein, daß Klara lauter war als je zuvor, daß das schüttere Stimmchen des Professors durch diesen späten erotischen Frühling auf eine Weise zu quieksen begann, daß es weit über die Gartenmauer hinweg Zeugnis gab von der Lebensfreude der Alteingesessenen, und darauf kam es Templone, dem Feldherrn dieses Kampfes an. Aber je lauter Klara und der Professor wurden, desto stiller wurden die anderen, sahen einander an und schwiegen, sahen zu Templone hin, und der errötete. Es kam so weit, daß Klara und der Professor gar nicht mehr zu den Sitzungen erschienen, sie sperrten die Haushälterin aus, empfahlen ihr, sie möge in Zukunft den Haushalt Templones besorgen, Klara werde für immer bei Professor Priamus bleiben. Als Templone selbst an der Tür klopfte, dann rüttelte und pochte und schlug, antworteten sie ihm von drinnen mit den unanständigsten Lauten. Mit so unverhüllter Schamlosigkeit verrieten sie durch die Tür hindurch, was sie taten, daß Templone abermals errötete und in seine Bibliothek hinunterging und seine Gäste heimschickte und ihnen zum Abschied noch sagte, sie sollten tun was sie wollten, verkaufen oder nicht verkaufen, er wisse auch nicht mehr, was zu tun sei.

Aber als die Gäste fort waren, raffte er sich noch einmal auf. Er fuhr in die Stadt und kaufte sich einen Schallplattenapparat und einen Koffer voller Geräuschplatten. Die ließ er jetzt pausenlos laufen, bei offenen Fenstern und Türen. Ab und zu prüfte er von seinen Beobachtungsständen aus, wie die Nachbarn auf die Geräuschplatten reagierten. Er spielte ›Stimmendurcheinander‹, ›Theaterbeifall‹, ›Kindergarten‹, ›Schulhof‹ und sogar ›Fußballplatz‹ ab. Aber die Nachbarn reagierten nicht darauf. Sie spielten weiterhin ihr leichtfertiges Tischtennis, lagen in grellfarbigen Liegestühlen, tuschelten und lachten und kümmerten sich nicht um ihn. Templone gab nicht nach, er hatte es sich jetzt angewöhnt, von morgens bis abends Geräuschplatten zu spielen, schon um die Geräusche, die der Professor und Klara in der Etage über ihm bei weitgeöffneten Fenstern vollführten, nicht hören zu müssen.

Manchmal, wenn er die Nadel mit seinen zittrigen Händen nicht mehr auf die Platte zu setzen vermochte, wenn sie wieder und wieder am Plattenrand vorbeistieß und den Velours des Plattentellers zerriß, wenn er die Haushälterin dazurufen mußte, wenn auch deren totenbeinige Hände immer wieder versagten, dann ließ er sich im Sessel zurücksinken und träumte, er habe in der Sonntagsausgabe der New-York-Times ein ganzseitiges Inserat aufgegeben, aber so verschlüsselt, daß jene Organisation, die nach seiner Ansicht an der Eroberung Bernaus arbeitete, nicht bemerken konnte, daß hier ein Bernauer Besitztum angeboten wurde. Dann träumte er davon, daß ein Herr käme, vielleicht würde er Mister Berry heißen, ein Vierzigjähriger von so auffallender Geschmeidigkeit, daß Templone sofort erkannte: das war ein Geschäftsmann, wie er es zu seinen besten Zeiten nicht gewesen war.

Einen Augenblick würde er, Templone, dann kraftlos zurücksinken, würde Mister Berry seine Villa hinwerfen, weil er sich für einen Handel mit einem so vor Stärke glänzenden Makler nicht mehr gewachsen fühlte; und Berry würde instinktiv nachrücken, würde seine prächtig formulierten Sätze mit der Tigerwitterung des großen Geschäftsmanns im rechten Augenblick in die wehrlosen Ohren des alten Templone schieben, wahrscheinlich würde seine Aussprache fremdländisch und betörend sein, bis er dann plötzlich zu lachen begänne . . . Templones Traum erregte sich an dieser Stelle, benahm ihm den Atem, was sagte Mister Berry da: bitte sterben Sie nicht ausgerechnet in diesem Augenblick, Herr Templone, ich habe eine Reise gemacht, um Sie zu sehen, Sie, den letzten der Alteingesessenen, den hartnäckigsten. Man hat mir viel von Ihren rührenden Versuchen erzählt, ja, ich bin der Chef der Gesellschaft, die Bernau aufkauft, ja, ich habe oft recht lachen müssen über Sie, Herr Templone, aber ich habe das Theater, das Sie aufführten, um der letzte zu sein, auch bewundert. Ein Mann wie Templone verkauft nur als erster oder als letzter. Als erster bekam man einen guten Preis, dann ging's abwärts, die einzige Chance war, der letzte zu sein, das weiß ein Fachmann vom Range Templones, er weiß, daß die Gesellschaft keine Ewigkeit warten kann, daß sie erst richtig anfangen kann, ihre Pläne in Bernau zu verwirklichen, wenn auch Templone verkauft hat, also wird sie den letzten gut bezahlen. Klug gedacht, Templone! Aber die Gesellschaft wußte ja, daß Templone ein Fachmann ist, daß man ihm nicht mit den Druckmittelchen kommen konnte, denen die anderen erlagen, nachts Lastwagen vor dem Haus halten lassen, Scheinwerfer, die die Fassaden abtasten, Metallgeräusche und Gelächter hinter hohen Mauern, das zieht nicht bei Templone, Templone muß man allein lassen, denn ein

Mann wie Templone kann nur von sich selbst zur Strecke gebracht werden, soweit wäre es also, nicht wahr, Herr Templone...

Templone wachte aus solchen Träumen immer ganz erschöpft auf, kaum noch fähig, sich bis ans Fenster zu schleppen, um zu sehen, ob nicht doch ein Herr draußen stehe, der ihn sprechen wolle, ein Mister Berry vielleicht. Aber niemand wollte ihn sprechen. Kein Wort fiel mehr in Templones Haus. Auch die Geräusche in Professor Priamus' Räumen hatten aufgehört. Vielleicht hatte er sich von Klara getrennt, um weiterzuschreiben am vierten Band seiner ›Geschichte der Vandalenzüge‹. Vielleicht waren er und Klara dem Staub zum Opfer gefallen, den Spinnen, der Unordnung ihres Betts oder gar ihrer eigenen Gier. Auch die Haushälterin arbeitete nicht mehr für Templone. Sie blieb im Bett liegen und trommelte unablässig mit ihren Beinfingern gegen das Holz des Bettgestells. Er hörte es bald nicht mehr. Er versank in einer Ecke seiner Bibliothek: einer der großen schweren Zeitungsbände war über ihn gefallen, als er im untersten Fach des Regals etwas gesucht hatte, das riesige Buch hatte sich geöffnet, hatte ihm den Kopf und den Nacken niedergedrückt, auf den lange nicht mehr gereinigten Teppich, Templone hatte in der Anstrengung, sich zu erheben, den Mund geöffnet, war mit offenem Mund wieder auf den Teppich niedergebrochen, hatte noch gespürt, wie ihm Haare, Staub und Faserzeug in die Mundhöhle drangen, trocken, scharf und stechend, dann hatte er sich nicht mehr gewehrt, war liegen geblieben unter dem großen schweren Buch, hatte mit den Augen die Stelle des Teppichs, die er noch sehen konnte, wieder und wieder abgetastet, bis er nichts mehr sah und nichts mehr spürte.

Der Gasmann, der ja sein monatliches Geld haben muß, kam später dazu und holte gleich die Nachbarn von links und rechts. Die besahen sich alles und sorgten für die Beerdigung des alten Herrn, der zwischen ihnen gelebt hatte, unverständlich wie ein Stein. Aber sie trugen es ihm nicht nach, daß er nie gegrüßt hatte, wenn man ihm begegnet war.

Günter Grass
Der weite Rock

Zugegeben: ich bin Insasse einer Heil- und Pflegeanstalt, mein Pfleger beobachtet mich, läßt mich kaum aus dem Auge; denn in der Tür ist ein Guckloch, und meines Pflegers Auge ist von jenem Braun, welches mich, den Blauäugigen, nicht durchschauen kann.

Mein Pfleger kann also gar nicht mein Feind sein. Liebgewonnen habe ich ihn, erzähle dem Gucker hinter der Tür, sobald er mein Zimmer betritt, Begebenheiten aus meinem Leben, damit er mich trotz des ihn hindernden Guckloches kennenlernt. Der Gute scheint meine Erzählungen zu schätzen, denn sobald ich ihm etwas vorgelogen habe, zeigt er mir, um sich erkenntlich zu geben, sein neuestes Knotengebilde. Ob er ein Künstler ist, bleibe dahingestellt. Eine Ausstellung seiner Kreationen würde jedoch von der Presse gut aufgenommen werden, auch einige Käufer herbeilocken. Er knotet ordinäre Bindfäden, die er nach den Besuchsstunden in den Zimmern seiner Patienten sammelt und entwirrt, zu vielschichtig verknorpelten Gespenstern, taucht diese dann in Gips, läßt sie erstarren und spießt sie mit Stricknadeln, die auf Holzsöckelchen befestigt sind.

Oft spielt er mit dem Gedanken, seine Werke farbig zu gestalten. Ich rate davon ab, weise auf mein weißlackiertes Metallbett hin und bitte ihn, sich dieses vollkommenste Bett bunt bemalt vorzustellen. Entsetzt schlägt er dann seine Pflegerhände über dem Kopf zusammen, versucht in etwas zu starrem Gesicht allen Schrecken gleichzeitig Ausdruck zu geben und nimmt Abstand von seinen farbigen Plänen.

Mein weißlackiertes metallenes Anstaltsbett ist also ein Maßstab. Mir ist es sogar mehr: mein Bett ist das endlich erreichte Ziel, mein Trost ist es und könnte mein Glaube werden, wenn mir die Anstaltsleitung erlaubte, einige Änderungen vorzunehmen: das Bettgitter möchte ich erhöhen lassen, damit mir niemand mehr zu nahe tritt.

Einmal in der Woche unterbricht ein Besuchstag meine zwischen weißen Metallstäben geflochtene Stille. Dann kommen sie, die mich retten wollen, denen es Spaß macht, mich zu lieben, die sich in mir schätzen, achten und kennenlernen möchten. Wie blind, nervös, wie unerzogen sie sind. Kratzen mit ihren Fingernagelscheren an meinem weißlackierten Bettgitter, kritzeln mit ihren Kugelschreibern und Blaustiften dem Lack langgezogene unanständige Strichmännchen. Mein Anwalt stülpt jedesmal, sobald er mit seinem Hallo das Zimmer sprengt, den Nylonhut über den linken Pfosten am Fußende meines Bettes. Solange sein Besuch währt – und Anwälte wissen viel zu erzählen – raubt er mir durch diesen Gewaltakt das Gleichgewicht und die Heiterkeit.

Nachdem meine Besucher ihre Geschenke auf dem weißen, mit Wachstuch bezogenen Tischchen unter dem Anemonenaquarell deponiert haben, nachdem es ihnen gelungen ist, mir ihre gerade laufenden oder geplanten Rettungsversuche zu unterbreiten und mich, den sie unermüdlich retten wollen, vom hohen Standard ihrer Nächstenliebe zu überzeugen, finden sie wieder Spaß an der eigenen Existenz und verlassen mich. Dann kommt mein Pfleger, um zu lüften und die Bindfäden der Geschenkpackungen einzusammeln. Oftmals findet er nach dem Lüften noch Zeit, an meinem Bett sitzend, Bindfäden aufdröselnd, so lange Stille zu verbreiten, bis ich die Stille Bruno und Bruno die Stille nenne.

Bruno Münsterberg – ich meine jetzt meinen Pfleger, lasse das Wortspiel hinter mir – kaufte auf meine Rechnung fünfhundert Blatt Schreibpapier. Bruno, der unverheiratet, kinderlos ist und aus dem Sauerland stammt, wird, sollte der Vorrat nicht reichen, die kleine Schreibwarenhandlung, in der auch Kinderspielzeug verkauft wird, noch einmal aufsuchen und mir den notwendigen unlinierten Platz für mein hoffentlich genaues Erinnerungsvermögen beschaffen. Niemals hätte ich meine Besucher, etwa den Anwalt oder Klepp, um diesen Dienst bitten können. Besorgte, mir verordnete Liebe hätte den Freunden sicher verboten, etwas so Gefährliches wie unbeschriebenes Papier mitzubringen und meinem unablässig Silben ausscheidenden Geist zum Gebrauch freizugeben.

Als ich zu Bruno sagte: »Ach Bruno, würdest du mir fünfhundert Blatt unschuldiges Papier kaufen?« antwortete Bruno, zur Zimmerdecke blickend und seinen Zeigefinger, einen Vergleich herausfordernd, in die gleiche Richtung schickend: »Sie meinen weißes Papier, Herr Oskar.«

Ich blieb bei dem Wörtchen unschuldig und bat den Bruno, auch im Geschäft so zu sagen. Als er am späten Nachmittag mit dem Paket zurückkam, wollte er mir wie ein von Gedanken bewegter Bruno erscheinen. Mehrmals und anhaltend starrte er zu jener Zimmerdecke empor, von der er all seine Eingebungen bezog und äußerte sich etwas später: »Sie haben mir das rechte Wort empfohlen. Unschuldiges Papier verlangte ich, und die Verkäuferin errötete heftig, bevor sie mir das Verlangte brachte.«

Ein längeres Gespräch über Verkäuferinnen in Schreibwarenhandlungen fürchtend, bereute ich, das Papier unschuldig genannt zu haben, verhielt mich deshalb still, wartete, bis Bruno das Zimmer verlassen hatte und öffnete dann erst das Paket mit den fünfhundert Blatt Schreibpapier.

Nicht allzu lange hob und wog ich den zäh flexiblen Packen. Zehn Blatt zählte ich ab, der Rest wurde im Nachttischchen versorgt, den Füllfederhalter fand ich in der Schublade neben dem Fotoalbum: er ist voll, an seiner Tinte soll es nicht fehlen, wie fange ich an?

Man kann eine Geschichte in der Mitte beginnen und vorwärts wie rückwärts kühn ausschreitend Verwirrung anstiften. Man kann sich modern geben, alle Zeiten, Entfernungen wegstreichen und hinterher verkünden oder verkünden lassen, man habe endlich und in letzter Stunde das Raum-Zeit-Problem gelöst. Man kann auch ganz zu Anfang behaupten, es sei heutzutage unmöglich einen Roman zu schreiben, dann aber, sozusagen hinter dem eigenen Rücken, einen kräftigen Knüller hinlegen, um schließlich als letztmöglicher Romanschreiber dazustehn. Auch habe ich mir sagen lassen, daß es sich gut und bescheiden ausnimmt, wenn man anfangs beteuert: Es gibt keine Romanhelden mehr, weil es keine Individualisten mehr gibt, weil die Individualität verloren gegangen, weil der Mensch einsam, jeder Mensch gleich einsam, ohne Recht auf individuelle Einsamkeit ist und eine namen- und heldenlos einsame Masse bildet. Das mag alles so sein und seine Richtigkeit haben. Für mich, Oskar, und meinen Pfleger Bruno möchte ich jedoch feststellen: Wir beide sind Helden, ganz verschiedene Helden, er hinter dem Guckloch, ich vor dem Guckloch; und wenn er die Tür aufmacht, sind wir beide, bei aller Freundschaft und Einsamkeit, noch immer keine namen- und heldenlose Masse.

Ich beginne weit vor mir; denn niemand sollte sein Leben beschreiben, der nicht die Geduld aufbringt, vor dem Datieren der eigenen Existenz wenigstens der Hälfte seiner Großeltern zu gedenken. Ihnen allen, die Sie außerhalb meiner Heil- und Pflegeanstalt ein verworrenes Leben führen müssen, Euch Freunden und allwöchentlichen Besuchern, die Ihr von meinem

Papiervorrat nichts ahnt, stelle ich Oskars Großmutter mütterlicherseits vor.

Meine Großmutter Anna Bronski saß an einem späten Oktobernachmittag in ihren Röcken am Rande eines Kartoffelackers. Am Vormittag hätte man sehen können, wie es die Großmutter verstand, das schlaffe Kraut zu ordentlichen Haufen zu rechen, mittags aß sie ein mit Sirup versüßtes Schmalzbrot, hackte dann letztmals den Acker nach, saß endlich in ihren Röcken zwischen zwei fast vollen Körben. Vor senkrecht gestellten, mit den Spitzen zusammenstrebenden Stiefelsohlen schwelte ein manchmal asthmatisch auflebendes, den Rauch flach und umständlich über die kaum geneigte Erdkruste hinschickendes Kartoffelkrautfeuer. Man schrieb das Jahr neunundneunzig, sie saß im Herzen der Kaschubei, nahe bei Bissau, noch näher der Ziegelei, vor Ramkau saß sie, hinter Viereck, in Richtung der Straße nach Brenntau, zwischen Dirschau und Karthaus, den schwarzen Wald Goldkrug im Rücken saß sie und schob mit einem an der Spitze verkohlten Haselstock Kartoffeln unter die heiße Asche.

Wenn ich soeben den Rock meiner Großmutter besonders erwähnte, hoffentlich deutlich genug sagte: Sie saß in ihren Röcken – ja, das Kapitel ›Der weite Rock‹ überschreibe, weiß ich, was ich diesem Kleidungsstück schuldig bin. Meine Großmutter trug nicht nur einen Rock, vier Röcke trug sie übereinander. Nicht etwa, daß sie einen Ober- und drei Unterröcke getragen hätte; vier sogenannte Oberröcke trug sie, ein Rock trug den nächsten, sie aber trug alle vier nach einem System, das die Reihenfolge der Röcke von Tag zu Tag veränderte. Was gestern oben saß, saß heute gleich darunter; der zweite war der dritte Rock. Was gestern noch dritter Rock war, war ihr heute der Haut nahe. Jener ihr gestern nächster Rock ließ heute deutlich sein Muster sehen, nämlich gar keines: die Röcke meiner Großmutter Anna Bronski bevorzugten alle denselben kartoffelfarbenen Wert. Die Farbe muß ihr gestanden haben.

Außer dieser Farbgebung zeichnete die Röcke meiner Großmutter ein flächenmäßig extravaganter Aufwand an Stoff aus. Weit rundeten sie sich, bauschten sich, wenn der Wind ankam, erschlafften, wenn er genug hatte, knatterten, wenn er vorbei ging, und alle vier flogen meiner Großmutter voraus, wenn sie den Wind im Rücken hatte. Wenn sie sich setzte, versammelte sie ihre Röcke um sich.

Neben den vier ständig geblähten, hängenden, Falten werfenden oder steif und leer neben ihrem Bett stehenden Röcken besaß meine Großmutter einen fünften Rock. Dieses Stück unterschied sich in nichts von den vier anderen kartoffelfarbenen Stücken. Auch war der fünfte Rock nicht immer derselbe fünfte Rock. Gleich seinen Brüdern – denn Röcke sind männlicher Natur – war er dem Wechsel unterworfen, gehörte er vier getragenen Röcken an und mußte gleich ihnen, wenn seine Zeit gekommen war, an jedem fünften Freitag in die Waschbütte, sonnabends an die Wäscheleine vors Küchenfenster und nach dem Trocknen aufs Bügelbrett.

Wenn meine Großmutter nach solch einem Hausputzbackwaschundbügelsonnabend, nach dem Melken und Füttern der Kuh ganz und gar in den Badezuber stieg, der Seifenlauge etwas mitteilte, das Wasser im Zuber dann wieder fallen ließ, um sich in großgeblümtem Tuch auf die Bettkante zu setzen, lagen vor ihr auf den Dielen die vier getragenen Röcke und der frischgewaschene Rock ausgebreitet. Sie stützte mit dem rechten Zeigefinger das untere Lid ihres rechten Auges, ließ sich von niemandem, auch von ihrem Bruder Vinzent nicht, beraten und kam deshalb schnell zum Entschluß. Barfuß stand sie und stieß mit den Zehen jenen Rock zur Seite, welcher vom Glanz der Kartoffelfarbe den meisten Schmelz eingebüßt hatte. Dem reinlichen Stück fiel dann der frei gewordene Platz zu.

Jesu zu Ehren, von dem sie feste Vorstellungen hatte, wurde am folgenden Sonntagmorgen die aufgefrischte Rockreihenfolge beim Kirchgang nach Ramkau eingeweiht. Wo trug meine Großmutter den gewaschenen Rock? Sie war nicht nur eine saubere, war auch eine etwas eitle Frau, trug das beste Stück sichtbar und bei schönem Wetter in der Sonne.

Nun war es aber ein Montagnachmittag, an dem meine Großmutter hinter dem Kartoffelfeuer saß. Der Sonntagsrock kam ihr montags eins näher, während ihr jenes Stück, das es sonntags hautwarm gehabt hatte, montags recht montäglich trüb oberhalb von den Hüften floß. Sie pfiff, ohne ein Lied zu meinen, und scharrte mit dem Haselstock die erste gare Kartoffel aus der Asche. Weit genug schob sie die Bulve neben den schwelenden Krautberg, damit der Wind sie streifte und abkühlte. Ein spitzer Ast spießte dann die angekohlte und krustig geplatzte Knolle, hielt diese vor ihren Mund, der nicht mehr pfiff, sondern zwischen windtrocknen, gesprungenen Lippen Asche und Erde von der Pelle blies.

Beim Blasen schloß meine Großmutter die Augen. Als sie

meinte, genug geblasen zu haben, öffnete sie die Augen nacheinander, biß mit Durchblick gewährenden, sonst fehlerlosen Schneidezähnen zu, gab das Gebiß sogleich wieder frei, hielt die halbe, noch zu heiße Kartoffel mehlig und dampfend in offener Mundhöhle und starrte mit gerundetem Blick über geblähten, Rauch und Oktoberluft ansaugenden Naslöchern den Acker entlang bis zum nahen Horizont mit den einteilenden Telegrafenstangen und dem knappen oberen Drittel des Ziegeleischornsteines.

Es bewegte sich etwas zwischen den Telegrafenstangen. Meine Großmutter schloß den Mund, nahm die Lippen nach innen, verkniff die Augen und mümmelte die Kartoffel. Es bewegte sich etwas zwischen den Telegrafenstangen. Es sprang da etwas. Drei Männer sprangen zwischen den Stangen, drei auf den Schornstein zu, dann vorne herum und einer kehrt, nahm neuen Anlauf, schien kurz und breit zu sein, kam auch drüber, über die Ziegelei, die beiden anderen, mehr dünn und lang, knapp aber doch, über die Ziegelei, schon wieder zwischen den Stangen, der aber, klein und breit, schlug Haken und hatte es klein und breit eiliger als dünn und lang, die anderen Springer, die wieder zum Schornstein hin mußten, weil der schon drüber rollte, als die, zwei Daumensprünge entfernt, noch Anlauf nahmen und plötzlich weg waren, die Lust verloren hatten, so sah es aus, und auch der Kleine fiel mitten im Sprung vom Schornstein hinter den Horizont.

Da blieben sie nun und machten Pause oder wechselten das Kostüm oder strichen Ziegel und bekamen bezahlt dafür.

Als meine Großmutter die Pause nützen und eine zweite Kartoffel spießen wollte, stach sie daneben. Kletterte doch jener, der klein und breit zu sein schien, im selben Kostüm über den Horizont, als wäre das ein Lattenzaun, als hätt' er die beiden Hinterherspringer hinter dem Zaun, zwischen den Ziegeln oder auf der Chaussee nach Brenntau gelassen, und hatte es trotzdem eilig, wollte schneller sein als die Telegrafenstangen, machte lange, langsame Sprünge über den Acker, ließ Dreck von den Sohlen springen, sprang sich vom Dreck weg, aber so breit er auch sprang, so zäh kroch er doch über den Lehm. Und manchmal schien er unten zu kleben, dann wieder solange in der Luft still zu stehn, daß er die Zeit fand, sich mitten im Sprung klein aber breit die Stirn zu wischen, bevor sich sein Sprungbein wieder in jenes frischgepflügte Feld stemmen konnte, das neben den fünf Morgen Kartoffeln zum Hohlweg hinfurchte.

Und er schaffte es bis zum Hohlweg, war kaum klein und breit im Hohlweg verschwunden, da kletterten auch schon lang und dünn die beiden anderen, die inzwischen die Ziegelei besucht haben mochten, über den Horizont, stiefelten sich so lang und dünn, dabei nicht einmal mager über den Lehm, daß meine Großmutter wiederum nicht die Kartoffel spießen konnte; denn so etwas sah man nicht alle Tage, daß da drei Ausgewachsene, wenn auch verschieden gewachsene, um Telegrafenstangen hüpften, der Ziegelei fast den Schornstein abbrachen und dann in Abständen, erst klein und breit dann dünn und lang, aber alle drei gleich mühsam, zäh und immer mehr Lehm unter den Sohlen mitschleppend, frischgeputzt durch den vor zwei Tagen vom Vinzent gepflügten Acker sprangen und im Hohlweg verschwanden.

Nun waren alle drei weg und meine Großmutter konnte es wagen, eine fast erkaltete Kartoffel zu spießen. Flüchtig blies sie Erde und Asche von der Pelle, paßte sie sich gleich ganz in die Mundhöhle, dachte, wenn sie dachte: die werden wohl aus der Ziegelei sein, und kaute noch kreisförmig, als einer aus dem Hohlweg sprang, sich über schwarzem Schnauz wild umsah, die zwei Sprünge zum Feuer hin machte, vor, hinter, neben dem Feuer gleichzeitig stand, hier fluchte, dort Angst hatte, nicht wußte wohin, zurück nicht konnte, denn rückwärts kamen sie dünn durch den Hohlweg lang, daß er sich schlug, aufs Knie schlug und Augen im Kopf hatte, die beide raus wollten, auch sprang ihm Schweiß von der Stirn. Und keuchend, mit zitterndem Schnauz, erlaubte er sich näher zu kriechen, heranzukriechen bis vor die Sohlen; ganz nah heran kroch er an die Großmutter, sah meine Großmutter an wie ein kleines und breites Tier, daß sie aufseufzen mußte, nicht mehr die Kartoffel kauen konnte, die Schuhsohlen kippen ließ, nicht mehr an die Ziegelei, nicht an Ziegel, Ziegelbrenner und Ziegelstreicher dachte, sondern den Rock hob, nein, alle vier Röcke hob sie hoch, gleichzeitig hoch genug, daß der, der nicht aus der Ziegelei war, klein aber breit ganz darunter konnte und weg war mit dem Schnauz und sah nicht mehr aus wie ein Tier und war weder aus Ramkau noch aus Viereck, war mit der Angst unterm Rock und schlug sich nicht mehr aufs Knie, war weder breit noch klein und nahm trotzdem seinen Platz ein, vergaß das Keuchen, Zittern und Hand aufs Knie: still war es wie am ersten Tag oder am letzten, ein bißchen Wind klöhnte im Krautfeuer, die Telegrafenstangen zählten sich lautlos, der Schornstein der Ziegelei behielt Haltung und sie, meine Großmutter, sie strich den obersten Rock überm zweiten Rock glatt und vernünftig, spürte ihn kaum unterm vierten Rock und hatte mit ihrem dritten Rock noch gar nicht begriffen, was ihrer Haut neu und erstaunlich sein wollte. Und weil das erstaunlich war, doch oben vernünftig lag und zweitens wie drittens noch nicht begriffen hatte, scharrte sie sich zwei drei Kartoffeln aus der Asche, griff vier rohe aus dem Korb unter ihrem rechten Ellenbogen, schob die rohen Bulven nacheinander in die heiße Asche, bedeckte sie mit noch mehr Asche und stocherte, daß der Qualm auflebte – was hätte sie anderes tun sollen?

Kaum hatten sich die Röcke meiner Großmutter beruhigt, kaum hatte sich der dickflüssige Qualm des Kartoffelkrautfeuers, der durch heftiges Knieschlagen, durch Platzwechsel und Stochern seine Richtung verloren hatte, wieder windgerecht gelb den Acker bekriechend nach Südwest gewandt, da spuckte es die beiden Langen und Dünnen, die dem kleinen aber breiten, nun unter den Röcken wohnenden Kerl hinterher waren, aus dem Hohlweg, und es zeigte sich, daß sie lang, dünn und von Berufs wegen die Uniformen der Feldgendarmerie trugen.

Fast schossen sie an meiner Großmutter vorbei. Sprang nicht der eine sogar übers Feuer? Hatten jedoch auf einmal Hacken und in den Hacken ihr Hirn, bremsten, drehten, stiefelten, standen in Uniformen gestiefelt im Qualm und zogen hüstelnd die Uniformen, Qualm mitziehend, aus dem Qualm und hüstelten immer noch, als sie meine Großmutter ansprachen, wissen wollten, ob sie den Koljaiczek gesehen, denn sie müsse ihn gesehen haben, da sie doch hier am Hohlweg sitze, und er, der Koljaiczek, sei durch den Hohlweg entkommen.

Meine Großmutter hatte keinen Koljaiczek gesehen, weil sie keinen Koljaiczek kannte. Ob der von der Ziegelei sei, wollte sie wissen, denn sie kenne nur die von der Ziegelei. Die Uniformen aber beschrieben ihr den Koljaiczek als einen, der nichts mit Ziegeln zu tun habe, der vielmehr ein Kleiner, Breiter sei. Meine Großmutter erinnerte sich, hatte solch einen laufen sehen, zeigte, ein Ziel ansprechend, mit dampfender Kartoffel auf spitzem Ast in Richtung Bissau, das der Kartoffel nach zwischen der sechsten und siebenten Telegrafenstange, wenn man vom Ziegeleischornstein nach rechts zählte, liegen mußte. Ob aber jener Läufer ein Koljaiczek gewesen, wußte meine Großmutter nicht, entschuldigte ihre Unwissenheit mit dem Feuer vor ihren Stiefelsohlen; das gäbe ihr genug zu tun, das brenne nur mäßig, deshalb könne sie sich auch nicht um andere Leute kümmern, die hier vorbeiliefen oder im Qualm stünden, überhaupt kümmere sie sich nie um Leute, die sie nicht kenne, sie wisse nur, welche es in Bissau, Ramkau, Viereck und in der Ziegelei gäbe – die reichten ihr gerade.

Als meine Großmutter das gesagt hatte, seufzte sie ein bißchen, doch laut genug, daß die Uniformen wissen wollten, was es zu seufzen gäbe. Sie nickte dem Feuer zu, was besagen sollte, sie hätte wegen des mäßigen Feuerchens geseufzt und wegen der vielen Leute im Qualm auch etwas, biß dann mit ihren weit auseinanderstehenden Schneidezähnen der Kartoffel die Hälfte ab, verfiel ganz dem Kauen und ließ die Augäpfel nach oben links rutschen.

Die in den Uniformen der Feldgendarmerie konnten dem abwesenden Blick meiner Großmutter keinen Zuspruch entnehmen, wußten nicht, ob sie hinter den Telegrafenstangen Bissau suchen sollten und stießen deshalb einstweilen mit ihren Seitengewehren in die benachbarten, noch nicht brennenden Krauthaufen. Plötzlicher Eingebung folgend, warfen sie gleichzeitig die beiden fast vollen Kartoffelkörbe unter den Ellenbogen meiner Großmutter um und konnten lange nicht begreifen, warum nur Kartoffeln aus dem Geflecht vor ihre Stiefel rollten und kein Koljaiczek. Mißtrauisch umschlichen sie die Kartoffelmiete, als hätte sich der Koljaiczek in solch kurzer Zeit einmieten können, stachen auch gezielt zu und vermißten den Schrei eines Gestochenen. Ihr Verdacht traf jedes noch so heruntergekommene Gebüsch, jedes Mauseloch, eine Kolonie Maulwurfshügel und immer wieder meine Großmutter, die dasaß wie gewachsen, Seufzer ausstieß, die Pupillen unter die Lider zog, doch das Weiße sehen ließ, die die kaschubischen Vornamen aller Heiligen aufzählte – was eines nur mäßig brennenden Feuerchens und zweier umgestürzter Kartoffelkörbe wegen leidvoll betont und laut wurde.

Die Uniformen blieben eine gute halbe Stunde. Manchmal standen sie fern, dann wieder dem Feuer nahe, peilten den Schornstein der Ziegelei an, wollten auch Bissau besetzen, schoben den Angriff auf und hielten blaurote Hände übers Feuer, bis sie von meiner Großmutter, ohne daß die das Seufzen unterbrochen hätte, jeder eine geplatzte Kartoffel am Stöckchen bekamen. Doch mitten im Kauen besannen sich die Uniformen ihrer Uniformen, sprangen einen Steinwurf weit in den Acker, den Ginster am Hohlweg entlang und scheuchten einen Hasen auf, der aber nicht Koljaiczek hieß. Am Feuer fanden sie wieder die mehligen, heißduftenden Bulven und entschlossen sich friedfertig, auch etwas abgekämpft, die rohen Bulven in jene Körbe wieder zu sammeln, welche umzustürzen zuvor ihre Pflicht gewesen war.

Erst als der Abend dem Oktoberhimmel einen feinen schrägen Regen und tintige Dämmerung ausquetschte, griffen sie noch rasch und lustlos einen entfernten, dunkelnden Feldstein an, ließen es dann aber, nachdem der erledigt, genug sein. Noch etwas Beinevertreten und Hände segnend übers verregnete, breit und lang qualmende Feuerchen halten, noch einmal Husten im grünen Qualm, ein tränendes Auge im gelben Qualm, dann hüstelndes, tränendes Davonstiefeln in Richtung Bissau. Wenn der Koljaiczek nicht hier war, mußte Koljaiczek in Bissau sein. Feldgendarmen kennen immer nur zwei Möglichkeiten.

Der Rauch des langsam sterbenden Feuers hüllte meine Großmutter gleich einem fünften und so geräumigen Rock ein, daß sie sich in ihren vier Röcken, mit Seufzern und heiligen Vornamen, ähnlich dem Koljaiczek, unterm Rock befand. Erst als die Uniformen nur noch wippende, langsam im Abend zwischen Telegrafenstangen versaufende Punkte waren, erhob sich meine Großmutter so mühsam, als hätte sie Wurzeln geschlagen und unterbräche nun, Fäden und Erdreich mitziehend, das gerade begonnene Wachstum.

Dem Koljaiczek wurde es kalt, als er auf einmal so ohne Haube klein und breit unter dem Regen lag. Schnell knöpfte er sich jene Hose zu, welche unter den Röcken offen zu tragen, ihm Angst und ein grenzenloses Bedürfnis nach Unterschlupf geboten hatten. Er fingerte eilig, eine allzu rasche Abkühlung seines Kolbens befürchtend, mit den Knöpfen, denn das Wetter war voller herbstlicher Erkältungsgefahren.

Es war meine Großmutter, die noch vier heiße Kartoffeln unter der Asche fand. Drei gab sie dem Koljaiczek, eine gab sie sich selbst und fragte noch, bevor sie zubiß, ob er von der Ziegelei sei, obgleich sie wissen mußte, daß der Koljaiczek sonstwoher aber nicht von den Ziegeln kam. Sie gab dann auch nichts auf seine Antwort, lud ihm den leichteren Korb auf, beugte sich unter dem schwereren, hatte noch eine Hand frei für Krautrechen und Hacke, wehte mit Korb, Kartoffeln, Rechen und Hacke in ihren vier Röcken in Richtung Bissau-Abbau davon.

Das war nicht Bissau selbst. Das lag mehr Richtung Ramkau.

Da ließen sie die Ziegelei links liegen, machten auf den schwarzen Wald zu, in dem Goldkrug lag und dahinter Brenntau. Aber vor dem Wald in einer Kuhle lag Bissau-Abbau. Dorthin folgte meiner Großmutter klein und breit Joseph Koljaiczek, der nicht mehr von den Röcken lassen konnte.

Johannes Bobrowski
Kalmus

Mit Regensegeln umher
fliegt, ein Geheul,
der Wasserwind.
Eine blaue Taube
hat die Flügel gebreitet
über den Wald.
Schön im zerbrochenen Eisen
der Farne
geht das Licht
mit dem Kopf eines Fasans.

Atem,
ich sende dich aus,
find dir ein Dach,
geh ein durch ein Fenster, im weißen
Spiegel erblick dich,
dreh dich lautlos,
ein grünes Schwert.

Der lettische Herbst

Das Tollkirschendickicht
ist geöffnet, er tritt
auf die Lichtung, vergessen wird
um die Birkenstümpfe der Hühnertanz, er geht
vorüber am Baum, den die Reiher umflogen, auf Wiesen,
er hat gesungen.

Ach daß der Schwaden Heu,
wo er lag in der hellen Nacht,
das Heu zerstreut mit den Winden
flög auf den Ufern –

wenn nicht mehr wach ist der Strom,
die Wolke über ihm, Stimme
der Vögel, Rufe:
Wir kommen nicht mehr –

Dann entzünd ich dein Licht,
das ich nicht sehn kann, die Hände
legt' ich darüber, dicht
um die Flamme, sie blieb
stehen rötlich vor lauter Nacht
(wie die Burg, die herabkam
über den Hang zerfallen,
wie mit Flügeln das Schlänglein
Licht durch den Strom, wie das Haar
des Judenkindes)
und brannte mich nicht.

Im Strom

Mit den Flößen hinab
im helleren Grau des fremden
Ufers, einem
Glanz, der zurücktritt, dem Grau
schräger Flächen, aus Spiegeln
beschoß uns das Licht.

Es lag des Täufers Haupt
auf der zerrissenen Schläfe,
in das verschnittene Haar
eine Hand mit bläulichen, losen
Nägeln gekrallt.

Als ich dich liebte, unruhig
dein Herz, die Speise auf schlagendem
Feuer, der Mund, der sich öffnete,
offen, der Strom
war ein Regen und flog
mit den Reihern, Blätter
fielen und füllten sein Bett.

Wir beugten uns über erstarrte
Fische, mit Schuppen bekleidet
trat der Grille Gesang
über den Sand, aus den Lauben
des Ufers, wir waren gekommen
einzuschlafen, Niemand
umschritt das Lager, Niemand
löschte die Spiegel, Niemand
wird uns wecken
zu unserer Zeit.

Schattenland

Die Raschelstimmen,
Blätter, Vögel, drei Wege
kam ich
vor einem großen Schnee.
Auf dem Ufer, Grannen und Kletten
im Ringelhaar, mit ihren Hunden
Ragana schrie nach dem Fährmann, im Wasser
stand er, mitten im Fluß.

Einmal,
folgend den Nebeln,
über die Senke mit goldenen Flügeln
zogen die Trappen, sie setzten
auf die Gräser den hornigen Fuß,
Licht flog, der Tag ihnen nach.

Kalt. Auf der Spitze des Grashalms
die Leere weiß
bis an den Himmel. Der Baum
aber alt, dort ist
ein Ufer, Nebel mit dünnen
Gelenken gehn auf dem Fluß.

Finsternis, wer hier lebt,
spricht mit des Vogels Stimme.

Ausgefahren sind
Windlichter über den Wäldern.
Kein Atem hat sie bewegt.

Die Wolgastädte

Der Mauerstrich.
Türme. Die Stufe des Ufers. Einst,
die hölzerne Brücke zerriß. Über die Weite fuhren
Tatarenfeuer. Mit strähnigem Bart
Nacht, ein Wandermönch, kam
redend. Die Morgen
schossen herauf, die Zisternen
standen im Blut.

Geh umher auf dem Stein.
Hier im gläsernen Mittag
über die Augen hob
Minin die Hand. Dann Geschrei
stob herauf, den Wassern entgegen, Stjenkas
Ankunft – Es gehn auf dem Ufer
bis an die Hüften im Unterholz
Sibiriaken, ihre
Wälder ziehn ihnen nach.

Dort
einen Menschenmund
hörte ich rufen:
Komm in dein Haus
durch die vermauerte Tür,
die Fenster schlag auf
gegen das Lichtmeer.

Begegnung

Vom überhängenden Baum
mit Namen
rief ich den wütenden Fisch.
Ich schrieb um den weißen Mond
eine Figur, geflügelt.
Aufträumt ich des Jägers Traum,
er beschlafe ein Wild.

Gewölk zieht über dem Strom,
das ist meine Stimme,
Schneelicht über den Wäldern,
das ist mein Haar.
Über den finsteren Himmel
kam ich des Wegs,
Gras im Mund, mein Schatten
lehnte am Holzzaun, er sagte:
Nimm mich zurück.

Erfahrung

Zeichen,
Kreuz und Fisch,
an die Steinwand geschrieben der Höhle.

Die Prozession der Männer
taucht hinab in die Erde.
Der Boden wölbt sich herauf,
Kraut, grünlich, gewachsen
durch ein Gesträuch.

Gegen die Brust
steht mir der Strom auf,
die Stimme aus Sand:

öffne dich
ich kann nicht hindurch
deine toten
treiben in mir

PETER BICHSEL
Skizzen aus einem Zusammenhang

Jemand sagte: »In diesem Haus könnte ich nicht wohnen, es ist so tomatenfarbig angestrichen.« Dagegen gibt es nichts zu sagen. Das Haus ist auch viel zu hoch, zu schmal oder zu hoch, der Garten zu klein.

Im Badezimmer nebenan ist eine Leitung leck, nun sickert das Wasser in die Mauer und von der Wand des Zimmers blättert die Farbe.

Das begann vor einem Jahr.

Wir meldeten es dem Hausbesitzer und dem Installateur, wir melden es jede Woche, nächste Woche wieder. Dem Hausbesitzer kann es doch nicht gleichgültig sein, wenn sein Haus langsam zerbröckelt. Man könnte noch etwas tun. Wahrscheinlich muß man die ganze Wand herausbrechen.

Der größte Fleck liegt unter einem Bild. Vielleicht ist er schon morgen nicht mehr der größte, aber das Bild bleibt jetzt dort.

Das Zimmer hat Dachschräge, wir wohnen unter dem Dach. Das Zimmer hat keine Heizung, im Winter ist das Zimmer feucht. Vor einem Jahr war es noch das Zimmer der Kinder, aber es war zu feucht, wir konnten es ihnen nicht zumuten, sie waren oft erkältet.

Der Schreibtisch ist aus Eschenholz und hat auf der rechten Seite vier kleine Schubladen.

Das Zimmer hat ein Fenster. Im Dunst liegt der Berg. Den Jura nennt man hier Berg. Man nimmt sich vor, auf den Berg zu gehen.

Das Zimmer liegt auf der Nordseite, der Schattenseite des Hauses. Das gegenüberliegende Haus steht im Licht. Die Nachbarn stehn auf den Balkonen. Die Silberpappel im Garten der Nachbarn wurde letztes Jahr gefällt.

Das Zimmer ist klein und vieleckig, in der Nische links vom Tisch steht ein Bett. Rechts vom Tisch die Tür, vor dem Tisch das Fenster, das gegen Norden gerichtet ist, das Zimmer liegt im westlichen Teil der Wohnung.

Das ist nicht wichtig.

Immerhin ist das Gefühl bekannt, daß, wenn man halbwach im Bett liegt, sich das Bett um 180 Grad drehen kann, die

Wand plötzlich rechts ist, das Fenster hinter einem und die Tür links.

Ich mache die Augen auf, sehe die wirkliche Situation und erlebe eine zeitlos schnelle Drehbewegung um 180 Grad. Die Augen schließen, die Situation umstellen und das Bett wieder mühsam drehen.

Nach einigen Versuchen gelingt es nicht mehr, die Wirklichkeit zu verleugnen. Die Tatsache, daß das Zimmer im westlichen Teil der Wohnung liegt, die Tür rechts vom Liegenden und das Fenster zu seinen Füßen, ist wesentlich geworden.

Aber ich will das Zimmer beschreiben, auch wenn es mich nicht interessiert, also irgendwo beginnen.

Der spanische Wasserkrug.

Auf dem kleinen Kasten steht ein spanischer Wasserkrug aus weißem Ton, er hat die Form einer Glocke, oben zwei Öffnungen, eine große runde zum Einfüllen und einen eichelförmigen Ausguß mit einem kleinen Loch. Man trägt den Krug an einem Ring, der zwischen diesen beiden Öffnungen befestigt ist.

Kieninger hat in Tarragona einen Wasserkrug gekauft.

Dazu noch zwei Bemerkungen:

Der Krug ist unlasiert und nicht völlig wasserdicht. Das hat seinen Grund. Ein kleiner Teil des Inhalts sickert langsam und ständig an die Oberfläche und verdunstet dort. Durch die Verdunstung wird Kälte frei – ich hoffe, daß das physikalisch richtig ist – jedenfalls ist es so, daß diese Verdunstungskälte den Inhalt des Kruges kühl hält.

Der Krug ist beschrieben. Irgend ein Krug, nicht mein Krug. Meiner ist nicht glockenförmig. Ich habe glockenförmig geschrieben, weil ich ihm nicht beigekommen bin, weil ich weiß, daß der Leser den Krug nicht kennt und den nehmen muß, den ich ihm biete, den glockenförmigen.

Oder man könnte wie Kieninger den Krug einer Zigeunerin in Tarragona abhandeln, eine Zigeunerin beschreiben, alte windgegerbte Haut, unter der viel Schönheit liegen muß, und ganz nebenbei der Frau einen Krug in die Hand geben. So ist er weder glockenförmig, noch unlasiert. Er ist jetzt Erinnerung, Olivenhaine, die rote Erde der Pyrenäen, Gitarren und Flamenco.

Es gibt aber eine bessere Geschichte, die von dem kleinen Mädchen, das seine sieben verschollenen Brüder suchen geht und das neben einem Ringlein als Andenken an seine Eltern nichts anderes mitnimmt als einen Krug für wenn es Durst hat, einen Laib Brot für wenn es Hunger hat und ein Stühlchen für wenn es müde ist.

Die Stelle heißt genau so:

»Es nahm nichts mit als ein Ringlein von seinen Eltern zum Andenken, einen Laib Brot für den Hunger, ein Krüglein Wasser für den Durst und ein Stühlchen für die Müdigkeit.«

Alles dem Kieninger unterschieben:

Kieninger, Wiener, mietet sich in einem Vorort der Stadt ein Zimmer. Die Stadt gefällt ihm nicht, er hat den Eindruck, daß ihn alle begaffen, die Stadt ist zu klein, er vermißt die Cafés, den Ring, die Stadtbahn. Er hat sich den Ort auf der Landkarte gewählt. Einmal muß er in Spanien gewesen sein. Der Wasserkrug erinnert daran. Er handelte ihn einer Zigeunerin ab.

Gut –

er verliebte sich in Spanien in eine Engländerin. Anfänglich glaubte er, das sei nur, weil sie seiner Elfriede in Wien gleiche, dann war sie plötzlich mehr als Elfriede, das Grün ihrer Augen ein anderes Grün. Im kleinen Amphitheater vor Tarragona, unten am Meer, traf er sie.

Jedenfalls entschied sich Kieninger, nicht gleich nach Wien zurückzufahren. Er muß Zeit gewinnen, Ruhe haben. Er besitzt die Adresse der Engländerin. »Du wirst mir nicht schreiben«, hatte sie gesagt. Kieninger schrieb Elfriede, daß er jetzt hier wohne, ein Zimmer gemietet habe, mehr nicht.

Er sitzt an seinem Pult, schreibt einen Brief nach Wien.

Ich sitze an einem kleinen Pult, genaue Maße 98 auf 53 Zentimeter, Höhe 73 Zentimeter, hell lackiert. Ich bin der, der das schreibt. Ich versuche, nicht von mir zu schreiben, sondern von Tisch, Zimmer, Haus und Straße. Kürzlich wurde sie asphaltiert.

Ich schreibe Wahrscheinliches.

Unwahrscheinlich ist, daß mir mein sechsjähriger Sohn einen Mammutzahn brachte, den er im Garten ausgegraben hatte. Es muß etwas anderes sein, aber es sieht aus wie ein Mammutzahn. Ich bin verheiratet.

Es kommen Briefe an, sie liegen auf dem Bett, auf dem Tisch, sie fallen zu Boden, die alten liegen unter den neuen.

Sie sollten beantwortet werden.

Es werden Briefe geschrieben, Briefe gehn weg. Es wird auf Briefe gewartet.

Der Briefträger kommt um 11 und um 4. Manchmal auch erst um 12 und um 5. Zwei Gänge täglich zum Briefkasten.

Mittags sind wenigstens Zeitungen da, freitags Drucksachen. Briefe werden schnell aufgerissen, schnell gelesen, selten ein zweites Mal gelesen. Es kommen Briefe aus dem Ausland. Der Nachbar grüßt aus den Ferien. Die Briefe verändern hier nichts, immer noch die zwei kleinen Büchergestelle, der kleine Schrank, der große Schrank, der Schreibtisch und das Bild, nachts eine Leuchtschrift im Fenster, sie ist weit weg, ».U..LZE...« darunter ein erleuchtetes Fenster, der Rest schwarz.

Ich drehe mein Licht aus. Jetzt hat es mehr Lichter im Fenster, entfernte Straßenlampen, und die Fassade des Nachbarhauses löst sich aus dem Dunkel.

Oder Briefe aus Wien.

Kieninger erwartet Briefe aus Wien. Er hat Elfriede geschrieben, daß er jetzt hier wohne, ein Zimmer gemietet habe, mehr nicht.

Die Vorfenster sind noch eingehängt. Doppelverglasung ist weniger umständlich, aber 1927 hatten die Häuser meist noch Vorfenster, die man im Herbst vom Dachboden holt und einhängt, die man im Frühling wieder aushängt und auf den Dachboden trägt.

Die Nachbarn achten genau darauf.

Die Nachbarn stehen auf den Balkonen.

Aber dieses Jahr haben wir den Übergang vom Winter zum Frühling und dann vom Frühling zum Sommer verpaßt. Wir haben den Übergang nicht erkannt. Als wir glaubten, es sei Frühling, wurde es wieder kalt, und wir mußten heizen. Der Sommer begann mit Regen.

Jetzt ist es heiß, und die Vorfenster sind noch eingehängt. Jetzt ist es zu spät, sie auszuhängen. Wenn wir es jetzt tun, wird den Nachbarn auffallen, daß wir es noch nicht getan haben.

Aber die Fenster ärgern uns. Wir sprechen nicht davon. Bald wird es wieder Herbst.

Ich hasse das Geräusch des Windes in der Wohnung. Ich will, daß die Fenster geschlossen werden. Ich will, daß die Zimmertüren geschlossen werden, ich will die Wohnung in einzelne Räume unterteilt haben.

Kurz nach Genf, die Weinberge grün, das Blau des Genfersees, die Sonne. Zwischen See und Weinberg der Zug. Kieninger steht am Fenster. Die Fahrt durch Frankreich war mühsam, schlaflose Nacht, oder hatte er doch geschlafen, irgendwo sah er Fabrikschlote, ein Feuer. In Lyon stiegen Leute ein; als er erwachte, war der Franzose nicht mehr da.

Noch ein Tag und eine Nacht bis Wien.

In Zürich wird er aussteigen, die Nacht verbringen. Elfriede hat ihm die Adresse von Freunden mitgegeben.

Die Freunde werden ihn nach Elfriede fragen.

Er erträgt das nicht.

Er wird in einer Pension wohnen.

Oder unterwegs irgendwo aussteigen.

Der letzte Zug nach dem Vorort. Der Zug mit den Betrunkenen, mit den vergessenen Gegenständen, mit denen, die den vorhergehenden Zug verpaßten, der Zug mit dem freundlichen Kondukteur, Abfahrt kurz nach zwölf.

Der Bahnhof im übrigen leer. Jemand rennt noch die Treppe hoch, man wartet. Wie er sieht, daß man wartet, geht er langsamer, steigt ein.

Der Vorstand hat keine Kelle, keine Pfeife, fast leise, fast privat sagt er zum Lokomotivführer: »Abfahren.«

Der Lokomotivführer sagt: »Gute Nacht«, nimmt seinen Kopf zurück in die Kabine, jetzt bewegt sich der Zug.

Der Kondukteur sagt zum Vorstand: »Gute Nacht«, dann setzt er den einen Fuß auf das Trittbrett, läßt ihn ein Stück weit fahren, zieht den andern Fuß nach, steigt in den Wagen und zieht die Tür hinter sich zu.

Vielleicht, daß die Geräusche doch auch zum Zimmer gehören, ein vorbeifliegendes Flugzeug, Matthias, der im Nebenzimmer Eisenbahn spielt, Geräusche vom Geschirrspülen, mittags und abends Kirchenglocken, eine Eisenbahn, der Zug aus Olten, Ankunft 17 Uhr 04.

Jetzt wirklich auch Teppichklopfen und wieder die Vögel, eine Wasserleitung. Die Stimme von Matthias, der die Mutter fragt: »Was ist das, ein Sattelschlepper?«

Jetzt Ruhe, nur noch die Wasserleitung.

Keine Lust zu beschreiben, Kieninger abgeschrieben. Kieninger taugt zu nichts. Ich will keine Leute in meinem Zimmer. Die Wolken am blauen Himmel sehen aus wie mit einem Gelbfilter fotografiert. Ich höre die Schläge eines Handwerkers. Im Schulbuch wären es die Schläge der Drescher oder die Schläge des Küfers, der die Ringe ans Faß schlägt.

Ich erwähne doch noch den Spiegel – Biedermeier vielleicht – beim Trödler gekauft, oval, schwarzer Rahmen mit Goldrand.

Im Spiegel sehe ich mich.

Am 17. Februar 1927 reichten Bauherr und Architekt ein Gesuch zur Errichtung eines Dreifamilienhauses ein. Beilagen: Grundriß Keller, Parterre, erster, zweiter Stock und Dachstock, 4 Fassaden, ein Querschnitt und eine Situation. Dazu eine kurze Beschreibung der beabsichtigten Baute: »Im Kellergeschoß befinden sich 4 Obstkeller, Waschküche, Zentralheizung und Kohlenraum und eine Garage. Parterre, erster, zweiter Stock und Dachstock enthalten je eine Vierzimmerwohnung mit Küche, Bad und WC. Die Kellerumfassungsmauern sind aus 37 cm Beton vorgesehen. Die Parterreumfassungsmauern sind aus 32 cm Backsteinen, diejenigen der übrigen Geschosse aus 30 cm Backsteinen vorgesehen. Das Dach wird mit dunkelengobierten Doppelfalzziegeln eingedeckt.«

(Engobieren heißt: Tonwaren mit einem feinen Tonschlamm begießen, um ihnen nach dem Brennen eine gleichmäßige, auch farbige Oberfläche zu geben.)

Man machte Berechnungen, kubische, statische und finanzielle – also denn ohne Zentralheizung. Verhandlungen mit der Bank, Verhandlungen, Berechnungen, Baubesichtigungen, ein schreiender Polier, ihm lag das Haus am Herzen, er liebte Mauern, schön gefugte Mauern, er maß mit dem Senkblei, mit der Spanne seiner Hand, mit der Wasserwaage, mit senkrecht und waagrecht gehaltenem Daumen, und er ließ nur Hamburgerkellen zu. Wer die nicht führen kann, gehört nicht auf den Bau.

Walmdächer geben dem Bau eine selbständige Note und machen die Behäbigkeit der Bauernhäuser aus.

Der Zimmermann schlug dem Architekten vor, einen doppelt liegenden Stuhl, ein Pfettendach aufzurichten, eine Konstruktion ohne Pfosten. Er mache das gern, sagte er, es gebe etwas zu denken dabei und nicht jeder könne es.

Ein Pfettendach hat den Vorteil, daß durch das Einfügen der

Pfetten am First, in der Mitte und am Fuß die Lage der Sparren nicht vom Balken abhängig ist. Sparren nennt man die schräg liegenden Hölzer, die dem Dach die äußere Form geben.

Der Architekt ließ die Konstruktion statisch berechnen. Darauf gebe er nicht viel, sagte der Zimmermann, mit dem Kopf allein habe noch keiner ein Dach aufgerichtet, aber ihm solle es recht sein, es sollte ihn wundern, wenn einer seinen Plänen was anhaben könne.

Das Haus widersteht dem Regen. Gegenwärtig dem Regen des 27. Mai. Man findet in unserer Gegend Ziegel der elften römischen Legion, beim Aushub für ein Haus in der Innenstadt oder beim Nationalstraßenbau.

Ziegel sind das beste für die Bedachung eines Hauses, dabei sind sie nur lose untereinandergeschoben und an die Dachlatten gehängt. Wenn der Käfer nicht im Dachstuhl ist, kann ein Dach alles überdauern. Man kann Vertrauen haben zu den Ziegeln. Sie heißen dunkelengobierte Doppelfalzziegel.

Hausbock, Zimmermannsbock, Klopfkäfer bedrohen den Dachstuhl. Pochkäfer, Blauer Scheibenbock, Veränderlicher Scheibenbock, Pappelbock, Düster Bock, Zangenbock, Körnerbock und Riesenholzwespe sind seltener.

Alljährlich bringt die Post das Schreiben einer Holzkonservierungsfirma mit angehängter Rückantwortkarte. Wir untersuchen kostenlos Ihren Dachstuhl. Statistiken sagen, daß in gewissen Gegenden bis zu 70 Prozent der Häuser vom Hausbock befallen sind. Für den Laien nicht sichtbar frißt sich die Larve des Hausbocks, die eine Lebensdauer zwischen 3 und 10 Jahren hat, durch die Hölzer des Dachstuhls, sie vermeidet dabei die Oberfläche des Holzes, nur die Fluglöcher, durch die der ausgewachsene Käfer das Holz verläßt, sind sichtbar.

Der Hausbock kann den Dachstuhl zum Einstürzen bringen. Wir können nichts tun dagegen, es ist nicht unser Haus. Der Besitzer wird den Dachstuhl nicht untersuchen lassen, und wir wohnen unter seinem Dach. Ich habe das Holz abgeklopft. Es soll dumpf klingen, wenn der Käfer drin ist. Ich habe nach Fluglöchern gesucht.

Oder wie Herr Glauser den Mailänderdom, den er nur von Plänen und Ansichtskarten kennt, maßstäblich genau mit zusammengeleimten Streichhölzern rekonstruieren. In fünfzig Jahren eine kleine Notiz im Lokalblatt. Wie viele Arbeitsstunden, wie viele Jahre, wie viel Streichhölzer, Bäume, Sorgfalt, Ausdauer. Fügte man die Hölzchen in einer Reihe aneinander, reichten sie von da bis da oder umkreisten die Erde, oder gar mehrmals. In einer Geschichte stirbt er nach Vollendung des Doms, oder der Dom geht in Flammen auf.

Glauser macht eine Reise nach Mailand, erblaßt vor dem Original und kommt sich ganz klein vor unter den Türmen.

Oder das Original stürzt ein.

Oder fünfzig Jahre lang jeden Frühling den Föhn ertragen. Herr Glauser lebt in der Waschküche und klebt. Es ist noch schlimmer, als einen richtigen Mailänderdom bauen.

Die Zeitungsmeldung endet mit dem Hinweis, daß man von Streichholzfabriken Hölzchen ohne Schwefelkopf beziehen könne.

JÜRGEN BECKER
Ränder

Da hängt die Landkarte, alle Wände sind weiß, dies ist das Land, dies sind die Küsten, dies ist Geschichte, das ist das hohe Fenster mit den Bäumen im Park, darüber ist der Himmel, das ist die tägliche DC 8, das ist die Katze Nina, heute ist Freitag, kein Sommer, keine Veränderung, das ist der vergangene Herzschlag, da kommt wieder was man eine Hoffnung nennt, das ist die Dauer einer Zigarette, da nähert sich ein Termin, das ist Münchhausen der ein Wildschwein hinter sich herzieht, das ist die Nähe dessen wovon man spricht, da fällt der Name Mila Schön, das müßte die Stadt Mailand sein, das volle Glas, das leere Glas, da sitzt eine Person und sitzt aufblickend von der Tischfläche am Tisch, da ist etwas anderes, das ist Der innere Erdteil, das ist er so sauber wie ein Opel von Opel, da hängt der Kaiser Wilhelm roter Gips, dort ist es zehn Uhr abends und dort ist es acht Uhr früh, die Fliege dort fliegt nicht, das ist das Wichtige, das ist das was man vergißt, dies ist der Mississippi, das ist das Wort das einen Fluß benennt, dort steht ein leerer kalter Ofen, dort ein gutes Kofferradio, dort und dort je ein Stück Säule, dort ist etwas zum Sitzen und dort etwas zum Sitzen und Liegen.

Und draußen saust der Sturmwind durch die Gegend, und ein Vogelschwarm kämpft, bis es dunkel wird.

Was morgen alles noch vorkommen kann: daß die Post nicht kommt und es liegt noch ein Brief von gestern im Kasten. Schnellinger besucht einen Landsmann. Eine Drehung des Winds. Ein Anlaß wieder ins Bett zu gehen. Daß Nina wieder ausgeht und nie wiederkommt. Ein Streik in Italien. Lauter Einfälle die kein Geld einbringen. Raquel Welch ist wieder da. Immer neue Unterbrechungen. Ein Pilot betrinkt sich und schläft ein. Die Frau des Präsidenten geht spazieren. Daß wir Mist machen und von vorn anfangen. Eine gemeinsame Fahrt in den Supermarkt. Ein neues Hemd kaufen. Sterben. Sechs Tassen Tee. Ein herrliches Horoskop für übermorgen. Die Chinesen stehen vor der Tür. Ingeborg ruft im Regen an. Daß man wieder alles vergessen hat und man denkt das hat man ja alles schon einmal gesehn.

Eine Fahrt hinaus; das macht uns bald wieder froh. Die flache Provinz ist ja vollständig fast verwüstet. Eine an vielen Stellen aussichtsreiche Straße verbindet die vielen typischen Aussichtspunkte und erlaubt uns eine Fahrt rund um den See. Mitten in der weißen Wüste finden wir ein weißes Hotel, in dem wir wachend die Nacht verbringen, denn wer einschläft, wird nicht mehr gesehen. Hinter den Bergen müßte bald das Meer mit den rettenden Häfen sein. In einer Wegbeschreibung lesen wir von Leuten, die nur ein Bein haben und deren einer Fuß so groß ist, daß sie auf dem Rücken liegend unter seinem Schatten Schutz vor der sengenden Sonne finden. Unsere Zungen sind geschwollen; unsere Füße, mit Dornen gespickt, schwellen an; der Anblick der Schönen von Acapulco macht beides vergessen. Dieser See war früher ein Krater. Wenige Kilometer vor Anguillara stehen zwei große Pinien rechts und links der durch eine große Ebene führenden Straße. Gegen Mittag kehren wir in einem Gasthof ein, dessen Wirtin gerade das Blut abwäscht. Im nächsten Ort tanzen viele Kinder zum Spiel einer Flöte. Die Ebene ist größer als gedacht. Dort, ein Dorf, und dort, noch eins, und dort, eins brennt. Immer kleiner wird das Vieh, der Wald, die Erde. Wir versprechen, über alles zu schweigen. Seit das Tor hinter uns zugefallen ist, stehen wir in der Nacht. Am nächsten Morgen früh hinaus und als erstes hinaus in die Mitte des Sees. Die Wolken über den Bergen verheißen nichts Gutes; angestrengt halten wir Ausschau. Dort steht der Wagen; richtig, es fehlt an Wasser und Luft. Luft kocht nicht über und friert nicht. Wir finden das Bett eines Flusses und sind glücklich über den rettenden Ausweg. Dann sehen wir die Hauptstadt der Provinz. Einige Bahnhöfe, Exerzierplätze, einst blühender Handel, die Große Residenz des Fürsten, die erschossenen Wachen, Badehäuser, der Pestfriedhof, die Herbertstraße, ein Museum das früher ein Lager für Feinde war, einige Katakomben, ein Dutzend Mahntafeln, viel Disteln und anderes Grünzeug, einige Fußabdrücke, massenhaft Eidechsen, mehrere guterhaltene Häuser. Müde und glücklich kehren wir abends noch heim. Viele Gäste sind schon da, und wir erzählen, wie es in der Provinz gewesen ist.

Einige Namen in der Reihenfolge der Erinnerungen an Vorkommnisse:

Scheidung. M. grinst unter Tränen.

September, Hannes, bei Campi.

Ludovica Nagel stellt Monica Vitti vor.
Ich heiße Hans Stahl.
U.Bahn, wie U.Bahn.
Geflirtet, immer geflirtet, sagte Herr Düvelius.
Als es hieß, die Amerikaner sind da, setzte Karlchen Tümmler seine weiße Kochmütze auf.
Paffrath, der Eismann da?
Huth, sagte Hofer, sagte Huth, sagte Sotrop.
Der Herr Zimmermann, ja der Herr Zimmermann.
Hilde zeigte schließlich ihren Paß, und da gab es wirklich keinen Zweifel mehr.
Paß auf, sagte Liesbeth.
Fritz Herkenrath fängt einen Ball.
Am 1. Mai 1950 war die Nacht in Dellbrück lieblich wie die Maiennacht von Lenau.
Boris fragt seinen Vater, warum er nicht wiederkommt.
Eisgrauer Stan Kenton.
Auch Lilo, plötzlich, sah verändert aus.
Als einer nach dem anderen umfiel, trug Panna Grady nur ein ironisches Lächeln zur Schau.
Pyla hatte sich da schon ein Taxi genommen.
Der Wind dreht sich. Haussmann setzt seine Sportmütze anders herum auf.
Adrion läßt ein Geldstück verschwinden.
Andy Warhol saß ganz ruhig, als der Lärm immer größer wurde.
Natascha Ungeheuer.
Zuerst sagte er, sein Name sei unaussprechbar. Dann gab er einen falschen Namen an. Beim Essen sagte er, er lebe unter Pseudonym. Helen Stauffacher wollte das alles nicht glauben.
Häppel.
Kurz vor unserem Auszug aus der Annenstraße verwüstete Walter noch einmal die Wohnung.
Immer noch streiten wir uns, ob Sandra in den kleinen oder großen Fiat stieg.

Und warum nicht?
Weil anderswo alles von vorn anfängt. Weil mir der Rücken so wehtut. Weils regnet. Weil der Schaffner gesagt hat, das läuft auf dasselbe hinaus. Weil dus ja selber nicht willst. Weil ja doch keiner hinkommt. Weil es einfach nicht mehr zum Aushalten ist. Weil alles zu spät ist und nie einer was gesagt hat. Weil er

nicht still gehalten hat. Weil dann endlich mal Ruhe ist. Weils vorläufig noch keiner weiß. Weil es sich herausgestellt hat, daß es so auch nicht geht. Weil du dich immer so blöd dabei anstellst. Weil es sich immer um dieselbe Sache dreht und weil es immer heißt, ja das wird sich schon ändern. Weil sich nie was geändert hat. Weil heute, nein, weil gestern schon kein Wort mehr darüber gefallen ist. Weil man heute nicht mehr einfach so dazwischenschlagen kann. Weil nichts los ist, wofür es sich lohnt. Weils wieder dieselben sind. Weil keiner mitmacht und weils stinkt. Weil kein Anlaß gegeben ist, dafür oder dagegen zu sein. Weil es mir wurscht ist. Weils immer noch regnet. Weil du sonst weg gehst. Weil es sowieso bald von selber aufhört.

Immer größer wird das Zimmer, es ist gar kein Zimmer, es ist eine Halle, nun schneit es auch noch und der Sommer ist zum Pflücken nah, und draußen knirscht der Kiesweg, weil jemand immer hin und hergeht, nun pfeift er sogar, aus mit der Ruhe, wann wird es denn dunkel, es ist ja dunkel, es schneit ja auch nicht und keiner pfeift, still liegt der Kies auf dem Weg, ein Irrtum nach dem anderen heute.

Wo ist Nassau? Dort, am Tisch vorbei, am Wandschirm vorbei, unterm Fenster vor der Tür, dort ist Nassau.

Gleich nach dem Frühstück fängt es an. Nach einer Stunde sind es schon drei. In der nächsten kommen zwei weitere dazu. Wenig Ruhe bis zum Mittag, endlich Mittag.

Nach dem Essen geht es erst richtig los. Einmal ist keinmal.

Komm, wir gehen spazieren im Park. Im Park die Luft ist frisch und gesund. Für einen neuen Anfang ist es nie zu spät. Ein neuer Anfang.

Neue Kämpfe am Tisch, Niederlage, Verzweiflung, noch einmal von vorn. Weg vom Tisch, auf die Couch, in den Sessel, um den Tisch herum, wieder am Tisch. Auf einem Bein kann man nicht lange stehen. Das Leben ist hart genug. Freude gibt es auch nicht viel. Wozu überhaupt? Aller guten Dinge sind, ja, wieviel sind es denn nun?

Zerknirscht beim Abendessen, wieviele waren es denn, nun kommt auch der Besuch noch, das ist doch Ablenkung, Begrüßung, Freude, Hallo. Alles steht herum, gelöst, gelockert, warum auch nicht, jeder hats mal versucht und weiß wie das geht, kein Denken jetzt mehr dran, gestorben wird so oder so. Und du ja auch und alle wie sie dagewesen sind. Die Fenster auf, klare Nacht, tief durchatmen, im Badezimmer fängt das Husten an, ab morgen, ein neuer Versuch, wird nicht mehr geraucht.

Als es anfing, war noch gar nicht zu übersehen, um was es denn nun eigentlich ging. Als es soweit war, sagte jeder, es ist gut, daß es soweit ist. Als es dann weiterging, ging es natürlich mit den ersten Schwierigkeiten los. Als es plötzlich stockte, wurde hin und her probiert, bis es plötzlich wieder weiterging. Als es dann auch ziemlich klappte, hatte keiner mehr was dagegen.

Erzähl doch weiter.

Ja und als dann nichts dazwischen kam, dachte schon keiner mehr dran. Als dann wieder ein paar Kleinigkeiten vorkamen, nun ja, wer achtet schon immer auf Kleinigkeiten. Als es schlimmer wurde, machte man sich schon ein paar Gedanken. Als man aber sah, was los war, wer sollte denn da nun was ändern. Als es nämlich plötzlich drunter und drüber ging, da hatte jeder andere Sorgen im Kopf. Dann, als alles aus war, sah es ja auch ganz anders aus, als man am Anfang gedacht hatte. Als es nämlich angefangen hatte, war noch gar nicht zu übersehen gewesen, um was es denn nun eigentlich gehen sollte. Erst als es soweit war, erst dann sagte jeder, es ist ganz gut, daß es soweit ist. Sicher, als es dann weiterging, ging es auch schon mit den ersten Schwierigkeiten los. Als es aber plötzlich stockte, da wurde gleich hin und her probiert, bis es wieder weiterging. Und als es dann auch ziemlich lange klappte, nein, da hatte wirklich keiner mehr was dagegen.

Erzähl doch weiter.

Und als es längst vorbei und vergessen war, da fingen die ersten ja auch schon wieder an.

Da läuft er, durch den Park, der Entlaufene.

Und was machen wir jetzt? Norwegen ist noch ein bißchen früh. Wir sollten doch immer mal bei Rosenbergs anrufen. Wie wärs denn, nein, das ist auch nichts. Zum Piper in den Club geht doch keiner mehr hin. Was Einfaches mal, wenns sowas noch gäbe. Wie wärs denn mit dem Ostsektor? Genau so ein Regen müßte es sein, wie damals, als in Hennestrand wir in den Hütten lagen. In Rom ist sowieso nichts los. Bei Marlborough ist heute was los. Da kommen wir ja grade her. Raddatz wüßte sicher was. Am liebsten schlafen bis September. Wie hieß sie noch, die Stadt da oben mit den Leuten und den Transistorgeräten am Ohr? Bloß nicht. Gibts denn keine Würstchenbude hier? Wir könnten doch, du weißt doch. Und wer käm in Frage. Stundenlang, nur immer so, stundenlang. Und dann? Dann andersherum. Also wer macht mit? Bei Harriman ist heute Reisetag. Dann Gütz. Der ist tot. Man müßte einen Wald haben, einen richtig grünen, großen Wald. Oder einfach brüllen, laut, immer lauter. Das haben wir ja gestern schon alles gehabt. Dann braten wir jetzt einen Apfel. Das geht nur in der Lüneburger Heide. Also dann, was machen wir dann?

Sing mal. Ich armes welsches Teufli

Es ist alles so finster heute, so trübe, blöde und öd. Es ist alles so lahm und schwer, so drückend und so langsam, es schleppt sich alles so dahin. Es fängt nichts an, es geht nichts weiter, es hat keinen Zweck mehr, es hilft nichts, es kommt keine Sonne auf, weder am Himmel, noch im Herzen. Es ist alles so laut, es ist so kalt, es ist so stumm, es blendet, es nützt nichts. Es macht keinen Spaß, es geht auf die Nerven, es tötet, es ist ein unbeschreiblicher Zustand. Es ist nichts Neues, es ist nicht erklärbar, es hört nicht auf, es ist überall. Es macht den Kopf kaputt, es hindert am Atmen, es tut den Augen so weh, es ist so leer, es ist nichts. Es ist alles so unruhig, es ist so heiß, es ist so entsetzlich hell, es macht so müde, es rast und rast. Es geht die Zeit nicht rum, es kommt keine frische Luft, es rührt sich nichts, es ist so ein Lärm, es flimmert immer so, es kommt keiner und sagt, daß alles so öde heute ist, so kalt und so still und daß es nicht mehr zum Aushalten ist.

Neuer Besuch wird angekündigt, aus München heißt es in Bayern, nicht mehr jung, nicht mehr gefährlich, ißt nicht viel, trinkt mäßig, will auch nicht lange bleiben, weiß nur Geschichten von früher, vergißt gleich alles was man ihm an den Kopf wirft, soll lächeln wenn man ihn rausschmeißt, ist dankbar für alles, fragt nichts, meistens unsichtbar, schmutzt selten, hat früher mal ein Attentat probiert, hat den König gekannt, sagt Balladen auf wenn man ihn darum bittet, kommt ungern, hat irgendwo gesagt, daß er ein bißchen Angst vor uns hat, hat schon ein paar Mal abgesagt, heute wieder hat er abgesagt.

Ist es denn nun hell genug? Das nicht. Aber wir können ja sitzen und warten, wir haben Geduld. Morgen früh, da ist es wieder hell genug.

Nach dem ersten Schritt kommt jetzt der zweite. Ein Anfang ist gemacht. Nur weiter so. Umkehren geht jetzt nicht mehr. So schlimm ist es auch nicht. Nun gehts wieder eins weiter. So, und dann so. Nur nicht reinreden lassen. Alles hat einmal sein Ende. Nur weiter so. Und nicht zuviel dran denken. Aufhören, wer sagt denn aufhören. Es klappt immer besser. Bald fragt auch keiner mehr danach.

Und wie wars? Ja, als wir ankamen, war schon nicht mehr viel los. Alles weggeschafft, Ordnung wieder, an den Wänden nur ein paar Abdrücke, ein bißchen roch es ja noch, der Boden fast trocken, das Wetter war ja ideal, alles sauber, alles so, als wenn nichts gewesen wäre.

Es ist ein Tag heute im Februar. Die stillen Kieswege im Park knirschen unter den Tritten der ersten Gärtner. Im eisigen Wasser der Brunnen klettern die leichten Krötenmännchen, einzeln oder kämpfend zu zweit oder dritt, auf die schweren Leiber der Krötenweibchen. Sie bleiben wochenlang dort sitzen, auch dann noch, wenn die Laichschnüre, paarweise, die langsam platter werdenden Leiber der Krötenweibchen verlassen. Wer kein Weibchen mitbekommen hat, sucht sich ein Männchen, das auch kein Weibchen mitbekommen hat. Die Männchen lassen bald voneinander ab. Bald werden die Äste, die während der letzten Stürme von den Bäumen in die Brunnen gefallen sind, von den Laichschnüren so verspannt und umwickelt sein, daß sie als Äste nicht mehr zu erkennen sind. Ehe es dazu kommt, daß sich aus den Laichschnüren Abertausende von Kaulquappen entwickeln, wird angeordnet werden, daß die Gärtner die Äste aus dem wärmer gewordenen Wasser der Brunnen herausziehen, auf einen abgelegenen Haufen werfen, trocknen lassen, anzünden und verbrennen. Die Gärtner schieben ihre Schubkarren vor sich her. Der Park hat unter den Stürmen im Winter sehr gelitten. Täglich geht es mit dem Ordnungmachen ein Stück weiter; niemand zweifelt.

Da rennt wieder wer, aber das ist gar nicht unser Park, das ist, da rennt die rätselvolle Monica und wen jagt sie denn jetzt, die Bäume huschen nur so vorbei, oder wird sie wieder selber gejagt?

Da müssen wir uns eben langsam dran gewöhnen. Da läßt sich nämlich sowieso nicht mehr viel machen. Da kommt man auch anders gar nicht mit zurande. Da läßt man besser lieber gleich die Finger von. Da kann man nämlich werweißwas mit erleben. Da redet man besser erst gar nicht drüber. Da hat man auch nichts von. Da haben wir sowieso nichts am Hut mit. Und warum auch immer ewig? Da sind wir nämlich inzwischen ganz anderer Meinung. Da gibt es nämlich noch ganz andere Sachen. Da hat mans ja mit eigenen Augen sehen können. Da hieß es ja auch nicht also was heißt das. Da wird man noch einmal ganz anders drüber denken. Da wird man noch einmal sagen, ja, da wird man noch einmal sagen. Da wird man sich nämlich langsam dran gewöhnen müssen.

Da kann man nun stundenlang hinausschauen, auf die Bäume nämlich, die in den Himmel ragen und die der Wind immer bewegt, hin und her, die Bäume, auf die man stundenlang hinausschauen kann, denn draußen gibt es sonst nichts, nur die Bäume, die in den Himmel ragen und die der Wind immer bewegt, hin und her, die Bäume und sonst nichts.

Neue Erkenntnisse:

Der Besuch, der da eben gekommen ist, ist ja ein ganz anderer als der, der angekündigt worden ist.

Die Katze Nina kriegt also Junge.

In einer römischen Gasse haben jetzt fünf Londoner Läden aufgemacht.

Zuviel, letzte Nacht, zuviel.

Im vorigen Jahr war es hier um diese Zeit schon viel wärmer.

Arndt hat also die unglückselige Veranlagung seines Urgroßvaters geerbt.

So schlimm war ja alles nicht.

Die römische Katzenbevölkerung wird auf 120000 Einheiten geschätzt.

Wenn jemand kommt und sagt, geht doch mit, haben wir keine Lust, und wenn wir Lust haben, mitzugehen, wenn jemand kommt und sagt, geht doch mit, kommt keiner und sagt, geht doch mit.

Irgendwo wird immer gelitten.

Papst bleibt Papst.

Der neue Dino ist schon ein heißer Knochen.

Wenn man alles richtig macht, wächst der zweite Kopf auch an.

Nie war Jugend so jung.
Aha. So war das mit Faruk.
Die Schonzeit ist um.
Der Roman lebt und lebt.
Uns ist das alles ziemlich egal.

Früher war das alles ganz anders. Die Städte alle waren viel größer und die Dörfer waren noch Dörfer. Früher gab es noch Gerechtigkeit, und wer nicht hören wollte, mußte eben fühlen. Da waren unsere Lehrer noch die Lehrer unserer Eltern. Sonntags zogen wir noch Sonntagsanzüge an. Die Kirche stand noch im Dorf. Die Wacht stand noch am Rhein. Früher wußten wir, daß Gott mit uns ist. Früher kam auch noch Hans Muff. Wen wir fingen, der kam an den Marterpfahl. Die Sommer waren richtige Sommer. Die Ferien sahen immer endlos aus. Die Milch war noch gesund. Früher wußten wir, woran wir uns zu halten hatten. Da wurde noch gewandert. Wer im Wirtshaus saß, der saß auch bald im Klingelpütz. Früher ging man noch zu Fuß. Da schützte man seine Anlagen. Da gabs sowas nicht. Da gab es noch Feinde, bei denen man das Weiße im Auge erblicken konnte. Wohin man auch ging, man traf immer auf Gleichgesinnte. Wer es nicht besser wußte, der hielt auch den Mund, und wem es absolut nicht passen wollte, der konnte ja bleiben, wo der Pfeffer wächst. Früher gab es noch Mohren, Indianer und Chinesen. Früher ging das alles viel einfacher. Da wäre doch sowas nie passiert. Da gab es das doch alles nicht. Früher hörte man noch zu, wenn man von früher erzählte.

Da sitzen sie herum, überall, auf den Treppen, auf den Mauern, auf den Autodächern, am Strand und im Wald, und wenn man ihnen eins drübergibt, rühren sie sich immer noch nicht.

Schnell, alles vergessen, sofort.

Ein Blick in eine Stadt, gleich weiter zur nächsten, dort auch nicht, also die dritte, wieder ist nichts, weiter, vielleicht doch noch, nur weiter.

Alle Hindernisse aus dem Weg, wir können anfangen, anfangen, den ganzen Tag sagen wir anfangen.

Nun stehen wir in einem Raum, in einer Halle kann man schon sagen, die Nordwand ein riesiges Fenster, richtig, der Blick auf Himmel und Bäume. Wir kennen uns wohl aus hier. Der rohe, goldene Tisch, Baumstümpfe, der Wandschirm, weitere Tische, ein Tier springt aus dem Wandschrank. Unter dem Fenster eine Wasserlache, wir durchqueren den Raum und befinden uns am Ufer eines Sees. Der See ist jedenfalls neu. Wir gehen weiter und stellen fest, daß Wald gewachsen ist. Wir rechnen mit Fischen und Vögeln, aber nichts zeigt sich. Was hat sich sonst noch verändert? Wir sind wohl lange fortgewesen. Nichts hat sich verändert, alles wie immer, nur dort sitzt jemand am Tisch und denkt an eine Rückkehr nach vielen Jahren.

Zurück liegen einige verlassene Wohnungen, nie wieder betretene Bahnsteige in einem gelben Bahnhof, Stapel von unbeantworteten Briefen, ganze Scherbenberge, diese vergeblichen Versöhnungsversuche, diese vergeblichen Flugversuche, ein paar gute Städte, ja, herrliche Kneipen, Moorweiden, Dünen, von oben gesehene Küsten, ein ganzer Haufen Hoffnung, Kratzer an den Kotflügeln, Gerüche, Geräusche, die an all das erinnern.

Einige Fragen:

Bist Du glücklicher jetzt?

Fliegt dort im Flugzeug der Vater?

Wieso ist das alles so gekommen?

Was stellen wir im September an, wenn das Geld alle ist?

Was ist los mit John und den anderen?

Warum gehen eure Ehen alle kaputt?

Barthelme, warum kennt keiner Barthelme?

Wen wollen Sie denn lieber haben: die Faschisten oder die Chinesen?

Was machen ein Biochemiker, ein Stadtplaner, ein Forstmeister bei IBM?

Ist unsere Route wirklich richtig?

Warum, wenn wir so zweifeln, machen wir immer noch weiter?

Wer wird als erster aufhören?

Sind wir wenigstens klüger geworden?

Möchtest Du, sagen wir, zehn Jahre jünger sein?

Wer rennt denn heute alles auf dem Kiesweg wieder hin und her?

Wer sagt einem schon, was mal ein bißchen weiterhilft?

Dieser Ort, nein, ist nicht unser Ort; wir sind hier nicht zu Hause, und Gäste sind wir auch wieder nicht. Wir sind da, und wir werden nicht immer bleiben. Schöne Tage oft; der Winter härter als gedacht. Einmal hatten wir die Absicht, den Ort zu beschreiben, aber die Orientierung läßt nach, das Auge wird trüb, zuviel Durcheinander auch, Kulissen, keine Erinnerung hier, wir verinseln immer mehr, keine Liebe, keine Rede mehr davon. Mitunter möchte man schreiend davonlaufen. Warum wir hier sind, darüber denken wir schon gar nicht mehr nach; man lebt schon halbwegs bequem. Was macht die alte Heimat? Wer hier was hört, hält sich gleich die Ohren zu. Einmal draußen, heißt es, bleibt man besser gleich draußen. Verrückt wird hier keiner, weil das Gedächtnis verdammt gut hier schlafen kann. Ja wir verschlafen den halben Tag. Nachts, da werden wir lustig. Geschimpft wird nur noch halb soviel, obschon es immer Anlaß gibt. Die Gäste, die da öfters kommen, bellen nicht und beißen nicht; wir haben nichts zu erzählen. Wir sind manchmal sehr verwirrt; was wir zu sehen glauben, verschwindet gleich wieder; im Kopf ein Rauschen; verwischte Welt. Sprichwörterzeit. Leben mit Landkarten. Dort ist Kalifornien. Wo ist unser Ort? Hier nicht, hier auch wieder nicht, aber dort, dort möchten wir hin, dort auch hin. Nun ist wieder Zeit vergangen, und wir haben wieder viel vergessen. Morgens ist es oft am schlimmsten; es dauert schon ein Weilchen, bis wir wieder wissen, wo wir jetzt sind, was wir anfangen, wohin weiter. Unbestimmt, was wir sagen; war früher nicht anders: am Ende unbestimmter Tage fing es ja gleich wieder an. Aber die Reisen machten uns ganz glücklich, und wir werden noch einige beschreiben. Gestern machten wir einen Ausflug zur Küste. Dort, auf dem Sand, blieben wir schlafend liegen, bis der Wind Wolken vor die Sonne schob. Die Kälte tötet hier nicht. Der Ort tötet nicht. Ja, wo es soviel Geschichte gibt, passiert nicht mehr viel, ist alles schon passiert. Sagen wir heute. Heute ist nicht der Freitag, an dem wir angefangen haben, und der Ort, an dem wir sitzen, ist weit entfernt.

Lyrik und Prosa, gelesen auf den Tagungen von 1962–1967, von Autoren, die in dieser Zeit zum erstenmal im Kreis der Gruppe 47 gelesen haben

Gisela Elsner
Der Achte

Vor den Fenstern stehen wir, starren hinab auf die Straße. Nähert sich einer von rechts oder von links, beugen wir uns weit zu den Fenstern hinaus, starren wir mit nach rechts oder nach links gedrehten Köpfen die Straße hinab. Nähern sich zwei, und zwar einer von rechts und einer von links, starren wir, die Köpfe abwechselnd nach rechts und nach links drehend, die Straße hinab und manchmal einander an. Dann wendet sich meine Großmutter von mir ab unter leisem Aufschrei, dann hält sich meine Großmutter die Hände vor ihr von mir abgewendetes Gesicht, dann zieht meine Großmutter ihr mit vorgehaltenen Händen von mir abgewendetes Gesicht ins Nebenzimmer zurück. Wahrscheinlich wendet sie es dort, wahrscheinlich mit noch immer vorgehaltenen Händen, von jener Wand ab, die das Nebenzimmer drüben trennt von der Küche hier. Sie betet eine Weile, wahrscheinlich, daß der Herr ihr meinen Anblick ersparen möge, ehe sie sich zum Fenster zurück wagt, ehe sie sich hinausbeugt mit nach links gedrehtem und von mir abgewendetem Gesicht.

Wir warten auf den Herrn Doktor Trautbert.

Aus dem Pfarrhaus neben der Kirche gegenüber tritt in schwarzem, knöchellangen Rock der Stadtpfarrer. Er schreitet aufrecht an den geöffneten Kirchtoren vorbei rechts die Straße hinab. Meine Großmutter reißt den Mund auf, als wolle sie ihm etwas zurufen, ihn heraufrufen vielleicht, den Pfarrer, an Arztes statt. Da bleibt der Pfarrer stehen und meine Großmutter hält sich die Hand vor den Mund. Sie sieht entsetzt auf den Pfarrer, der den Rock anhebt, kehrtmacht, der geduckt und hastige Blicke hinter sich werfend auf die Kirchtore zu springt und sie hinter sich zuschlägt.

Sein Verhalten erklärt sich sogleich durch das Hundegekläff von rechts her, durch den harten und in rascher Folge sich wiederholenden Aufprall von Absätzen auf die Pflastersteine, den Ausruf des Herrn Doktor Trautbert: »Sehen Sie zu, daß Sie hinter die Hunde kommen! Da sind die Haustüren offen!«, dem Jammern einer Frau: »Ich weiß nicht, wie ich hinter die Hunde!« und den Ausrufen mehrerer Mieter: »Sie müssen einfach einen Bogen schlagen!«, »Wir haben die Hände auf den Druckknöpfen!«, »Wir haben die Hände auf den Klinken!«

Auf dem gegenüberliegenden Gehsteig dicht neben den Fassaden der Häuser rennt mit gesenktem Kopf, mit wirrem und ins Gesicht hängendem Haar eine Frau. Sie taumelt gegen die Fassaden. Ihre helle Bluse reißt auf, ihr dunkler Rock, die Haut an ihren weißen dünnen Armen. Sie schlägt mit der Hand auf die Klingelknöpfe neben den Hauseingängen, sie schlägt mit der Faust gegen die Türfüllungen der Haustüren, dreht dann den Kopf nach rechts, sieht hinter sich, und ehe die Mieter auf die Druckknöpfe drücken, und ehe ich das Surren an den Schlössern der Haustüren höre, ist sie ein paar Fenster weiter. Und aus den Fenstern des Hauses, das sie hinter sich gelassen hat, rufen Mieter sich widersprechende Ratschläge hinter ihr her: »Bleiben Sie stehen, dann tun sie nichts! Das Rennen reizt sie auf!« »Rennen Sie weiter, sonst werden Sie in Stücke gerissen!« Manche Mieter werfen Wurst und Fleisch zu den Fenstern hinaus, in der Hoffnung vielleicht, damit die Hunde aufzuhalten.

Um Hausesbreite von der Frau entfernt erscheinen auf gleicher Höhe die vier Hundsköpfe, mit aufgerissenen Schnauzen, die vier um Hundsbreite voneinander entfernten Hundsleiber, die über die Wurst- und Fleischstücke hinwegspringen, und die höchstens einen Hundsleib langen Leinen, die schräg auf die gegeneinander gepreßten Fäuste des Herrn Doktor Trautbert zulaufen. Der Hundehalter streckt die Arme von sich, er stemmt sich mit weit zurückgelegtem Oberkörper gegen die Hunde, ja, er stellt, weil er die Hände nicht freihat, ein Bein gegen einen Laternenpfahl, steht dann, den Laternenpfahl zwischen den Beinen, die Arme den Hunden zugestreckt, den Oberkörper gekrümmt und bis zu Hundshöhe fast herabgerissen, und hält die Hunde auf für eine Zeit immerhin, in der die Frau eine Entfernung von drei Fenstern und den Mauerstücken zwischen den Fenstern zurücklegen kann. Die Hunde zerren währenddessen an den Leinen, sie springen hoch, röchelnd unter dem Druck der ihre Kehlen einschnürenden Halsbänder. Die Beine des Herrn Doktor Trautbert rutschen ab vom Laternenpfahl. Er hetzt, nun mit weit vorgerecktem Oberkörper, mit den Hunden her hinter der Frau. Rennend erteilt auch er ihr Ratschläge: »Denken Sie sich einen Kniff aus!« ruft er. »Davonrennen kann jeder! Wir haben Sie ohnehin gleich eingeholt! Wir haben bessere Läufer eingeholt als Sie!«

Die Frau drückt mit beiden Händen gegen die Kirchtore. Sie öffnen sich nicht.

»Dies ist ein Haus des Herrn«, höre ich die Stimme des Pfarrers durch die Kirche hallen. Vielleicht steht er gegen die Kirchtore gestemmt.

»Halt!« ruft der Herr Doktor Trautbert. »Still gestanden!« Und während die Hunde, und während er, der Hundehalter, nun nur noch darauf bedacht, mit den Hunden Schritt zu halten, auf sie zu hetzen, zuckt die Frau zusammen und bleibt vor dem Pfarrhaus stehen.

»Sind Sie von Sinnen!« ruft der Herr Doktor Trautbert. »Nicht Sie sind gemeint, sondern die Hunde!«

Und während die Frau noch immer steht, das Gesicht abgewendet vom Hundehalter und seinen vier Hunden, fügt er, der Hundehalter, hinzu: »Um Himmels willen, laufen Sie weiter!« Und während die Frau taumelnd weiterläuft, am Pfarrhaus vorbei und links die Straße hinab, bis ich sie von diesem Küchenfenster aus nicht mehr sehen kann, ruft der Herr Doktor Trautbert: »Ich will nichts gesagt haben! Hören Sie! Ich will mich nicht eingemischt haben, sonst schieben Sie mir die Schuld zu! Machen Sie, was Sie wollen!«

»Herr Doktor«, ruft meine Großmutter, »hier ist es!« Sie steht mit dem linken Arm aufs Fensterbrett gestützt, sie winkt mit dem rechten ausgestreckten Arm so heftig, daß ihr die Ringe am Ringfinger rechterhand über den Knöchelknick und vom Finger rutschen. Ich höre nicht den Aufschlag der Ringe. Ich sehe nicht, wohin die Ringe rollen. Meine Großmutter starrt verstört und weit zum Fenster hinausgebeugt hinter den Ringen her.

»Da müssen Sie sich an die Herren Hunde wenden!« ruft der Herr Doktor Trautbert und er dreht, ehe er aus meinem Blickfeld verschwindet, den Kopf in die Richtung unseres Hauses.

Ich höre meine Großmutter die Haustür zuschlagen, höre sie unter dem Geräusch ihrer aufklatschenden Schuhsohlen die Treppe hinabsteigen, höre das Hundegekläff von links her, den harten und von Schritt zu Schritt in langsamerer Folge sich wiederholenden Aufprall von Absätzen auf die Pflastersteine, das Keuchen des Herrn Doktor Trautbert, die Aufschreie mehrerer Mieter: »Aua!« und: »Auweia!«

Darauf bricht der Aufprall der Absätze auf die Pflastersteine, das Gekläff der Hunde ab, darauf höre ich den Herrn Doktor Trautbert rufen: »Es war Tobias! Ich habe es gleich gewußt! Was Sie für ein Glück haben! So warten Sie doch!«

Die Kirchtore gegenüber öffnen sich einen Spalt breit. Der Pfarrer blickt erstaunt auf meine über den Gehsteig kriechende

Großmutter. Er tritt aus der Kirche und schreitet, einen hastigen Blick hinter sich werfend, rechts die Straße hinab.

Aus den Hauseingängen in leinenlangen Abständen hinter ihren Hunden treten die Hundehalter unter den Mietern. Sie grüßen einander, indem sie mit der Hand, an der sie keine Leine halten, die Hüte lüften. Und teils gezogen und teils ziehend werden sie von ihren Hunden links die Straße hinabgeführt, führen sie ihre Hunde links die Straße hinab. Es sind Pudel, Doggen, Dackel, Spitze oder der einen oder der anderen oder zwei oder drei oder keiner dieser Hunderassen oder allen diesen Hunderassen ähnelnde Hunde oder Hunde mir unbekannter Rassen. Die Hunde gleichen ihren Hundehaltern eher als sich untereinander. Die Hunde und die Hundehalter bewegen sich nicht fortlaufend, sondern ruckweise voran. Nicht die Hundehalter bringen die Hunde einander näher. Es sind die Hunde, die die Hundehalter einander näher bringen. Sie stehen um Leinenlänge von den Laternenpfählen entfernt nebeneinander. Sie übersehen einander nachsichtig zulächelnd einer des anderen und den eigenen beinhebenden und Lachen hinterlassenden oder mit erhobenem Schwanz und geknickten Hinterbeinen hockenden und Haufen hinterlassenden Hund, als gelte es nicht mit den Hunden, sondern miteinander Nachsicht zu üben. Sie stellen sich nicht einander, sie stellen einer dem anderen den eigenen Hund vor. Sie beginnen Gespräche ohne Einleitungen, in denen sie aufeinander einredend die ihre Hunde hervorhebenden Eigenschaften und Eigenarten aufzählen. Sie sprechen laut, damit nichts überhört wird, damit nichts wiederholt werden muß. Sie sprechen hastig, damit das Wichtigste wenigstens gesagt ist über den eigenen Hund. Denn morgen wird sie ein anderer Hund mit einem anderen Hundehalter zusammenführen, mit dem sie leinenlang von Laternen entfernt stehend sich laut und hastig über Hunde unterhalten werden. Denn sie wissen nicht, wann sie der Zufall, das heißt der Hund wieder zusammenführt. Und ihre Gespräche abbrechend, und ohne Abschiedsworte hetzen sie hintereinander hinter den hintereinander her hetzenden Hunden her. Ich sehe Hundehalter um zwei Leinen- und zwei Hundelängen voneinander entfernt auf dem Gehsteig stehen, bemüht, des einen Hundes Hinterteil von des anderen Hundes Schnauze zu zerren. Ich sehe Hundehalter um zwei Leinen- und eine Hundslänge voneinander entfernt sich um zwei sich umeinander drehende Hunde drehen. Und während die Hundehalter sich in höchstmöglichem Abstand, um einen Halbkreis also, voneinander entfernt halten, hängen ihre zwei Hunde mit fast halbkreisförmig gekrümmten Rümpfen einer mit dem Kopf am Hinterteil des anderen. Und so heftig auch die Hundehalter an den Leinen zerren, den Kopf des einen Hundes vom Hinterteil des anderen Hundes und den Kopf des anderen Hundes vom Hinterteil des einen Hundes lösen sie nur, wenn die Hunde selbst vom Schnüffeln genug haben.

Meine Großmutter richtet sich auf. Sie steckt sich die Ringe an den Ringfinger rechterhand. Sie läuft hinter den sich nach links entfernenden Hunden und Hundehaltern her.

Der Gehsteig, soweit ich ihn von diesem Küchenfenster aus übersehen kann, ist leer. Ich höre den heftigen Aufstoß eines Stocks auf die Pflastersteine, das Winseln eines Hundes. Eine alte, grauhaarige Frau bewegt sich rückwärts und auf einen Stock gestützt von rechts nach links. Ihr Rücken ist gekrümmt. Sie bleibt, sobald sie von hier aus vollständig sichtbar ist, stehen, stößt mit dem Stock auf und zerrt, indem sie eine Leine einzieht, einen kleinen weißen, einen widerstrebenden Hund zu sich heran. Der Hund hockt sich vor ihre Füße auf den Gehsteig. Er dreht den Kopf nach rechts. Die alte Frau schlägt mit dem Stock auf ihn ein. Der Hund springt winselnd hoch. Die Alte lockert die Leine. Sie zieht den Hund, indem sie sich nun wieder auf den Stock stützt und rückwärts und dem Hund zugewendet geht und auf den Hund einredet, zwei Fenster und das Mauerstück zwischen den Fenstern weiter. Der Hund hockt sich auf die Hinterbeine. Er dreht seinen kleinen weißen Kopf dem großen braunen Kopf eines Hundes zu, der rechts Stück für Stück sichtbar wird. Der große braune Hund zerrt an der Leine einen kleinen weißhaarigen, einen widerstrebenden alten Mann zu sich heran. Der Mann bewegt sich vorwärts und auf einen Stock gestützt. Sein Rücken ist gekrümmt. Er bleibt, so bald er von hier aus vollständig sichtbar ist, stehen und stemmt sich mit dem Stock gegen den Hund. Doch der große braune Hund zieht den alten widerstrebenden Mann weiter auf den kleinen weißen widerstrebenden Hund zu, der von der alten Frau mit Stockhieben weitergezogen wird. Doch weil der große braune Hund den alten Mann rascher voranzieht als die alte Frau den kleinen weißen Hund, berühren sich, trotz der Bemühung der Frau voranzukommen, trotz der Bemühung des Mannes zurückzubleiben, die beiden Hundeschnauzen. Die alte Frau hebt den Stock und läßt ihn sinken ohne zuzuschlagen, wahrscheinlich, weil sie fürchtet, den eigenen und den fremden Hund zu treffen. Die Hunde schieben sich dicht nebeneinander, einer den Kopf am Leib des anderen vorbei, auf das Hinterteil des anderen zu. Der große Hund ist doppelt so lang und doppelt so hoch wie der kleine. Und während die Hunde nun einer des anderen Hinterteil beschnüffeln, bücken sich der alte Mann und die alte Frau. Sie beugen die Köpfe so tief hinab, als es ihr Alter zuläßt, und sie betrachten eingehend einer des anderen Hundes Hinterteil.

Und weil sie vielleicht ihren eigenen Augen noch weniger trauen als der Auskunft eines Unbekannten, nähern sie einander die Köpfe über den Hundeleibern. Sie heben die Hände mit den daranhängenden Leinen zu den Ohrmuscheln. Sie legen sie um die Ohrmuscheln. Sie weisen mit den in ihren zittrigen Händen so heftig hin und her zuckenden Stöcken, daß es schwierig ist festzustellen, worauf genau sie zeigen wollen, einer auf des anderen Hundes Hinterteil. Sie stellen einander eine kurze und für mich von hier aus unverständliche Frage. Sie nicken einander heftig und anhaltend zu, vielleicht, weil die Fragestellung des anderen jeweils auf ein ausreichendes Sehvermögen schließen läßt. Sie antworten einander: »Ja, ja!«, vielleicht, weil die Antwort des anderen auf die Frage jeweils auf ein ausreichendes Gehör schließen läßt. Vielleicht nicken und antworten sie, um sich der gegenseitigen Verständigung ganz sicher zu sein, denn sie sind einander unbekannt und sie wissen nicht, was mehr gelitten hat unter dem Alter, das Ohr des anderen oder das Auge.

Der große braune Hund und sein Hundehalter bleiben stehen, die Köpfe nach links, die Hinterteile nach rechts gerichtet. Der kleine weiße Hund zieht die Hundehalterin um den großen braunen Hund und um den Hundehalter herum, bis er den Kopf nach links, das Hinterteil nach rechts gerichtet hinter dem doppelt so langen und so hohen braunen Hund und unter der sich zwischen dem braunen Hund und dem Hundehalter spannenden Leine steht, bis sie, die Hundehalterin, den Kopf nach links, das Hinterteil nach rechts gerichtet hinter dem Hundehalter steht, den die sich zwischen dem weißen Hund und der Hundehalterin spannende Leine in Schenkelhöhe streift. Und während die Hunde einander mit Kopf und Hinterteil berühren, stehen der weiße Hund und der Hundehalter weiter auseinander als der Hundehalter und die Hundehalterin, die die Länge etwa des kleinen weißen Hundes trennt. Die Hundehalterin nähert den Arm mit der Leine um die halbe Länge etwa des kleinen weißen Hundes dem Rücken des Hundehalters in dem Augenblick, in dem der weiße Hund nur auf die Hinterbeine gestützt versucht, mit den Vorderbeinen auf den Rücken des braunen Hundes zu steigen. Der alte Mann, der Hundehalter, wendet sich, mit dem Stock nun auf beide Hunde weisend, der alten Frau, der Hundehalterin, zu, die ebenfalls mit dem Stock auf beide Hunde weist. Sie stellen einander eine für mich von hier aus unverständliche Frage. Sie zucken zur Antwort die Achseln. Sie rufen ihr Achselzucken verstärkend einander zu: »Was weiß ich!« Darauf beobachten sie kopfschüttelnd das Gehabe der Hunde.

Und weil der Hundehalter der Hundehalterin den Ausblick auf die Hunde verstellt, tritt sie neben ihn. Die Leine der Hundehalterin hängt nun locker und bogenförmig unter der Leine des Hundehalters. Der Rücken der Hundehalterin ist tiefer gekrümmt als der Rücken des Hundehalters. Sie stehen beide auf Stöcke gestützt und starren auf die Hunde. Der große Hund steht reglos und abwartend, während der kleine Hund an seinem Hinterteil hochspringt, Halt sucht mit den Vorderbeinen auf seinem Rücken, abrutscht. Der große Hund verringert nach zahlreichen vergeblichen Versuchen des kleinen Hundes bereitwillig die Höhe seines Rückens, indem er die Hinterbeine einknickt, so weit, daß sein Hinterteil gleich hoch ist wie die Beine des kleinen Hundes. Der kleine Hund rutscht mit den Vorderbeinen auf den Rücken des großen Hundes, so weit, als es die Länge seines Rumpfes zuläßt. Er bedeckt nicht einmal die halbe Rückenlänge des großen Hundes und die Köpfe der Hunde liegen weiter auseinander, als der kleine Hund lang ist. Der alte Mann, der Hundehalter, wendet sich der alten Frau, der Hundehalterin, neben sich zu. Er schlägt sich mit der Hand mit dem Stock gegen die Stirn, hakt den Griff des Stocks über das Handgelenk der Hand, daran er die Leine hält. »Du«, ruft er und er klopft mit der freien Hand der Hundehalterin auf den Rücken.

»Was?« schreit die Hundehalterin.

Der Hundehalter nähert den Kopf dem Kopf der Hundehalterin. Und indem er mit der freien Hand seinen Mund und das Ohr der Hundehalterin abschirmt, flüstert er ihr etwas zu.

»Die?« schreit die Hundehalterin und sie weist mit dem Stock auf die Hunde.

»Was sonst!« ruft der Hundehalter.

Darauf brechen beide in ein meckerndes Gelächter aus. Sie

pressen die Hände mit den Leinen gegen ihre Bäuche. Sie stoßen mit den Stöcken gegen die Pflastersteine. Sie treten dicht an die Hunde heran. Sie lockern die Leinen. Der kleine Hund rutscht vom Rücken des großen Hundes, steht auf vier Beinen, dreht den Kopf nach rechts. Der große Hund richtet sich auf.

»Bengel!« ruft die Hundehalterin und sie streicht dem kleinen Hund über den Rücken.

»Püppchen!« ruft der Hundehalter und er krault das braune Fell des großen Hundes. Hund und Hund und die über die beiden Hunde gebeugten Hundehalter stehen für einen Augenblick dicht aneinandergedrängt. Dann zwängen sich die Hunde zwischen den Beinen der Hundehalter durch. Der große Hund steht links, mit nach links gerichtetem Kopf und um die Länge der Leine von den Hundehaltern entfernt. Der kleine Hund steht rechts, mit nach rechts gerichtetem Kopf und um die Länge der Leine von den Hundehaltern entfernt.

»Seinerzeit«, höre ich die Hundehalter sagen. Sie strecken jeder den Arm mit der Hand mit der Leine ihren in entgegengesetzten Richtungen ziehenden Hunden zu. Sie stemmen sich mit den Stöcken gegen die Hunde. Die Hunde ziehen sie um die Länge des kleinen weißen Hundes erst, um die Länge des großen braunen Hundes dann auseinander. Und weil der große braune Hund den alten Mann rascher fortzieht als die alte Frau den kleinen weißen Hund zurückziehen kann, entfernen sich trotz der Bemühung des Mannes, stehen zu bleiben, trotz der Bemühung der Frau, dem Mann zu folgen, der Hundehalter und die Hundehalterin weiter und weiter voneinander.

Als sie die Breite eines Hauses, die Grenze vielleicht ihrer Hörweite und dies auch wenn sie brüllen, trennt, stemmen sie sich mit aller Kraft, mit vor Anstrengung rot anlaufenden Gesichtern und bebenden Leibern gegen die Hunde. Sie wenden sich einander zu.

»Wie heißt du denn?« brüllen sie.

»Ich?« brüllen sie und sie nicken einander heftig und anhaltend zu.

»Wie?« höre ich den alten Mann und die alte Frau im Davonlaufen rufen. Ich sehe, wie sie beide die Hände mit den Leinen und den Stöcken in Brusthöhe heben mit dem Ausdruck von Aufhorchenden, wie sie dann ratlos hinter den aus meinem Blickfeld verschwindenden Hunden und Hundeleinen herlaufen.

Ich drehe mich der Küche zu. Ich trete in die Lücken zwischen den herumliegenden oder umgestürzten oder zu Boden gefallenen Gegenständen. Ich setze mich aufs Kanapee. Ich werde so sitzen bleiben, warten, diese vier graugrünen Küchenwände anstarren mit den weißen Kalkflecken unter der abgebröckelten Farbe, diese zwischen zwei Wände gespannte Wäscheleine mit der feuchten, weißgrauen verwaschenen Unterwäsche meiner Großmutter und des Herrn, mit den schwarzen Socken des Herrn, den braunen den Fußboden streifenden Strümpfen meiner Großmutter, den geblümten Nachthemden und Schürzen meiner Großmutter, warten, diesen weißen Abguß mit dem verschmierten und mit Wasser bis zum Rand gefüllten Topf anstarren, den durchlöcherten Abspüllappen, diesen Abfalleimer unter dem Abguß mit dem aufgeklappten Deckel, darin weißgraue ausgekochte Knochen liegen, Erbsenschoten, Eierschalen, zerknüllte Papierfetzen, diese roten, blauen, gelben aufgerissenen Pappschachteln mit Wasch-, Abspül-, Putzmitteln, die auf einem Holzbrett über dem Abguß nebeneinander stehen, diese Reihe von Einweckgläsern daneben mit den grünen und sich von den Wänden kaum abhebenden Erbsen, diesen weißen Herd, darauf die Suppe überkocht, diese dicke graugrüne Suppe, die zwischen dem Topfdeckel und dem Topfrand herausquillt, die Außenwände des Topfes herabläuft, die oben graugrüne und dem Topfboden und der Gasflamme zu bräunlich werdende Linien hinterläßt und unten in schwarzbraunen verbrannten Stücken abbröckelt, warten, bis meine Großmutter zurückkommt, die Küchentür aufschließt, an deren Klinke der feuchte graue Scheuerlappen hängt, sich hereinwagt in die Küche oder einen anderen hereinschickt.

Über die grauen quadratischen Kacheln des Küchenbodens läuft das schaumige Wasser aus dem umgestürzten Putzeimer. Es läuft die schmalen weißen Rinnen zwischen den Kacheln entlang, läuft unter dem Tisch hindurch, darauf zwei weiße Suppenteller stehen, eine leere Suppenterrine mit einem Schöpflöffel, zwei Glasteller mit zwei Haufen hellgelben Puddings und zwei Lachen roten Safts rings um die Ränder der Haufen, es läuft unter den umgestoßenen Stühlen hindurch, es näßt die von den Stuhlsitzen gerutschten Kissen, das Stopfgarn, die Knöpfe, Nadeln, Reißverschlüsse, Wollknäuel aus dem umgekippten Stopfkasten. In diesen Wasserlachen und sich in seiner weißgrauen Färbung kaum abhebend von den grauen Kacheln, den weißen Rinnen zwischen den Kacheln, den weißgrauen Schaumfetzen auf dem Wasser, liegt der Wurm oder ein fast küchenlanges Stück des Wurms. Er sieht aus wie eine angeschmutzte Schnur von unregelmäßiger Stärke. Einerseits endet er seildick, andererseits fadendünn. Bei den dickeren Stücken bis zur Mitte des Wurms oder des Wurmstücks sind die Einschnitte zwischen den Gliedern und somit die einzelnen Glieder genau erkennbar. Bei den dünneren Stücken sind die Einschnitte und somit die einzelnen Glieder nicht erkennbar. An seiner dünnsten Stelle müßte der stecknadelgroße Kopf mit den vier Saugnäpfen sitzen. Allein, ich kann ihn nicht erkennen, sei es, weil er zu klein ist, sei es, weil er vielleicht einzeln oder an einem dieser abgerissenen fingerlangen Wurmstücke oder von Schaumfetzen verdeckt hier herumschwimmt oder sich festsaugt, sei es, weil er noch in mir sitzt, fortfährt Glied für Glied zu bilden und die abgerissenen Glieder zu ersetzen. Wären nicht diese grauen quadratischen Kacheln mit den weißen Rinnen, diese über die Kacheln und Rinnen verstreuten Gegenstände, diese Schaumfetzen auf dem Putzwasser, würde ich meinen, er oder dieses Stück von ihm läge reglos da. Doch sein dickes und sein dünnes Ende bewegen sich. Bald schieben sie sich aufeinander zu, bald entfernen sie sich voneinander. Er streckt sich zu einer geraden, manchmal parallel zu den Rinnen liegenden und die Kacheln teilenden Linie. Er schiebt sich die Rinnen entlang. Er krümmt sich, die Rinnen einerseits von rechts, andererseits von links überkreuzend, zu einem Halbkreis. Er krümmt sich, die Rinnen beiderseits von rechts oder beiderseits von links überkreuzend, zu einer Schleife. Er streckt sich einerseits und krümmt sich andererseits zur Form eines Gehstocks. Er streckt sich beiderseits in die gleiche Richtung zur Form eines Hufeisens. Hin und wieder berührt das eine oder andere Ende oder beide Enden gleichzeitig, indem sie sich krümmen, ein mehr oder weniger weit in der Kette entfernt hängendes Glied. Dann kriechen die Enden nicht über dieses Glied hinweg, sondern sie entfernen sich, indem sie die Krümmung verringern und sich Stück für Stück strecken, weiter und weiter von der Kette, als wäre sie ein Widerstand wie die Tischbeine, die Stühle, die Sitzkissen, Knöpfe, Nadeln, Reißverschlüsse. Die Richtung der Wurmenden oder der Enden dieses Wurmstücks und somit die Bewegungen bestimmen die Widerstände, auch, wenn es so aussieht, als bewege er sich nicht willkürlich, sondern auf irgend etwas zu. Sobald ein Ende auf einen Gegenstand, und wenn es nur ein doch so leicht verschiebbarer Knopf ist, oder auf ein anderes Glied stößt, weicht es aus und entfernt sich in der entgegengesetzten Richtung, um sich gleich wieder zurück zu bewegen, sobald es auf einen Gegenstand oder ein anderes Glied stößt. Es würde sich wahrscheinlich fortwährend zwischen zwei Widerständen hin und her bewegen, wenn es nicht zufällig und durch das Biegen oder Strecken von Gliedern im Inneren der Kette verkürzt oder verlängert, vor diesen Gegenständen vorbeigezogen oder durch diese Gegenstände hindurch geschoben würde. Die Glieder innerhalb der Kette biegen und strecken sich wie die Wurmenden bei der Berührung mit einem Wurmende, oder wenn sie vom einen oder anderen Ende in die eine oder andere Richtung geschoben einen Gegenstand streifen.

Ebenso verhalten sich die einzelnen rechts und links des Wurmes liegenden, höchstens fingerlangen und dann aus mehreren Gliedern bestehenden, mindestens fingernagellangen und dann meist aus nur einem Glied bestehenden Wurmstücke. Es ist möglich, daß außerdem von Gegenständen verdeckte oder winzige und mit bloßem Auge nicht erkennbare Wurmstücke hier herumkriechen. Die fingerlangen Wurmstücke winden sich schleifenförmig, gehstockförmig, hufeisenförmig, ohne voranzukommen wie der Wurm. Nur, wenn sich ihre Enden einerseits von rechts, andererseits von links entgegenkommen, verharren sie nicht halbkreisförmig, sondern sie nähern sich, bis sie sich berühren und für einen Augenblick zu einem zwar nicht kreisförmigen, aber kringelähnlichen Gebilde schließen, ehe sie sich voneinander entfernen, halbkreisförmig liegen, gestreckt, sich zu einem sich zur entgegengesetzten Richtung hin öffnenden Halbkreis krümmen und zu einem Kringel zusammenschließen. Nur die Einzelglieder bewegen sich über mehrere Kacheln hinweg, so lange, bis das vorausgerichtete Gliedende einen Gegenstand oder ein Wurmstück berührt. Dann bewegt sich das auf dem Weg über mehrere Kacheln zurückgerichtete Gliedende voran, das heißt den Weg zurück, mit nur durch die Kacheln und die Rinnen zwischen den Kacheln erkennbaren Abweichungen, bis es auf den nächsten Gegenstand stößt oder auf ein Wurmstück, zurückkriecht oder voran, was das gleiche ist, und zufällig und einmal da und einmal dort an einem mehrmals berührten Gegenstand oder Wurmstück vorbeigerät.

Ich höre ein Auto vor diesem Haus halten, höre jemanden einen Wagenschlag öffnen und zuschlagen. Ich trete in die Lükken zwischen den herumliegenden, umgestürzten, zu Boden gefallenen Gegenständen und Wurmstücken, beuge mich aus dem Fenster. Ein Taxifahrer hält den hinteren Wagenschlag eines Taxis auf. Meine Großmutter steigt aus dem Taxi. Sie schließt die Haustür auf. Sie tritt mit dem Taxifahrer ins Haus. Ich höre sie die Treppe hinaufsteigen.

»Wenn Sie vielleicht einen Augenblick hier«, sagt meine Großmutter.

Ich höre sie ins Nebenzimmer gehen, höre ihre Schuhe gegen den Fußboden klatschen, höre sie die Schranktür öffnen und schließen, höre sie einen Gegenstand über den Fußboden schleifen, sie sagen: »Alles was recht ist«, und gleich darauf: »Hat seine Grenzen«, und gleich darauf wiederholen: »Alles was recht ist.«

Ich höre den Taxifahrer im Korridor auf und ab gehen, stehenbleiben zwischendurch, bald für kürzere, bald für längere Zeit, vielleicht, um sich im Garderobenspiegel zu betrachten, vielleicht, um das in goldfarbenen Rahmen und hinter Glas an den Wänden des Korridors hängende Geschriebene zu lesen.

»Da ist der Koffer«, sagt meine Großmutter. »Wenn Sie vielleicht noch einen Augenblick hier.«

Sie dreht dreimal den Schlüssel im Schloß der Küchentür herum.

»Lothar!« ruft sie.

Ich öffne die Tür nur einen Spalt breit und zwänge mich hindurch.

»Mach die Tür zu!« ruft meine Großmutter.

Sie steht, mir den Rücken zukehrend, vor dem Taxifahrer. Nur das Licht, das durch die geöffnete Tür des Nebenzimmers dringt, erleuchtet den schmalen Korridor. Der Taxifahrer hält einen Koffer und eine Schirmmütze in der linken Hand. Er streckt die rechte Hand meiner Großmutter hin, die in ihrer Geldbörse herumkramt, sieht über die Schulter meiner Großmutter hinweg auf mich, hebt die rechte Hand und fährt sich mit dem Zeigefinger über den Nasenrücken. Meine Großmutter hält ihm einen großen Schein hin. Der Schein zittert ein wenig in ihrer Hand.

»Das wird wohl reichen«, sagt sie. »Fahren Sie ihn zu seinem Vater, Herrn Leinlein, Schulstraße dreiunddreißig.«

»Den Koffer sofort«, sagt der Taxifahrer und dann stellt er den Koffer zu Boden und dann hält er mit den Händen hinter dem Rücken die Schirmmütze. »Das Kind«, sagt er und dann schüttelt er den Kopf, »nein! Stecken Sie Ihren Schein zurück. Darauf lasse ich mich nie wieder ein. Sie glauben doch nicht, Sie seien die erste, die diesen Einfall hat. Das kommt nämlich gar nicht so selten vor, daß einer auf diese Weise ein Kind los sein will. Da rufen sie einen Fahrer. Da zögern sie nicht, die Börsen zu ziehen. Da geizen sie nicht mit Trinkgeldern. Da zahlen sie mit großen, für eine Stadtrundfahrt ausreichenden Scheinen. Da sagen sie: ›Fahren Sie ihn zu seinem Vater.‹ Da nennen sie mir eine Straße, da nennen sie mir einen Namen und eine Hausnummer dazu. Schulstraße sagten Sie? Leinlein? Dreiunddreißig? Und nun werden Sie schwören, daß es diese Straße, diese Nummer, diesen Namen gibt.«

»Aber ich schwöre«, sagt meine Großmutter.

»Na sehen Sie!« sagt der Taxifahrer. »Ich will ja nicht behaupten, daß diese Adresse erfunden ist. Leinlein und Schulstraße und dreiunddreißig, das klingt für eine Lüge zu unwahrscheinlich. Angenommen aber, es gibt diese Adresse, angenommen, sein Vater sitzt nicht hier hinter einer dieser Türen, wer sagt mir denn, daß dieser Herr Leinlein sein Vater ist und nicht ein Feind seines Vaters, der mir zuruft: ›Sein Anblick ist mir unerträglich wie der seines Vaters! Schaffen Sie ihn fort, ehe ich in Wut gerate!‹, und wer sagt mir denn, daß sich dieser Herr Leinlein, falls er der Vater ist, nicht für den Feind seines Vaters ausgibt, ruft: ›Ich bin seines Vaters Feind!‹, und mir die Adresse seines Feindes angibt als die des Vaters. Ich fahre hin und her, vom Feind zum Vater zum Feind, und ein jeder gibt sich für des Vaters Feind aus, und ein jeder gibt den Feind als den Vater an. Sie öffnen die Türen nicht mehr, wenn ich läute, sie beugen sich aus den Fenstern: ›Oh!‹ ruft der Feind. ›Oh!‹ ruft der Vater, ›setzen Sie ihn auf die Straße. Nicht besser ist er als sein Vater!‹ Sonderbar ist nur, daß ich stets dazu neige, den Feind für den Vater zu halten. Sicher ist nur, daß Sie mir die Tür ebensowenig öffnen werden wie der Vater und der Feind, wenn ich das Kind hierher zurückbringe, denn der Koffer ist zu groß und zu schwer, denn das Kind sieht zu hinterhältig aus und Sie selbst zu erschöpft.«

»Alles was recht ist«, sagt meine Großmutter mit bebender Stimme und sie weist auf die Küchentür.

»Ich glaube Ihnen, daß er etwas Übles angerichtet hat«, sagt der Taxifahrer und er winkt ab. Er tritt auf die Wohnungstür zu. Er setzt sich die Schirmmütze auf. Er legt die Hand auf die Klinke.

»Keiner«, beginnt er, »versteht Sie so gut wie ich. Aber glauben Sie mir, ich würde mich glücklich preisen, hätte ich nur einen wie den. Er ist dünn, das heißt, er ißt nicht viel. Er ist schwach, das heißt, Sie müssen nicht viel Kraft aufwenden, damit Sie mit ihm fertig werden. Was wollen Sie mehr. Ich habe vier. Aber glauben Sie mir, mein Bruder beispielsweise, würde sich glücklich preisen, hätte er nur solche vier. Und ich frage mich heute: Was tun sie denn groß? Sie hängen sich an mich. Sie hindern mich, mich fortzubewegen. Sie verursachen große Streitigkeiten zwischen mir und meiner Frau. Sie rauben uns die Nachtruhe. Sie verdünnen unsere Suppe. Und in unserem Leben gibt es keinen Feiertag. Aber was ist das groß? Mein Bruder, der hat sieben Kinder: fünf Söhne und zwei Töchter. Ein fleißiger Vater ist mein Bruder. Er hat sie gut gefüttert. Er hat ihnen fette Kost aufgetischt. Gegessen hat er erst, wenn alle sieben satt waren. Und sie waren unersättlich. Es blieben ihm nur die Reste in den Töpfen. Er kratzte die Töpfe aus, er schwenkte sie aus mit Wasser, und er trank dieses Wasser. Während sie an Gewicht zunahmen, nahm er ab an Gewicht. Er hat sie zu großen, zu starken Kindern gemacht. Glücklich war er, wenn sie siegreich heimkehrten von Prügeleien mit anderen Kindern.

›Sie werden sich durchsetzen im Leben‹, sagte er voller Stolz.

Mit der Zeit aber genügte nicht mehr der Sieg über andere Kinder. Sie fielen Passanten an. Sie siegten. Die Eltern mußten sie einsperren, weil sie die Straßen ihrer Stadt unsicher machten.

Zu Hause kämpften die Kinder gegeneinander. Sie teilten sich in zwei Gruppen: drei, darunter ein Mädchen, waren es, die gegen vier, darunter das zweite Mädchen, kämpften. Natürlich fiel der Kampf immer zugunsten der größeren Gruppe aus. Sie hielten Rat, was zu tun sei, um die Siegeschancen gerecht zu verteilen.

Sie versuchten es mit folgender Lösung: Einer von ihnen setzte jeweils einen Kampf lang aus und sah den Kämpfenden zu. Nach Beendigung des Kampfes sprang er ein in eine der beiden Gruppen für denjenigen, den der Kampf am ärgsten geschwächt hatte. Der wiederum sammelte den nächsten Kampf lang liegend Kräfte, damit er in der Lage war, nach dem Kampf für den nunmehr Kampfuntauglichsten einzuspringen.

Allein, auch diese Lösung war nicht gerecht. Denn nach ein paar Kämpfen schon stellte es sich heraus, daß immer die Gruppe siegte, in der der Ausgeruhte mitkämpfte.

Sie hielten abermals Rat. ›Wir brauchen‹, sagten sie, ›einen Bruder mehr oder einen Bruder weniger. Rascher kämen wir zu gerechtem Kampf, würden wir einen Bruder umbringen. In Frage käme der Jüngste, denn er ist der Schwächste und also der Untauglichste.‹

Der Jüngste fing zu schreien an. Die Mutter kam herein, nicht, weil er schrie. Die Stube war Tag und Nacht voller Geschrei. Sie kam jede Stunde einmal herein, verband den Kindern gefährlichere Verletzungen und fegte die zertrümmerten Gegenstände hinaus. ›Die Mutter‹, rief sogleich der Jüngste, um sich zu retten, ›die Mutter soll mitkämpfen!‹

›Aber Kinder!‹ sagte die Mutter.

Doch der Kampf hatte bereits begonnen.

Anfangs waren es zwei Gruppen: Die kleinere tastete die Mutter nicht an, denn sie hatte sich entschieden, auf ihrer Seite zu kämpfen. Die größere, die gegen sie kämpfte, richtete den Hauptangriff von Anfang an gegen die Mutter. Die Mutter machte einen Fehler: Sie schlug um sich, schlug, worauf sie gerade traf, schlug los auf beide Gruppen. Da schlossen sich die Kinder, nachdem sie es mit gutem Zureden erst, Protesten dann, versucht hatten, zusammen und gingen gemeinsam vor gegen die Mutter. Sie überwältigten sie. Sie trugen sie ins Schlafzimmer. Sie fesselten sie mit einer Wäscheleine an ihr Ehebett. Sie ließen sie so liegen bis zum Abend und hielten Rat, was nun zu tun wäre: auf welche Weise nämlich sie der Strafe des Vaters entgehen könnten.

Der Vater kehrte am Abend erschöpft von der Arbeit, von den Überstunden heim. Und als er klingelte, und als die Tür ihm nicht geöffnet wurde, beugte er sich zum Schlüsselloch, steckte er den Schlüssel ins Loch hinein. Doch ehe er aufschließen konnte, doch ehe er sich aufrichten konnte, wurde die Tür von innen aufgerissen. Die Kinder fielen über ihn her. Sie hängten sich an ihn. Sie zogen ihn hinab auf den Fußboden. Und als er lag, verteilten sie sich sitzend auf seine Länge. Sie fesselten ihm Hände und Füße. Sie trugen ihn – schwer war er nicht – ins Schlafzimmer und banden ihn fest an seinem Ehebett.

Da lagen sie nun, die Eltern, nebeneinander, lagen und schämten sich ihrer Kinder so sehr, daß sie es nicht wagten einander anzusehen. Die Augen weit geöffnet, wie erstaunt, starrten sie hinauf zur hellgrünen, zur durchsichtigen Glasschale ihrer Schlafzimmerlampe, darin ein Haufen toter Fliegen sich im Lauf der Ehejahre gesammelt hatte.

Alle sieben waren noch nicht mündig. Dreizehnjährig war der älteste Sohn, von seinen Brüdern einer immer ein Jahr älter als der folgende, bis zu den beiden jüngsten, den Töchtern, achtjährig die eine, die andere siebenjährig.

Mit seinem Gehalt konnte der Vater den ersten, den zweiten, den dritten Sohn unterhalten. Und die Kost, die die Eltern damals zu sich nahmen, reichte aus und hielt sie bei Kräften. Auch der vierte machte keinen Kummer. Ihn versorgte der Vater mit dem Lohn der Überstunden. Und es reichte aus, was die Eltern zu essen hatten. Für den fünften, für den letzten Sohn, tat der Vater Schwarzarbeit an Sonn- und Feiertagen. Und wenn sie nachts keinen Schlaf fanden, die Eltern, so war es nicht der Hunger, der sie wach hielt, es war nur der Lärm der fünf Söhne, von denen nachtnächtlich einer schreiend die vier anderen aus dem Schlaf riß, zum Mitschreien aufmunterte oder zum Ruhestiften. Das war nicht weniger laut als das Geschrei, denn damit die Ruhestifter Gehör fanden, mußten sie die anderen überschreien. Als die Mutter mit dem sechsten Kind, der ersten, der älteren Tochter ging, und der Vater sagte, daß er mehr nun nicht tun könnte, als er täte, fing die Mutter an mit Heimarbeit. Hockte da, die Mutter, Abend für Abend, bis in die Nacht hinein, nähte Weißwäsche, die Mutter. Und es reichte aus, was sie verdiente, um das sechste Kind, die erste Tochter, zu ernähren.

Als aber das siebte Kind, die zweite Tochter, ankam, als das sechste, die erste Tochter, den Windeln nicht entwachsen war, noch kroch und sich nur aufrichten konnte mit mütterlicher Hilfe, als das fünfte, der letzte Sohn, laufen konnte, aber schlecht genug, immer hinschlug und verbeult und jämmerlich aussah, weil er die zu langen Hosen des vierten auftragen mußte, als der vierte fähig war, treppauf, treppab zu laufen, die Klingelknöpfe der anderen Mieter zu drücken und die Mutter treppauf, treppab laufen, die wütenden Mieter beruhigen mußte, als der dritte das Haus verließ, ohne zu wissen, wo rechts war und wo links und die Mutter am Fenster achten mußte, daß er die Straße nicht überquerte, als der zweite mit einem Zettel zwar Kohl kaufen und Milch holen konnte, den Rest des Geldes indes verlor oder ausgab für Süßigkeiten, und als der erste schließlich, der älteste Sohn schulpflichtig wurde, einen Anzug einen Ranzen eine Tafel Bücher brauchte, reichte das, was zu essen da war, nur noch für die sieben Kinder aus.

Darauf folgten die sieben Jahre der Enthaltsamkeit der Eltern. Da die Mutter zum Vater sagte: ›Wir wollen es lieber bleiben lassen, mein Lieber. Mein Körper, sagt der Doktor, kann keines mehr verkraften.‹ Da der Vater zur Mutter sagte: ›Es lohnt, da hast du recht, der kurze Spaß jahrzehntelange Mühe nicht, meine Liebe. Eine Gehaltserhöhung, sagt der Direktor, kann ich nicht durchsetzen.‹

Die Kinder standen um die Ehebetten herum. Sie sahen sich die Eltern an, als wüßten sie nicht recht, was nun noch zu tun sei.

Die Töchter meines Bruders steckten die Köpfe zusammen. Sie tuschelten miteinander. Sie fingen an zu kichern. Sie traten ans Bett des Vaters. Sie zogen ihm die Hosen aus, sagten: ›Nur mal anschauen, das‹, sagten: ›Nur mal anfassen, das‹, fragten die Brüder: ›Macht Papa Pipi damit?‹

Die Brüder gafften die Schwestern erst an, dann stießen sie einander an. ›Was die können‹, sagten sie, ›das sollten wir nicht können!‹

Und die Brüder traten ans Bett der Mutter.

Das übrige ergab sich von selbst. Sie sahen sich alles in Ruhe an und es dauerte nicht lange, bis sie heraushatten, wie es gedacht war.

›Es ist das gleiche wie bei Hunden‹, sagten sie.

Sie lösten den Vater von seinem Ehebett. Sie ließen ihm Hände und Füße gebunden. Sie rollten ihn auf die Mutter, und banden beide in der Weise aneinander, daß ein Spielraum zwischen ihnen blieb von wenigen Zentimetern, eben jene Bewegungsfreiheit, die der Vater für das Vor und Zurück nötig hatte, das die Kinder von ihm forderten.

Und während oben der Geist des Vaters seinen Willen kundtat in wüsten Flüchen und Verwünschungen, tat sich unten die Schwäche seines Fleisches kund in zunehmender Stärke. Die Mutter sah unentwegt nach der hellgrünen, der durchsichtigen Glasschale ihrer Schlafzimmerlampe, schien durch den Kopf des Vaters zu sehen, der ihr den Ausblick verdeckte. Lag da, die Mutter, und starrte in Richtung Lampenschale, und hielt den Atem an, die Mutter, als erwarte sie jeden Augenblick die Auferstehung des Fliegenhaufens, das Auffliegen der Fliegen, das Umfliegen der Fliegen dieses Bettes, als erwarte sie, daß ein Fliegenschwarm diese Schande auf weißem Laken verbergen könnte. Auf dem blanken, auf dem weißen Gesäß des Vaters lagen die schrammigen, die sieben rechten Hände seiner Söhne und Töchter, drückten es hinab, sobald es die Grenze des Spielraums, die zugestandene Höhe erreicht hatte, lockerten den Druck, damit es sich erheben konnte, drückten es hinab. Atemloser wurden die Flüche, die Verwünschungen des Vaters. Und nach einem halben, nach einem mittendrin abgebrochenen Fluch gab er her, was er herzugeben hatte.

›Er ist fertig‹, sagte der Älteste. Er hob die Hand vom Gesäß des Vaters.

Als sie der Hunger ärger plagte als die Angst vor der Strafe, haben die Kinder die Eltern voneinander befreit. Sie haben Prügel bekommen, alle sieben. Sieben Tage lang haben die Eltern auf sie eingeschlagen und auch am Sonntag haben die Prügel nicht geruht. Einmal der Vater, einmal die Mutter, so haben sie sich abgewechselt und geprügelt nach ihren Kräften. Nur, weil sie nicht mehr konnten, haben sie sie nicht erschlagen, alle sieben. Aber was sind Prügel groß? Man prügelt Kinder für einen gestohlenen Groschen. Man prügelt Kinder für einen zerbrochenen Napf. Man prügelt Kinder für nichts und nur aus übler Laune.

Nun läuft sie herum, die Mutter, meine Schwägerin, mit rundem Bauch unter ihrem weiten Kittel, kann ihre Schuhspitzen nicht ohne Mühe sehen, die Mutter, sitzt abgerückt vom Tisch, wenn sie einmal zum Sitzen kommt. Und wenn sie kocht für Mann und Kinder, muß sie sich festklammern an der Herdstange zwischen zwei Kartoffeln, die sie hineinwirft ins siedende Salzwasser, zwischen zwei Eiern, die sie in die Pfanne schlägt. Und wenn sie wäscht für Mann und Kinder, muß sie sich festklammern am Waschtrog zwischen zwei Socken, zwei Unterhemden. Und wenn sie die Tappen, wenn sie den Schmutz wischt vom Fußboden, den ihr der Mann, den ihr die Kinder hineintragen, bleibt sie plötzlich liegen auf dem feuchten Boden, zwischen Scheuerlappen und Eimer, manchmal auch den Lappen in der Hand haltend, liegt sie da, die Mutter, heftig atmend oder gar nicht manchmal.

Der Doktor garantiert ihr nicht, daß es gutgeht, wenn es soweit ist. Und lange kann es nicht mehr hin sein. Die Kinder aber führen ihre eigenen Reden: ›Wenn der erst da ist‹, sagen sie, ›wollen wir uns den Neunten machen.‹«

Rolf Haufs
Der Weg ins Dorf S.

Name Vorname Geburtstag Geburtsort Beruf Stand Religion Name der Eltern Tag der Eheschließung der Eltern Beruf des Vaters der Mutter Flüchtlingsausweis von wo nach wo warum wann ja nein Staatsangehörigkeit vielleicht mehrere Nichtzutreffendes streichen Zutreffendes unterstreichen Nummer des Personalausweises Tag der Ausstellung ausstellende Behörde letzter Wohnsitz am Tag des letzten Weihnachtsfestes wo waren Sie am Tag der heiligen Cecilie sind Sie sauber besondere Kennzeichen

Georg hatte nichts zu verbergen. Er nahm den Kopf in die Schultern, lauerte auf einen Hinterhalt, ließ seiner Vergangenheit freien Lauf, gab Antwort, blieb nichts schuldig. Der Polizist schrieb mißtrauisch alles auf ein Formular, schnalzte mit der Zunge, wenn Georg unterbrach, um zu atmen. Wann haben Sie zum letztenmal beigeschlafen, fragte der Polizist. Auch da versuchte Georg, sich zu erinnern, wollte etwas dazu sagen, der Polizist aber winkte ab, sagte: Kleiner Scherz, junger Mann, nehmen Se dahinten mal'n Moment Platz.

Georg hockte sich auf die Bank neben dem Fenster. Über ihm hingen Plakate mit Photographien von Mördern und Opfern. Der Polizist saß vor einer Schreibmaschine, tippte mühselig Buchstabe um Buchstabe, wurde mehrmals unterbrochen von den grellen Protestrufen eines altertümlichen Telephons. Georg las die an der Tür befestigten Schilder, las Rauchen verboten Auf den Boden spucken verboten Kein Eintritt für Hunde Fahrräder und Kinder Zigarrenstummel können vorn ausgedrückt werden Ein Pfeil zeigte Richtung vorn darüber das Photo des Bürgermeisters der lächelte hatte eine hohe Stirn klare Augen allerdings einen viel zu kleinen Mund zu klein jedenfalls für so große bedeutende Worte. Georg begann zu denken. *It's a wonderful life,* dachte Georg, wurde erwischt, der Polizist stand hoch und breitbeinig über ihm, zog Georg aus seinem Sitz, stellte ihn neben sich, sagte: So! Lief zur Schreibmaschine zurück, entrollte ihr ein Blatt Papier, blickte zu Georg, der starr vor dem Fenster stand; der Polizist hob das Blatt triumphierend gegen das Licht, blickte zu Georg, entnahm seiner Hosentasche einen winzigen runden Stempel, blickte zu Georg, hob auch den Stempel gegen das Licht, blickte zu Georg, ließ den Stempel herunterschnellen auf das Blatt Papier, blickte zu Georg, wuchtete sich, den Polizisten, samt Uniform und Stiefel und Knüppel in den Stempel hinein, blickte zu Georg, sagte: So! Er reichte den Schein über den Tisch, Georg beugte sich vor, um den Schein in Empfang zu nehmen, der Polizist zog den Schein wieder zurück, sagte: Noch nicht! Er ging auf einen Schrank zu, berührte mit einem Finger den aufgesteckten Schlüssel, die Schrankjalousie sprang hoch, befreite eine Menge Papier und Gerümpel von Staub und Mief. Der Polizist entnahm dem obersten Schrankfach einen Federhalter, ein Glas mit Tinte, tauchte den Federhalter ein, schrieb ein aufstrebendes Geschnörkel gleich neben den Stempel, blies angestrengt darüber hinweg, sagte noch einmal irgendein Geraunz, sah Georg lange und feierlich an, sagte: Das Wichtigste hätten wir beinahe vergessen. Georg entriß dem Polizisten den Schein, bedankte sich kaum und verließ eilig das Zimmer, das dem Polizisten soviel Halt gab. Da aber hörte er den Polizisten ein Gelächter anstimmen, er lachte in das Treppenhaus hinein, lachte und rief: Es war doch nur ein Spaß. Nehmen Sie es doch nicht so tragisch. Spaß muß doch sein. Nehmen Sie es doch nicht so. Georg aber blieb weg.

Er fuhr wieder mit dem Bus, mit dem Bus Nummer achtzehn, er fuhr dieselbe breite grade Straße hinunter nach Stolpe, nun aber in der regenverhangenen Gräue eines Novembervormittags. Hinter Stolpe, Georg erkannte den Platz vor der Kirche wieder, die Kirche bimmelte ein feste Burg ist unser, die vielen Frauen im Bus umklammerten ihre Einkaufstaschen, hinter Stolpe ein gute Wehr und Wahaffen. Von da ab ging jene lange Straße nach Kohlhasenbrück, und die führte durch Wald, der gelb war und nach Nebel und Nässe roch.

Georg würde mit dem Schein das Dorf S. betreten können. Er würde Faßbinder wiedersehen, den es dorthin verschlagen hatte. Faßbinder würde Georg nicht wiedererkennen, dazu war das zu lange her, und Georg war damals noch ein Kind.

Auch die Hütte war ihm Orientierung. Davor stand der hohe Kasten, nun aber ohne Füllung. Er schritt die Straße entlang auf und ab und sah hinüber. Georg ging in den Weg, der nach S. führte. Er ging durch die Schranke, die offen war. Er ging in eine Gasse. Auf beiden Seiten türmten sich Mülltonnen, ihre Löffelschnäbel waren nach einer Seite ausgerichtet, sie streckten Georg die Zunge 'raus, sie werden die Gasse einengen, jeden Passanten mit ihrem Müll erdrücken.

Der Weg stieg nun ein wenig an, der Weg krümmte sich, eine große Tafel mit dem Wort DANGER, eine andere Tafel mit Kreuzen und Gräbern DREH DICH UM und darunter vom Wetter verwaschen DER TOD STEHT HINTER DIR. Georg drehte sich um, er sah die Mülltonnen, er sah die Wegkrümmung, die Schranke, die in den Himmel stach, dahinter stand der gelbe Bus an der Endstation. Da aber endete der Weg vor einer zweiten Schranke.

Dahinter standen Jene. Jene trugen wie diese lange Mäntel, hatten Stiefel, ihre Schirmmützen hingen bis auf die Nase, darunter hatten sie ein Fernglas eingeklemmt, dadurch sahen sie hinüber. Georg ging mit dem Schein in der Hand auf Jene, es waren zwei, zu, ging näher, so weit es ging, die beiden schienen Georg nicht zu bemerken, sahen nur immer durchs Glas nach vorn, sahen hinüber, sahen über den Weg weg, über die Krümmung, die Schranke, über den Mülltonnenberg, sie sahen vielleicht, daß der Bus in diesem Augenblick von der Endstation wegfuhr.

Der Hund kam klein und dick in das Glas hineingelaufen. Er lief um die Mülltonnen herum, blieb einen Beinheber lang stehen, dann schnell hinter Georg her.

Der stand vor der Schranke weiß und rot vor seinem Bauch, war nicht in den Gläsern, stand noch eine lange Zeit davor, vor der Schranke, vor der Fahne mit DEM EMBLEM dem Tuch zwischen zwei Bäumen WIR STEHEN FEST AUF DEM BODEN DES ERSTEN DEUTSCHEN, der Hund strich um Georgs Hosenbeine 'rum ARBEITER kläffte zeigte Zähne UND BAUERNSTA den Personalausweis bitte.

Der eine hatte das Glas heruntergenommen, hatte es vor den Bauch baumeln lassen, hing mit der Waffe an dem Mann dran, der Lauf des Gewehres zielte in die Erde, so kam niemand zu Schaden. Der eine nahm den Personalausweis, mißtraute dem, befeindete den Stempel, nahm auch den Schein, prüfte beides, Georg stand da, der andere kam hinzu, nahm den Personalausweis, den Schein dem einen aus der Hand, prüfte noch einmal, prüfte auch, der Hund unterging die Schranke, lief über das Stück geharkte Erde dahinter. Der andere gab den Ausweis den Schein an Georg zurück, der eine schob die Schranke auf, sie nickten Georg zu, der eine pfiff, der andere hob das Glas, schaute hinüber. Georg überschritt die Linie, er war jenseits, er war auf dem Weg in das Dorf S.

Der Weg ließ sich an mit flachem Gebüsch, darin staken Telephonmasten und Kiefern, verschwammen in den herabhängenden Nebeln, in dem Vogelgeschrei des Vormittags. Aus der Mulde kam das Geräusch der Lokomotive, ein weißer Dampf plusterte sich herauf, zog die ratternde Wagenkette hinter sich her, die buckelte sich aus der Mulde aus dem Dampf heraus, tauchte wieder weg in das Geäst und dann weiter hinein bis in die Stadt.

Das Schießen hinter Georgs Rücken verhakte sich in den Baumstämmen. Kurz hämmerten die Schüsse auf, echoten mit dem Spechtschlag, zogen über die dorrenden Gräser, sackten in die auftreibenden Erdhügel. Aus dem Laubbraun brach ein hoher Schrei, ein Getier flatterte aus dem Schlaf, der Schrei verflachte sich, dehnte sich zu Georg hin, die nachziehende Stille brach ab, das Getrappel kam in Georgs Spur. Sie atmeten beide heftig, hatten die Läufe noch in den Händen, bogen ab zu der Stelle hin, noch einmal hörte Georg zwei Schüsse, es war ohnehin schon aus. Da aber kamen sie aus dem Wald, zogen das Bündel hinter sich her, winkten Georg zu sich, die beiden hatten große Augen, schwitzten, versuchten unter Georgs Betroffenheit wegzukommen.

Das war Faßbinders Hund, sagte der eine, der andere befürchtete Ärger, es fehlten acht Patronen aus dem Magazin. Was läßt der den auch frei ’rumlaufen, sagte der andere, brachte dabei das Gewehr wieder über die Schulter.

Georg nahm den Hund in ein Stück Tuch, das die beiden herbeigeschafft hatten. Er trug den Hund den Weg lang nach S. Der wuchs auf seinen Armen, der Schrei kam hinter ihm her, das harte kalte Geschoß zerrann nur schwer in der aufleuchtenden Lichtkette, die durch den dichter werdenden Nebel führte.

Die beiden waren nach rückwärts gegangen, sie hatten noch hinter ihm hergerufen. Faßbinder wohnt im zweiten Haus rechts, soll auf seine Viecher besser aufpassen, schönen Gruß.

Georg sah Faßbinder auf dem Lastwagen stehen, ließ ihn, Georg, zurück in dem Kellergerümpel unter dem Schuttberg. Faßbinder winkte ihm zu, rief: Nur Mut, Junge, irgendwie wird es bestimmt weitergehen. Das sagte man so. Er sah seine Mutter unter den weinenden Frauen, er hörte den Vater mit der Spitzhacke den Durchbruch schlagen und wie das alles zusammenbrach in Sekunden und man nur ihn, Georg, freibekam, lebend und ohne Verletzung. Faßbinder hatte ihn dann fürs erste zu sich genommen. Georg blieb in dem Keller, wo die Druckpresse stand, wo es nach Papier und Terpentin roch.

Nun trug er ihm den Hund hin.

ALEXANDER KLUGE
Die Glocke der Zufriedenheit

> Wir sind immer noch die Alten
> immerhin noch sehr lebendig
> »und wir freuen uns unbändig
> diese Kriegszeit durchzuhalten«.

1

Der Laufbursche von 1928 bis 1933 des vorletzten Reichskanzlers vor Hitler hieß Hans Peickert. Er brachte es später zum Hauptfeldwebel. Seine Eltern und Voreltern waren praktisch noch Leibeigene auf den westpreußischen Gütern von Pustertal-Schramm. Als Zwanzigjähriger kam Peickert nach Berlin, trat in die Dienste des Herrn v. P. (genannt Püppchen). Das Füllhorn der reichen Gaben, die Politik und neue Zeit bereithielten, schüttete sich damals über den Konservativen aus, die in unsicherer Zeit ausgehalten hatten. Als Laufbursche war Peickert Bote im vielgliedrigen Verbindungsnetz seines Herrn.

Die Herrschaftsmethoden der nationalen Rechten; das Prinzip »lebenslänglich«. Die deutsch-nationale Rechte sah nach Untergang der Monarchie das verbliebene Deutschland als eine Art großes Landgut, das zu verteilen war. Freunde und ernstzunehmende Gegner verbanden sich zu einer schlagkräftigen Rechten. Im Baltikum, in Berlin, im aufständischen Sachsen, in Bayern brachte diese Rechte *Widerspenstige* rasch zur Raison. In animalischer Unbeirrtheit errichtete die Rechte eine Attrappe von *Pflicht*. Unterhalb der Pflicht ging sie auf Menschenfang.

400 Jahre früher hätte ein adliger Räuber eine Straße, 3–4 Dörfer, einige Brücken als Ausbeutungsobjekt vor sich gesehen. Jetzt bildeten Banken, Industriezweige, preußische Regierung und Reichskabinett die *Scholle*. Diese Güter reichten für alle, sofern man den Kreis der Empfänger konsequent begrenzte. Empfangsberechtigte hatten eine bestimmte Gestalt: Tennispartner anderer Herren, Prinzen als Automobilisten, Portepeeträger, Herrenreiter, Chefs – eine Reihe von Bildern, die Peickert als »neue Zeit« summierte.

»Der Koch des großen Pompejus sah wie der große Pompejus

selber aus.« Peickerts Lieblingsroman: Ein 1916 gefallener Offizier hinterläßt vier völlig verarmte, aber adlige Kinder. **Der seit 20 Jahren in der Familie dienende Koch, Herr Grimmshut, hat seinen Lohn seit 1903 gespart und stellt ihn jetzt zur Verfügung.** Hiervon kann er »seine« Kinder standesgemäß nähren und ausbilden lassen. Eine der adligen Töchter verliebt sich in den Koch. **Dieser verzichtet auf die unmögliche Romanze.** Ein Herrenreiter aus Hannover bittet um die Hand dieser Tochter: eine Hochzeit mit dem Glanz alter Tage.

Peickerts Gefühle bewegten sich im Umfeld dieses Romans. Seine Vernunft sagte ihm jedoch: so komme ich als Koch nicht auf meine Kosten. Peickert war entschlossen, aus diesem Zusammenhang auszubrechen.

Der von Geburt eingefangene Peickert. In Westpreußen hatte Peickert keine Chance gehabt, auszubrechen. Aber auch in den Diensten v. P.s. war keine Chance enthalten. Als Empfänger von Anteilen an der politischen Ausbeute kam Peikkert standesmäßig nicht in Betracht. Nahm die Lauftätigkeit für den Herrn alle Kräfte Peickerts in Anspruch, so war es schon wieder gleich, ob er für diesen einen Herrn oder in Westpreußen für viele Herren lief. Verfügen konnte er allenfalls über seine Freundin Magda S. 1932 versuchte er, sie für sich in der Augsburger Straße laufen zu lassen. Das führte zu einer Anzeige. v. P. verwarnte ihn. Wenig später trat v. P. in das Kabinett Hitlers ein. Sein Niedergang deutete sich an. Peickert glaubte, seinem Herrn bei dieser Gelegenheit entkommen zu können. Er bat, in der Reichswehr untergebracht zu werden.

Der Staatsmann wollte damals an seinen Sturz nicht glauben. v. P., soeben Vizekanzler Hitlers geworden, befahl Peickert zu bleiben. Nach seinem Sturz als Vizekanzler, 1934, versuchte er, wenigstens den Ersatzposten als deutscher Botschafter in Wien zu halten. Der Anschluß Österreichs beseitigte v. P.s Botschafterposten. Ein Mitarbeiter aus v. P.s unmittelbarer Umgebung wurde erschossen, so wie man sagt: Dem Feldherrn wurde ein Pferd unter dem Leib erschossen. Peickert erhielt Ende 1934 eine Planstelle als Rekrut in der Reichswehr.

Nach dem Ausscheiden aus v. P.s Dienst erhob sich für Peikkert eine neue Hoffnung. Der Abbau der alten Herren erschien Peickert nun als Versprechen der Ausweitung des Füllhorns auf alle Gutwilligen. Innerhalb der Reichswehr avancierte er 1934 vom einfachen Soldaten zum Gefreiten, 1938 vom Obergefreiten zum Unteroffizier. Im ersten Kriegsjahr folgte in Polen Einrücken in die Planstelle eines Hauptfeldwebels. Dieser langsame Aufstieg von einem, der gar nichts zu sagen hat und wenig Sold empfängt – nach Jahren eifriger Diensttätigkeit –, zu einem, der einiges mehr zu sagen hat und etwas mehr Sold erhält, war nicht das, was sich Peickert unter Erweiterung seines Lebensspielraums vorgestellt hatte. Er setzte nun seine Hoffnung auf den Krieg. Der Krieg sollte den Lebensraum des deutschen Volkes erweitern. Peickert stellte sich darunter Umfassendes vor.

Kriegführen nach den Regeln einer Gefängnisverwaltung. In Peickerts Leben hatte es bis dahin lediglich Enttäuschungen gegeben. Der Trieb, die Eltern nachzuahmen, dem Gutsherrn zu gehorchen, betrog ihn; niemand honorierte diese oder abgeleitete Gutartigkeit. Der Trieb, in der Schule zu gefallen, schadete ihm. Seine Hoffnung auf den großen Herrn in Berlin trog, da der Herr ihn lediglich ausnutzte. Seine Hoffnung auf die Nationalsozialisten trog ihn auch, denn das allmähliche Aufsteigen in der Wehrmacht, bessere Ausrüstung an Waffen, mehr lernen zu dürfen auf einer Kriegsschule, bot keine Aussicht auf eine radikale Änderung, wie sie Peickert anstrebte. Schließlich war auch der Krieg eine bittere Enttäuschung. Diszipliniert rückten die Truppen nach Polen ein. Plündernde Soldaten wurden oft füsiliert. Die Erschießung des einen oder anderen Feindes oder frech auftretenden Zivilisten erbrachte keine Änderung des Gesamtzustandes. In *Frankreich* veränderte sich das Bild *wenig*.

Goldene Worte, Ausrüstung an Kindheitserinnerungen.
Den Kopf dahin tragen, wo es ihm nutzt.
Im Busch sitzen und andauern.
Den Kopf im Finger haben.
Klick, macht der Verstand. Jaja, sagt die Geiß.
Betrogen, selber gelogen, klüger geworden.

Dem Judenjungen eins hinter die Schlappohren hauen.
Nicht fragen: Warum, sondern sagen: sorum.
Ab ins Hunde-kupee.
Ab nach Kassel.
Heute Herr, morgen 's G'scherr.

Erinnerung: Großer Festtag, als die Apotheke in S., die nachweislich unreinliche Arzneien enthielt, mit Genehmigung des Landrats gestürmt werden darf. Salbenfässer an den Wänden zertrümmert. Später entsteht ein Brand im sogenannten Labor.

Kindererinnerung an die geschwängerte Gutswirtschafterin: Der zuständige Landarzt hatte versucht, das im Leib der Schwangeren unrichtig liegende Kind zu drehen. Verletzungen waren entstanden. Ein Weihnachtsfest lang verblutete diese Frau auf einer Bahre in der Wäschekammer (die Geburt sollte geheimgehalten werden). Das auslaufende Blut macht die Frau müder und müder. Gähnen. Angstzustände.

Schlafliedchen: Riesel, riesel, tropfe-tropf.
Sieh den bösen Staub, o Graus.
Püppchen hat sich weh getan,
und das Sägemehl läuft aus.

Aussehen Peickerts, Kastenbrust, kurzer Hals: ein guter Resonanzboden für die Stimme. Der weitere Körper, massig nach unten geschneidert. Gesicht ohne besondere Kennzeichen: nervöse Flächen an den Schläfen; braune, farblose Haare, feste, hornige Lippen, eher: Schließapparate. Ohne feste Gewohnheiten: ähnlich wie viele Emigranten aus dem ehemaligen Mitteleuropa (Gegenteil von Bauern), nicht seßhaft – nicht faßbar, ein viel benutzbares Gehäuse: aber darin Expansionswille. Diese Figur war eingeschlossen in die schmucke Uniform eines Hauptfeldwebels mit Schießschnur. Die Dienstmütze war am Vorderrand rechts und links mit dem Finger eingekniffte und insgesamt zu klein, ein wenig schräg saß sie auf dem Kopf: Saustimme im Dienst, differenziertes Sendegerät in privater, d. h. in geschäftlicher Hinsicht.

Besondere Intelligenzform. Süchtig war er danach, in Oberleutnant Tackes Gesicht die Bewegung »ja« zu verzeichnen (Sensation; Zeichen; Aufflackern des alten Versprechens: *gut*). Peickerts Rede, d. h. sein ganzer Körper, war auf eine bestimmte Sendeart eingestellt, die Tackes Reaktion bewirkte. Ohne Rücksicht auf wahrheitsgemäße Aussage, auf Folgen oder Schäden, entnahm Peickert der Umwelt Materialien, die er ummünzte, ummunitionierte, eingoß in diesen *einen* Effekt: in Tackes Gesicht Verständnis hervorzurufen. Bankrott, in unhaltbare Aussagen und Versprechungen verstrickt, unruhevoll, verabschiedete sich Peickert von seinem Chef.

Kaufmännischer Bildungsgang. In der Schule tauschte Peickert gestohlene Lebensmittel gegen *Erlebnishefte* und *Kolonialhefte*. Seine Leistungsfähigkeit vertauschte er gegen die Gunst des Herrn v. P., die ihm nichts nutzte. Seine Freundin vertauschte er gegen die Zurücknahme einer Polizeianzeige wegen Zuhälterei. Seine Lebenszeit, im gewissen Sinn sogar sein Leben, tauschte er gegen die Aufstiegschance in der Wehrmacht. Wenn Peickert Kinder gehabt hätte, hätten sie vielleicht den Sprung zu größeren Tauschmöglichkeiten, zum Beispiel den Sprung zum Akademiker, geschafft. Herren hätten sie nie werden können. Peickert wollte keine Akademiker zu Kindern haben, er wollte nach Lage der Dinge zunächst überhaupt keine Kinder haben, sondern selbst leben.

Pflicht und Leben. Peickert lebte im Sommer 1940 in Frankreich. Sein Truppenteil wurde damals in Lille/Frankreich aufgefrischt. In Metz lernte Hans Peickert seine spätere Verlobte Angelique Danatier kennen. Sobald er genügend Verfügungsmacht über sie besaß, vermittelte er sie an Offiziere der Garnisonen Lille, Metz, Montmedie und Reims. Waffengeschäfte, Geschäfte mit englischen Zigaretten und Passierscheinen sowie mit vermischten Marketenderwaren traten hinzu. In seiner Dienstzeit bot Peickert das intakte Bild eines deutschen Hauptfeldwebels.

3

Die Garnisonsstadt Lille in Frankreich liegt in einer Talmulde. Hinter dem Bahngelände liegen die Kasernen. Zusätzlich waren in Lille jedoch Mietshäuser und Villen für Besatzungszwecke freigemacht worden. Eine dieser Villen, die Villa Hébért an der Ausfallsstraße nach Südosten, war Hauptfeldwebel Peickert und seinen Mitarbeitern zugeteilt. Das Nachbarhaus zur Rechten bewohnte der französische kommissarische Bürgermeister, das Nachbargrundstück zur Linken hielten Canaris-Leute besetzt. Die Villa Hébért war acht Kilometer vom Feldflughafen Lille und etwa zwei Kilometer von der Bahnstation entfernt.

Der Tag beginnt für Peickert um 6 Uhr früh mit der Besichtigung des Kompanieappells. Darauf folgt Flaggenhissung. Gegen 7 Uhr erscheint Peickert auf der Geschäftsstelle einer Flakbatterie, wo er einen Teil des Schriftverkehrs für alle seine Tätigkeiten erledigt. Um 9 Uhr meldet sich Peickert jeden vierten Tag bei dem Standortkommandanten, überschlägig jeden sechsten Tag bei den in Lille ansässigen Dienststellen der Abwehr (Nachbarhaus). Bei diesen Gelegenheiten wird die Zusammenarbeit besprochen. Von 11 bis 14 Uhr folgen Besichtigung der Ausbildungsarbeit und Mittagessen. Von 15 bis 18 Uhr Schriftverkehr, Telefonate. Nach 18 Uhr nimmt sich Peickert dienstfrei. Durch Vorausarbeit konnte der dem Schriftverkehr vorbehaltene Zeitraum von früh 7 bis 9 Uhr und 15 bis 18 Uhr nachmittags eingespart werden. Zur Flaggenhissung und zur Besichtigung des Appells in der Frühe genügte jeden zweiten und dritten Tag auch ein Feldwebel. Die Besuche bei dem Standortkommandanten und den Nachbareinheiten ließen sich auf einen Tag der Woche zusammenlegen.

Peickert unternahm in den Jahren 1940 und 1941 keine Reise, die ihn länger als zweieinhalb Tage vom Standort ferngehalten hätte. Ihm unterstanden 180 Mann und 12 Unterdienstgrade. Unmittelbar in der Villa Hébért unterstanden ihm die Unteroffiziere Vitzthum und Müller-Segeberg.

Geschäftsgang 1940 bis Winterkrise 1941/42. Unterhalb der streng erfüllten Pflicht ergaben die geschäftlichen Vorhaben Peickerts ab Juli 1940 folgendes Bild:

Juli	Ablieferung von Angelique	RM 120,–
	hinzuzurechnen Sold (ausbezahlt)	RM 138,–
		RM 258,–

August/ September	Ablieferung von Angelique	RM 300,–
	Ablieferung von Marika G.	RM 280,–
ab Mitte September	Erlös für Marketenderwaren, Speisen und Getränke	RM 100,–
	hinzuzurechnen Sold (ausbezahlt)	RM 276,–
	Manöverzulage	RM 32,–
		RM 988,–
Oktober	Waffengeschäfte	RM 4000,–
	englische Zigaretten	RM 300,–
	Ablieferung von Angelique und Marika	RM 800,–
	Vermittlung eines Posten Seidenstrümpfe an die Heimat, 10% Provision	RM 1200,–
	Marketenderwaren, Erlös	RM 600,–
	Verschiedenes	RM 300,–
	hinzuzurechnen Sold (ausbezahlt)	RM 138,–
		RM 7338,–

Im Januar kaufte Peickert ein Grundstück in Graudenz. Dieses Jahr brachte 43000,– RM Bargeld, für 17000,– RM Besitz. Die Winterkrise 1941 spürte Peickert voraus. Von November 1941 bis Februar 1942 verzichtete er auf Geschäfte, da er massierte Kontrollen und Bestandsuntersuchungen in der Heimat als Antwort auf die Winterkatastrophe im Osten erwartete.

Sprichwort: Lust zu leben. Ein bekannter Dichter der Rechten sagte: Es ist eine Lust zu leben! Dagegen heißt es im Lied: Wer Lust ersehnt, wer Lust erkürt, erkürt sich Leid, ersehnt sich Leid: wer nimmer Lust ersehnt, erkürt, erkürt, ersehnt sich nimmer Leid. Peickert erhoffte sich »nimmer Leid«. Deshalb steuerte er auch nicht im Direktgang Lust an. Vielmehr war es ein Zustand der Zufriedenheit, sich in diesem Kriegswinter 41/42 einzuigeln, d.h. hinreichend Substanz zur Verfügung zu haben, so daß Absicherungen möglich waren. Als Nebenprodukt entstand dabei auch Lust. Unvergeßlich die Schummerstimmung der ersten Bombenangriffe auf Berlin, verbracht im Zoobunker. Unvergeßlich ist auch die Spritztour vom 31. Dezember 1941 nach Wannsee. Am Vortag nach oben gegebene Aktenvermerke erweckten die Sicherheit, daß Peickert auch an diesem Tage in Lille seinen Dienst versah.

Leistungen der Reichsbahn. Bis in den Sommer 1942 hinein blieben die Fahrzeiten im ganzen Westen des Reichs sowie in Frankreich übersehbar. Zugverspätungen wurden bis zu 36 Stunden vorhergesagt und waren aus 600 bis 1000 Kilometer Entfernung noch telefonisch zu erfragen. Von der Zentrale in Lille konnten zum Beispiel die Unteroffiziere Vitzthum und Müller-Segeberg ihrem in Schlesien aufgehaltenen Chef ein Kraftfahrzeug von Schwiebus nach Glogau entgegendisponieren. Gelegentlich stellte die Flughafenverwaltung Peickert einen Platz in einem auf Spritztour befindlichen Kampfflugzeug zur Verfügung. Die Strecke zum Balkan war nur so zu bewältigen. In einem Fall tauschte Peickert einen durch Kontrollen und Schienenunterbrechung bedrohten Benzinzug, der aus dem Hydrier-Werk Stettin in Richtung Kielce rollte, gegen einen wesentlich kleineren Transport auf Privatbahngleisen in Mitteldeutschland.

Angstgefühl. Peickert führte, ob er reiste oder nicht, in zwei Brieftaschen Beträge zwischen 600,– und 800,– Reichsmark mit sich. Sank der Reservebetrag unter 600,– Reichsmark, so hatte er Angstgefühle. Die von unten (d. h. aus Westpreußen) nachdrückende Zeit der zu geringen Barmittel lähmte ihn dann, machte ihn entscheidungsunfähig.

4

Peickerts Reisen erstreckten sich 1942 und 1943 nach Rumänien, zum Peloponnes, nach Italien, Dänemark, auf verschiedene Orte des Altreichs, des Generalgouvernements, in einem besonderen Fall auch Ostland und Memel. Weihnachten verlebte er in Tirol. In Italien erwarb er einen größeren Posten Tuche. In Dänemark handelte es sich um den Tausch von überzähligem Heeresgerät gegen Marketenderwaren. Als Hauptquelle erwies sich seit Frühjahr 1942 Benzinhandel sowie die Querverbindung Lille-Rumänien in allen Warengattungen.

Stalingrad. Im Gegensatz zu Hitler, der seine Kräfte seit Sommer 1942, ja seit Beginn des von ihm gefühlsmäßig nicht bewältigten Rußlandkrieges, verzettelte, sich auch persönlich in seinem winterlichen Befehlsbunker zugrunderichtete, konzentrierte Peickert in der Villa Hébért alle Kräfte auf den Ausbau seiner Schwerpunkte. Der Untergang der 6. Armee in der Adventszeit 1942 sowie der dunklen Januarzeit 1943 warf Ernst auf jede Tätigkeit, die im Großraum Deutschland damals stattfand. Sie gab auch der Tätigkeit Peickerts eine Weihe, die Atmosphäre naher Gefahr, die Peickert deshalb als angenehm empfand, weil sie die Proportionen der Angst, in der er sich befand, besser wiedergab, als es Sonntage, Strandleben, Sondermeldungen, Beförderung oder Festvorbereitungen getan hätten.

Ein guter Mensch: Armeerichter Döhmer. Peickert mißtraute einem Freund, der ihm nichts zu verdanken hatte: Armeerichter Döhmer von der 6. Armee auf der Krim, später in Rumänien. Da Peickert das Motiv für diese Freundschaft nicht sah, vermutete er eine Falle. Güte wendete Döhmer bei allen ihm erreichbaren Menschen an. Wie viele im Umgang mit schwindender Macht geschulte Herren besaß Döhmer die Geduld, durch Güte Menschen in seinem Netz zu versammeln, in der Annahme, daß sie ihm schon nutzen würden, wenn er sie erst hätte. So war diese Güte auch wieder nur Raublust in anderer Form. Vor Döhmers Güte hatte Peickert Angst, andererseits wollte er den mächtigen Mann nicht vor den Kopf stoßen. So waren sie also befreundet.

Flüchtiger Kontakt zu Resi Mückert. Nach einem ersten Besuch in Peickerts Berliner Wohnung in der Sächsischen Straße 68 (zwei Tage nach Kennenlernen im »Haus Vaterland«) kam sie gleich wieder und richtete ein kleines Depot mit Verhütungsmitteln ein. Sie stellte sie hinter einige Bücher im *Salon* in Griffweite. Peickert kam später nie wieder in diese Wohnung in der Sächsischen Straße. Resi andererseits besaß keinen Schlüssel für die Wohnung. Irgendwann nach 1945 wurde die Wohnung dann von Fremden aufgebrochen.

Vermögensübersicht
Februar 1944:
4000 Liter Sonnenblumenöl im Lagerhaus Olteanu in Bukarest; eine Abteilung Landarbeiter in Podolien auf verschiedenen Gütern; ein Bordell in Lille mit Querverbindungen nach Posen und Kamenez-Podolsk; Depots von Barmitteln; Wertsachen in Mannheim, Berlin, Koblenz, Düsseldorf; zwei Weingüter in Südfrankreich, eingetauscht gegen drei Gefangene (Fabrikdirektoren); etwa 180000 Liter Treibstoff, verteilt auf verschiede-

ne Lager in Nordrumänien, Waldkarpaten, Tschechei; eine Waggonladung Hölzer auf Transport von den Karpaten nach Süddeutschland; sechs Ballen Stoff aus Italien; Schrebergarten in Hamburg-Blankenese; Grundstücke in Posen und Graudenz; Wohnsitz in Graudenz; Vorrat von achtzig Marschbefehlvordrucken, Stempel, Zubehör; Butterreserven, Reserven an Zigaretten; Teilhaberschaft in einem Leipziger Pelzgeschäft; ein Raupenkrad, ein verstecktes Kraftfahrzeug »Wanderer«; vollständige Armeeausrüstungen für acht Mann (einschließlich Maschinenpistolen und Schneehemden).

5

Im Februar 1944 erstattete in Lille ein Offizier gegen Peickert Strafanzeige wegen Zuhälterei. Zu dem Zeitpunkt verlebte Peickert seinen ersten Heimaturlaub im Stabsumkreis des Panzergenerals Famula bei Targulfrumos in Rumänien.

Bedrohung. Am 12. Februar 1944 griffen russische Panzerbrigaden sowie etwa dreißig Schützendivisionen den deutschen Frontabschnitt vor Targulfrumos an. Die Panzer des Generals Famula lagen, ohne Benzin, bewegungsunfähig.

Beziehungen zu General der Panzer Famula. Gesprochen hat Peickert mit diesem General nie. Wie eine ansteckende Krankheit grassierte die Bewunderung für diesen Panzerführer in den Stäben der 6. und 8. Armee. Der General, schon im Frieden ein hervorragender Teilnehmer an gewagten Reit- und Fahrturnieren, verfügte über die besten Panzer, die das deutsche Heer je besaß. Bei Targulfrumos brauchte seine Truppe für einen Angriff mindestens 240000 Liter Benzin.

Benzinvorräte Peickerts in Reichweite der Panzergruppe Famula. Etwa 11000 Liter südostwärts Jasny, 6000 Gallonen westlich Ileoai; Benzinzug mit 120000 Liter in den Waldkarpaten. Weitere 60000 Liter befanden sich in zwei Tagesreisen Entfernung. Zu diesem Grundstock waren 40000 Liter hinzuzuzählen, die Peickert sich zu organisieren getraute.

Peickert sah zunächst keine Gefahr darin, Famula Benzin zur Verfügung zu stellen. Er bekam seinen Lieblingsgeneral, den er sich als eine Verbindung zwischen Tacke und dem in Westpreußen bekannten Turnierreiter Herrn v. Westrum vorstellte, auch jetzt nicht zu sehen, als er die Bereitstellung der benötigten Benzinmenge melden wollte. Seine Meldung nahm ein Adjutant entgegen.

Problem der Toiletten. Eisenblech besitzt einen spezifischen kühlen Geruch, der an zoologische Gärten (Raubtierhaus, Affenhaus) erinnert. Deshalb fiel bei der Frage der Toilettenausstattung des Stabsquartiers in Targulfrumos (das Quartier mußte völlig neu eingerichtet werden) die Wahl des Generals nicht auf Aluminiumkabinen und nicht auf Holzkabinen, sondern auf das dritte – auch etwas billigere – Angebot von eisenblechbeschlagenen Kabinen. Dies schien auch die am ehesten militärische Lösung.

Lehrsätze Famulas. »Bedenken stellen sich stets ein. Ihnen zum Trotz wird nur der zum Erfolg gelangen, der den Entschluß zu fassen vermag, ins Ungewisse hinein zu handeln.

Denn die Zukunft wird über den Handelnden milder urteilen als über den Untätigen.«

»Nach Prüfung von Gelände und Lage wird der kühne Entschluß meist der beste sein.«

»Der erfahrene Versorgungssachbearbeiter multipliziert den normalen Verbrauch mal drei.«

Die erste spontane Verfügung Peickerts über seinen erworbenen Reichtum; ihr Lohn. Von den Benzinabfüllplätzen fuhren Famulas Panzer zum Jypan-Abschnitt, durchbrachen die Front des Gegners, schossen 110 feindliche Panzer ab. Am Tage nach diesem *Sieg von Targulfrumos* beantragte der Panzerunterführer I, Oberst v. Posselt, im Einvernehmen mit dem General der Panzer Famula, für Peickert ein Ritterkreuz.* Peickert wäre ein Deutsches Kreuz in Gold lieber gewesen. Ein Deutsches Kreuz in Gold hätte jeder Korpsbefehlshaber verleihen können. Der Antrag auf Erteilung eines Ritterkreuzes für Peickert lief bei der

* Oberst Ritter v. Posselt, Ia der Panzergruppe, als der abgehetzte Peickert den Gefechtsstand Famula betritt: »Her mit Ihnen! Das ging ja wie am Schnürchen! Wir sind am Jypan-Abschnitt! Mensch!« Er riß sich das Ritterkreuz vom Hals und hängte es Peickert um die Schultern. Danach telefonierte er mit den vorgesetzten Stäben, holte die Genehmigung zu dieser Verleihung.

zentralen Personalstelle des Heeres ein und führte dort zur Erfassung des wegen Zuhälterei angezeigten Peickert.

Peickert wurde dem Militärstrafgefängnis Graudenz zugeführt. Wäre es möglich gewesen, für *einen* Tag aus dem Festungsgefängnis Graudenz zu entkommen (zum Beispiel auf Ehrenwort), hätte Peickert die Gegend um Kowno oder die Waldkarpaten erreichen können. Dort kannte er ein Partisanenversteck.

General Famula greift ein. Zu seinem Adjutanten äußerte der General: Peickert holen wir raus. Im Stabsquartier befand sich der NSFO* Dr. Burdach. Der General sagte zu ihm: Peickert hat uns geholfen, wir helfen Peickert. Ein nach Berlin abreisender Oberstleutnant erhielt den Auftrag, für Peickert *sein Möglichstes* zu tun. Einige Tage später durchreiste ein Major v. Fietz Graudenz. Er gehörte zum Oberquartiermeisterstab der 6. Armee und richtete Grüße aus an Peickert. Die Grüße gingen im Zivilgefängnis Graudenz-Nord ein. Sie wurden zwar an das im Festungsareal befindliche Militärgefängnis weitergeleitet, die Übermittlung verzögerte sich aber, so daß die Grüße erst nach Vollstreckung des Urteils, d. h. nach dem 16. Januar, eintrafen.

Am 6. Januar 1945 diktierte Oberst v. Posselt folgendes Schreiben an das Militärgerichts-Untersuchungsgefängnis Graudenz:

Nur durch Offizier!

Betrifft: Mil.-Strafgefangenen Hans Peickert
Bezug: Dortiges Urteil vom 3. August 1944
Ich erbitte Befürwortung des Gnadengesuchs für den oben Bezeichneten. Da der oben Bezeichnete im Verlauf der Ereignisse des vergangenen Jahres *Ausdauer, Ruhe, Auffassungsgabe, Entscheidungsfähigkeit* und *besondere Tapferkeit* bewiesen hat, erscheint mir eine Begnadigung erwägenswert. In Anbetracht der angespannten Personallage erscheint es fraglich, ob auf den oben Genannten von hier aus verzichtet werden kann.

Datum:
Unterschrift:

v. Posselt
(Oberst)

* NSFO = Nationalsozialistischer Führungsoffizier.

Eine sowjetische Armee schob sich in Richtung Westpreußen vor. Von der Weichsel kamen die schnellen russischen Truppen bis in die Nähe von Graudenz. Auf einen Kartengruß hin, der ihn aus dem Militärgefängnis Graudenz erreichte, richtete v. P. ein Telegramm über das Auswärtige Amt an das OKH, weiterzuleiten an den Wehrkreisbefehlshaber Westpreußen: Benötige Hauptfeldwebel Peickert als Kraftfahrer in Ankara.

Letzte Mahlzeit: Essen wollte Peickert nichts.

Reinhard Lettau
Auftritt Manigs

Ein Herr in voller Ausrüstung betritt das Zimmer. Er lüftet den Hut, und schon hat er sich wesentlich verändert. Nun streift er die Handschuhe ab: zuerst zupft er mit der noch bekleideten Rechten an den Fingerspitzen der linken Hand, ganz schnell, fünf Mal, dann desgleichen auf der anderen Seite. Die Handschuhe klatschen zu Boden, der Herr hebt die Hände: wieder ein Stück weiter in eine andere Richtung. Nun tritt er ein Schrittchen vor, streift geschwind den Mantel von den Schultern, wirft ihn sich dann über den Kopf, zieht ihn vorn provisorisch zusammen. Nur ein Auge späht ins Zimmer: Spion im Salon, im Dickicht, beim Eisengitter, draußen, vor der Villa, im Busch, jedenfalls wieder ein anderer Herr. Er gibt den Mantel auf, und man erschrickt über die Neuerung. Die Sonne tritt ins Zimmer, der Herr nutzt es aus und erscheint in Beleuchtung. Da das Fenster das Licht quadratisch sammelt, ist ein Scheinwerfereffekt entstanden. Zweidimensional springt der Herr ans Fenster, ein Scherenschnitt zum Zusammenlegen. Man könnte ihn jetzt schnell fangen, auf Papier kleben, einrahmen, über den Kamin hängen. Aber da die Sonne verschwindet, rundet sich der Herr wieder ins Zimmer hinein, gewinnt an Tiefe, man könnte ihn nun wieder kneifen, er überzeugt wieder. Als er nun eine Flöte hervorholt, sich mit übereinandergeschlagenen Beinen in der Nische niederläßt und von dort, mit tanzenden Fingern, Melodien hervorschickt, da ist es ein ganz anderer Herr. Vor uns sitzt Manig.

Handlungen Manigs (I)

Man bittet Manig um Entfernung der störenden Gegenstände, überläßt ihm also die Wahl. Zunächst tritt dieser auf eine Lampe zu, lüftet den geschwungenen Schirm, hält ihn zum Abschied noch einmal hin, faltet ihn einmal zusammen, es kracht, er erhebt die sperrige Form, legt sie mit den Handflächen blitzschnell quer und nun mit den Fingerspitzen längs und nochmals quer und läßt den wächsernen Würfel zu Boden sausen. Grelles Licht im Zimmer. Den Polstersessel rollt er zur Tür, sie springt auf, grollend durchfährt das Möbel den Flur, wir hören es poltern. Auf den Papierkorb tritt er, den Teppich wirft er auf, vor sich her, rollt und stößt den sich Sträubenden mit heftigen Bewegungen der Arme und Beine von allen Seiten zugleich gegen die Mitte des Zimmers. Von dort läßt er ihn hüpfend und springend sich überschlagen, sich in sich selbst fangen. Sperrig erheben sich Zipfel; widerspenstige, versteifte Ekken, die sich ohnmächtig aufrichten, werden niedergerungen. Staub wirbelt am Schauplatz, draußen fällt der Teppich, bezwungen, zusammen. War das ein Tisch? In Größe eines Briefumschlags verläßt er uns. Entschlossen tritt Manig zurück, bückt sich tief, er hüpft in den Kamin hinein, richtet sich darin ganz auf, nur bis Kniehöhe sichtbar, nicht viel fürs Auge.

Handlungen Manigs (II)

»Ich lade Sie ein«, sagt Manig, »noch heute abend.« Dann verläßt er das Haus. Vor der Schwelle zögert er. Hat er es sich anders überlegt? Wieder steht er im Zimmer.

»Ich lade Sie doch nicht ein«, sagt er.

»Also nicht«, sagt der Nachbar. Manig geht wieder, aber noch bei der Tür wendet er sich um. Er blickt zurück in die Stube. Da sitzt der Nachbar auf dem Stuhl.

»Wie denn?« fragt der Nachbar.

»Wir lassen es bei heute.«

»Also doch«, sagt der Nachbar. Manig ist wieder draußen. Zögernd geht er die wenigen Schritte ums Haus. Das niedrige Fenster zeigt ihm den Nachbarn, seinen Gast. Seinen Gast?

Manig steht wieder im Zimmer.

»Besser nicht«, sagt er. Die Tür fällt ins Schloß. Schon klopft Manig am Fenster.

»Ich komme«, ruft der Nachbar.

Sofort steht er auf und rüstet sich. Er betritt die Straße, auf der Manig steht und den Kopf heftig schüttelt. Sich wendend bemerkt er die einladend ausgestreckten Hände des Freundes.

Volle Kehre, die Schritte auf Manig zu, dessen Hände jetzt hinabsinken, der sich davonmacht und gleich verschwunden ist.

Gleich steht er aber wieder da, im Licht einer entfernten Laterne, zieht die Schultern hoch, winkt mit einwärts gebogener Hand den Nachbarn zu sich.

Handlungen Manigs (III)

Herr Manig geht die Straße entlang. Es ist eine enge Straße. Im Vorbeigehen mustert er die Schaufenster, aber da die Sonne aus der Richtung der anderen Straßenseite steil einfällt, sieht er dort nicht die Auslagen, sondern nur die schattenhafte, selten farbliche Widerspiegelung der Straße, des vorbeigehenden Verkehrs, der Passanten, seiner selbst. Bläulich läuft sein Ebenbild über diese Glaswand, überspringt als Schatten den Abstand zwischen zwei Geschäften, wandert nun gerundet über das gebogene Fenster eines neuen Ladens, verdünnt sich zum Faden auf einer Messingtafel.

Nun kommt ihm ein Mann entgegen. Manig vermag schon abzuschätzen, daß dieser, setzt er die Richtung fort, irgendwo auf der zwischen ihnen sich schnell verkürzenden, noch unbenutzten Strecke, mit seinen Beinen und ganzem Körper eine Stelle beanspruchen wird, die auch er ansteuert. Bemerkt es der andere? Manig wendet sich leicht nach links, so daß beide einander kaum streifen. So unmerklich war die Abweichung, daß Manig gewiß sein durfte, den andern nicht beleidigt zu haben, etwa, daß jener dächte, Manig habe zu verstehen geben wollen, jener wäre seiner Ansicht nach nie ausgewichen, er habe nicht nach jemandem ausgesehen, der den kleinen Schritt, vom etwas verspäteten, schnellen Seitenstepp ganz zu schweigen, je zugestehen werde, so daß beide auf der sich rasend verringernden Strecke ineinandergeprallt wären, wobei Manigs Brille im weiten Bogen auf die Schienen der eben heranrollenden Straßenbahn geschleudert und dort zermalmt worden wäre. Dies Manig.

Handlungen Manigs (IV)

Manig wird gebeten, zum Nachbarn zu gehen. Er wendet sich stracks, entschließt die Tür, tritt ab und tritt mit derselben Bewegung sogleich wieder ein. Er war beim Nachbarn.

Nun wird er gebeten, einen Helm in die Stadt zu tragen. Er wendet sich stracks, den blanken Helm in der Linken. Einhändig verläßt er das Zimmer, aber seine sich entfernenden Schritte sind schon seine sich nähernden Schritte, noch sieht man ihn gehen, da eilt er wieder, tritt ein, zweihändig, ohne Helm, ein schneller Freund.

Übermütig wird er gebeten, an die Küste zu gehen. Noch gaukeln die Augen vor, daß er wegtritt, da kehrt er zurück, einen Genossen in Ölzeug zum Nachweis. Von diesem verabschiedet er sich, indem er ihn zu sich zieht, mit beiden Armen, ihn küßt, ihn dann fahren läßt und ihm zuruft, er kehre wieder. Dann dreht er sich zur Tür, reißt diese auf, stürzt hinaus und sogleich zurück. Wieder Begrüßung und Abschied der beiden, Tränen, Versicherungen. Dann tritt er wiederum ein, zwanzig Mann hoch diesmal, lauter Manige füllen das Zimmer, mit ovalen Gesichtern, zwanzig Mal zwinkernd, alle »Hallo« rufend, alle in Stiefeln, alle trampelnd. Nun wird er aufs Dach geschickt. »Aber nicht wiederkommen«, wird gerufen. Man hört sie oben herumtappen, langsame, sichere Schritte, die eine Seite hoch, den First entlang, die andere Seite hinab, quer übers Dach. Nun eilt man vors Haus. Die Gesellschaft steht beisammen und starrt aufs Dach.

Handlungen Manigs (V)

Nachts mit fest geschlossenen Augen vor den Spiegel hintreten. Sich auf den Anblick vorbereiten. Nun die Augen schnell öffnen.

Wie aber dort hinkommen? Schon am späten Nachmittag neben dem Spiegel warten, den dämmernden Raum aufnehmen. Dann bedarf es nur einer vollen Kehre nach vorn. Oder vielleicht etwas entfernter Aufstellung nehmen, an der gleichen

Wand. Sich eng an diese Wand drängen, dann zur rechten Stunde den Abstand verringern, bis man den glatten Holzrahmen am Gesicht spürt. Oder den Spiegel aus einem stumpfen Winkel ins Gesicht fassen, oder seitlich, so daß man zwar den Rahmen erblickt, nicht aber das Glas. Oder wenn schon das Glas, dann nur so, wie es die gegenüberliegende Wand zurückwirft. Nur wenige Schritte sind dann blind zu gehen. Man verfehlt den Spiegel nicht. Oder auch von der entfernteren Tür her, durch die man den Raum betritt, die nötigen Schritte klug bemessen, mit gesenktem Blick. Sich die Biegung in der Mitte des Raumes genau vornehmen. Dann die Augen schließen und es wagen. Oder hinter der Türschwelle, draußen im Gang, lauern. Sich die Höhe der Schwelle, den Türgriff genau einprägen. Am besten vielleicht, behutsam rückwärts schreitend, die Anzahl der Schritte, die es kostet, den Gang zu durchqueren, gut merken. Dann aber erhobenen Hauptes den Gang entlang und durch die vielleicht sogar offengelassene Tür hinein in den Raum. Oder die Anlage des Treppenhauses mustern, sich den Hauseingang ins Gedächtnis rufen, alles von der Straße aus anfangen, vom nächsten Platz aus die Strecke in einem einzigen Zug hinter sich bringen. Oder doch zum größten Platz hin sich zurückziehen, und dort kann es dann losgehen. Nun bereits hüpfend zum Ausgang der Stadt, einen langen Blick über die Straßenschluchten werfen. Die Sprünge verkleinern das Bild der Stadt. Teich ahnend meiden. Von hier ist es ein gewaltiger Start.

Handlungen Manigs (VI)

Der Herr steht im Zimmer. Jetzt setzt man dem Herrn einen Hut auf, der große Rand verdunkelt das Gesicht des Herrn. Der struppige Bart liegt im Dunkeln. Von dort tönt es, der Herr sagt etwas. Es wird geantwortet, daß der Herr erst noch das Glas halten möge. Nun steht der Herr mit dem Glas im Zimmer, die Gesprächspartner haben sich entfernt. Der Herr spricht laut ins leere Zimmer hinein. Unter anderem sagt er: »Ich stehe hier im Zimmer, unter dem Hut, in Deckung. Mit den Händen kann ich nichts tun, da ich das Glas halte. Zwar kann ich vor und zurück, überhaupt nach allen Seiten gehen.« Einmal ruft es aus dem Nebenzimmer: »Recht so.« Dann singen dort die Partner. Der Herr ruft etwas, da kommen sie zurück und sagen: »Nein, auch das lohnt sich nicht. Es könnte sich ja, von uns erhofft, so entwickeln, daß Sie sogleich, so, wie Sie sind, los müssen. Wo ist übrigens Ihr Bart?« Der Herr bewegt den Bart, die Partner sehen es. »Wir erkennen das an«, rufen sie. Später kommen sie wieder ins Zimmer. Der Herr geht im Stechschritt mit auf den weit vor ihm ausgestreckten Händen ruhendem Glas. Sie klopfen ihm auf die Schulter.

Handlungen Manigs (VII)

Es wäre folgendes zu beschreiben: wie Manig auf einem Platz steht, wie man zu ihm tritt, ihn bittet, gleich zu einem Gebüsch zu treten, wie er, gerade als er sich dazu anschickt, von anderer Seite gebeten wird, zugleich auch am Teich zu stehen, wie er erwidert, nach beiden Seiten hin, daß er versuchen wolle, beides jetzt zu vereinen, wie er zunächst auf das Gebüsch zutritt, den Schritt verhält, sich umwendet, dann zum Teich geht, dort Halt macht, zurück zum Gebüsch geht, nun sich dreht, endlich aber, nach mehreren Versuchen, zwischen beiden Orten verharrt, wie er sich streckt, sich so dünn wie möglich macht, auch die Arme noch steil nach oben streckt und fast ohne Atem ausruft, so nehme er keinem die Luft weg.

Handlungen Manigs (VIII)

Manig bewegt sich vor der Stadt. Er steht an der großen Straße und mustert die Menschen, die die Stadt verlassen. »Sie verlassen also die Stadt«, sagt er zu einem Herrn, der winkend weiterläuft. Später wechselt er die Straßenseite und beobachtet die Leute, die in die Stadt hineingehen. »Und Sie betreten die Stadt«, ruft er einer Gruppe von Herren zu, die an ihm vorbeiläuft. Dann erreicht Manig den gelben Bahnhof. Als ein Zug aus der Stadt kommt, reckt er sich zu den Fenstern empor und prüft die Zahl der Reisenden. Später desgleichen bei einem Zug in Gegenrichtung. Dann steht Manig auf der Brücke, die ins Land führt und paßt genau auf. Am Abend berichtet er, daß die Anzahl der Menschen, die die Stadt täglich verläßt, etwa der Anzahl der Menschen entspricht, die die Stadt betritt. »Die Stadt wird täglich etwa von der gleichen Zahl Menschen betreten und verlassen«, sagt er. »Sie bleibt also.« Er fügt hinzu, es seien die Menschen, die die Stadt betraten, schneller gelaufen als jene, die sie verließen. Die sie betraten, seien ihrer Sache sicherer gewesen, sie hätten gewußt, wohin sie gingen. Allerdings seien sie auch am Ziel gewesen.

JAKOV LIND
Landschaft in Beton

Räder müssen rollen für den Sieg. V-Europa. Deutschland siegt an allen Fronten. Der Bolschewismus droht Dir und den Deinen. Norwegischer Arbeiter – wehre Dich. Kämpfe mit deinen deutschen Kameraden bis zum Sieg. Für Europa – gegen Kommunismus. Hauptbahnhof Narvik, Bahnsteig 1.

Nur die wichtigsten Aufschriften konnte Unteroffizier Bachmann nicht finden. Die Wehrmachtsauskunftstelle und die Herrentoilette. Beide hatte er dringend nötig. Die Bahnsteige waren ausgestorben, die Gleise leer. Nicht einmal Papierfetzen lagen herum. Durch die offene Bahnhofshalle sah er auf die Straße. Ein Pferdeschlitten, aus dem drei Luftwaffenangehörige und eine Helferin kletterten. Vermummte Gestalten, die aus einem Geschäft kamen. Die Aufschrift: Hotel-Restaurant KONGEN OLAF und darüber in Grau eine Schar Möwen, die Kreise über die Dächer zogen und sich eine nach der andern plötzlich mitten auf die Fahrbahn stürzten. Der Schnee schien jedes Geräusch zu ersticken. Und dann die Stille eines gepolsterten Zimmers, die kahlen, farblosen Wände einer Klosterzelle, das Schweigen eines Paradieses. Jedes Wort, das in der Stadt gesprochen wurde, tönte wie aus einem Lautsprecher. Eine Vorahnung von Eissteppen und ewigem Schnee und ein Geruch von Tang, Fischen und Öl stand in der Luft. Unsichtbar und greifbar. Das also ist Narvik. Bachmann war müde, verschwitzt und unrasiert. Vier Tage hatte er in Bahnhöfen an Tischen und auf Bänken, im Sitzen und selbst im Stehen geschlafen.

Er begriff nicht, wie er hierher gekommen war, und was er hier suchte. Wie ein Schlafwandler starrte er vor sich hin, machte ein paar Schritte und stand still. Der kleine Tornister über der Schulter des Riesen schien nicht größer als ein Butterbrotpaket. Das Käppi hatte er sich über die frierenden Ohren gezogen. Mit wollenen Handschuhen, aus denen sämtliche Fingerspitzen staken, schnallte er das Koppel an. Er war am Ziel. Das Bataillon mußte hier irgendwo in der Nähe liegen. Er freute sich, wie man sich auf eine Heimkehr freut, wurde von dem Vorgefühl ganz aufgeregt und wollte schlafen.

Plötzlich Kommandorufe. Sie durchfuhren die Stille. Dann die Musik, das Stampfen von Stiefeln und Singen eines Marschlieds. Bachmanns Herz hüpfte vor Freude. Die Musik und das

Lied kamen ihm bekannt vor, auch der Marschtritt war ihm vertraut. Er ging langsam zum Gitter, das die Plattform von der Straße trennte.

Der Zug der Soldaten war eine Enttäuschung. Die trugen schwarze Uniformen und viel zu hohe Käppis mit Quasten. Auch die Zeichen auf den Fahnen kamen ihm merkwürdig vor. Die Quasten gefielen ihm nicht, und das Marschlied war nicht deutsch. So eine Scheiße, fast dasselbe, aber nicht ganz. Sehen aus wie ein Duisburger Musikkorps. Das sind ja Kumpels, die an ihrem freien Sonntag Musik blasen, damit die Stadt aufwacht! Nee, das ist nichts.

Ein Zivilist mit grauem Mantel, Schal und grauem Hut (der ihm, seit er aus dem Zug gestiegen war, folgte) sagte plötzlich laut: Das ist unser Freikorps. Gute Leute. Darauf können wir stolz sein.

Ja? fragte Bachmann. Der Mann neben ihm sah lächelnd zu ihm auf. Rote Nase, sagte sich Bachmann, spitzes Gesicht. Maus oder Ratte.

Gute Leute, wiederholte der Fremde. Heute ist der 10. April. Wir feiern den Tag der Befreiung.

Befreiung?

Ja, natürlich. Am zehnten sind die ersten deutschen Truppen in Norwegen gelandet. Es war der Tag der Abrechnung. Das Ende der Judenherrschaft.

So?

Früher haben nur Juden und Kommunisten unser Land regiert. Wir danken es eurem Führer und unserem Ministerpräsidenten Quisling, daß ... Seine Worte gingen in einem Trompetenschwall verloren. Das Freikorps hatte sich vor dem Bahnhof aufgestellt und blies und trommelte eine Nummer nach der andern, wie seinerzeit die Heilsarmee.

Was? rief Bachmann. Der Fremde antwortete nicht. Jemand hielt eine Rede. Am Schluß wurde laut »Heil« gerufen. Der Fremde streckte eine flache Hand aus und rief: Heil! Bachmann salutierte.

Nach weiteren Kommandorufen setzte sich der Zug in Bewegung, das Dutzend Zuschauer verschwand, und die Möwen fielen wieder aus dem Grau in die Straße. Die Musik verklang, und es wurde stiller als zuvor. Der Zivilist stand noch immer neben Bachmann, als wären die beiden seit Jahren befreundet, und machte keine Anstalten wegzugehen.

Kann ich Ihnen behilflich sein?

Ich suche die Toilette und die Wehrmachtsauskunft. Ich bin nämlich sehr verschwitzt, und seit vier Tagen nicht aus den Kleidern gekommen. Mir scheint, es sind vier Wochen. Da juckt es einem im Rücken und an den Knien. Man kann auch nicht überall zu gleicher Zeit kratzen.

Ich habe Sie beobachtet, Sie probierten es.

Aber es ging nicht richtig. Man müßte sich ausziehen können, sonst kommt man nicht ran. Und unrasiert ist's auch nicht gerade schön. Am schlimmsten aber ist dieses Jucken. Der Schmutz und Ruß, der einem von so einer Bahnfahrt unter die Uniform kommt! Man sollte es nicht für möglich halten. Der Schweiß, durch seinen hohen Säuregehalt, zersetzt die Gewebe. Haben Sie jemals Wolle im Nabel gehabt?

Der Fremde schüttelte den Kopf.

Es sieht aus wie Watte. Ist aber keine Watte, sondern stammt vom Unterhemd. Wolle im Nabel ist nicht empfehlenswert, denn durch den Nabel, und das ist gemeinhin nicht bekannt, nimmt man Sauerstoff auf. Manchmal fühlt man sich beengt und deprimiert und meint, es wäre das Wetter. Nein, mein Herr, es ist nicht das Wetter, sondern die Wolle im Nabel. Der Nabel ist verstopft. Ich muß sie sogleich entfernen. Euer Narvik gefällt mir wenig. Hier scheint nicht viel los zu sein. Wo ist die Auskunft und die Herrentoilette?

Der Fremde hielt sich einen Augenblick an seiner roten Nase fest. Er rieb sie mit einem dicken Wollhandschuh, blickte aus grauen, mißtrauischen Augen zu Bachmann auf, als wollte er ihn auf etwas hin prüfen. Ich gehe voraus, sagte er langsam, kommen Sie. Sie kamen an der Eingangshalle vorbei. Die Auskunft ist da drinnen, zeigte der Fremde, die Toilette weiter drunten am Bahnsteig. Ich begleite Sie. Das erste Mal in Narvik? Ja, das erste Mal.

Von hier zum Nordpol ist's nicht mehr weit. Es war ein lokaler Scherz.

Ja, das ist richtig. Aber welchen Nordpol meinen Sie? Es gibt nämlich zwei, lachte Bachmann, einen geographischen und einen magnetischen. Der Abstand zwischen den beiden ist per Hundeschlitten eine Tagesreise.

Keine Ahnung, der Fremde zuckte die Achsel, habe nie darüber nachgedacht. Hier ist die Herrentoilette. Leichtfertiges Reden hat manches Unheil angestiftet, belehrte ihn Bachmann, die Leute sagen gar manches. Fragt man sie aber, was sie meinen, dann wissen sie gar nicht, wovon sie gesprochen haben.

Nur für Wehrmachtsangehörige steht hier, sonst hätte ich Sie eingeladen, dann hätten wir Zeit uns darüber zu unterhalten. Ich würde Ihnen erklären, wie ich zu diesem Schluß gekommen bin. Reden ist nicht Silber und nur das Schweigen Gold, wie ein dummes Sprichwort behauptet, nebenbei, ich bin zufällig Gold- und Silberschmied und habe mich mit diesen edlen Metallen eingehend beschäftigt. Reden ist durchaus erlaubt, sogar lobenswert und sehr oft wichtig. Aber nicht das einfache Daherreden, sondern das vernünftige Reden. Die Sprache ist Ausdruck der Vernunft und die Vernunft das kritische Vermögen, Wichtiges von Unwichtigem, wie Kaff von Korn, zu scheiden. Man muß sich einiges erst sorgfältig überlegen und nicht eher den Mund auftun, bis man richtige Schlüsse gezogen hat.

Müssen Sie nun? fragte der Fremde und zeigte auf die Tür, oder müssen Sie nicht?

Ja, ich muß, und Bachmann verschwand in der Herrentoilette.

Die Toilette war weiß gekachelt. Der Boden war aus Mosaikzement und so schmutzig, daß Bachmann nicht wußte, wohin er seinen Tornister legen sollte. Dann fand er eine Nische vor einem Fenster über den Waschbecken. Das Wasser kam kalt. Eiskalt. Auch aus dem Hahn, auf dem ein W für warm eingraviert war. Bachmann aber, der an Gesundheit und Vernunft wie an das Schicksal glaubte, zog sich ganz aus und hing sämtliche Kleidungsstücke an sämtliche Haken der drei Toiletten auf. Bis auf die kurzen Wehrmachtsstiefel stand er nackt im Waschraum. Er betrachtete lange seine gelblichen Zähne und beschloß, diese »mal gründlich zu putzen«. Dann fing das Rasieren an. Er mußte sich einige Male rasieren, denn das eiskalte Wasser löste die Seife nicht auf. Danach begann ein langes und umständliches Waschen und Kratzen und natürlich das Entfernen der Wolle aus dem Nabel. Den Seifenschaum in der Mitte des Rückens konnte er nicht loswerden, und er beschloß deshalb, eine kleine Dusche zu nehmen. Er fand kein Gefäß. Er zog sich den linken Stiefel aus, den Socken legte er in die Nische, füllte den Stiefel mit Wasser und schüttete es sich über den Kopf. Weil er aber nicht mit einem nassen Fuß herumlaufen wollte, zog er sich auch den rechten Stiefel aus und füllte auch den mit Wasser. Sich im Kreis drehend, goß er sie abwechselnd über den Kopf. Er sang laut: Einmal hin, einmal her, rundherum das ist nicht schwer. Das Wasser rann unter der Tür auf den Bahnsteig hinaus. Plötzlich steckte der Fremde seinen Kopf durch die Spalte, sah den nackten Riesen, der sich die Stiefel voll Wasser über den Kopf goß, und »einmal hin, einmal her« sang. Er war so verdutzt, daß er kein Wort hervorbringen konnte.

Tür zu, schrie Bachmann. Der Fremde schloß schnell die Tür. Die Toilette ist nur für Wehrmachtsangehörige, Sie Zivilist! schrie Bachmann laut.

Der Bahnsteig wird ja eine Eisbahn, protestierte der andere hinter der Tür. Das geht Sie nichts an, rief Bachmann zurück, einmal hin, einmal her, rundherum und so weiter. Wenn es mir gefällt, überschwemme ich euer ganzes Narvik, bis euch das Wasser in die Ohren läuft. Narvik ist deutsches Sperrgebiet. Er sang aus voller Kehle:

> Grün sind die Wälder
> weiß ist der Strand
> blond ist mein Mädel
> aus Helgoland.

Das Lied tat ihm wohl. Es wurde ihm warm dabei. Er wollte eben ein neues Lied beginnen, eines das mit: Die Fahne weht, die Fahne singt, vom Fenster her mein Mädel winkt . . . anfängt, als die Tür aufgestoßen wurde und drei Uniformierte im Eingang standen. Hinter den Dreien eine kleine Menschenmenge. Der Fremde, der Bahnhofsvorstand, einige Postangestellte und Schalterbeamte.

Tür zu, schrie Bachmann, es zieht. Dann erkannte er Rangabzeichen eines Leutnants, stand stramm und salutierte: Unteroffizier Bachmann. Zweites hessisches Infanterieregiment, achtes Bataillon. Eben in Narvik angekommen. Einsatzbereit.

Ja sind Sie denn wahnsinnig, Mensch, fuhr ihn der Leutnant an. Was treiben Sie hier?

Sehr verschwitzt aus den Ardennen eingetroffen. Ich mußte mich waschen, denn es juckte bereits. Ungeziefergefahr bestand und ist beseitigt.

Die drei Uniformierten schlossen die Tür hinter sich. Sie tun der Deutschen Wehrmacht keine Ehre an, Unteroffizier Bachmann. Das macht einen schlechten Eindruck auf die Bevölkerung der besetzten Gebiete.

Ich bedaure, Herr Leutnant, und ich bitte um ein Disziplinarverfahren mit angemessener Strafzuteilung. Er goß das Wasser aus beiden Stiefeln und begann, sich anzuziehen.

Sind Sie Herr Leutnant Hupfenkar?

Jawohl.

Dann habe ich eine Nachricht für Sie von Herrn Major von Göritz.

Der Name schien keinen Eindruck zu machen.

Ich sagte von Herrn Major von Göritz, wiederholte Bachmann.

Ziehen Sie sich an, und kommen Sie sofort zur Auskunft.

Jawohl, Herr Leutnant. Eingangshalle. Letzte Tür rechts oder erste links. Ich bin orientiert.

Er lehnte sich mit verschränkten Armen zurück und sah abwechselnd auf Hupfenkar und auf die nassen Stiefel vor dem glühenden Ofen. Er glühte und schwitzte und fühlte sich gar nicht wohl in seiner Haut. Dieser Leutnant Hupfenkar ging viel zu sachte mit ihm um. Statt mit Strafen zu drohen, behandelte er ihn wie einen Patienten, statt ihn anzuschnauzen, setzte er ihn in einen Sessel. Er ist noch jung, tröstete sich Bachmann. Die roten, bartlosen Wangen gefielen ihm wenig, das gescheitelte Haar war zu gut gekämmt. Das ist ein braver Schüler, aber kein Soldat. Der hat kein Pulver gerochen. Das Eiserne Kreuz hat er sich irgendwo geklaut.

Hupfenkar las das Briefchen von allen Seiten, er drehte es in der Hand, suchte nach etwas auf der Hinterseite – fand nichts. Also schön, Herr Bachmann. Morgen früh fahren Sie nach Honnef. Es gibt einen Zug um acht.

Wie bitte?

Wenn heute noch ein Zug gehen würde, wäre es heute abend. Rauchen? Er hielt Bachmann eine offene Zigarettenschachtel hin.

Rauchen? Nein, danke. Eine gräßliche Gewohnheit, dieses Einatmen von brennenden Pflanzen. Er verzog sein Gesicht, als hätte Hupfenkar ihm vorgeschlagen, den Pferdekot von der Fahrbahn zu essen.

Herr Leutnant, Sie sind doch derselbe Leutnant Hupfenkar, ich meine, Sie haben den Brief gelesen.

Ja, ich habe ihn gelesen, wie Sie eben gesehen haben, und Ihre Papiere erklären mir das übrige. Wollen Sie ihn auch lesen? Es steht kein Geheimnis drin.

Er reichte Bachmann den Brief. Er las: Mein lieber Bernhard! Möchte den Überbringer dieses Schreibens einige Tage fernhalten, bis sich hier einiges geklärt hat. Nach Ankunft kannst Du ihn wieder nach Hause schicken. Er ist bis zur Abmusterung in Honnef einquartiert. Gruß, Dein Peter.

So, sagte Bachmann, so, so. Und ich kam hierher, um mich bei Ihrem Spezialbataillon als einsatzfähig zu melden. Der Krieg ist ja noch nicht vorbei. Ist Ihnen bekannt, daß ich die goldene Spange der Scharfschützen habe? Die habe ich. Was soll einer wie ich in der Heimat anfangen?

Warten, bis Sie abgemustert sind. Aus Ihren Papieren geht hervor, daß Sie Gold- und Silberschmied sind. Keiner wird Sie daran hindern, Ihrem Beruf nachzugehen. Ein schöner Beruf übrigens.

Bachmanns Stimme zitterte: Herr Leutnant. Ich spreche mit Ihnen von Mensch zu Mensch. Ich bin schließlich Soldat. Ein Meter zweiundneunzig. Gesund und kräftig wie ein Pferd. (Er zeigte seine Zähne, um es zu beweisen.) Ich bin fünfundzwanzig. Im besten Mannesalter. Deutschland braucht jeden Mann. Es steht mit großen Buchstaben an jeder Wand. Wollen wir doch ehrlich sein. Deutschland kämpft jetzt um sein Leben. Da soll ich nicht mitmachen dürfen? Hupfenkar sah auf Bachmann und sah quer durch ihn hindurch:

Unteroffizier Bachmann, je früher Sie es einsehen, um so besser für Sie: Sie sind unzurechnungsfähig. Geisteskrank. Es war nicht das erste Mal, daß man ihm das sagte.

Das ist eine Verleumdung, eine Lüge, und übrigens nur ein einstweiliger Beschluß. Ich habe Berufung eingelegt. Mein Fall wird am zehnten Mai entschieden. Ich bin weder geistesgestört noch krank und protestiere gegen diese Verleumdung. Um seinen Worten Nachdruck zu verleihen, wollte sich Bachmann aus dem Stuhl erheben, aber es ging nicht, ohne Stiefel war er nackt.

Herr Leutnant. Ich habe auch früher meine Pflicht getan und bin durchaus imstande, das gleiche jetzt zu tun. Wenn Gott so will, bin ich bereit, mein Leben zu geben. Daß ich bei Woroschenko nicht umkam, ist doch nicht meine Schuld! Meine gesamten Kameraden kamen um, ich blieb am Leben. Man kann doch dafür nicht bestraft werden, daß man noch am Leben ist? Nein ich bin nicht krank, ebensowenig wie Millionen meiner Kameraden, die heute im Einsatz stehen. Wenn ich krank bin, dann ist es ganz Deutschland, ganz Europa, ja, die ganze Welt. Heute kämpft die gesamte Kulturwelt gegen den Bolschewismus (er wurde erregt und rief), und ich, ich bin bereit zu sterben, zu sterben, jawohl, das höchste Opfer zu leisten! IST DAS WAHNSINN? Gewiß, ich habe vielleicht meine Eigenarten. Zugegeben, ich neige zur Melancholie und vielleicht zur Gründlichkeit – aber das tut jeder. Ist das anormal? Ist das krank? Was soll denn krank an mir sein? Jeder Deutsche ist so wie ich, jeder tut, was er kann. Gerne oder nicht gerne. Pflicht ist Pflicht. Ich bitte Sie, mich zum Spezialbataillon, von dem Herr Major von Göritz sprach, zu schicken. Muß ich Sie auf den Knien darum anflehen?

Bachmann war atemlos, wollte sich wiederum erheben und war wieder wie gelähmt.

Ihre Empörung ist vielleicht gerechtfertigt, Unteroffizier Bachmann. Aber was Sie von mir verlangen, ist unmöglich. Es tut mir leid, Sie tun mir leid. (Bachmann hatte ihn durch die Erregung und den Ernst seiner Worte beeindruckt.) Aber? Es gibt ein Aber. Ein Krieg kann nur mit gesunden Männern geführt werden. Die höchsten Ansprüche werden an den einzelnen gestellt, man braucht wahrhaftig Nerven aus Stahl. Man muß Dinge tun, die einem vielleicht gar nicht liegen. Ja, man muß mitunter die eigene Natur vergewaltigen, jawohl. Die Aufgaben, die ein Krieg stellt, Unteroffizier Bachmann, sind zumeist abscheulich, wollen wir offen sein, selbst wahnsinnig, und doch muß der Soldat, der sie ausführt, völlig zurechnungsfähig sein. So ist es nun einmal. Also. Ich bedaure persönlich, daß ich nichts für Sie tun kann. Die Berufungskommission ist Ihre letzte Chance. In diesen paar Wochen kann noch allerlei geschehen. Aber wozu dieses Palaver? Ich verstehe Sie nicht. Fahren Sie doch nach Honnef, suchen Sie sich ein braves Mädchen, heiraten Sie – und leben Sie in Frieden. Sie kennen wahrscheinlich schon eine.

Hupfenkar zwinkerte ihm zu.

Ja, ich kenne eine. Ein schönes Mädchen. Darf ich Ihnen ein Foto zeigen?

Er kramte in seinem Tornister, fand ein Foto seiner Freundin Helga und reichte es über den Tisch. Nun, was sagen Sie?

Toll, prächtig. Die paßt aber gut zu Ihnen.

Ein prächtiges Mädchen, das ist sie. Leider fehlt ihr ein Eckzahn.

Nun, das läßt sich richten. Ich beneide Sie, Herr Bachmann, ich beneide Sie.

Sie beneiden mich? Bachmann sah Hupfenkar mißtrauisch an. Um was beneiden Sie mich? Um Helga oder um meinen sogenannten Wahnsinn oder sagen Sie das bloß so? Ich sage ausdrücklich »sogenannter Wahnsinn«, denn bis die Berufungskommission ihre Entscheidung trifft, kann von Wahnsinn nicht die Rede sein. Bachmanns kleine blaue Augen glänzten wie im Fieber.

Warum ich Sie beneide, ist mir selbst nicht ganz klar, ich muß mal drüber nachdenken. Sie dürfen nicht alles aus der tragischen Perspektive sehen, man hat Sie ja doch Berufung einlegen lassen. Jetzt bekommen Sie von mir einen Marschbefehl zurück nach Honnef und Verpflegung. Morgen früh um acht hauen Sie von hier ab, soviel ist mir klar. Hupfenkar stand auf. Für ihn war die Sache erledigt. Nicht für Bachmann. Er war völlig durcheinander. Dieselben Lügen über mich sind also bis zum Nordpol vorgedrungen. Ich habe also recht gehabt, der Mann, der diese Verschwörung leitet, ist kein anderer als dieser von Göritz. Er hat erst Schnotz in den Wald geschickt, um mir eine Falle zu graben, dann, als er merkte, daß ich das infame Spiel durchschaute, hat er ihn geopfert, um einen Mitwisser auszuschalten. Daraufhin schickt er mich nach Narvik, zu einem seiner Freundchen, um mich einstweilen loszuwerden. Mir gehen die Augen auf. Deutschland wird von Perversen regiert. Gesunde Männer wie ich sollen ausgeschaltet werden. Erst erniedrigen, dann ausschalten, und dann endgültig zugrunde richten. Ein teuflischer Plan. Die Ärzte in der Kommission – mein Gott, wie die auch aussahen, einer trug 'nen Diamantring am rechten Zeigefinger – ein zweiter hatte eine Zigarettenspitze und eine hohe Stimme – mir geht ein Licht auf. Ich sehe ihnen zu männlich, zu gesund aus – da schreiben sie mich unheilbar krank. Das ist es. Sie schreiben mich krank, weil sie meine Gesundheit fürchten, sie wollen Kerle wie mich durch Schwächlinge ersetzen, um so auf ganz infame Weise das deutsche Mannespotential zu untergraben und mit den Feinden Deutschlands ein geheimes Abkommen zu schließen. Ich stehe ihren Plänen im Weg. Sehr gut. Mich nennen sie krank. Fürchterliches Wort.

Er fühlte sich durch die kalte Waschung und den warmen Ofen gesünder als je zuvor. Krank? Klingt wie tot, nur schlimmer. Und was hat diese Rotznase mit Nerven aus Stahl gemeint? Und mit Natur vergewaltigen? Was denkt der bloß von mir? Dieser Knabe mit dem Eisernen Kreuz meint wohl, ich gehöre auch zu dieser Sorte. Natur vergewaltigen? Natur ist eine Landschaft. Ich weiß, was dieses Schwein von mir wollte. Natur heißt Schlamm, heißt Woroschenko. Wollte, daß ich mich im Schlamm von Woroschenko mit offener Hosentür hinlege. Wäre vielleicht gar nicht so schlimm, die Chance war da. Aber, Mensch, war ich damals schwach, fast impotent. Gleich ist er mir abgegangen. Wie weiß dieser Kerl das? Der weiß natürlich alles.

Nur weil ich damals so schwach war, gehöre ich noch lange nicht in diesen Klub.

Natur, Landschaft. Es macht mich melancholisch. Krank. Ach, krank. Nein, der Knabe ist gar nicht so dumm wie er sich gibt. Ich habe keine Heldentaten zu buchen, das ist's. Meine Männlichkeit nicht unter Beweis gestellt. Das ist's. Ich habe immer einfach mitgemacht und nie etwas Besonderes geleistet, und auf die besondere Leistung kommt es ja doch an. Im Gegenteil, habe mich nach Woroschenko immer weiter nach Westen abgesetzt, nach Hause verkrochen – und als die Truppe wieder geflickt war, blieb ich zurück. Ich bin zurückgeblieben.

Bachmann dämmerte etwas. Angst quälte ihn, als habe ihm jemand einen spitzen Dolch an die Brust gesetzt.

Zurückbleiben ist natürlich eine Art Wahnsinn. Ich bin ein Idiot – ein Zurückgebliebener. Etwas Unsauberes ist da dran – etwas, das sich nicht abwaschen läßt. Es ist nicht möglich, nicht möglich. Ich bin ebenso unsauber wie diese Kerle, die mich zugrunde richten wollen – ein weibischer Schwächling – EIN FEIGLING, ein Drückeberger, ob die das nun wissen oder nicht, *aber kein Idiot.* Ich habe mich durch nichts hervorgetan. Das ist es. Nichts, gar nichts Persönliches geleistet. Da behandeln sie einen wie Dreck, wie einen Unmenschen, wie ein Schaf unter Millionen Schafen. Ein Feigling bin ich, Gauthier Bachmann, der drei Jahre lang nichts als tagtägliches Soldatenhandwerk trieb. Nichts, gar nichts Besonderes getan. Ein paar Dörfer abgebrannt, im Nahkampf ein paar Russen erstochen, diese Art Dinge waren doch gang und gäbe. Damit kann man sich nicht zeigen. Kirov, ah, Kirov. Etwas fiel ihm ein. Hupfenkar säuberte sich die Fingernägel mit einem kleinen Schraubenzieher.

Herr Leutnant, mir fällt da eben Kirov ein. Mit Maschinengewehren haben wir bei Kirov an einem Sonntagmorgen zweitausend, ich wiederhole, zweitausend russische Kriegsgefangene umgelegt. Aber ich gebe zu, es war eher langweilig als abscheulich. Wir waren sechs Mann, um sieben Uhr früh fingen wir an, erst um vier Uhr nachmittags konnten wir Feierabend machen. Mit dem Grabschaufeln ging der ganze Vormittag drauf. Wie langsam die arbeiten, nicht zu glauben. Pamalo, pamalenko. Auf russisch halt. Gesungen haben sie auch dabei. Und wie die singen konnten. Jeder ein Tenor oder ein Baß. Ich habe Sinn für Musik. Das war herrlich, wie die sangen, das ganze Tal ist aufgelebt, die Bäume haben gezittert, als wäre ein Wind durchgefahren. Sangen wie die Götter. Ein Lied nach dem andern. Um vier Uhr war der letzte hin. Mit den Gnadenschüssen haben wir es nicht so genau genommen, hätten eigentlich nachsehen sollen. Aber, soll der arme Teufel davonkommen, haben wir gesagt, waren auch hundemüde. Aber es waren zweitausend, bis auf ein paar. Bachmann blickte zu Hupfenkar hinüber, der ihm, ohne den Kopf zu heben (er war eben mit dem Feilen der Nägel beschäftigt) einen Blick zurückwarf. Die Geschichte aus Kirov hatte er bisher nur der Ärztekommission erzählt, auf die sie keinen besonderen Eindruck gemacht hatte, auch hier schien die Sache in Kirov ohne Wirkung zu bleiben.

Was halten Sie davon, Herr Leutnant? Er mußte die Frage wiederholen. Leutnant Hupfenkar nahm die Zigarette, machte einen Zug und legte sie wieder weg. Er blies Bachmann den Rauch ins Gesicht.

Ich habe einen Quartierschein für Sie, für den Kongen Olaf, das Hotel gleich hier gegenüber. Nur dürfen Sie mir nichts mehr anstellen, sonst kriegen Sie es mit mir zu tun. Er stand auf und ließ Nagelschere und Feile in einem kleinen Lederetui verschwinden. Abtreten. Sie Glücksvogel. Er gab Bachmann die Hand.

Als er endlich die Stiefel anhatte, sie waren noch feucht, stand er auf. Die Zweitausend haben also auch hier nicht viel genützt. Diese jungen Kerle, was man ihnen auch erzählt, alles war schon einmal und besser da. Arrogantes Aas. Was halten Sie von der Sache bei Kirov, Herr Leutnant? Er wollte es unbedingt wissen, es war zwar keine Heldentat, aber diese Schießerei war auch kein alltägliches Ereignis. Die Zweitausend hätten ja sonst von eurer Marschverpflegung leben müssen. Soviel habt ihr doch nicht gehabt?

Wir? Ganz im Gegenteil. Wir haben schön Kohldampf geschoben.

Na, sehen Sie.

Der Kerl ist aber stur, mit dem ist nichts zu wollen. Aber ich weiß, was ihn beeindrucken würde: Ich mache meine eigene Schlacht. Wie und wo wird sich finden. Aber keine Zeit vergeuden. Vom Reden wird man ein Schwätzer, durch Taten ein Mann. Der Mut ist wie das Leben, man muß ihn jeden Tag unter Beweis stellen. Was du ererbt von deinen Vätern, erwirb es, um es zu besitzen. Ein wahres Wort des größten deutschen Dichters. Man muß zeigen, was man wert ist, muß die Gefahr suchen und sie meistern. Ich fürchte weder Tod noch Teufel. Wer hat das gesagt? Ich mache meine eigene Schlacht und damit basta, und wenn am zehnten die Herren beisammensitzen, pakke ich aus. Dann werden *sie* einsehen, daß ich dazugehöre, dann werden *sie* zur Vernunft kommen. *Ich* gehöre dazu, soviel steht fest, ein Bachmann gehört dazu.

Also, nochmals viel Glück, sagte Hupfenkar. Bachmann war weit weg. Er sah hinaus, dreißig Generationen Bachmannscher Gold- und Silberschmiede sahen durch seine Augen den Schnee und das dunkle Grau, das steil, wie kahle hohe Wände, den Kongen Olaf, ganz Narvik, ja, die ganze Welt einhüllte. In dieser Welt war Bachmann ganz allein. Hupfenkar sah nur eine Riesengestalt und kleine blaue Augen, die ihn an die Glaskugeln aus seiner Kindheit erinnerten. Von Bachmanns privatem Krieg und dem Heldentum, das er sich erkämpfen wollte, spürte er erst etwas, als dieser plötzlich schrie: Und trotzdem werde ich mein Regiment finden, und trotzdem werden wir siegen. Auf in den Kampf, Torero, siegesbewußt und Stolz in der Brust!

Er warf die Tür hinter sich mit lautem Krach ins Schloß und überquerte mit erhobenem Haupt die Straße. Er kam fast unter die Räder eines mit Matrosen beladenen Lkws. Der Fahrer steckte den Kopf aus dem Fenster und brüllte: Wohin, du Rindvieh?!

Hupfenkar schüttelte den Kopf und lächelte und beneidete den Riesen durchaus nicht um seine Fahrkarte nach Honnef, denn Honnef kannte er als ein Scheißdorf, aber um seinen Wahnsinn. Für den ist der Krieg aus, dachte er und ahnte nicht, daß genau das Gegenteil der Fall war.

Wer Schlachten schlagen will, braucht zwei Dinge: Freunde und Feinde, und auch in dieser Beziehung hatte Bachmann Glück. Sein Krieg konnte sogleich beginnen, gleich dem Hauptbahnhof Narvik gegenüber im Kongen Olaf. Der Partner wartete bereits bei einem Glas Bier. Er war ihm einen ganzen Tag lang gefolgt. Der scheinbar durchgedrehte deutsche Riese kam ihm gelegen, den wollte er sich nicht entgehen lassen.

Sobald Bachmanns Riesengestalt den Türrahmen füllte, sprang der Fremde, der ihn so freundlich zur Herrentoilette gebracht hatte, auf und ging auf Bachmann zu.

Wie mich das freut, sagte der Fremde.

Auch Sie kommen mir bekannt vor, sagte Bachmann, haben wir nicht einmal zusammen im Kölner Ratskeller zu Mittag gegessen? Das war, warten Sie mal, vor genau vier Jahren. Sie sind der Mann, dem die Frau weggelaufen ist, und Sie haben zwei Töchter, eine schielt, trägt aber jetzt Gläser, und die andere ist noch im Gymnasium. Ihr Vater leidet an Lungenkrebs und will Selbstmord verüben. Wie geht es Ihrem Vater, ist er bereits tot?

Ich heiße Hjalmar Halftan, sagte der Fremde. Ich habe Sie zur Toilette gebracht, und ich mußte Sie gegen meine eigenen Landsleute in Schutz nehmen. Man hat Sie beleidigt und damit indirekt den Führer und ganz Deutschland. Ich habe alle Namen notiert. Denen wird Hören und Sehen vergehen. Diese Bande! Man schämt sich, Norweger zu sein.

Ja, richtig, sagte Bachmann, übrigens mein Name ist Unteroffizier Gauthier Bachmann. Zweites hessisches Infanterieregiment. Achtes Bataillon. Gauthier ist französisch. Der Name Hjalmar kommt mir bekannt vor. Ja, was treiben Sie hier? Haben Sie bereits die Toilette säubern lassen? Der Fußboden ist saudreckig. Zum Kotzen.

Setzen Sie sich, sagte Halftan, ein Bier, aber schnell, Ober. Sie sind mein Gast. Sie werfen alles durcheinander.

Bachmann setzte sich.

Ich habe den gleichen Vornamen wie der Herr Reichsbankpräsident.

Richtig, sagte Bachmann, richtig. Sie erinnern mich an jemanden – aber ich weiß nicht mehr an wen. Der Mann hat Hundeaugen und eine Warze. Sie haben weder Hundeaugen noch eine Warze. Der Kerl, den ich meine, ist bei der Polizei, ein liebenswürdiger Mensch.

Ich danke, sagte Halftan, ich bin aber nicht bei der Polizei, auch wenn es so aussieht, weil ich scheinbar tagsüber Zeit habe. Nein, ich teile mit meinem verehrten Namensvetter nicht nur den Namen. Auch ich bin in gewisser Hinsicht ein Genie. Er blickte zu Bachmann auf, um die Wirkung seiner Worte festzustellen.

Bachmann rührte keinen Muskel, sah auf Halftan hinunter und wartete auf das Weitere.

Finden Sie das nicht merkwürdig, wenn man sich selbst ein Genie nennt?

Durchaus nicht, Herr Halftan, gestatten Sie?

Er beugte sich über sein Bier und sog den Schaum auf. Halftan sah dieser Operation mit Staunen zu.

Das Bier muß entschäumt sein, Bachmann richtet sich auf, und die Wahrheit darf immer gesagt werden. Wenn man ein

Genie ist, ist man ein Genie. Man braucht sich seiner guten Seiten nicht zu schämen.

Ja, wer sagt Ihnen denn, daß ich gut bin? Ich bin vielleicht böse, teuflisch böse, genial schlecht.

Halftan verbarg die untere Hälfte seines Gesichts hinter dem Glas, um Bachmann besser beobachten zu können.

Das ist nicht von Belang. Auch das Schlechte hat seine guten Seiten. Und der schlechteste Mensch steht dem Guten näher als mancher Gute.

Eine merkwürdige Logik, Herr Unteroffizier Bachmann, aber sehr verbreitet. Ich bin ein böser Geist, durch und durch, und ich habe keine Gewissensbisse. Dagegen habe ich Pläne. Interessante Pläne, und vielleicht gestatten Sie mir, daß ich Sie als einen Freund betrachte: Sie könnten mir als Freund behilflich sein. Ich habe Sie den ganzen Tag im Zug beobachtet, ich saß Ihnen gegenüber. Sie gefallen mir. Wollen Sie reich werden?

Nein. Ich will andererseits nicht arm sein. Wir sind ein altes Handwerkergeschlecht im schönsten Handwerk der Welt. Ich bin Gold- und Silberschmied. Wir stammen aus Flandern. Mein Urahne, Cornelius Beekman ...

Nicht doch, unterbrach ihn Halftan, so viel Zeit haben wir nicht. Sie fahren morgen früh, das habe ich bereits erfahren, wie, ist meine Sache. Sie wollen also nicht reich werden? Reichtum ist auch keine Tugend. Nur dumme Leute möchten reich werden. Aber stolz wollen Sie bleiben, ist's nicht so?

Stolz, stolz, wehrte sich Bachmann, nahm ein Taschentuch und trompetete laut, stolz ist auch nur ein Wort. Unsinn. Einfach sein. Einfach genügt mir. Ein einfacher normaler, vernünftiger Mensch sein. Das genügt.

Das wünschen Sie sich also? Halftan hatte ein abgefeimtes Lächeln. Er räusperte sich.

Das ist vernünftig gesprochen. Nur ..., das Einfache ist gar nicht so einfach. Wie soll ich Ihnen das erklären? Wollen wir mal so sagen: Wenn jemand zu viel Vernunft hat, was finge er mit dieser Vernunft an? Nicht viel, mein Bester. Er flüsterte geheimnisvoll: Irgendein Gauner käme daher und würde ihm die Vernunft abnehmen. Heutzutage gibt es ja genug Schwindler. Früher war das anders. Nein, glauben Sie mir, wer einen Verstand hat, den kann man um den Verstand bringen. Die Dummen werden nie hereingelegt, keiner schert sich um sie, es sind die Vernünftigen, die etwas riskieren. Die werden immer übers Ohr gehauen. Denn es gibt immer jemanden, der noch schlauer ist. Was Sie nötig haben, Herr Unteroffizier, Halftan wurde feierlich, ist nicht Vernunft und Normalsein, sondern . . ., soll ich es Ihnen verraten?

Ich brauche im Augenblick mein Regiment und den Beschluß der Berufungskommission.

Richtig, richtig, rief Halftan aufgeregt und faßte Bachmann am Ärmel, Sie brauchen Selbstachtung, Selbstrespekt. Vernunft haben Sie bereits. Wie richtig Sie das gefühlt haben.

Ich brauche mein Regiment, Herr Halftan, meine Ehre. Er wischte sich müde die Stirn.

Richtig, und weshalb? Weil es Ihnen den Selbstrespekt zurückgibt, den Sie irgendwo eingebüßt haben, triumphierte Halftan. Er war von sich selbst begeistert, seine Nase glühte wie ein Ofen.

Sehen Sie, ich bin eben ein Genie. Er lächelte. Das Regiment kommt von selbst, nur Geduld, erst müssen Sie beweisen, wozu Sie imstande sind.

Woher wissen Sie das? Bachmann war aufgeregt. Wer hat hier geplappert? Woher können Sie das wissen? Halftan lachte bescheiden: Keiner hat geplappert. Ich bin ein Genie. Ich kann Gedanken lesen.

Sie haben recht, Bachmann ergab sich, ich habe es verloren, oder es hat mich verloren. Wir sind jedenfalls nicht mehr beisammen. Jetzt ist Krieg, und ich soll abgemustert werden. Das gefällt mir gar nicht. Das ist wahnsinnig. Er sah sich im Raum um, als erwarte er Hilfe von den Wänden oder von den Lampen. Der Raum war fast leer, bis auf drei deutsche Offiziere, die vor dem Fenster saßen. Zwei ältere Kellner lehnten an der Wand. Ihre weißen Jacken waren schmutzig und abgetragen. Sie blickten kellnerhaft ins Leere. Was soll ich hier? Das Bier taugt nichts. Bachmann stand auf. Halftan aber zog ihn am Ärmel. Sie sind in Narvik, und Sie wollen zu Ihrem Regiment. Stimmt das, Herr Bachmann?

Ja, ich bin in Narvik. Am Nordpol. Schnee gibt es hier, sagte Bachmann und starrte auf Halftan, als wäre er ein Schneemann, wo der Schnee wohl herkommt?

Von oben.

Sie machen sich über mich lustig.

Aber nein, im Gegenteil, ich nehme Sie sehr ernst. Kellner! Zwei Kaffee, oder wollen Sie einen Schnaps, wir haben hier guten Aquavit, einen Heidebrand . . .

Danke. Keinen Alkohol. Bier ist das stärkste, was ich zu mir nehme. Bier ist auch nahrhaft. Wußten Sie das? Ein Bier ist fast ein halbes Ei.

So, so, sagte Halftan. Ein halbes Ei. Sie wollen jedenfalls zu Ihrem Regiment?

Bachmann stieß Halftan an und lächelte verschmitzt, als wollte er ihm einen schweinischen Witz erzählen: Und drei Bier sind fast so viel wie zwei Eier.

Halftan, dem die deutsche Eierverehrung unbekannt war, sah blank drein. Jawohl, zwei Bier. Sie verstehen, was ich meine. Davon wird man ganz – – hoppla und so weiter.

Von Bier oder Eiern?

Beides, beides. Aber Schwamm drüber. Auch sieben Oliven sind ein Ei, und ein guter Saftbraten sind vier Eier.

Ist es möglich, Halftan verstand nichts davon, aber schrieb es Bachmanns Merkwürdigkeit zu, daß dieser über Eier sprach wie andere Männer über ein Abenteuer.

Bier muß bitter sein, aber bei euch ist es sauer. Pfui Teufel. Er erhob sich und griff nach seinem Mantel, der neben ihm über einem Stuhl hing.

Halt! Halftan zog ihn wieder am Ärmel und auf seinen Sitz zurück.

Herr Unteroffizier Bachmann, Sie haben Größe und Charakter. Ehe Sie gehen, erlauben Sie mir, daß ich darauf trinke. Menschliche Größe. Sie sind ein Mensch. Er reichte ihm die Hand. Bachmann gab ihm fünf schlaffe Finger, die der andere begeistert und kräftig drückte.

Jawohl, Sie sind ein Mensch, Skol! Er hob sein Glas, streckte es Bachmann entgegen, bog den Kopf und trank.

Ein Mensch. Ich bin ein Mensch. Mensch. Wie wohl das klingt. Jeder einzelne Buchstabe roch nach Jasmin. Menschsein. Etwas berauschte und berührte ihn. Es war schön wie ein Weihnachtsabend und süß wie glasierte Zuckeräpfel. Ein Wildfremder, fast am Ende der Welt, am Nordpol, muß mir sagen, was ich fast vergaß. Ich bin ein Mensch.

Ach, Mensch, gib acht, rezitierte Bachmann laut, daß die Kellner sich umdrehten, was spricht die tiefe Mitternacht? Ich schlief, ich schlief, aus tiefem Traum bin ich erwacht, die Welt ist tief und tiefer als der Tag gedacht. Tief ist ihr Weh. Weh tiefer noch als Herzeleid. Weh spricht: Vergeh. Doch alle Lust will Ewigkeit. Will tiefe, tiefe Ewigkeit. Friedrich Nietzsche. Gedichte im Anhang zu ›Also sprach Zarathustra‹, gelesen in einem Lazarett zu Oppeln während eines Fliegerangriffs. Unvergeßlich. Ich bin ein Mensch. Ein deutscher Mensch. Er stand auf und hob seine Kaffeetasse. Als er sich setzte, standen ihm Tränen in den Augen.

Sehr schön, sagte Halftan und klatschte. Er hatte, genialerweise, die richtige Saite berührt, und Trompeten und Schalmeien kamen als Echo aus der Bachmannschen Landschaft zurück.

Was kann ich für Sie tun? Nach diesem Vertrauensvotum war Bachmann zu allem imstande. Ich tue alles, was Sie wünschen.

Wie man das in den nördlichen Breitengraden findet, und je nördlicher, um so häufiger, war dieser Halftan eine Art Zauberer, ja, fast ein Angakok. Denn nicht mehr und nicht weniger hatte er, dieses nordische Genie, von einem Bachmann erwartet. Dunkelheit, Schnee und Kälte und Eis und die ewige Angst davor, sind das richtige Klima für Magie und Hexerei. Hjalmar Halftan, der in dieser Natur aufgewachsen war, griff sofort zu: Der Kaffee kann warten, sagte er kalt und stand auf. Ich habe zwei Straßen weiter einen kleinen Wagen stehen. Kommen Sie, es ist bereits spät. Er half Bachmann in den Mantel. Wir fahren ein bißchen ins Freie. Ich muß jemanden besuchen, und Sie kommen mit.

Er warf ein paar Münzen auf den Tisch und zog den verblüfften Bachmann hinter sich her. Sie gingen durch eine dunkle Hintertür des Lokals, stiegen ein paar Stufen hinauf, durchquerten ein leeres Billardzimmer, gingen durch einen noch dunkleren Korridor und standen plötzlich auf der Straße. Man braucht uns nicht unbedingt zu sehen, sagte Halftan. Unterwegs werde ich Ihnen alles erklären. Es wird vielleicht etwas laut zugehen, vielleicht läßt sich das vermeiden. Und natürlich ist es ein kleines Risiko. Aber Sie sollen Ihre Selbstachtung wiedergewinnen. Es kommt immer auf den Entschluß, die Durchführung und auf den Erfolg an. Er zwängte ihn in ein Auto, was nicht so leicht ging. 1 Meter 92 und 140 Kilo ist eine ziemlich große Masse Mensch.

Sie fuhren durch leere Seitenstraßen. Halftan mit der Nase dicht vor der Scheibe und Bachmann steif und ungemütlich neben ihm. Seine Gedanken waren weit weg. Ich bin ein Mensch, wiederholte sich Bachmann, zum soundsovielten Male, und er blickte drein, als sei ihm jemand gestorben. Menschsein ist doch das Schönste, nicht wahr? Die Worte gingen im Motorgeräusch unter. Das Auto kroch einen Berg hinauf. Die Gegend war vor allem weiß. Der Schnee lag hoch und überall. Sie fuhren über eine enge Straße hoch über der Stadt. Hinter

Dächern und Schornsteinen, Kränen, Schuppen und Kriegsschiffen glitzerte das Meer. Schwarz und gefährlich wie eine Narkose. Eis und Meer bedeckten Bachmanns Bäume und Gestrüpp, verheimlichten das Chaos, das darunter lauerte. Mit zunehmender Dunkelheit und Entfernung von der Stadt, quer durch graue und weiße Flächen fliegend, begann er, sich wohl zu fühlen. Im Schnee, aus dem nichts mehr hervorstak, taute er auf.

Er hatte seine Füße, soweit es ging, gestreckt, die Knie blieben dabei noch immer gebogen. Mit dem Kopf berührte er die Decke, als trüge er das Dach, die Hände hielt er in der Manteltasche vergraben. Die Autofahrt mit einem Fremden in der Nähe des Nordpols beschwichtigte ihn wie ein Schaukeln und Wiegen, gleichzeitig aber machte es ihn auch ängstlich und merkwürdig nervös, als könnte das Wiegen plötzlich aufhören. Das Auto kroch und keuchte noch steilere Straßen hinauf, sein eigenes Gewicht schien in entgegengesetzter Richtung zu drükken. Ein paar Schrauben und Räder, merkwürdig geformte Teile aus Eisen und Gummi ziehen mich einen Berg hinauf. Das ist doch Zauberei. Er stemmte sich stärker gegen die Fahrtrichtung, aber das Eisen und die Schrauben waren stärker. Das muß der Magnetismus des Nordpols sein, Herr Halftan, man fühlt sich hinaufgezogen.

Wir fahren in südlicher Richtung, sagte Halftan. Er sah blaß und gespannt drein und biß auf eine Zigarette. Die magnetische Kraft des Nordpols, Bachmann war jetzt heilig davon überzeugt, alles wird nach oben gezogen, näher und näher und dann ... wusch, verschwindet es in einem Loch. Oder fällt hinunter.

Es ist ein alter Karren, sagte Halftan, und das Benzin ist auch nicht so gut.

Die Welt ist flach mit dicken Rändern. Es geht bis zu einem gewissen Punkt, aber nicht weiter. Danach schlagen wir über die Kante. Wir haben uns bereits zu weit gewagt. Sie sagen, wir fahren in südlicher Richtung, trotzdem sind wir zu nördlich. Es ist gefährlich, glauben Sie mir.

Haben Sie Angst, Herr Unteroffizier?

Die Kante. Vorsicht. Man darf nicht zu nahe rankommen. Sonst ... verschwinden wir an der Unterseite. Sonst fallen wir in die Sterne hinunter. Vorsichtig. Es geht weiter, aber nicht immer weiter.

Was Ihnen alles einfällt! Sie langweilen sich. Hier haben Sie etwas zu lesen. Er reichte ihm einen zusammengefalteten gelben Zettel. Lesen Sie nur, die Taschenlampe liegt vor Ihnen. Bachmann nahm die Taschenlampe, die bis auf einen winzigen Punkt verdunkelt war, und führte das Licht die Zeilen entlang. VORSICHT, HALFTAN, IHRE STUNDEN SIND GEZÄHLT. Die Warnung war deutsch geschrieben. Keine Unterschrift war zu sehen, Bachmann drehte den Zettel um, konnte nichts finden und reichte ihn an Halftan zurück. Das ist gemein. Haben Sie etwas auf dem Gewissen?

Nicht daß ich wüßte.

Dann ist es unanständig.

Höchst unanständig, Herr Unteroffizier. Sie haben völlig recht.

Aber das müssen Sie der Polizei übergeben. So ein Mann muß bestraft werden.

Muß bestraft werden. Sehr richtig, aber die Polizei ist überbelastet. Er wird trotzdem bestraft, verlassen Sie sich drauf.

Wenn man ihn fassen kann. Ohne Unterschrift und Absender läßt sich das nur schwer feststellen.

Keine Sorge, man weiß, wo der Kerl steckt.

Aber kann man ihn ausfindig machen? Leute, die Drohbriefe schreiben, sind schlau genug, um rechtzeitig zu verschwinden.

Nicht der, der verschwindet nur noch in den Himmel. Er ist bereits tot.

Tot?

Umgekommen durch Köpfen.

Ich verstehe nicht recht, Herr Halftan.

Es ist nicht schwer, man nimmt ein Küchenmesser und schneidet den Kopf ab.

Das haben Sie gemacht?

Aber nein, natürlich nicht, das hat ein Bekannter gemacht, für 500 Kronen. Was Leute nicht alles für Geld tun. Ich habe ihn für 24 Stunden gemietet, den Bekannten, er ist aber nicht sehr zuverlässig, deshalb müssen wir uns beeilen.

Wie kann man so etwas bloß für Geld tun? Ich begreife das nicht. Der Mensch ist kein Mensch, das ist ein – sagen wir, ein Verrückter. Das muß er wohl sein. Für Geld jemandem den Kopf abschneiden, ist barbarisch.

Oder verrückt, wie Sie eben sagen, so jemand kann nicht verurteilt werden, sagte Halftan.

Sie meinen nicht? Sie meinen, das Verbrechen sei zu groß?

Ich glaube, Sie haben hier in einem gewissen Punkt recht.

Wenn das Verbrechen zu ungeheuerlich ist, kann kein Richter mehr verurteilen – so jemand wird meist für geisteskrank erklärt.
Richtig so, sagte Bachmann. Er hielt sich den Hals.
Und ich habe die traurige Aufgabe, den Angehörigen die Nachricht zu überbringen. Schlimm, wie?
Wann?
Jetzt, Herr Unteroffizier, wir sind unterwegs. Der Abend ist noch lang, und einiges steht uns noch bevor.
Bachmann döste vor sich hin, er konnte weder schlafen noch seine Augen offenhalten. Er dachte an den Unbekannten, dem dieser Halftan wegen eines Drohbriefes den Hals abschneiden ließ. Auf einmal hörte er Halftans Stimme: Haben Sie jemals gesehen, wie jemand Papier frißt?
Nein, wer tut das schon?
Nun, heute Abend sollen Sie es sehen. Der jüngere Bruder des Verstorbenen wird den gelben Zettel, den ich Ihnen eben zu lesen gab, verspeisen.
Also noch ein verrückter Kerl. Was es heutzutage doch für Leute gibt. Eine wahnsinnige Welt.
Das kann man wohl sagen, Herr Unteroffizier Bachmann, eine wahnsinnige Welt. Die Eltern des Verstorbenen sind angesehene Leute, Sie sollten erst wissen, was die bezahlen wollen, um ihren toten Sohn zu bekommen.
Wieviel?
Raten Sie mal. Nun, Sie werden nicht drauf kommen. Für den Kopf alleine bezahlen die 50000 Kronen. Jetzt rechnen Sie sich das mal aus. 49 500 Kronen Reingewinn. Gut, nicht?
Ich verstehe noch immer nichts, sagte Bachmann.
Gut, dann werde ich es Ihnen erklären, Halftan zündete sich eine neue Zigarette an.
Die ganze Sache ist eine rein politische Angelegenheit. Man glaubt im ganzen Umkreis, ich sei im Freikorps, um für den Untergrund zu spionieren. Keiner weiß genau, was vor sich geht, bis auf einmal ein gewisser Frisholm von Elshoved, dessen Kopf in einem Köfferchen im Kofferraum dieses Autos liegt, dahinter kam, daß dies nicht der Fall ist.
Halt, schrie Bachmann, halten Sie sofort.
Halftan erschrak, als hätte ihn der Führer persönlich angebrüllt. Was ist los?
Halten Sie! Ich brenne! Feuer!
Halftan biß sich auf die Lippen, bremste aber. Bachmann öffnete die Tür und zwängte sich aus dem Auto.

Was wollen Sie? rief Halftan. Denken Sie an Ihr Versprechen.

Es ist heiß, sehr heiß, stöhnte Bachmann, machte ein paar Schritte zum Straßenrand, kniete nieder, nahm einige Handvoll Schnee und rieb sich den Schnee in den Mund. Er aß wenigstens drei Hände voll, rief: Heiß! Heiß! und rannte zum Wagen zurück.

Haben Sie Durst? fragte Halftan.

Ich brenne, ich brenne. Los, fahren Sie weiter, aber in mir ist ein Feuer ausgebrochen, haben Sie nicht den Rauch bemerkt?

Das war kein Rauch, Sie, Sie ... das war warme Luft.

Es sah wie Rauch aus.

Ja, es sieht so aus.

Bachmann aß die Handvoll Schnee, die er sich mitgenommen hatte, und atmete erleichtert auf.

Es raucht noch immer, rief er bestürzt. Halt, halt. Wieder stürzte er aus dem Wagen, rannte zum Straßenrand, stopfte sich den Mund mit Schnee voll und rannte zurück.

Es ist ein viertel vor acht. Nach acht Uhr tut einem keiner die Tür auf. Wenn Sie das so weiter treiben, kommen wir nie zum Ziel.

Ich bin ja nicht eingeladen, sagte Bachmann, ich begleite Sie nur. Jetzt kann ich nicht allein zurückgehen. Sonst würde ich das tun.

Kein Unsinn, Bachmann, Sie sind der einzige Mensch, zu dem ich Vertrauen habe. Sie haben mir Ihr Wort gegeben.

Der einzige Mensch. Vertrauen. Ein Mann, ein Wort. Da war es wieder. Klang wie ein Te Deum im Kölner Dom, wie das d-Moll auf der Orgel.

Auch sein Kopf ist ziemlich groß, sagte sich Bachmann, und meine Ohren sind nicht viel größer als seine. Er sah auf Halftans Ohr, das wie ein Weichtier unter der Hutkrempe hing. Nein, meine Ohren sind gut gebaut. Auch mein Kopf ist nicht anormal groß. Leider ging das Kopfhaar flöten. Es gibt aber ein Haarwuchsmittel aus Königinnenwachs.

Es ist nicht mehr weit, sagte Halftan, es ist dort drüben. Er zeigte auf einen schwarzen Punkt. Ich schlage vor, Sie kommen einfach mit, als Freund sozusagen. Ich gebe Ihnen die Pistole. Aber Sie gebrauchen Sie erst, wenn ich Sie auffordere. Das ist klar. Wir sind Freunde, das ist klüger. Keine voreiligen Beschlüsse. Jede kluge Strategie muß den Umständen angepaßt sein.

Es ist kalt, sagte Bachmann unvermittelt, aber innen ist es

heiß. Wenn ich ausatme, kommt noch immer eine Rauchwolke aus meinem Mund.

Es ist die Zigarette.

Nein, es ist mein Rauch. Sehen Sie.

Er atmete aus: Weißer Dampf. Das ist keine Zigarette. Aber es ist bereits zu spät.

Jedenfalls zu spät, um es sich anders zu überlegen. Hier sind wir. Er gab Bachmann eine Pistole. Sie wog schwer in der Hand. Vorsichtig, sie ist entsichert. Herr Unteroffizier, der heutige Abend ist für uns beide von großer Bedeutung. Sie müssen beweisen, was Sie wert sind, und auch ich muß zeigen, daß ich nicht nur Pläne schmieden, sondern sie auch ausführen kann. Sie werden tun, was ich Ihnen befehle, denn was ich befehle, ist notwendig. Das Grauenhafte ausführen und trotzdem Mensch bleiben – darum geht es heute. Sind Sie bereit?

Mensch, bist du bereit? Bachmann quälte diese Frage. Die Bereitschaft ist die höchste Prüfung. Wie leicht ist es, sich in die Dachböden der eigenen Feigheit zu verkriechen, sich zu verflüchtigen, sich müde zu stellen, krank zu sein oder sich für krank erklären zu lassen. Wie gerne ist man Gehirnzelle oder Staub – wenn man leben, atmen, riskieren sollte. Um das Trotz-dem-Menschsein geht es, hier hat dieser Halftan recht. Menschsein ist das edelste der Güter, wie wahr. Das Zauberwort tönte wie ›Stille Nacht, Heilige Nacht‹ – erhaben und heilig. Es hob ihn aus den Zweifeln, trug ihn durch die Nacht und senkte seine Zerwürfnisse in ein laues Bad, in die Geborgenheit eines Sanatoriums. Sobald sich das Tor hinter ihm schloß, fing es in Bachmann wieder zu trommeln an. Hier stimmt was nicht. Es ist eine verrückte Situation. Was tue ich mit diesem Fremden hier allein in der Nacht? Die Sache kann schiefgehen. Der Kerl ist gefährlich. Menschen mit roter Nase darf man nicht trauen. Und doch trage ich ihm seinen Koffer über den Gartenweg. Das ist keine Kaserne. Ein Hotel? Ich bin müde, zum Sterben müde.

Als sie vor der Tür standen, sagte er sich: Halt, jetzt aufgepaßt. Ich bin religiös, sagte er laut, ich weiß nicht, was wir vorhaben, aber es ist falsch. Gott will das nicht. Ich will da nicht mitmachen. Ich bin Soldat. Letzter Sproß einer alten Familie.

Halftan schlug den Kragen seines Mantels nieder, klopfte Schnee von sich ab und quittierte Bachmanns Worte mit einem dünnen Lächeln. Er hatte ihn in der Gewalt. Die Leute kennen mich, flüsterte Halftan, ich war früher Lehrer. Die Tochter des Hauses war einmal meine Schülerin.

Er läutete. Ein kleines Glöckchen tönte von weit her, als hinge es an einem Schaf, das sich in den Bergen verlaufen hat. Nichts rührte sich, Halftan zog noch einmal die Glocke. Sie sind zu Hause, aber haben Angst. Begreiflich, begreiflich. Er hustete leise. Noch immer rührte sich nichts.

Bachmann gähnte laut und anhaltend. Das ist ein Hotel, und ich will schlafen. Das trifft sich gut. Vier Tage auf der Bahn. Sterbensmüde. Warum wird nicht geöffnet? Helga hätte längst aufgemacht. Honnef, Alfred-Rosenberg-Platz 14. Oder triff mich im Braunen Bären. Wenn ich nicht daheim bin, bin ich im Bären. Sie liebt mich. Auch damals bin ich eingeschlafen. Müdigkeit ist schlimm. Man träumt nicht und ist nicht wach. Oder ist es ein Traum? Schlafen möchte ich, nur schlafen, und mit dem Wecken eilts nicht.

Dann wurde hinter einer kurzen Kette eine Spalte der Tür geöffnet. Jemand sagte: Herr Halftan? Es klang erstaunt. Dann standen sie beide drinnen.

Auch die Freiherren von Elshoved versteckten sich vor der Wirklichkeit. Hinter einer Mauer aus Unschuld und gutem Gewissen lebten sie im Asyl ihrer Illusion. Vor den Toren war die Seuche ausgebrochen, sie hieß Krieg, Leute starben wie Fliegen, sie wurden wie langes Gras, das zu viele Sommer geblüht hatte, weggemäht. Wahllos und mühelos. Oder wehten wie trockenes Herbstlaub von den Bäumen, jeder ein Blatt, um für einen neuen Frühling Platz zu schaffen. Gute Werke, Gottesfurcht und Bravheit sollten die von Elshoved vor dem Unheil bewahren. Sie trugen ihre Tugenden, als wären es Amulette. 1944 lebten sie, als schriebe man das Jahr 1844; hundert Jahre hatten sie einfach vergessen. Als die Deutschen kamen, flohen sie nicht nach England, so schnell konnten die Vorbereitungen nicht getroffen werden. Sie waren rechtschaffene Patrioten, auch ein bißchen altmodisch. Hatten mehr Angst um ihr persönliches Schicksal, als Haß gegen die Besetzer, und auch in dieser Beziehung waren sie den Millionen aufrechter Bürger in den besetzten Gebieten nicht unähnlich.

Es war ihnen ziemlich viel geblieben. Ladungen voller Hausrat, Porzellan, Silber, seidene Vorhänge, alte Bilder in goldenen Rahmen, Schmuck und Bargeld und eine Menge Verpflichtungen. Und aus dieser friedlichen Burg neutraler Anständigkeit seines Elternhauses hatte sich nur der älteste Sohn, Frisholm, gewagt. Er suchte nach der Seuche und den Bazillenträgern und stieß nach einigem Nachforschen auf den früheren Schullehrer. Halftans doppeltes Spiel hatten auch andere in der Untergrundbewegung durchschaut, aber der Tag seiner Exekution wurde aus manchen Gründen (man fand ihn noch nützlich) hinausgeschoben. Frisholms Haß gegen Halftan stammte noch aus seiner Volksschulzeit, als Halftan ihm Nachhilfeunterricht im Rechnen gab. Das Auslachen und die ironischen Redensarten wollte er ihm heimzahlen. Halftan hatte aber ein gutes Gedächtnis für jeden seiner früheren Schüler. Nur einer, der nicht rechnen kann, möchte gerne jemandem die Stunden zählen. Er hatte schon immer seine Schüler – wie den Beruf des Lehrers – gehaßt und für Schüler, die sich frech hervortaten, die seine Autorität untergraben wollten, wußte er eine Reihe unangenehmer Strafen.

Als es unerwartet läutete, ging Thor, der jüngere Bruder Frisholms, in sein Versteck unter der Treppe. Seine Schwester Gudrun und seine Eltern zogen es vor, im Salon zu warten. Sie schickten die Köchin zur Tür. Den Lehrer Halftan hatte sie sofort erkannt. Allerhand Gerüchte gingen um, keiner wußte genau, auf welcher Seite dieser Hjalmar Halftan stand. Als sich aber die Tür hinter dem Riesen in deutscher Uniform schloß, der in der Linken einen kleinen Koffer hielt, wurde sie völlig ratlos. Die Augen des Deutschen, der wie unter Hypnose ins Leere starrte, jagten ihr eine unheimliche Angst ein. Er ähnelte den Wachsfiguren, die man früher auf den Jahrmärkten zur Schau stellte. Sie zitterte und schwitzte und wischte sich einige Male die Hände an der gestrickten Wolljacke ab, die sie über einem grauen Hauskleid trug. Ich werde Sie melden.

Das ist ein Freund, Halftan zeigte auf Bachmann, keine Sorge. Wir werden nicht lange bleiben.

Die Köchin ging in den Salon, ließ die Tür bis auf einen Spalt offen. Der Soldat und sein Kommandant standen wie zwei Vertreter herum. Halftan nahm den Hut ab und zog seine Handschuhe aus.

Bitte, sagte die Köchin. Sie traten in den Salon. Bjoerk von Elshoved, Frau und Tochter saßen um den Tisch. Sie standen nicht auf, das Holz unter den Fingern gab ihnen irgendeinen Halt.

Ich begrüße Sie, sagte Halftan, wir bleiben nicht lange.

Worum geht es, Halftan? fragte Bjoerk. Wir haben Sie nicht erwartet.

Ich weiß, Sie haben mich nicht erwartet. Etwas sehr Wichtiges führt mich her. Es betrifft Ihren Sohn Frisholm.

Was ist mit ihm? Kommen Sie zur Sache.

Ist Ihr anderer Sohn zu Hause?

Das ist nicht Ihre Sache. Worum handelt es sich?

Ich habe Ihnen etwas mitzuteilen, aber ich möchte auch, daß Thor anwesend ist.

Worum geht es, Halftan? Frau Bjoerk war noch ungeduldiger, wir werden es ihm später ausrichten.

Ich werde nichts sagen, bis Ihr nicht alle da seid.

Bjoerk erhob sich: Sie halten sich lange auf, reden Sie oder gehen Sie.

Erst muß Thor hier sein.

Bachmann kam das ganze Gespräch merkwürdig vor. Er sah sich um. Es war fast wie bei ihm zu Hause. Alte Möbel, alte Bilder, Vorhänge aus rotem Samt, schwere Teppiche. Auch die Großvateruhr und das Delfter Porzellan kam ihm bekannt vor. Es roch auch wie bei ihm zu Hause nach Bodenwachs, Mottenkugeln, Parfüm, Staub und Blättern. Dürfte ich mir bitte die silberne Zuckerdose ansehen? Er zeigte auf ein Teeservice, das neben ihm auf einem hohen Schrank stand.

Ja natürlich, atmete Bjoerk etwas erleichtert auf, hoffend, der Deutsche würde sie einstecken.

Bachmann nahm die Zuckerdose in die rechte Hand und schien sie abzuwägen. Ich sehe gar nicht hin, aber ich bin sicher, das ist ein Carl-Erzmann-Stück, 1762 oder 64. Ein Carl Erzmann 1762, sagte Bjoerk erstaunt. Ich bin nämlich Gold- und Silberschmied, erklärte Bachmann, das heißt im Zivilleben. Carl Erzmann hat schöne Sachen gemacht, nicht?

Ja, ja, gewiß, also Halftan, kommen Sie zur Sache.

Bachmann stellte die Zuckerdose nieder, nahm ein Milchkännchen und prüfte es genauestens. Er stellte auch dieses wieder weg.

Also gut, sagte Halftan, Sie wollen Ihren Sohn nicht rufen, obwohl ich weiß, daß er zu Hause ist. Hier ist eine Nachricht von Ihrem zweiten Sohn. Er reichte Bjoerk den gelben Zettel. Dieser las ihn, ohne eine Miene zu verziehen und reichte ihn an seine Frau weiter. Dann schob er ihm den Zettel über den Tisch zurück.

Das hat Ihr Sohn geschrieben, Herr von Elshoved. Er hat eine Handschrift, die ich noch von früher kenne. Leugnen Sie nicht. Es ist unanständig, wie mein Freund heute abend richtig bemerkte. Wer solche Sachen schreibt, ist zu allem imstande.

Was wollen Sie, schrie Bjoerk, wollen Sie mich erpressen? Das ist nicht seine Handschrift.

Auf keinen Fall, fügte Frau von Elshoved hinzu.

Er hat es geschrieben, wiederholte Halftan.

Wenn Sie also genau wissen, was Sie sagen, erübrigt sich jede Diskussion. Was wollen Sie jetzt?

75000 Kronen, Halftan zündete sich eine Zigarette an und zielte das Streichholz geschickt in einen Aschenbecher.

Bjoerk sah auf das Streichholz, er schien etwas zu überlegen: Unmöglich, Halftan, Sie haben sie nicht verdient.

Sie brauchen mir nichts zu schenken, lächelte Halftan, ich gebe Ihnen etwas dafür.

Den Zettel? Auf Wiedersehen, Halftan. Er stand auf. Stehend überragte er Halftan um einen Kopf, er war vielleicht 52, hatte graues, kurzgeschnittenes Haar und die gesunde Farbe, wie man sie oft bei Leuten findet, die ein Leben lang auf dem Lande wohnen. Auch Kinder und Landpfarrer sehen manchmal so blühend aus.

Nein, nicht den Zettel, Halftan blies den Rauch langsam aus, ich verkaufe Ihnen den Verfasser selbst.

Es interessiert mich nicht. Machen Sie keine Umstände, haben Sie meinen Sohn entführt, wollen Sie Lösegeld? Das sind Gangstermethoden, Halftan, ich spiele nicht mit Ihren Karten.

Sein Leben ist Ihnen also nichts wert. Gut.

Sie sind ein Gangster, Halftan, raus!

Einen Augenblick. Wir gehen sofort. Der lebendige Sohn ist Ihnen keine 75000 wert, schön, ich hätte auch nie soviel für so einen Kerl bezahlt. Aber wieviel ist Ihnen der tote wert? Ich werde es Ihnen sagen. Genau zwei Drittel. 50000 Kronen.

Sie reden dummes Zeug. Sie langweilen mich.

Bitte, Herr Halftan, fiel Frau von Elshoved ein. Wir sind nicht mehr so jung, gehen Sie jetzt, und kommen Sie ein anderes Mal.

Ich rede kein dummes Zeug, Herr. Ein Halftan hält, was er verspricht. Geben Sir mir den Koffer, Bachmann.

Bachmann reichte Halftan den Koffer und streckte und bog die linke Hand, weil sie ihm vom Tragen fast steif war.

Als der Koffer auf dem Tisch unter der Lampe lag, standen auch Frau von Elshoved und die Tochter auf, sie machten einen kleinen Schritt zurück, als könnte der Inhalt explodieren.

Gleich kommt es, meine sehr Verehrten, sofort. Aber da sehe ich eben noch einen Gast. Herr Thor von Elshoved, keine falsche Scheu, was hier vorgeht, geht auch Sie an. Treten Sie nur näher. Aller Augen wandten sich zu dem entlegenen, fast dunklen Teil des Salons.

Thor machte ein paar Schritte. Halftan hielt die Linke auf dem Koffer, mit dem Zeigefinger der Rechten lud er Thor ein, näher zu treten. Bachmann gähnte und rieb sich die Augen. Die anderen trugen Masken der Angst. Man hörte, wie sich der Teppich unter Thors Schuhen bog. Er machte einige Schritte und blieb stehen.

Erst wenn alle anwesend sind, soll die Vorstellung beginnen, nur näher, junger Mann. Dann stand Thor im Licht, ein schlanker, bartloser Gymnasiast in einem gestreiften Sporthemd.

Alle Augen wandten sich jetzt Halftan zu, auf seine kurzen, runden Finger am braunen Leder.

Die Aufmerksamkeit galt jetzt nur ihm, die Klasse war mäuschenstill, und Halftan war wieder Schullehrer. Er genoß die Spannung, die er zustande bringen konnte.

Meine Damen und Herren, zuerst eine kleine Einführung, ich bitte, mich richtig zu verstehen und genau hinzuhören. Es liegt mir viel daran, daß kein Mißverständnis herrscht. Erstens: Die Gerüchte, die man über mich verbreitet, sind naiv. Zweitens: Meine Rolle ist Ihnen nicht klar. Drittens: Wir sind Feinde. Sie gehören zu den Besiegten und ich zur Partei der Sieger. Das ist jetzt geklärt. Und jetzt zum Sachverhalt: Seit fast vier Jahren bin ich im Geschäft. Meine Ware: Informationen. Ich kaufe und verkaufe an jeden, der zahlungskräftig ist. Es handelt sich natürlich um politische Informationen. Ich habe einen sehr reichen Auftraggeber, einen, der immer höhere Preise bieten kann. Das sind die Deutschen. Ideologien interessieren mich nicht, ich bin, wie jeder gute Geschäftsmann, auf größten Profit bedacht. In den letzten vier Jahren habe ich an die zweihunderttausend Kronen Umsatz gehabt. Für einen armen Schulmeister ist das ein Haufen Geld. Ich konnte mir vor zwei Jahren zum erstenmal leisten, was ich früher nicht erträumen durfte: mein eigenes Heim. Es ist bescheiden, aber es gehört mir und hat einen hübschen Garten. Zum erstenmal in meinem Leben lebe ich wie ein Mensch, kann mich kleiden, kann reisen, Freundinnen halten. Dafür hat mir immer das Geld gefehlt. Ich lebte wie ein unbeachteter Niemand, von der Hand in den Mund, ohne Aussicht, ohne Zukunft, ohne die geringste Freude. Vielen ging es und geht es heute noch wie mir damals, aber das ist keine Entschuldigung, um ein persönliches Talent zu vernachlässigen.

Mein Talent, und darin bin ich genial, ist die Bosheit. Jeder Mensch hat nur ein Talent und lebt nur einmal. (Halftans Stimme wurde leidenschaftlicher.) Wenn jemand daher kommt, mit dem Tode droht, ohne daß man ihn je belästigt hätte, muß man diese Sache sehr ernst nehmen. Man ist es sich selbst schuldig, vor allem in diesen so unsicheren Zeiten. Wenn so ein Patriot glaubt, daß er andere vor dem Tode bewahren kann, indem er einen deutschen Handlanger erschießt, dann gibt es darauf nur eine Antwort. Man handelt, ehe es zu spät ist. Ich weiß nicht, was Sie, meine Damen und Herren, in meinem Fall getan hätten, ich weiß aber, was Ihre Vorfahren taten: Wenn sich ein Eindringling an ihrem Land vergriff und die Eigentümer gar mit dem Tode bedrohte, mietete man einen armen, bodenlosen Pächter oder Berufsverbrecher und ließ den Eindringling ermorden. Klug und richtig. Damals wie heute. Die Zeiten haben sich nicht geändert. Eine französische Redensart heißt: Plus que ça change, plus ça reste le même. Indem sie harte Maßnahmen trafen, kamen die ersten Freiherren von Elshoved zu ihrem Silber und Schmuck, den Teppichen, den Vorhängen und dem Titel. Die Zeiten, die sich nicht änderten, haben sich aber in einem sehr wichtigen Punkt geändert: Die Adligen sind jetzt unbewaffnet und ohne Verteidigung, die Schulmeister haben die Welt geerbt. Diese Entwicklung war seit langem vorauszusehen.

Hier in diesem kleinen Koffer liegt der Beweis dafür, daß ich durchaus imstande bin, meine eigenen Interessen zu vertreten. Ehe ich Ihnen, meine Damen und Herren, den Inhalt zeige, bitte ich Sie um eine bescheidene Summe, den Verlust, den ich geschäftlich erlitt, auszugleichen. Ich muß Ihnen nämlich gestehen, daß ich ab sofort meine Geschäfte nicht mehr fortführen kann. Mein Spiel ist aus, und ich muß versuchen, mein nacktes Leben zu retten, ob ich den Deutschen oder den Untergrundleuten in die Hände falle, bleibt sich gleich. Ich habe beschlossen, daß es Zeit für mich ist, irgendwo anders meine Zelte aufzuschlagen. Als Wegzehrung könnte ich 50000 in bar sehr gut gebrauchen.

Dieser Herr, Unteroffizier im so berühmten zweiten hessischen Infanterieregiment, wird das Geld einsammeln. Nebenbei, wir sind bewaffnet, das haben Sie richtig erfaßt, sonst hätten Sie mir kaum so lange zugehört. Und noch eines: Dieser Herr ist im Schießen sehr geübt. Hat die goldene Spange der Scharfschützen. Bachmann, zeigen Sie den Herrschaften beides!

Bachmann taumelte vor Müdigkeit. Als er seinen Namen hörte, wurde er sofort hellwach, zog die Pistole und zielte abwechselnd auf jeden einzelnen. Mit der Linken öffnete er den Mantel, drückte den gekrümmten Zeigefinger auf die Spange und ging von einem zum andern. Er zeigte sie auch Halftan.

Sehr schön, Herr Unteroffizier, wie haben Sie die verdient? Bei Stalino, sagte Bachmann, ich habe zwölf russische Affen von einem Dach geschossen. So. Er streckte die Waffe und zielte auf die Vorhangstange. Er drückte ab. Jeder fuhr zusammen. Mörtel und Staub fiel herunter, die Messingstange zeigte ein dunkles Loch. Nicht doch, befahl Halftan, nicht bevor ich es befehle. Aber es macht nichts, dann wissen die Herrschaften gleich, daß sie nicht mit Bonbons geladen ist. Also, Herr Bjoerk von Elshoved, rufen Sie Ihre Köchin. Geben Sie ihr den Schlüssel zum Panzerschrank oder wo immer Sie das Geld aufbewahren. Ich zähle bis fünf. Eins ... Aga, rief Bjoerk, Aga. Die Köchin hatte seit dem Knall hinter der Tür gestanden. Ja, bitte. Sie sah blaß und ängstlich von einem zum andern.

Hier ist der Schlüssel, sagte Bjoerk und gab ihr drei Schlüssel an einem Ring. Sie wissen, wo die Kassette liegt. Zählen Sie fünfzig Tausender ab, und bringen Sie sie her.

Halftan hatte den rechten Fuß auf einen Stuhl gestellt, er stützte sich mit dem rechten Ellbogen auf das Knie, die Hand, als könnte ihm der Inhalt wegfliegen, hielt er auf dem Koffer. Mit der Linken führte er die Zigarette zum Mund und blies Rauchringe unter die Lampe. Bachmann hielt noch immer die Pistole. Seine Augen lagen auf der silbernen Teekanne. Sie gestatten, sagte er zu Bjoerk. Er nahm sie in die Hand. Nein, schrie Bjoerk, ich gestatte nicht.

Bachmann setzte die Kanne ab. Entschuldigen Sie, sagte er, aber diese Kanne ist wirklich ganz großartig. Er bog sich nach vorn, um die Arbeit genauer sehen zu können.

Hab ich mir's gedacht? Die beiden Kundschafter mit Trauben, eben aus dem gelobten Land zurückgekehrt ... Carl Erzmann hat auch zwei ganz wunderbare Obstschalen gemacht, herrliche Stücke. Sie sind ein Zwillingspaar. Heute im Frankfurter Museum. Abraham segnet Jakob und Esau, und Josef und seine Brüder. Er hat ja immer gern biblische Motive verwendet. Erzmann war große Schule. Bachmann schnalzte mit der Zunge. Das war große deutsche Kunst. Gibt es heute auch nicht mehr.

Miese Zeiten sind angebrochen, flüsterte er, der Frieden ist viel schöner. Aber so ist's nun mal. Die Köchin kehrte mit einigen Bündeln Banknoten zurück. Bachmann stellte sich galant mit einer kleinen Verbeugung zur Seite, um sie zu ihrem Herrn zu lassen. Sie legte das Geld und die Schlüssel vor Bjoerk hin. Geben Sie Halftan das Geld. Er steckte die Schlüssel ein. Die Köchin nahm das Geld und legte es vor Halftan nieder. Sie schüttelte den Kopf. Das habe ich schon Ihrer Mutter gesagt, daß es so mit Ihnen enden wird. Herr Halftan, ein Wildwest-Gangster ist aus Ihnen geworden.

Meine arme Mutter, sagte Halftan, ich hätte ihr jetzt etwas Geld borgen können. Leider ist sie nicht mehr bei uns. Sie ruhe in Frieden ...

Die Köchin wollte wieder hinausgehen. Halt! rief Halftan, schließen Sie die Tür. Sie gehören auch zum Haushalt.

Fünfundzwanzig Jahre, sagte die Köchin.

Eine lange Zeit, dann gehören Sie bestimmt dazu. Halftan ließ das Geld neben dem Koffer liegen.

So, und jetzt aufgepaßt, sagte er. Er öffnete den Koffer, streifte Zeitungspapier weg, und nahm den Kopf eines jungen Mannes an den Haaren heraus. Er hielt ihn unter die Lampe. Der Kopf drehte sich von selbst nach allen Seiten. Gut, sagte er. Er legte den Kopf neben den Koffer, tat sein Geld hinein und schloß ihn.

Das ist Frisholm oder was davon übrig ist – jetzt sind Sie überzeugt.

Frau von Elshoved stieß einen lauten Seufzer aus und fiel, wie ein Stein auf den Teppich, auf den Boden. Gudrun stand mit weit aufgerissenen Augen gegen eine Wand gelehnt. Thor und sein Vater standen unbeweglich. Nur die Köchin schrie: Nein! Nein!

Sie wollte wegrennen. Nein! Nein! schrie sie.

Das ist noch nicht das Ende, sagte Halftan trocken, das Ende kommt jetzt. Damit wir Schulmeister eine Chance haben, darf nichts von Euch übrigbleiben. Geld ist nur eine Genugtuung, die andere ist: Tote. Ich brauche Beweise der Unschuld. Nur die Toten sind unschuldig, und nur Unschuldige verdienen zu sterben. Bachmann, den drei Alten je einmal Kopfschuß.

Halftan, schrie Bjoerk, er sah die Pistole auf sich gerichtet, Sie sind wahnsinnig!

Falsch, sagte Halftan, Sie sind's. Sie sind unverteidigt.

Bachmann feuerte einmal. Er traf Bjoerk in die Mitte der

Stirn. Er feuerte ein zweites Mal, da die Köchin seitwärts stand, zielte er auf die Schläfe.

Er durchquerte mit großen Schritten das Zimmer, stieß Gudrun weg und schoß der noch ohnmächtigen Frau von Elshoved eine Kugel durch den Kopf.

Ich habe noch zwei Kugeln, sagte Bachmann.

Nicht mehr nötig, Bachmann, noch nicht. So weit sehr gut. Er ging auf Thor zu, dieser stand wie gelähmt am Türrahmen. Er nahm den gelben Zettel aus der Tasche und las: VORSICHT, HALFTAN, IHRE STUNDEN SIND GEZÄHLT. Ein morbider Witz, die Wirklichkeit ist anders. Er zerriß den Zettel in kleine Teile. Das Seitengewehr, Bachmann. Bachmann gähnte und verdeckte mit der Rechten den Mund, mit der Linken nahm er sein Seitengewehr. Setzen Sie es an! Er zeigte auf eine Stelle am Hals oberhalb der Luftröhre. Bachmann setzte das Messer an, wo ihm befohlen wurde. Der Glanz des Stahls erinnerte ihn an das Carl-Erzmann-Teeservice. Schöne Sachen haben die damals gemacht, ging es ihm durch den Kopf. Heute findet man solche Arbeit selten. Der Kerzenleuchter seiner Gesellenprüfung kam ihm plötzlich hölzern vor. Eine grobe Schnitzerei.

Mund auf, Thor! Halftans Stimme kam von weit her. Bachmann sah weitaufgerissene Augen und eine rote Höhle, aus der eine Zunge wuchs. Die Zunge ist belegt, sagte sich Bachmann, ein Zeichen von Fieber. Er hat drei Goldplomben, Zahngold ist heute viel wert.

Halftan steckte Thor das Papier in den Mund. Runterschlukken! rief er. Thor schluckte, würgte und kaute, nach einigen Minuten war sein Mund leer.

Das ging schnell, dachte Bachmann, mir würde davon übel werden. Wie kann man nur Papier essen?

Halftan riß Thor das Hemd auf. Thor zeigte eine weiße, schmale und behaarte Brust. Der Kerl ist ein Stubenhocker, dachte Bachmann, so jung und ein Stubenhocker. Der Vater war kräftiger gebaut. Wie der Bruder wohl gebaut war? Am Gesicht läßt sich das nicht erkennen und jetzt schon gar nicht.

Lassen Sie mich! brüllte Thor, lassen Sie mich!

Aufschneiden, hörte man Halftans ruhige Stimme. Bachmann faßte Thor mit der Linken im Nacken und schnitt mit der Rechten vom Hals bis zum Unterleib. Er mußte sich schnell zur Seite stellen, denn, als hätte man einen Stein weggeschoben, sprang das Blut wie eine Quelle heraus. Ein Mensch ist voller Blut, wie ein Ballon voller Luft. Ballonplatzen das war immer lustig, es gab einen Knall, das war aufregend. Ein Mensch dagegen macht keinen Lärm. Thor röchelte und sank zusammen. Er hatte ihm ein kleines Stück durch die Luftröhre geschnitten. Bachmann gab mit der Linken langsam nach. Sonst schlägt sich der Arme noch den Kopf auf.

Den Magen öffnen, befahl Halftan. Er hielt die Hände in den Manteltaschen und ging wie ein General auf und ab. Bachmann konnte den Magen nicht finden. Halftan zeigte mit einem Finger. Nicht das, das ist die Leber, der Magen ist da oben.

Ach ja, richtig, Bachmann schnitt den Magen auf. Sehen Sie, sagte Halftan, diese gelben Dinger da, er hat das Papier gegessen, genau wie ich es prophezeit habe.

Thor versuchte zu sprechen, aber nur ein Gurgeln war zu hören. Ein Mensch von innen gesehen ist kein schöner Anblick, heil sehen die Leute viel besser aus. Was gurgelt der Kerl da bloß, es ist kein Wort zu verstehen.

Geben Sie ihm einen Hieb, Bachmann, damit er das Bewußtsein verliert, denn was jetzt kommt, wird weh tun. Bachmann schlug Thor die Faust in die Mitte der Stirn. Das Gurgeln verstummte sofort.

So, jetzt merkt er es nicht, aber Strafe muß sein. Halftan nahm eine tönerne Blumenvase vom Tisch, warf die Blumen raus und schlug mit der Vase auf den Sterbenden ein. Bachmann stand müde daneben und sah zu. Halftans Kraft erstaunte ihn. Sie sehen gar nicht so kräftig aus. Sie waren gewiß auch Sportlehrer, wie?

Halftan warf die Vase weg. Ich hätte einen Knüppel mitbringen sollen. Na ja, das genügt. Er gab dem Toten einige Fußtritte. So, Halftan richtete sich auf, Sportlehrer? Das nicht. Aber ich schwimme noch immer viel. Er sah zu Thor hinunter: Der wacht nicht mehr auf, schade, das Schönste versäumt er.

Nein, der wacht nicht mehr auf, fügte Bachmann hinzu. Der ist erledigt.

Bachmann, wir sind fast fertig, jetzt bleibt nur noch das Mädchen dort drüben. Gudrun! brüllte Halftan. Sie öffnete wirre Augen hinter verschränkten Armen, die sie vor dem Gesicht hielt. In der Schule warst du nicht die Beste, offen gesagt, hoffnungslos. Jetzt zeige mal, ob du etwas anderes kannst: Zieh dich aus! Gudrun stand auf und zog ein Kleidungsstück nach dem andern aus. Sie stand gegen die Wand gelehnt und lächelte.

Bist du noch unschuldig, ich meine Jungfrau?

Nein, sagte Gudrun laut.

Und hast du keine Angst? Er zeigte auf Bachmann, der dösend an der Tür gelehnt stand.

Nein, Herr Halftan. Sie können mich haben, und er kann mich erschießen oder umgekehrt. Sie lächelte weiter. Sie aber hätte ich lieber, wir kennen uns länger.

Halftan brach in ein Lachen aus, das ebenso plötzlich verstummte. Gut – sehr gut – fabelhaft. Und das da?

Er zeigte auf die Leichen.

Das habe ich mir schon oft gewünscht, sagte Gudrun, das Lächeln hing wie eine Maske über ihrem Mund, das habe ich schon oft geträumt. Jetzt ist es wahr.

Halftan begriff nichts. Sie hat wohl den Verstand verloren, sagte er sich.

Nicht einmal – hundertmal habe ich es mir so erträumt, wiederholte Gudrun. Ich habe meine Leute nicht geliebt. Wenn Sie die besser gekannt hätten ...

Halftan lächelte mit, ungläubig, die will mir was vormachen. Sie ist schlau. Meinst du das ernst?

Ganz ernst, Gudrun nickte mit dem Kopf, ganz ernst. Ich kann Ihnen nur danken, Herr Halftan.

Halftan wurde es kalt, es schüttelte ihn, er sah zu Bachmann hinüber. Der war stehend eingeschlafen. Die Unterlippe hing herab. Er zuckte einige Male im Schlaf, schnitt Gesichter, schnarchte durch die Nase, räusperte sich und schlief weiter. Halftan ging auf ihn zu, nahm ihm die Pistole aus der Tasche, prüfte nach, ob sie noch die beiden Kugeln enthielt, sicherte sie und steckte sie ein. Bachmann rutschte langsam zu Boden, stieß ziemlich unsanft auf, schlief aber weiter. Sein Kopf hing seitwärts.

Gudrun stand unbeweglich nach vorn gebeugt, bittend und einladend. Als Halftan ihr nahe kam, legte sie eine dünne Hand auf seinen Arm. Einen Augenblick sah er sie durchdringend an, dann streifte er die Hand ab. Die Lust war ihm vergangen. Die scheint sich nicht zu sträuben, verliert nicht den Verstand, im Gegenteil, will unter den Augen ihrer toten Eltern und Brüder Orgien feiern. Ihn ekelte davor. Er hatte es sich anders vorgestellt. Szenen, wilde hysterische Ausbrüche hatte er erwartet. Mit dieser Nüchternheit ließ sich nichts anfangen. Die kleinen, rosa Warzen auf den jungen Brüsten reizten ihn gar nicht, sie schienen ihm wie Zitzen ganz junger Hunde, das wenige Schamhaar war weder aufregend noch einladend – er war enttäuscht. Der schlafende Bachmann, die Leichen – das ganze machte ihn lächeln. Komisch, sagte er sich, komisch.

Gudrun blickte ihn unentwegt an, wenn sich ihre Blicke begegneten lächelte auch sie. Er fühlte eine Gemeinsamkeit mit ihr, ein Verzeihen und ein Verständnis, um das er nicht gebeten hatte, das er aber bereit war zu akzeptieren, wenn es sich ihm bot. Sie ist natürlich irrsinnig, wiederholte er sich, der Schock hat sie um den Verstand gebracht.

Zieh dich an, ich habe es mir überlegt. Während er ihr beim Anziehen zusah, erinnerte er sich: Vor neun Jahren war sie noch in meiner Klasse. Die kurzen blonden Zöpfe, die lebhaften blauen Augen, die schnippischen Antworten und die selbstbewußte, stolze Art, mit der sie ging und sprach. Damals habe ich es mir hundertmal gewünscht, mit Verlockung, mit Gewalt ... und jetzt, da ich nichts zu fürchten brauchte, weder Eltern noch Brüder, da ich sie umlegen könnte, will ich nicht mehr.

Es war Zeit zu gehen. Im Zimmer stand ein fauliger Geruch. Er rüttelte Bachmann wach. Dieser riß sofort die Augen auf, blickte geradeaus auf das sich ankleidende Mädchen, sah einen fremden, und doch bekannten Mann in grauem Wintermantel, der seinen Hut verwegen auf dem Hinterkopf trug. Sah sich um. Ein Kopf wuchs aus einer Tischplatte, als hätte sich der Mann durch das Holz gezwängt und wäre an der Erschöpfung gestorben. Da lagen Körper, wahrscheinlich Tote, unterm Tisch und neben umgefallenen Stühlen. Blumen auf dem Boden, und nicht weit davon, in einem kleinen Teich von Blut, eine Vase. Feuchte und rosa Flecken gab es an verschiedenen Stellen auf dem grauen Teppich, manche schwarz, als hätte jemand Wein verschüttet, Wein aus Blumenvasen. Jemandem ist sie aus der Hand gefallen. Feuchtigkeit, Schlamm. Er wollte es nicht probieren, aber er war sicher: Wer in einen der Flecken steigt, versinkt. Sie sind tiefer als man denkt, die Bretter des Fußbodens sind aufgeweicht, man fällt durch, bis unter das Fundament des Hauses. Ein bodenloser Schlamm. Alles wie damals. Eben stehen sie noch und plötzlich liegen sie da. Eben noch kaut einer, der andere spricht, und auf einmal rühren sie sich nicht mehr. Sie versanken alle, und was herausragte, wurde von Eisensplittern zerrissen.

Bachmann erhob sich. Woroschenko – alles wie früher. Das habe ich schon einmal gesehen, sagte er.

Gut, sagte Halftan, dann gaffen Sie nicht. Wir gehen. Er nahm den Koffer und öffnete Gudrun die Tür. Er folgte ihr, nahm einen Mantel vom Kleiderhaken und hing ihn ihr um. Er fand auch eine Pelzmütze und reichte sie ihr. Bachmann warf einen letzten Blick zurück. Seine Augen überflogen die Körper und die Unordnung; sie blieben am Carl-Erzmann-Teeservice haften. Das Silber glänzte stumpf. Die beiden Kundschafter aus dem gelobten Land mit Trauben auf einer Stange. Die Trauben waren wie Wellen, die beiden Kundschafter schritten federleicht aus. Er hätte sich gerne die Teekanne eingesteckt, keinem würde sie jetzt fehlen. Sie ist wirklich schön, wunderbar. Da werden sie alleine weiterwandern, und keiner wird sie sehen. Er wurde traurig. Aber Erziehung ist stärker als Gier. Er schloß die Tür, leise, um keinen zu wecken. Wiederum Leere und Enttäuschung, wie schon einmal vor fünf Tagen, als er die Von-Göritz-Kaserne verlassen mußte. Wieder war die Welt ausgestorben. Alles wiederholt sich, wie merkwürdig, gibt es denn gar nichts Neues? Am Ende des Pfades saßen wie Wachposten zwei kleine steinerne, mit Schnee bedeckte Löwen auf den Pfosten des Eingangs. Saßen mit offenen Augen auf den Hinterpfoten, blickten in die Nacht und schwiegen. Als er vorbeikam, bog er ein Knie und bekreuzigte sich. Hier sitzen wir beide, Halftan und ich, sind steinerne Tiere geworden. Schnee liegt auf uns.

Als der Weg in die Berge steiler wurde, sah er auf seiner Seite die zackigen Linien hoher Wälder, die schwarz einen schwarzen Himmel abgrenzten. Auf Halftans Seite fiel der Berg steil ab, lag die große dunkle Fläche unberührt. Die Wälder kamen auf sie zu und plötzlich fuhren sie durch ein Spalier von Stämmen, zwischen einer Art Doppelmauer hindurch, aus der es keinen Ausweg zu geben schien. Die Mauer wollte nicht enden, und Bachmann fürchtete das plötzliche Ende der Straße und zweitausend Meter tiefer einen See. Er war hellwach, wie einer, der nach drei Uhr früh seine Müdigkeit überstanden hat und jetzt nicht mehr einschlafen kann. Das Knirschen der Räder schmerzte ihn. Das Schweigen im Auto war wie ein ausklingendes Echo. Man hörte nur das Atmen. Auf der Hinterbank, unter einer Decke, lag Gudrun, vielleicht schlief sie, sie rührte sich jedenfalls nicht. Und jetzt, Bachmann, sagte Halftan unvermittelt, wollen wir die Bilanz ziehen. Die ganze Operation hat 35 Minuten gedauert, wenn wir einige Vorbereitungen hinzurechnen, kommen wir auf sieben Stunden. Das sind mehr als 7000 Kronen Stundenlohn, abzüglich Kosten. Wir haben viel erreicht und nichts verloren. Ein einziger Fehler wurde gemacht. Wir hätten auch den Schmuck mitnehmen sollen. Ich habe dies lange überlegt, dachte erst, daß der Schmuck bei einer Kontrolle auffallen könnte. Habe etwas vergessen, das Mädchen hinter uns, sie hätte ihn an sich nehmen können. Jetzt ist's zu spät, alles ist gut gegangen, und wir haben Glück gehabt. Sie besonders, Herr Bachmann, das wußten Sie gar nicht. (Er zog zwei Pistolen aus der Tasche.) Sie sehen, ich trage immer eine zweite Waffe bei mir, wenn Sie sich geweigert hätten, wären Sie jetzt tot. So ist es, mein Bester, die Vernünftigen bleiben, und die Dummen gehen drauf. Wissen Sie einen besseren Beweis für Ihre so vielgeliebte Vernunft, an deren Vorhandensein eine ganze Ärztekommission zweifelte? Sie haben immer instinktiv richtig gehandelt, wahrscheinlich auch damals in Woroschenko oder wie das heißt und heute auch. Was wollen Sie mehr?

Wohin fahren Sie mich? Ich muß schlafen.

Nicht nach Narvik, das wäre taktlos. Ihr Regiment liegt jetzt südlich von Narvik, an der gleichen Bahnstrecke.

Welches Regiment? Wovon sprechen Sie?

Sie wollten doch zu Ihrem Regiment oder in ein Spezialbataillon. Oder habe ich falsch verstanden?

Das eilt jetzt nicht, Herr Halftan.

Wie ich sehe, werden Sie jeden Augenblick vernünftiger. Ich habe es immer gesagt, und früher oder später wird Ihre Vernunft amtlich bestätigt. Denn Sie glauben ja erst, was Sie schwarz auf weiß sehen, ist's nicht so?

Ich wollte, Bachmann stotterte, ich wollte beweisen, daß ich, daß ich mich vor nichts fürchte. Ich habe vier Menschen umbringen können, ohne mit der Wimper zu zucken, ohne meinen Verstand zu verlieren – das war gut und notwendig. Nein, ich habe mich nicht gehen lassen, ich bin kühl und unberührt geblieben. Das ist die Hauptsache. Aber sobald ich das Haus verließ, fing es an. Bachmann fuhr sich übers Gesicht, als wolle er sich wärmen oder feststellen, ob er selbst noch zu den Lebenden zählt. Etwas fing da an, was, weiß ich nicht, kann ich nicht sagen, aber als ich die Tür hinter mir zumachte, hatte ich eine Vision.

Fabulieren Sie schon wieder, Bachmann?

Nein, nein – es hörte sich an, als spräche er im Schlaf, nein, Sie können mir nichts einreden. Ich habe etwas gesehen, kann's aber noch nicht sagen.

Was wir eben getrieben haben, Herr Bachmann, wollte ich schon immer gerne mal tun, es war ein alter Traum. In Friedenszeiten kam ich nie dazu, aber jetzt im Krieg ging es auf einmal. Es ergab sich von allein. Das ist das Gute am Krieg, man kommt zu sich selbst. Sie dürfen sich vor Menschen nicht fürchten, mein Lieber, Menschen sind auch nur aus Fleisch.

Wohin fahren Sie mich, Herr Halftan?

An die Front, lachte Halftan, Sie sind ein prima Schütze. Sie haben erstklassige Arbeit geleistet. Wenn ich es mir leisten könnte, hätte ich Sie auf ein paar Jahre engagiert. Aber solange dauert der Krieg nicht, und in Friedenszeiten sind Sie keinen Heller wert. Da werden Sie wie jeder andere. Ein Spießer.

Die Straße ging bergab, sie fuhren sehr schnell, und unerwartet hörte die Mauer der Stämme auf. Das Wetter hatte sich geändert, der Himmel war klar aber ohne Mond. Im Weiß lagen die Dächer einsamer Höfe verstreut, man sah einen Baum oder eine kleine Gruppe von Bäumen. Die Viehhütten schwammen wie Treibholz im Meer. Und immer wieder die Bögen der Hügel, die gebrochene Linie der Wipfel, eine monotone Wiederholung anwachsender und sich senkender Linien. Landschaft, Natur hatte auf Bachmann nur eine Wirkung: sie machte ihn schwermütig. Er wollte sie auslöschen, alles, was tot schien, aber nicht wirklich tot war, wollte er, vielleicht weil er sich betrogen fühlte, verschwinden lassen. Mit der Hand alles Gewellte glattstreichen, die Sterne, die vor den Fenstern hingen, wollte er zur Seite schieben und sich einen Weg hindurch bahnen. Den Schnee würde er am liebsten mit beiden Händen von den Bergen kratzen, irgendwo anders neu aufschichten oder ihn ins Meer fegen. Einfach wegfegen – ins Wasser damit! Er hätte gern jede einzelne Birke samt den Wurzeln ausgerissen, einen Strauß daraus gebunden und ihn in eine Vase gestellt. Er haßte Natur aus tiefstem Herzen, und noch nie hatte er sie so leidenschaftlich gehaßt. Er hatte Landschaften nie leiden mögen, schon als Kind mied er jeden Ausflug ins Freie, mit den Jahren hatte sich seine ganz merkwürdige Angst vor der Natur und sein Haß gegen alles Grüne gesteigert. An diesem Abend auf dem Rückweg von seinem Schlachtfeld tat ihm der Haß bis in die Knochen weh. Er schloß die Augen und sah sofort das einzige Stück Natur, das er liebte: einen Weihnachtsbaum. Kerzen und Tand, funkelnde Silberfäden und Goldsterne, bunte Kugeln und Süßigkeiten stimmten ihn fröhlich. Was willst du denn später werden, fragt die bucklige Tante Klärchen. Sie wiederholt die Frage, und er wiederholt seine Antwort, weil sie zur allgemeinen Heiterkeit beiträgt: Weihlachtsmann, sagte der viereinhalbjährige Gauthier, der bereits wie ein Zwölfjähriger aussieht. Ich möchte Weihlachtsmann werden. (Mit dem N stimmt es nie so richtig, er kann einfach kein N aussprechen und sagt immer L.) Du kannst dir ja jetzt schon einen Bart umhängen, und die winzige Tante nimmt ihn auf den Schoß, verschwindet völlig unter dem Kind, und alle brechen in Lachen, Wiehern und Husten aus. Du bist ja groß genug, Kleiner. Loch licht, hört sich Bachmann sagen. Er lächelte. Loch licht, loch licht, rief er laut.

Wie bitte?

Nichts, nichts, früher hatte ich Schwierigkeiten mit dem »N« – ich konnte es nie aussprechen und wollte Weihnachtsmann werden. Sie haben vielleicht Ihren Beruf verfehlt, aber Ihr Fach ist gar nicht so schlecht. Wer würde nicht gerne sein Leben lang mit Juwelen, Gold und Silber umgehen.

Ich bin Gold- und Silberschmied, Herr Halftan, für mich ist's Material, natürlich liebe ich es, aber alles hat seine Grenzen. Reden wir nicht davon, ich wollte plötzlich, daß Frieden wäre, dieser Krieg vorbei, dann könnte ich wieder anfangen. Ich muß noch meine Meisterprüfung machen.

Und trotzdem hätte ich sie mitnehmen sollen, seufzte Halftan, das war ein Fehler, dann bremste er plötzlich und stieg aus.

Bachmann wollte seine Beine strecken und stieg auch aus.

Willst du nicht aussteigen, rief Halftan in den Wagen. Gudrun rührte sich nicht. Die schläft, sagte er, dankt Gott, daß sie noch lebt. Was ich mit ihr anfange, weiß ich noch nicht, es wird mir schon etwas einfallen. Ich hätte sie gern mitgenommen.

Mitgenommen, wohin?

Das weiß ich auch noch nicht, bis jetzt war alles einfach. Jetzt wird es schwerer, Herr Bachmann! Irgendwo auf einem Ast sitzen hundert Schwalben, ihre Nester sind aus Silberdraht geflochten, statt der Eier haben sie Diamanten. Sie brüten sie aber nicht aus, sitzen auf einem Baum in der Nähe, warten ab, was geschieht. Aber nichts geschieht, nichts wird aus diesen glänzenden Eiern kriechen. Sie werden weder leben, noch verblassen. Der Himmel ist ein schmutziges Braun, die Sonne liegt flach, wie ein verlorenes Goldstück in den Feldern. Und plötzlich, es ist Mittag, ein blendender Blitz, ein Magnesiumlicht. In einem Augenblick ist jedes Lebewesen erloschen, in weißes Pulver zerfallen. Aber meine Schwalben sitzen noch immer schwarz auf den Ästen und warten, daß Schalen brechen, wo keine Schalen sind und Junge hervorkriechen, die es nicht gibt. Die Schwalben sind aus Porzellan. Den Baum hat man mit Teer auf die Straße gemalt. Deshalb. Verstehen Sie mich jetzt? Ich habe es vor zwölf Jahren genau so aufgeschrieben. Jetzt fällt's mir wieder ein. Verstehen Sie mich jetzt?

Kein Wort, sagte Bachmann, aber Sie sind mir, sehr gegen meinen Willen, noch immer sympathisch.

Halftan wurde böse: Vergessen Sie es, ich habe nichts gesagt.

Man sah nicht viel, denn die Sterne waren jetzt blasser, aber man spürte das weite, ungehemmte Land und einen Himmel, der sich bis ins Innere der Erde zu senken schien. Sie standen über einem Tal. Halftan war zwanzig Schritte vom Auto entfernt, hatte sich den Hut nach vorne geschoben und urinierte. Als stünde er an einem offenen Grab, in Andacht versunken, die Hände hielt er eng am Körper. Plötzlich schüttelte er sich wie ein Hund, der aus dem Wasser steigt, von den Hüften aufwärts und ging zum Auto. Er öffnete die Haube und kontrollierte den Stand des Kühlwassers. Das Urinierbedürfnis, bekanntlich ansteckend, griff auf Bachmann über. Die Gestalt des Riesen war ein Monument. Einsam und bestimmt stand er in der Landschaft, wie eine Christusstatue in den italienischen Alpen. Mit dem Vogel in der Hand sah er zu den Sternen auf. Ewigkeit, Ewigkeit, rauschte es nietzschehaft in ihm, wie groß du bist. Du, Sternenlicht, das sich ins All ergießt, (sein Bogen wurde immer kürzer). Himmel und Erde, Wolken und Raum, sagte Bachmann laut. Nicht so laut! rief Halftan. Erde und Himmel, dir gehöre ich, fügte Bachmann nachdrücklich hinzu. Der Strom versiegte, er schüttelte den letzten Tropfen aus dem Glied, vergaß aber, es verschwinden zu lassen. Er machte ein paar Schritte, als wolle er einen geeigneten Platz suchen, um Anlauf für einen Sprung auf den Mond zu nehmen. Halftan lehnte gegen die offene Haube, hielt die Zigarette im Mundwinkel und sah sich das an. Der hat einen schönen Wahnsinn. Der deutsche Riese, der mit dem Glied in der Hand durch den Schnee spazierte, beeindruckte ihn.

Er liebte die Deutschen und war von ihnen fasziniert. Als Norweger kam er sich daneben unscheinbar, provinziell und minderwertig vor. Alles beeindruckte ihn an Bachmann, selbst der Schatten, selbst die Tatsache, daß er Nietzsches Gedichte herunterleiern konnte. Er beneidete ihn, als sei es ein Leben lang sein innigster Wunsch gewesen, Gauthier Bachmann zu sein. Nur die Gewißheit des eigenen Genies, während der andere ein ausgewachsener Narr war, tröstete ihn. Und noch etwas störte Halftan: Seine eigene Gottesfurcht. Von dem ist anzunehmen, daß er keine Ahnung von Gottesfurcht hat, ein vorsintflutliches Ungeheuer, jenseits von Gut und Böse, ein zoologisches Neuland, der homo bachmannus. Die Idee gefiel ihm. Was ist ein homo bachmannus? Er hat den Körper eines Pferdes, die Intelligenz eines Schimpansen und das Gemüt einer Taube. Halftan gratulierte sich zu dieser Definition. So etwas überdauerte natürlich die Sintflut, es ist eine spezielle Gattung, stirbt nicht aus. Die ganze Welt wimmelt davon, und in der Arche muß diese Kreatur ein Unikum gewesen sein.

Wenn Sie es nicht bald wegstecken, friert es ein, lachte Halftan, das kommt bei uns oft vor. Bachmann machte sich die Hose zu. Ja, Herr Halftan, sagte er noch verträumt, die Ewigkeit ist groß. Die Welt ist weit und der Himmel endlos. Man muß seine Vernunft behalten. Man darf sich da nicht hinreißen lassen, der Mensch ist ja so unbedeutend – (Bachmann deutete ins Tal) im Vergleich dazu.

Kein Vergleich, das ist natürlich kein Vergleich, murmelte Halftan. Er schloß die Haube. Wir müssen weiter. Die Nacht dauert nicht ewig.

Sie stiegen ein. Das Bündel auf der Hinterbank rührte sich noch nicht. Ein schönes Geschöpf, sagte Halftan, wollte mich verführen. Grauenhaft. Glauben Sie an Gott, Bachmann?

Ja, gewiß, ich wurde so erzogen.

Ich frage nicht, wie Sie erzogen wurden, sondern ob Sie an ihn glauben.

Ja und nein, ich bin mir darüber nicht im klaren. Einerseits ja – aber andererseits nein. Genau das hatte Halftan erwartet. Sie glauben eben nicht, sagte Halftan. Es ist Ihnen im Grunde scheißegal.

Bachmann gefiel es nicht, als Atheist angesehen zu werden, denn Atheist riecht immer nach Sozialist. Nun, das möchte ich wieder nicht behaupten. Ich habe nur meine Zweifel, wie eben jeder.

Halftan war unerschütterlich. Das heißt: Sie glauben nicht. Ein Mann wie Sie kann sich keine Zweifel erlauben. Dazu sind Sie zu zart gebaut. Die Seele einer Taube. Jawohl. Er öffnete das Fenster und spuckte hinaus. Nach dem, was heute abend vorgefallen ist, ist es ganz klar. Sie sind zu schwach, um an Gott zu glauben. Sie sind überhaupt zu schwach. Schwach und zart wie ein Kind. Die Kleine dahinten ist stärker als Sie.

Ich? Wie ein Kind? Das wäre gelacht. Bachmann lachte aufrichtig und ungläubig.

Ich glaube an Gott und fürchte ihn und deshalb fürchte ich keinen Menschen. Deshalb kann ich befehlen, und Sie müssen gehorchen. Deshalb brauche ich mir nicht die Hände dreckig zu machen. Er räusperte sich ärgerlich. Pfui Teufel, Bachmann, Sie sind ein Ungeheuer.

Bachmann wurde übel. Sie haben mich verführt.

Nur ein Kind läßt sich verführen. Ich habe Sie gebraucht. Als Alibi. Hier würde keiner glauben, daß ein einfacher Landser dazu imstande wäre. Hier denkt man, so etwas kommt nur bei der SS oder den Quislings vor.

Bachmann stierte vor sich hin. Halftans Worte fuhren ihm spitz wie das Seitengewehr, wenn auch weniger blutig, ins Herz. Die Schneehügel tanzten ihm vor den Augen. Die Sterne zerfielen in Farben und Muster und kehrten in ihren alten Stand zurück. Ich bin wohl wahnsinnig? Die haben vielleicht doch recht gehabt.

Sie sind ganz abgefeimt, Herr Halftan, das wird mir klar.

Sie sind keineswegs wahnsinnig, sondern vernünftig. Sie sind ein vernünftiger Mensch. Sie haben Ihr Versprechen gehalten. Sie sagten selbst, Sie fühlen sich besser. Das ist klug, wenn man tut, was einem hilft. Die Berufungskommission wird zu Ihren Gunsten entscheiden. Sie werden sehen. Leider sind Sie die Angst noch nicht ganz losgeworden, aber auch das ist menschlich. Jeder hat Angst. Nennen Sie es Wahnsinn. Angst hat jeder, der an Gott zweifelt, Angst vor dem Sterben und Angst vor dem Nicht-Sterben. Und vor allem Angst vor der Schuld und der Strafe. Nennen Sie es Gewissen.

Aber die Leute waren unschuldig, stöhnte Bachmann.

Nun, das ist Unsinn. Im Krieg ist keiner unschuldig. Oder jeder. Unschuldig ist ein altmodischer Begriff. Heute ist man entweder für die eine Partei oder die andere. Aktiv oder passiv. Unschuldig ist keiner.

Sie verraten und ermorden Ihre eigenen Leute.

Nur verraten, ermorden tun andere für mich. Und es hat lange gedauert, bis ich dahinter kam, wie einfach und billig das ist. Ich bin eben ein Genie, wenn auch ein böses. Früher war ich ein sozialdemokratischer Schullehrer bei mittelmäßigem Gehalt. Als die Deutschen kamen, gingen mir die Augen auf. Und wie kamen sie? Durch überraschende Manöver. Weil sie wußten, daß wir unverteidigt waren. Nicht Herr Quisling, die Schwäche hat uns die Unabhängigkeit gekostet. Der Quislingverrat ist eine Legende, die Wahrheit ist, daß wir uns nicht wehren konnten. Und was einer deutschen Wehrmacht gelingt, gelingt jedem. Ich habe meine Lektion gelernt, seit vier Jahren geht es mir auch nicht schlecht. Bei uns reden die frommen Leute alles mögliche daher, wer auf sie hört, dem ergeht es übel. Sie sagen zum Beispiel: Der Geist ist stärker als das Fleisch. Die Gerechtigkeit Gottes wird siegen. Die Macht muß wie Schnee vor dem Frühling weichen. Es ist eine Geistesstörung, rein nordischer Unfug. Der Geist ist aus Panzerstahl und Schießpulver, der Geist ist Macht, und ohne Macht gibt es keinen Geist. Eine Demokratie, die sich nicht verteidigen kann, ist ein Hirngespinst.

Woroschenko, der Schlamm, 763 in drei Stunden, winselte Bachmann.

Und Angst, unterbrach ihn Halftan.

Eben stehen sie noch auf, und auf einmal sind sie weg.

Na und? Alles Angst.

Aber Angst ist ja menschlich, ich verstehe das nicht.

Deshalb sind Sie auch menschlich und haben die besudelten Hände und nicht ich. Alles ist menschlich, Kriege ganz besonders, und die Leute heute abend waren einfach Kriegsopfer.

Sie waren aber unschuldig, Bachmanns Hände schwitzten.

Das habe ich Ihnen bereits erklärt. Unschuldig ist keiner, und jeder, nicht nur ich, wird davon profitieren. Der Untergrund wird es Provokation nennen und seine Leute zum verschärften Widerstand anspornen. Für uns waren die Leute sowieso potentielles Feindmaterial, und man wird kein weiteres Aufhebens davon machen – nur ich persönlich bin erledigt.

Bachmann stierte vor sich hin, als sehe er Gespenster. Er sah hundert Gesichter, und sie alle lagen mit offenem Mund über Tischen, im Gras, auf Gehsteigen. Sie lagen tot wie Baumleichen, denen Granaten die Äste zerbrochen hatten, und statt Blut rann sumpfiges Wasser über die Straßenrinnen, formte Pfützen, wurde verschmiert, rann bis in die Herrentoilette am Bahnhof und dann zu den Gleisen. Am Bahnsteig gefror es zu Eis. Und ein spitzes Gesicht über einem Uniformspiegel stak aus dem Eis und sagte: Sie sind unzurechnungsfähig! Nerven aus Stahl. Man muß die Natur vergewaltigen. Gleich darauf lag er im Schlamm von Woroschenko, in dem eine ganze Armee versank, öffnete sich den Hosenschlitz und stieß sein Glied heftig hinein.

Hure, schrie es, ich fick dich zu Tode. Bis du aufbrichst und auseinanderfällst. Dann krieche ich hinein und hinauf zu dir. Von Innen werde ich dich zersprengen. Auf und nieder stieg das

Glied, Feuchtigkeit und Wärme liebkosten es. Aber es stieß auf nichts. Eine Tür war verrammelt, aber er drang gar nicht so weit durch. Du, du, seufzte es und es war auch ein Zischen und Glitschern, wie Steine, die in Tümpel fallen, ein Rauschen und Knallen wie Wasser, das ihm aus Stiefeln über den Kopf schlug und Ohren und Nasenlöcher füllte. Es rann zwischen Bäumen, niedrig wie Tischbeine waren die, und machte Flecken. Mehr Macht und mehr Kraft. Der Panzerstahl muß bersten und brechen, und ich werde endlich, endlich drinnen sein. Er lag tief unter den Wurzeln der Bäume, aus denen polierte Zweige wuchsen, und sein Mund war voll schwarzer Erde. Erstickend fuhr er auf und schrie Halftan an: Ich hätte Sie erschlagen müssen!

Das kann ich nicht beurteilen. Halftan warf seine Zigarette fort und öffnete sich den Kragen. Obwohl Eisblumen an den Fenstern wuchsen, war es im Wageninnern heiß.

Von der Hinterbank kam eine dünne Stimme: Herr Halftan, ich habe Hunger, wann essen wir?

Halftan griff in die Tasche, fand ein Stück Schokolade und reichte es nach hinten.

Ob wir heute noch essen, weiß ich nicht, aber morgen um so besser. Iß die Schokolade und denk an was anderes.

Ich probiere das die ganze Zeit, aber ich kann an nichts anderes denken. Ich möchte ein großes saftiges Beefsteak und Kartoffeln und Spargel und erst Suppe und danach frisches Obst und Käse. Ich habe Hunger.

Sei kein Kind.

Danach möchte ich ein warmes luxuriöses Hotelzimmer mit Bad, ein großes Marmorbad, zwei Stunden darin weichen, bis ich ganz süß und saftig bin. Und dann kommen Sie oder er oder Ihr beide, bis ich dran sterbe, so schön muß es sein. Aber ich möchte vielleicht nicht dran sterben, und es braucht auch nicht so schön sein, aber ich will zittern und mich auflösen. Du sollst mir in den Hals beißen, ich sage du, weil du mir gehörst, nur mir, aber er gehört mir auch, ich möchte an euch verbluten, aber ohne Schmerzen. Nein, ich möchte vielleicht doch nicht verbluten.

Ruhig, sagte Halftan, ruhig. Essen werden wir morgen, jetzt denke an etwas anderes. Und Sie denken nur an Umbringen, sagte er zu Bachmann. Bachmann drehte sich zu ihm. Das Gesicht dieses Fremden kam ihm immer bekannter vor, als hätte er es irgendwo gesehen. Es war ihm jetzt noch sympathischer.

Welche Gründe hatten Sie, Herr Halftan? Sagen Sie mir die Gründe.

Gründe? Erstens machte es mir Spaß; wenn Sie so wollen, so etwas wollte ich schon immer gerne tun. Zweitens ist Geld nicht zu verachten, und drittens gab es die politische Feindschaft. Wozu brauchen Sie Gründe? Das ist Ihre Sache. Sie brauchen mir nicht darauf zu antworten. Und noch eines. Wenn ich feige wäre und meinen Mut zu beweisen hätte, hätte ich es nicht so getan. Aber ich fürchte mich nur vor Gott. Er und ich sind nahe verwandt. Wir sind über Sünden und Tugenden erhaben. Sie aber sind ein Mensch oder etwas Ähnliches.

Eidechsen, sagte Bachmann dumpf, ich sehe Eidechsen in jedem Loch. Jeder für sich, jeder gegen jeden. Und überall Tod.

Überall Tod –, mag sein. Sie aber vergessen eines – zwischendurch gibt es auch Sonne und Fliegen, Spielen und viel Jagen.

Bachmann schwieg eine Weile, sah in das Dunkel und versuchte, sich zu konzentrieren. Noch heute nachmittag, bei diesem jungen Leutnant, wie hieß er noch mal, ach ja, Hupfenkar, blöder Name und sehr jung, dann kam ein Autobus und an die fünfzig Landser stiegen ein, und sie waren alle gut aufgelegt, gingen vielleicht zu einem Fest. Der Autobus fuhr weg und ich saß noch immer da, wie ein Schulkind, das den Ausflug versäumt hat – und dieser junge Kerl redet mir ins Gewissen. Ich soll doch kein Palaver machen – froh sein soll ich, das hat bis jetzt jeder gesagt – ich möge Gott danken. Die hassen ja alle, Soldat zu sein. Merkwürdig, ich hasse es nicht. Die gehören zusammen, haben eine Kameradschaft, und ich bin allein. Sie lachen zusammen, sterben zusammen – ich bin noch immer allein. Da kommt dieser Kerl her und sagt, er braucht mich. Bewundert mich, sagt mir, ich sei ein Mensch. Weiß gar nicht, daß ich ein Gaul bin. Ein Idiot, der sich schämt, der Sohn eines Bachmann zu sein. Ja, was weiß der schon, der kennt meine Leute ja nicht. Wir sind eine alte und angesehene Familie, Bachmanns gibt es in jeder Kreis- und Schulbehörde. Wir haben sogar einen Bischof in der Familie. Was weiß der Kerl schon. Ist ein dahergelaufener Schullehrer, vielleicht klug, aber ohne jede Tradition. Ein kleiner, unbedeutender Mann. Und so was fordert mich heraus! Als ob er wüßte, daß bei mir etwas aus dem Leim gegangen ist. Ich war ja nie hart, habe nur immer so ausgesehen. Weil ich so groß bin. Was kann ich dafür? Keiner meiner Vorväter war zimperlich. Die haben es alle zu etwas gebracht. Wenn die alle Gewissensbisse gehabt hätten – wie ich

– wo wären wir geblieben? Nur der nichts zu verlieren hat, kann es sich leisten, ein feiger Spießer zu sein. Das hat der Halftan gewußt.

Die Ahnen und Urahnen beengten ihn oder war es der kleine Wagen? Er versuchte, sich zu recken, stieß aber überall an. Er senkte den Kopf, nahm das Käppi ab und sprach wie ein Lamm zu seinem Hirten:

Mein Urahne, Cornelius Beekman, mußte seine beiden Vorgänger vergiften, ehe er Zunftmeister in Gent wurde. Seinen Söhnen Frederik und Janus, die vor der Reformation flohen, hätte man in Köln nicht das Asylrecht gewährt, wenn sie sich geweigert hätten, ihre Landsleute zu bespitzeln. Noch 1840 mußte ein Bachmann, ein Urgroßonkel, das Haus eines Goldschmieds niederbrennen, weil der Kerl eine Zinnlegierung statt Goldlöffel verkaufte und damit der ganzen Zunft schadete. Und, um der Wahrheit gerecht zu werden, nicht einmal meinen eigenen Vater hat das Schicksal verschont. Auch ihn hat es schwer geprüft. Stellen Sie sich vor, ein angesehener Mann, Zunftmeister und Stadtrat, er mußte im Auftrag der Regierung Fälschungen herstellen. Bis zu seinem Tod hat er sich das nicht verziehen. Es hat ihn tief erschüttert und nicht wenig zu seiner Krankheit beigetragen.

Es wurde immer ungemütlicher. Sein Vater schnarrte aus dem Grab: Halt's Maul, du Weihnachtsmann, aber Bachmann konnte nicht mehr aufhören: Die Legierung zerfällt bei mir, das Metall hat seinen Glanz und seine Härte eingebüßt. Ich habe noch mit keinem darüber gesprochen, aber ich verrate es Ihnen.

So, sagte Halftan, sehr schön. Die unterwürfige Stimme des Riesen, der aus so feiner Familie stammte, in der sie schon seit Generationen Dreckskerle waren, stimmte ihn zufrieden. Ironie des Schicksals – der hat heute die umgebracht, die seine Verwandten sein könnten. Das freute ihn doppelt. Die Wölfe fressen einander, frohlockte er. Das ist gut. In Halftan steckte der alte Sozialdemokrat aus den zwanziger Jahren.

Plötzlich rief Gudruns Stimme von hinten: Ich habe Hunger – ich sterbe vor Hunger!

Ruhig! rief ihr Halftan zu. Jetzt wird's erst interessant. Das ist ein Goldmensch, der sich in Papierfetzen auflöst. Neben dem Klassenkämpfer steckte in Halftan ein Goldsucher, und darunter ein Gold- und Juwelennarr. Ein wirklicher Liebhaber – der Schmuck wie einen Gott und Gott wie ein Juwel verehrte.

Bachmann fuhr ungehindert fort – denn die Beichte tat ihm,

den der rechte Glaube fast verlassen hatte, sehr wohl. Sie reinigte wie ein Klistier: Tief drinnen, unter dem Gold ist das Eisen im Begriff zu rosten. Luft und Wasser sind eingedrungen und haben es angefressen. Es fällt auseinander, bald löst sich alles in Luft auf. Es ist die umgekehrte Alchemie, bei mir wenigstens. Aus Gold wird Dreck und aus Dreck wird Schlamm. Weicher, tiefer, riechender Schlamm. Pfui – mir wird von mir selber schlecht. Ich rieche mich selbst.

So, sagte Halftan wieder, das ist interessant.

So darf das nicht weitergehen, Herr Halftan. Wohin soll das sonst führen? Irgend etwas muß mit mir geschehen – oder ich verwese. Ich muß hart wie Stahl werden. Hart. Hart. Er wiederholte das Wort »hart« einige Male und knirschte mit den Zähnen. Hart sein ist die einzige Antwort. Und kühl die Vernunft wahren. Darauf kommt es an. Ich weiß es ja. Es ist bloß so schwer. Man darf den Verstand nicht verlieren – muß schlicht man selber bleiben.

Er seufzte, fuhr sich durch das dünne Haar, das ihm wie gelbe Flaumfedern aus dem Schädel wuchs und ihm jetzt auf der Kopfhaut klebte. Er setzte sein Käppi wieder auf.

Mehr hatte er nicht zu beichten.

Wir sind bald da, verkündete Halftan, jetzt dauert's nicht mehr lange. Dann fahren Sie zurück, woher Sie gekommen sind.

Ich fahre nach Honnef, sagte Bachmann und sah fröhlich drein. Ich habe ein Mädchen. Sie singt wie eine Nachtigall, so wird sie auch genannt. Sie ist fast so groß wie ich. Sie weiß gar nicht, wie sehr ich sie liebe.

Na sehen Sie, Bachmann, das Leben ist gar nicht so traurig. Plötzlich lachte Halftan vor sich hin und blickte dann auf dieses deutsche Wesen. Bachmann lachte mit.

Ich sage schießen, und Sie schießen, lachte Halftan.

Ich sage aufschneiden, und Sie, Sie schneiden den armen Kerl auf. Ich sage betäuben, und Sie erschlagen ihn fast. Er bog sich vor Lachen. Sie sind eine Nummer. Sie haben sich schön hereinlegen lassen, ha – ha – ha! Er schneuzte sich und wischte sich die Tränen weg. Herrgott, was gibt es heut für Wahnsinnige! Und alles das für ein paar Komplimente! Er öffnete das Fenster, öffnete mit der anderen Hand den Koffer, er nahm eine Handvoll Banknoten und warf sie hinaus. Das Papier flatterte neben den Scheiben her und fiel in den Schnee oder wehte weg.

Papier, lauter Papier, lachte Halftan, nichts, gar nichts wert.

Man kann sich nichts dafür kaufen (er ließ die Scheine durch seine Finger fallen), dann nahm er mit einer Hand den Koffer, schüttete den Rest aus dem Fenster, klopfte mit dem Koffer gegen die Wagentür und warf den Koffer weg.

So, sagte er, das soll Ihnen beweisen, daß mir Geld nichts, gar nichts bedeutet.

Er bremste plötzlich, als hätte er auf dem Weg eine Schranke gesehen und sprang hinaus.

Herr Halftan, rief Gudrun, lassen Sie mich nicht allein. Auch Bachmann stieg aus, wollte wissen, was es hier gab. Halftan rannte fünfzig Schritte in ein Feld, der Schnee lag nicht sehr tief an dieser Stelle.

Als Gudrun merkte, daß sie allein im Wagen war, streifte sie ängstlich die Decke ab und rannte hinter Halftan her. Lassen Sie mich nicht allein, ich habe Angst.

Bachmann wollte ihnen erst nachlaufen, dann überlegte er es sich. Sein ganzes Geld wegwerfen, er ist wahnsinnig!

Fünfzig Schritte vom Straßenrand entfernt sah er, wie Halftan niederkniet, er hörte ihn schreien: Du, großer leuchtender Gott, nicht im Himmel, hier gleich über mir stehst du. Du glänzt wie noch nie – für mich hast du alle Juwelen angelegt. Komm tiefer, tiefer.

Halftan bückte sich und rief »tiefer – tiefer«. Plötzlich streckte er seinen Arm aus und ballte die Hand zur Faust. Jetzt habe ich dich. Hierher, Gudrun, hierher. Gudrun stand bereits hinter ihm, wie ein Schatten. Bück dich, bück dich – hier neben mir. Gudrun ging in die Knie. Halftan riß sie herunter. Er bleibt nicht lange, Gudrun. Jeden Augenblick kann er sich verziehen. Wollen wir ihn verscheuchen und sehen, ob es uns noch einmal gelingt. Er hielt plötzlich eine Pistole in der Hand, setzte sie Gudrun an die Schläfe und drückte ab.

Nichts ist geschehen, kam es erstaunt, ein Knall und aus. Er aber ist noch immer da. Er kroch auf den Knien zu einer anderen Stelle, mit der Rechten hielt er die Pistole. Wir müssen es noch einmal probieren – vielleicht geht's jetzt. Es knallte wieder. Halftans Oberkörper fiel nach vorn.

Was hat er jetzt getrieben?

Bachmann entschloß sich nachzusehen. Er richtete Halftan auf. Wie schwarzes Wasser rann es ihm die rechte Wange hinab. Er war tot.

Bachmann ging zum Auto, zuckte die Achseln und versuchte, die Schaltung zu finden. Er fand Zigaretten, roch daran und warf sie aus dem Fenster. Er gab Vollgas, nach ungefähr einem Kilometer ging die Straße abwärts, und man konnte die Lichter einer Ortschaft sehen. Die ersten Wegweiser und etwas weiter Schilder mit Straßennamen. Es ging immer weiter abwärts. Hinter ihm wurde es hell. Er roch das Meer. Graue Streifen legten sich wie dünne Fladen über die Dächer. Auch in Bachmann wurde etwas hell, als er ganz allein den fremden Wagen durch enge Gassen steuerte. Meine Eigensinnigkeit ist Wahn, ging es ihm durch den Kopf. Alles war falsch. Ich bin ein Narr. Ich sollte froh sein, daß ich die Uniform loswerde, statt dessen streite ich mich darum, sie zu behalten. Helga. Ich nehme sie mit nach Duisburg und stell sie der Mutter vor. Die wird Augen machen. Von mir hat keiner erwartet, daß ich imstande bin zu heiraten. Ehe. Tagtägliche Pflichten. Kinder. Alles liegt auf seinem Platz. Ordnung. Und Bekannte. Und Beruf. Wenn ich mal die Meisterprüfung in der Tasche habe, können sie mich alle. Die werden staunen – das hätten sie nicht von mir gedacht.

Inmitten seiner Tagträumereien fiel ihm die Berufungskommission ein, Helga hatte alle Beziehungen angeknüpft. Ich muß jetzt hingehen. Sie wird alles für mich tun. Sie kennt ja jeden. Ich kann sie da nicht einfach im Stich lassen. Da muß ich halt hingehen. Denen werde ich aber was vorspielen. Jede Einzelheit werde ich ihnen berichten – wenn die dann nicht an meinem Verstand zweifeln, dann ist bei *denen* eine Schraube los. Wenn aber die Polizei je nach mir fragen sollte, dann, dann sage ich ihnen, ich habe unter Hypnose gehandelt – außerdem war ich ja auf Krankenurlaub. Bachmann lächelte. Ich bleibe krank. Vorläufig. Krank sein ist das beste. Ich bin ja geistesgestört. Er lachte. Ich werde abgemustert. Hurra! Sollen sich andere das Genick brechen. Ich bin ein freier Mann.

Alles klärte sich in Bachmann auf, das Tageslicht half ihm dabei. Nur eines blieb: Die Schuld.

Ja, das ist schlimm, wiederholte er sich, das ist schlimm. Vier Leute umgebracht. Das ist nicht gut. Wären sie bloß bewaffnet gewesen, wäre das nicht geschehen, Halftan hat doch nicht ganz unrecht gehabt. Die Feigheit und Angst der Opfer soll ich jetzt auf mich nehmen? Ich denke gar nicht dran. Nicht dran denken – am besten man denkt nicht dran.

Als Bachmann den Bahnhof sehen konnte, ließ er den Wagen stehen. Er stieg aus, nahm sich den Tornister, setzte sich das Käppi zurecht und ging auf das Gebäude zu. SOERSUND stand dort mit großen Buchstaben. Einige Augenblicke stand er unschlüssig im Schnee. Dann ging er hinein und fand, ohne daß ihm jemand den Weg gezeigt hätte, einen geheizten Wartesaal. Er ging einfach dem Schnarchen nach. Im Wartesaal lagen Soldaten und Mädchen, Zivilisten und Kinder über- und durcheinander. Er fand aber, nicht weit von der Heizung, einen Meter freien Fußboden. Er legte seinen Tornister unter den Kopf und schlief sofort ein.

Draußen wurde es Tag, und die ersten Möwen strichen nieder. Am Ende des Bahnsteigs 1 hielt sich ein betrunkener Matrose mit einer Hand an der Toilettenklinke fest und suchte mit der anderen nach einem Halt in der Luft – er erbrach sich. Man hörte Klirren von Metall. Ein Pfeifen und Zischen. Ein paar hundert Meter unterhalb des Bahnhofs wurde rangiert. Vom Meer flogen die ersten englischen Bomber an.

Der Matrose verlor, nachdem er vergeblich die Luft abgetastet hatte, seinen Halt und fiel. Sein Kopf ragte über die Rampe heraus.

Peter Weiss
Das Gespräch der drei Gehenden

Es waren Männer die nur gingen gingen gingen. Sie waren groß, sie waren bärtig, sie trugen Ledermützen und lange Regenmäntel, sie nannten sich Abel, Babel und Cabel, und während sie gingen sprachen sie miteinander. Sie gingen und sahen sich um und sahen was sich zeigte, und sie sprachen darüber und über anderes was sich früher gezeigt hatte. Wenn einer sprach schwiegen die beiden andern und hörten zu oder sahen sich um und hörten auf anderes, und wenn der eine zuende gesprochen hatte, sprach der zweite, und dann der dritte, und die beiden andern hörten zu oder dachten an anderes. Sie gingen mit festen Schuhen, doch ohne Gepäck, trugen bei sich nur was in den Taschen der Kleidungsstücke lag, was mit schnellem Griff gezeigt und wieder verwahrt werden konnte. Da sie einander ähnlich waren wurden sie von den Passanten für Brüder gehalten, sie waren aber keine Brüder, waren nur Männer die gingen gingen gingen, nachdem sie einander zufällig begegnet waren, Abel und Babel, und dann Abel und Babel Cabel. Abel und Babel waren einander auf der Brücke begegnet, Babel, der Abel entgegenkam, hatte sich umgedreht und Abel angeschlossen, und im Park war Cabel zu ihnen gestoßen und hatte sich ihnen angeschlossen, und seitdem gingen gingen gingen sie nebeneinander her.

Ich glaube, diese Brücke ist neu, ich habe sie vorher nie gesehen, sie muß über Nacht erbaut worden sein, eine schwierige Arbeit, die lange Vorbereitungen und einen großen Aufwand an Kräften fordert. Pontons wurden angeschleppt und Kähne mit Bohlen, die Pontons wurden verankert, die Bohlen ausgelegt und festgeschraubt, nach sorgfältigen Berechnungen und mit Hilfe einer ausgewählten Mannschaft. Baumeister, Ingenieure, Werkleute, Mitglieder der Stadtverwaltung wußten schon seit Monaten von der Brücke, als die Leute noch von den freien Ufern einander zuriefen. Ruderboote fuhren damals hin und her durch die Stromschnellen, auch eine flache offene Fähre. Bin oft mit der Fähre gefahren, eine Weile des Stillstehns und trotzdem ein Weiterkommen, im blauen Wasser, unter Wolken und Möwen. Der Motor der Fähre puffte, die Vibrationen drangen vom Bootsdeck in die Schuhsohlen, die Beine hinauf, in den Körper, wie bei einem schnellen regelmäßigen Gehen. Das Gesicht des Fährmanns war von glänzenden weißen Stoppeln bedeckt, die Haut war dunkel gebräunt und von tiefen Rissen und Furchen durchzogen. Er wohnte in einem Schuppen drüben am Ufer, neben dem Pfahl, an dem die Fähre vertäut lag. Während der Überfahrten sprach ich mit ihm, seine Worte waren undeutlich, weil er immer eine Pfeife zwischen den Zähnen hielt, eine kurze stämmige Pfeife, mit Draht und Isolierband geflickt. Bei unserm letzten Gespräch schien er von der geplanten Brücke noch nichts zu wissen. Wenn ich ihn recht verstand, so sah er eine lange Zukunft vor sich auf seiner stampfenden, die Wellen durchschneidenden Fähre, in der blauen Luft, im Wind und im Regen, und viele Nächte in seinem Schuppen, mit dem Blick durch das Fenster auf den Pfahl mit dem straffgespannten Tau. Es ist möglich, daß er die Fähre selbst in jungen Jahren gebaut hatte, nicht allein, sondern mit Hilfe anderer Bootsbauer, vielleicht war er nur Handlanger, jedenfalls wußte er, aus wieviel Brettern die Fähre zusammengefügt worden war, und wieviel Spanten und Bolzen zu ihrer Fertigstellung nötig waren. Sie war seitdem oft ausgebessert und geteert worden, Wasser sickerte trotzdem ständig ein, jeden Morgen mußte er pumpen. Wenn die Turmuhr vom Schloß eine volle Stunde schlug fuhr er vom Ufer, an dem sein Schuppen lag, zum andern Ufer hinüber, gleichgültig ob Fahrgäste eingestiegen waren oder nicht, ob Fahrgäste am gegenüberliegenden Ufer warteten oder nicht. Vom gegenüberliegenden Ufer kehrte er gleich zurück, und kamen Leute noch von fern gelaufen, so wartete er nicht, er wartete nur an seinem Standort, und die Leute drüben mochten rufen und pfeifen soviel sie wollten, er kam erst als die Stunde wieder voll war.

Gestern fuhr ich noch auf der Fähre, und der Fährmann erzählte mir von seinen Söhnen, er hatte sechs Söhne, morgens, als ich hinüberfuhr, erzählte er mir von drei Söhnen, und abends, als ich zurückfuhr, erzählte er mir von drei andern. Der erste Sohn war klein und rund, ich weiß nicht, ob es der älteste war, jedenfalls war es der erste, den er erwähnte. Er hatte rote Backen und rotes Haar, kurze feiste Arme und aufgeblähte Händchen. Den Mund hielt er offen, er hatte sehr kleine scharfe Zähne und eine spitze Zunge, seine Nase war aufgestülpt, und wenn es regnete, regnete es ihm in alle Öffnungen des Gesichts. Der zweite Sohn war lang und dünn, seine Augen lagen tief in den Höhlen, sein

Schädel war kahl, die Schläfen eingesunken. Er hatte nur einen Arm, den andern hatte der kalte Brand gefressen. Mit seiner übriggebliebenen Hand war er jedoch vielen, die noch beide Hände besaßen, im Skatspiel, vielleicht auch im Klavierspiel, überlegen. Der dritte Sohn war von riesenhaftem Wuchs, er trug einen gesträubten Schnurrbart und borstiges Haar, seine Brust war tätowiert und konnte, wenn er sie dehnte, eine eiserne Kette sprengen. Seine Arme waren voller Narben, denn er durchstieß sie mit Nadeln und Messern, und sein Schlund und seine Magengrube waren gegerbt von Schwertern, die er hineinsteckte und herauszog. Der vierte Sohn schien der Beschreibung nach älter zu sein als der Fährmann, was damit erklärt werden konnte, daß er ein Stiefsohn war, den seine Frau in die Ehe mitführte. Dieser Sohn hatte keine Zähne und bewegte sich nur mühsam an Krücken. Wenn er überhaupt Worte hervorbrachte dann stotterte er, und niemand hatte Geduld, ihn anzuhören. Er machte sich jedoch ständig bemerkbar indem er mit der Krücke auf den Tisch schlug oder, wenn man ihn in der Dachkammer eingeschlossen hatte, auf den Boden klopfte. Der fünfte Sohn war der Liebling aller. Auch er war dick, viel dicker als der erste Sohn. Er war so dick, daß er sich kaum bewegen konnte, er verbrachte seine Zeit liegend, auf dem Sofa, auf dem Fußboden, im Bett, wo überall große Kissen für ihn bereitlagen. Dem Fährmann tränten die Augen als er von diesem Sohn sprach. Er sagte, wenn ich ihn nicht mißverstand, daß er ihm jeden Tag etwas mitbrachte wenn er von der Arbeit nachhause kam. Er wohnte damals mit seiner Familie noch in einem größeren Haus auf der Anhöhe über dem Ufer, dort wo jetzt das Telegrafenamt liegt. Er kam mit einem Fisch, einer Kirsche, einer Schnecke, einem Blumenkohl, immer mit einer Abwechslung, die er beim Eintreten mit der Hand hinterm Rücken versteckte, während der Sohn, als er draußen die Schritte hörte, ungeduldig fragte, was er ihm heute mitgebracht habe. Was hast du mir heut mitgebracht, was hast du mir heut Schönes mitgebracht, rief der Fährmann mit weinerlich verstellter Stimme, und es war einer der seltenen Augenblicke, in denen er die Pfeife aus dem Mund nahm. Auf Zehenspitzen ging der Fährmann an das Lager seines Sohnes heran, indem er ihn aufforderte, zu raten, und weil der Sohn immer falsch riet, war die Überraschung immer groß, und dann bereitete er das Geschenk eigenhändig am Herd oder am Anrichtetisch zu und servierte es ihm auf einem besonderen Teller, auf dessen Boden ein Zwerg mit einer roten Zipfelmütze abgebildet war. Natürlich war dieser Leckerbissen nur eine Beigabe, denn die Mutter hatte das Hauptgericht schon gekocht und gewürzt, doch ehe alle an das Verzehren der Mahlzeit gingen, sahen sie dem eingebetteten Sohn zu, mit Kopfnicken und ermunterndem Lachen, wie er sein Vorgericht verzehrte. Nur der sechste Sohn sah nicht zu, er mußte oft von den andern Brüdern mit Gewalt zurückgehalten werden, weil er sich mit einem Messer auf den Dicken stürzen wollte. Das Gesicht des sechsten Sohnes war von großer wenn auch von Pocken zerfressener Schönheit. Er hatte langes seidiges schwarzes Haar, das ihm bis über die Schultern hing. Er trug einen goldenen Ring im linken Ohr und ein paar billigere Ringe an den Fingern. Auf seine Kleider achtete er nicht, sie hingen ihm in Fetzen um den Leib, und überall leuchtete die gelbe Haut hindurch. Dieser Sohn schlief nie im Haus, sondern in einer Kiste draußen im Hof, die er mit Stacheldraht umspannt hatte. Auch er war groß, ging aber gebückt und schleichend, barfuß, oder in zerlumpten Fußlappen. Der Fährmann nannte mir auch Namen, vielleicht waren dies Namen der Söhne, und so hieß der erste Jam, der zweite Jem, der dritte Jim, der vierte Jom, der fünfte Jum, der sechste Jym.

Ich habe den Fährmann einmal besucht, als er noch im Haus auf den Uferhöhen wohnte, wenn ihr euch erinnert, so lagen früher Lauben, Fischerhäuser, Scheunen und Ställe auf den Hügeln, mit Höfen und Viehweiden, auch einem Gehölz. Drüben wohnten damals Kleinsiedler, hatten Ziegen, Hühner, Schweine, und als Kinder fuhren wir sonntags manchmal von der Innenstadt auf der Fähre hinüber und schnitten uns Ruten aus den Haselsträuchern, während meine Eltern, die Mutter mit dem Sonnenschirm, der Vater mit seinem Spazierstock aus Bambus, auf den Feldwegen gingen. Obgleich das Ufer zur Stadt gehörte waren wir dort wie auf dem Lande, Heuwagen kamen von den Feldern und auf einer Wiese grasten Kühe, langsam nebeneinander hergehend, immer der Richtung des Sonnenuntergangs entgegengewandt, abends sich in einer gemeinsamen Bewegung hinlegend, parallel zueinander. Ich machte mir Gedanken darüber, warum sie immer die gleiche Richtung einhielten und ich kam darauf, daß dies einer natürlichen Ökonomie entsprach, in einer Reihe grasten sie das Feld in seiner ganzen Breite ab, und ließen kein Büschel übrig, und wenn sie den äußersten Rand des Feldes erreicht hatten, war das Gras hinter ihnen wieder aufgewachsen, und der Fährmann, der die Kühe besaß, trieb sie zu einem neuen Beginnen, das für die Kühe nur ein Fortsetzen war, zurück.

Hier hinter dem Güterbahnhof, auf diesem Platz, zwischen den hohen Fabrikgebäuden, hier lag ich einmal, hinter den Buchsbaumsträuchern in der Anlage, am Gitter zum Eisenbahngelände. Ich war hierher geraten, nachdem ich bestimmte Aufgaben im Zusammenhang mit Frau und Kind nicht lösen konnte. Ich weiß nicht, wie lange ich mich um die Lösung bemühte, ob ich die Lösung nicht von Anfang an für ausgeschlossen hielt und nur so tat, als ließe sich damit rechnen. Jedenfalls beschäftigte ich mich lange damit, das Kind hatte schon sprechen gelernt als ich an diesem Abend hinauslief. Der Lösungsversuch, oder zumindest der vorgegebene Lösungsversuch, machte sich fast bei jeder Handhabung in der Wohnung geltend. Ich ergriff einen Teller, meine Frau fragte, warum gerade diesen Teller. Ich erklärte, indem ich den Teller zwischen Daumen und Zeigefinger hochhielt, daß mir der Teller zu dem Zweck, den ich ausersehen hatte, zu passen schien. Zu welchem Zweck, fragte sie. Meine Antwort war zum Beispiel, zum Zweck des Aufnehmens des Gerichts, das ich zu kochen gedachte. Was für ein Gericht, fragte meine Frau. Zum Beispiel Nudeln. Oder Grütze, oder Bohnen. Der Teller schien ihr zu klein dafür. Oder, wenn gebackene Käseschnitten beabsichtigt waren, oder Pflaumenklöße, zu groß. Ich erwog, daß man, wenn der Teller zu klein wäre, sich mehrmals von der Mahlzeit aufladen konnte, oder daß man, wenn der Teller zu groß wäre, ihn nicht vollzuladen brauchte. Sie hielt dies für unnötig und machte mich darauf aufmerksam, daß gerade die Vielfalt der Teller, die sie als Mitgift erhalten hatte, dazu da sei, daß man jeweils den passenden Teller wählen könne. Mit vereinten Kräften suchten wir andere Teller aus den hohen Porzellanstößen, mit denen der Schrank angefüllt war, hervor, wobei Tellertürme abgehoben und wieder aufeinandergestellt werden mußten, unter Vorsichtsmaßnahmen, daß uns das Kind nicht in die abgeladenen Haufen hineinliefe. Ich sagte zu meiner Frau, bleib du bei deiner Maschine, tu du deine Arbeit, ich tue meine, doch sie sagte, daß ich ja selbst sehen könne, wie weit ich es mit meiner Arbeit brächte. Wenn ich sagte, es ist besser, du nähst die bestellten Nachthemden noch fertig und läßt mich allein den Tisch decken, sagte sie, wieviel ihr daran läge, daß wir diesmal von den Tellern mit den blauen Würfeln an der Kante äßen, und daß sie ohnedies noch bis spät in die Nacht hinein Hemden und Blusen nähen müsse. In dem Schrank lagen auch unsere Handtücher, Tischtücher und Bettlaken, und da sie teilweise das Geschirr verdeckten, mußten sie aus den Fächern getragen und, da sie auf dem Fußboden staubig werden konnten, auf dem Bett abgelegt werden. Ich nahm ein Glas heraus. Die Gläser standen dicht nebeneinander im obersten Fach, und ich mußte, um zwischen ihnen zu wählen, auf einen Stuhl steigen. Wir hatten zahlreiche Arten von Gläsern, wie überhaupt der Inhalt des Schranks unsern Reichtum ausmachte, alles übrige war nicht der Rede wert. Hatte ich ein Glas für mich und ein Glas für meine Frau herausgenommen, und ein drittes Glas, das dem Kind angemessen war, und die Gläser auf den Tisch gestellt, zu den Tellern, auf die wir uns geeinigt hatten, fragte sie, warum ich gerade diese Gläser ausgesucht habe. Ich erklärte ihr, daß ich der Ansicht sei, Form und Rauminhalt der betreffenden Gläser entsprächen dem Getränk, das ich zur Mahlzeit einzuschenken beabsichtige. Was für ein Getränk, fragte sie. Zum Beispiel Wasser, oder Bier. Diese Gläser seien für Wein berechnet, antwortete sie. Und so stiegen wir, indem wir noch einen zweiten Stuhl heranrückten, zum Schrank hinauf. Ich stellte die herausgenommenen Gläser wieder in das Fach und nahm die Gläser entgegen, die meine Frau bevorzugte, während das Kind unter die Stühle kroch und von mir, beim Herabsteigen, auf die Hand getreten wurde. Die Pflege der Hand führte zu zahlreichen Meinungsverschiedenheiten. Ich wollte die Hand waschen, meine Frau fand das Waschen in diesem Fall schädlich. Ich kam mit einem Pflaster, meine Frau fand in diesem Fall einen Verband geeigneter. Ich umwickelte die Hand mit dem Verband, er mußte jedoch wieder aufgewickelt werden, da ich ihn zu fest geschnürt hatte. Unterdessen war das Gericht, das ich im Topf oder in der Pfanne hatte, zerkocht, oder angebrannt, es fiel mir immer schwer, die genauen Koch- oder Bratzeiten einzuhalten, und meine Frau fragte mich, ob sie das Kochen und Braten auch noch übernehmen müsse. An diesem Punkt wurden die Erörterungen schon schwieriger und konnten nicht in einem Für und Wider, in dem der Standpunkt meiner Frau schließlich siegte, ausgetragen werden. Ich hatte das Kochen, Tischdecken, Abwaschen, Reinemachen und die Kinderpflege übernommen, da meine Frau uns mit der Arbeit an der Nähmaschine versorgte. Wenn sich ab und zu eine Viertelstunde ergab, in der das Kind eingeschlafen war und in der keine drängende Verrichtung vor der Hand lag, widmete ich mich einer anderen Beschäftigung, ich setzte mich an den Tisch, das heißt, wenn der Tisch frei war, und nicht mit Kleidungsstücken, die genäht wurden, vollag, und nahm mir meine Papiere vor, auf denen ich die Notizen zu meiner wissenschaftlichen Arbeit verzeichnet hatte. Ich versuchte zu lesen was ich aufgeschrieben hatte, und mich zu erinnern was ich mit dem Aufgeschriebenen sagen wollte. Kaum saß ich still, über die Papiere gebeugt, das Gesicht in die Hand gestützt, die Stirn gerunzelt, wandte sich meine Frau nach mir um. Sie hatte einen Faden im Mund und ihre Füße traten weiter auf die Schwungplatte unter der Maschine, sie nickte mir zu und fragte wie weit ich gekommen sei. Ich konnte nicht umhin, in ihrer Frage einen Ton von Verachtung zu hören und ich antwortete, daß ich schon weiter gekommen wäre, wenn ich die Ruhe und die Muße dazu hätte, und sie nickte wieder und sagte, den Faden zwischen den Lippen, daß wir dann die Ruhe und die Muße zum Verhungern hätten. Da sie recht hatte, konnte ich darauf nichts antworten, und die Viertelstunde verging, ohne daß ich den Sinn des Geschriebenen erfaßt, geschweige denn etwas Neues geschrieben hätte. Schließlich saß ich nur noch zurückgelehnt, sah mir die Decke und die Wände des Zimmers an, unser Bett, das Kinderbett, den Rücken meiner Frau, die Stoffstücke die über den Stuhllehnen hingen, den rundbrüstigen Torso der Kleiderpuppe, den Schrank, diesen riesigen Klotz von einem Schrank, der ein Drittel des Zimmers einnahm, die Küchennische, die Tür zum Waschzimmer, die Tür zum Flur, das Fenster, hinter dem nur eine Fassade mit anderen Fenstern zu sehen war. Wenn ich nicht schrieb so hatte ich doch mit meiner Pfeife zu tun, ich kratzte die Asche aus, grub die verölten Tabaksreste aus dem Pfeifenkopf hervor, drehte das Mundstück ab, reinigte die Rauchgänge von Nikotinablagerungen, schob die Pfeife wieder zusammen, stopfte sie, zündete sie an, ließ den Rauch hervorpaffen, während die Nadel an der Nähmaschine rasend in das Tuch stach, meine Frau sich vorbeugte, den Faden abbiß, das Tuch in eine neue Lage drehte und sich dann, durch die Stille am Tisch mißtrauisch geworden, umwandte, wobei ihre Füße jedoch weitertrampelten. Sie sagte, daß ich mit der Asche und den Tabakresten alles beschmutze. Ich antwortete, daß ein Aschenbecher die Abfälle aufnehme. Sie sagte, daß mein Rauchen dem Kind schade. Hinter ihrer Kritik lagen komplizierte Gedankengänge, denn sie meinte nicht nur das Rauchen, sie sah im Rauchen nur einen Ausdruck für mein Nichtstun, und ich versuchte, ihr zu erklären, daß das Rauchen meine Gehirntätigkeit befördere und daß ich während des Stillsitzens voll von Überlegungen sei. Doch wenn sie sich dann mit einem schnaufenden Nasenlaut wieder über ihre Arbeit beugte mußte ich ihr recht geben, denn das Pfeifenrauchen führte zu keinen umwälzenden Ergebnissen, ich hörte nur den Speichel im Tabak brodeln, und der Gaumen schmerzte mir vom beizenden Rauch, und die Asche, die abgebrannten Streichhölzer und die verrußten, verklebten Tabaksreste zeugten von herausgeworfenem Geld, und ich bemühte mich, nur eine kleine Einzelheit zu finden, die in diesem verwickelten Prozeß zu meinen Gunsten sprach, doch ich fand keine. Ich wußte schon, wenn ich mich an den Tisch setzte, daß ich in der kurzen Zeitspanne, die mir gegeben war, nichts erreichen konnte, und doch setzte ich mich hin, nahm mir die Papiere vor, schlug in meinen Büchern irgendwelche belanglosen Dinge nach. Auch wenn ich einmal etwas auf das Papier schrieb wußte ich, daß es etwas Nichtssagendes war, trotzdem schrieb ich es hin, las es wieder durch, nickte und tat, als sage es mir etwas. Ich errichtete mir für einige Minuten ein Bollwerk, ich verschanzte mich hinter den Papieren, und der Bleistift war meine Waffe. Der Bleistift brach ab, er mußte gespitzt werden. Das nahm seine Zeit in Anspruch. Das Messer war stumpf und mußte geschliffen werden. Der Bleistaub und die abgeschälten Holzfasern mußten beseitigt werden. Und dann wachte das Kind auf, oder ich mußte zur Markthalle laufen, weil ich die Zwiebeln für die Heringe vergessen hatte. Am Abend, wenn das Kind endlich, mit Hilfe eines Schlafmittels, still geworden war, wenn die Teller abgewaschen und in den Schrank zurückgestellt, die Töpfe gesäubert, der Tisch abgewischt, die Auslagen des Tages zusammengerechnet worden waren, hätte sich vielleicht eine längere Zeit für meine Schreibtätigkeit ergeben können, doch jetzt kamen zumeist die Kundinnen, holten bewältigtes Flickzeug ab, brachten neues, verhandelten um den Preis, probten auch manchmal Blusen, Röcke, Jacken, wobei ich mich in das Waschzimmer verziehen mußte. Auf der Toilette sitzend kamen mir die besten Gedanken, jedenfalls Gedanken, die mir eine Weile brauchbar schienen, wenn ich mich näher mit ihnen befaßte, waren sie auch nichts wert. Später abends, wenn die letzten Kundinnen gegangen waren, war meine Frau natürlich müde, ich selbst war nie müde, so sehr mich auch die Erledigung des Haushalts in

Anspruch nahm. Ich wollte noch am Tisch sitzen, doch meine Frau wollte schlafen, und das Lampenlicht hinderte sie daran. Wenn sie sich auskleidete, wollte ich sie anfassen, wenn ich sie im Hemd sah, oder nackt, begehrte ich sie, doch sie fragte, was willst du, was faßt du mich so an. Ich strich ihr über die platten Brüste und die mageren Hüften, doch wenn ich sie zum Bett zog mußte ich das Licht ausdrehen, sie wollte im Dunkeln liegen. Es dauerte eine Weile bis meine Augen sich an den gedämpften Lichtschimmer, der durch das Fenster von den Straßenlaternen einfiel, gewöhnt hatten. Es war schwer zu unterscheiden, ob meine Frau wach war oder schlief, sie hatte die Augen geschlossen, regte sich nicht, gab keinen Laut von sich, während ich mich um sie bemühte. Allmählich wurden die Gegenstände im Zimmer deutlich, die Kleiderpuppe, mit ihrem kleinen runden Kopf, ihren breiten Hüften, ihrem straffen Busen, stand am Fußende des Bettes und sah meinen Anstrengungen zu. Ich stand auf, nahm sie unter den Arm, versteckte sie hinter dem Schrank. In einer solchen Nacht war es, daß ich plötzlich, während durch die Wände das kollektive Gelächter eines Quiz-Rummels und das Rauschen von Wasserfällen drang, aus dem Bett sprang, mich anzog und hinauslief, in die Anlagen am Güterbahnhof geriet und mich dort hinter das Buchsbaumgebüsch warf. Jahre später erfuhr ich, was sie von mir gehalten hatte. Ich war ein Gewalttäter in ihren Augen, ich wütete in ihrer Wohnung, schlug sie, warf ihr das Geschirr an den Kopf, und wenn ihre Kundinnen sich umkleideten kam ich aus der Toilette gesprungen, in der ich mich versteckt hatte, schreiend mußten sie in den Hausflur fliehen, und während das Kind brüllte machte ich mich über meine Frau her, riß ihr die Kleider ab, warf die Nähmaschine um, warf den Tisch um und schleuderte mich schließlich im Kopfsprung durch das Fenster, leider jedoch ohne auf der Straße zu zerschellen.

Der Fährmann berichtete mir einmal von seiner Frau. Er beschrieb sie mir anders als ich sie in der Erinnerung hatte. Ich sah sie noch beleibt, behäbig, mit zurückgestrichenem Haar, mit einem Knoten im Nacken, mit einer Warze auf der Nase, und vernahm dann von dem Bild, das er von ihr hatte, da zeigte sie sich hager, fast einen Kopf länger als er, mit rotem Haar, wahrscheinlich eine Perücke, und von einer Warze auf der Nase wußte er nichts, dagegen vom Bartwuchs, der mir nicht bekannt war. Er erzählte mir, wie sie abends vor der Tür des Hauses saß und sang. Ohne die Pfeife aus dem Mund zu nehmen machte er den Ton dieses Singens nach, es glich einem Jaulen oder Miauen oder Blöken, und dies schien gut getroffen zu sein, denn seinem Bericht nach kamen die Tiere, deren Stimmen sie beim Singen nachahmte, langsam von allen Seiten heran und hörten ihr zu, und jaulten, miauten und blökten zuweilen, und sie hielt beim Singen die Augen geschlossen und wiegte sich hin und her. Auch der Fährmann trat bei diesem Gesang aus der Tür, und der eine oder der andere Sohn, vor allem Jom, der Alte, der hier die Anfangsgründe seiner späteren Litaneien lernte, und weil sie nur an schönen Abenden sang, und nicht bei Sturm und Regen, war ein gelblicher oder grünlicher Himmel zu sehen, und hinter dem Strom lag die Stadt, mit gelblichen und grünlichen Fenstern in den Häusern. Im Winter, wenn der Schnee hoch um das Haus lag und die Tiere im Stall waren und es wegen der Kälte unratsam war, vor die Tür zu gehen, führte die Frau zuweilen einen Tanz auf, ich glaube bei Vollmond. Mit langsamen Schritten, die Röcke geschürzt, bewegte sie sich vor dem ummauerten Herd, barfüßig, die Augen geschlossen, den Kopf weit zurückgeworfen. Der Fährmann zeigte mir, am Steuer stehend, wie er sich diesen Tanz dachte, abwechselnd hob er das rechte und das linke Bein zur Seite und ließ es wieder sinken, und ich sah, daß er Tränen in den Augen hatte. Denn jetzt kam ihm die andere Frau in den Sinn, die andere Frau, in die sie sich eines Tages verwandelt hatte. Sie ging hinaus, um Jym Futter vor die Kiste zu stellen, wie sie es jeden Abend tat, sie ging mit dem gefüllten hölzernen Trog hinaus und kam ohne Trog herein, wie gewöhnlich, doch sie war jetzt klein und verschrumpft, eine Zwergin, spitznäsig, krummbeinig, mit strähnigem schwarzem Haar, roten Augen. Wer bist du. Bin deine Frau, sagte sie. Warst du nicht eben lang und rothaarig. Nein, bin wie ich bin, bin wie ich bin, antwortete sie. Dabei blieb es. Sie tanzte nicht mehr und sie sang nicht mehr, doch sonst verrichtete sie alles wie zuvor, nur langsamer, unbeholfener.

Konrad Bayer
die birne

und er biss in eine birne eine goldgelbe birne wie man so sagt und zwar in jene gelbe und so saftige birne dass das wasser aus seinen mundwinkeln lief die tags zuvor bei frau jekel soweit vorne auf der stellage gelegen hatte und da war er vorbeigekommen er war auf dem wege ins museum gewesen und konnte sich nicht enthalten diese saftige 24 dekagramm schwere birne für den preis von einem schilling und zwanzig groschen zu erstehen eben jene preiswerte birne die mit vielen anderen zirka 2 tonnen goldgelber wenn diese bezeichnung gestattet sei birnen montag den 14. oktober vom transportunternehmen gredler linke alszeile 24 an die lebensmittelgrosshandlung ellsler gelieferte sendung die remesberger junior der remesberger aus wels in die bundeshauptstadt geschickt hatte zugleich mit den fakturen der vorhergegangenen lieferungen und remesberger war stolz denn schliesslich wirbt man nicht jeden tag eine kundschaft wie ellsler ellsler aus der bandgasse der konkurrenz ab und ellsler wusste dass der wechsel platzen würde und ging zu remesberger der froh war dass er ihm liefern durfte und da wird der wechsel wohl platzen müssen wenn kein wunder wenn der ausdruck erlaubt sein sollte geschieht und der remesberger mitgerissen in die pleite und wer kauft schon birnen zu dem preis und da war die eine birne dem zusteller vom ellsler runtergefallen und die alte jekel hat gemeint na wenn sie so arbeiten dann muss ich billiger verkaufen und wer zahlt mir den verlust bei diesem anbot angeschlagen wie stellen sie sich das vor das ist zweite qualität das weiss die kundschaft aber frau jekel war ja nur eine na leg ich sie halt vorne hin die eine mit der weichen stelle nach hinten die eine birne da na ja sagte die jekel drauf und legte die weiche birne und zwar jene die der nevosad ferdinand 74 trotz seines alters noch immer tätig in königstetten vor fast drei wochen vom baum geholt hatte und ganz nach vorne und zwar von dem baum auf dem sich im achtunddreissigerjahr ein gewisser kronik das heisst auf dessen rinde der kronik ein gebürtiger lavanttaler damals in königstetten verheiratet mit seinen initialen s k der kronik sich verewigt hatte mit seinem taschenfeitel wenn der ausdruck gestattet ist weil er mit vornamen stefan geheissen hat der kronik dabei trat er mit seinem rechten fuss auf den stein den jahre später eben besagter nevosad und zwar jahre vor dem pflücken der birne da er der nevosad sich als gebürtiger königstetter fast immer in diesem orte aufgehalten was weiter nicht verwunderlich wenn man den nevosad gekannt hätte hob also den stein auf der ohne ersichtlichen grund all die jahre unbewegt in regen und schnee und so weiter wenn die ausdrücke erlaubt sind auf dem gleichen platz gelegen hatte festgehalten von der erdanziehungskraft während sich doch auch dieser punkt wie ja auch die übrige gegend wie auch die ganze erde sich pausenlos um sich selbst drehte lag also jener schwindelfreie stein wenn der ausdruck erlaubt ist und den warf eben damals der nevosad und warf ihn einige meter südsüdost wo er auf dem längst abgemähten haferfeld der pöller agnes der mit ihren 43 jahren damals der unterschied zwischen mann und frau noch nicht geläufig war liegen blieb wobei er neben einen hosenknopf zu liegen kam den den die kinder des bürgermeisters erich und wolfgang slobinsky nach stundenlangem kauen in der volksschule königstetten auf dem nachhauseweg zum anwesen des bürgermeisters dorthin gespuckt hatten dorthin also warf der nevosad den stein es war ein ziemlich gewöhnlicher grauer kiesel mit seiner rechten hand mit seiner linken wäre er auch zu ungeschickt gewesen und ausserdem war er nicht gewohnt sie zu betätigen also warf er mit der rechten hand die zwei stunden später die des vutzen lorenz drückte die der dann am folgenden freitag in der häckselmaschine seines bruders bei dem er als knecht aushalf seit er seine stellung als hilfsarbeiter in der traiskirchner gummifabrik wegen trunksucht hatte aufgeben müssen verlor und mit dieser hand mit der er jene noch drücken sollte hatte er also auch wie gesagt wenn der ausdruck erlaubt ist die birne abgerissen und zu den anderen birnen gelegt die schon im korb lagen den seine frau denn der nevosad war verheiratet den also seine frau die nevosad marie aus wien mitgebracht hatte als sie das letzte mal in der stadt gewesen war und ihren freund den ponzer reinhold getroffen ihn geliebt und wieder verlassen hatte an ihn ponzer denkend war sie mit der eisenbahn nach westen richtung königstetten abgefahren und in gedanken an ihn ponzer warf sie sich mit hilfe des zuges abfahrt wien 16 uhr 41 richtung tulln gegen die erdumdrehung und wenn der effekt auch bedeutungslos war so war er doch und in den korb legte der nevosad die birne die er von dem baum gerissen hatte der nun schon gut seine 34 jahre stand und auch nicht mehr allzuviel trug aber trotzdem war der nevosad hinaufgestiegen und hatte die birne von dem baum dazugelegt zu den anderen von den anderen bäumen die viel jünger waren und auch anständig tragen denn sonst wäre ja keine rentabilität in dem obstbau von dem wawerka gewesen dem auch der baum zu eigen war und für den der nevosad jetzt auch schon seit dem 17. juli vergangenen jahres wenn der ausdruck erlaubt ist auch als fahrer für den traktor im dienst steht besonders wenn man bedenkt dass der nevosad mit dem wawerka ungefähr im gleichen alter ist und die sich schon lange kennen und auch in der gleichen schule waren nämlich in pottingbrunn nämlich im krieg wo sie in der fallschirmjägerausbildung waren und da hat der wawerka noch gemeint mit dem messer da stech ich in einen engländer dass es nur so spritzt und mit der hand riss er die birne herunter und legte sie zu den anderen aber ein stück vom zweig war mitgegangen wo damals die blüte draufgewesen war wo zwei bienen auf einmal haben wollen in die nämlich in die blüte rein damals im jahre 1943 wo die bombe auf den stadel vom paternioner gefallen war im nämlichen oder gleichen jahr wo die zwei bienen wenn der vergleich gestattet ist nicht in die blüte reinkönnen haben und dann legte er die birne wieder hin angebissen wie sie war und die fliegen setzten sich drauf und am nächsten tag da sah er sie wieder an und dachte da sitzen die fliegen drauf weil sie angebissen ist und da habe ich nicht mehr weitergegessen die schmeckt aber auch bitter.

im wirtshaus

dort drüben läutet jemand mit einer kleinen tischglocke. er hat also durch besondere handbewegungen den klöppel und der klöppel die elastische stahlglocke in schwingungen versetzt und ich höre die schwingungen als hellen glockenton. dort die glokke, hier ich, wie kommen die schwingungen in mein ohr? zwischen mir und der glocke ist luft, die kann ich sehen, sonst könnte ich ja nicht sehen und die ist ja auch beleuchtet und die augäpfel würden mir aus den höhlen fallen und dann sähe ich ja nichts, also müssen die schwingungen durch die luft übertragen worden sein. da sind mir also diese erschütterungen auf das trommelfell gekommen, und sowas hab ich in jedem ohr und ich habe zwei und das schwingt da mit den luftwellen herum, hinaus und herein und da dämpft mir der hammergriff, der ganz fest am trommelfell anliegt, ganz schnell diese schwingungen, und beim anderen ohr ist das auch so und im mittelohr, das ist bei mir mit schleimhaut tapeziert, hängen die gehörknochen herum, und die haben alle namen

1. der hammer
2. der amboss
3. der steigbügel. na und bin ich in einer schmiede? das macht einen lärm und alles haut herum, na und ich habe auch meinen inneren druck und da ist das trommelfell ganz frei und kann herumschwingen und mache gleich meinen mund zu, sonst kann ich ja noch feiner hören und ist ohnehin schon genug lärm bei mir, kommt mir ja sonst die ganze luft durch den rachen in meine eustachische röhre und was brauche ich einen besseren druckausgleich, bin ich im tunnel? und hinter dem steigbügel schwingt gleich alles zum ovalen loch hinein und da gibt es ecken und höhlen und gewölbtes und ist natürlich nicht so glatt wie in meinem mittelohr und ist alles angefüllt mit meinem blutwasser und bumsti, hab ichs mir doch gleich gedacht, zittern mir die nervenenden von der erschütterung und übersetzen mir da gleich die ganzen schallwellen ins hirn und da hör ich ja, da hör ich dann natürlich gleich die glocke, wie die läutet, die der da drüben an seinem tisch herumhaut und da schau ich genauer hinüber mit meinen zwei augen, aber davon will ich garnicht reden, die ich auch habe, wie viele andere, auch neger und so, und da sehe ich·drüben den marcel oppenheimer mit einer gut gebauten frau, na und da gehe ich natürlich gleich hinüber und geb ihm die hand hin.

der empfang

franz goldenberg kam zur tür herein und gab mir die hand. ich gab dr. ertel die hand. dr. ertel gab marion bembe die hand. marion bembe gab dr. aust die hand. dr. aust gab dr. herbert krech die hand. dr. herbert krech gab fräulein gisela lietz die hand. fräulein gisela lietz gab ernst günther hansig die hand. ernst günther hansig gab dr. karl linfort die hand. dr. karl linfort gab herrn joseph lembrock die hand. herr joseph lembrock gab herrn dieter honisch die hand. herr dieter honisch gab doris ottlitz die hand. doris ottlitz gab margarete reichhardt die hand. margarete reichhardt gab walter meister die hand. walter meister gab sergio pereldi die hand. sergio pereldi gab prof. arthur b. gottlieb die hand. nachdenklich gab professor arthur b. gottlieb herrn wildenstein die hand. herr wildenstein gab vera fugger die hand. vera fugger gab gillo dorfles die hand. gillo dorfles gab ives acker die hand. ives acker gab bruno buzek die hand. bruno buzek gab felix heybach die hand. felix heybach gab dr. jirgal die hand. dr. jirgal gab dr. lehmann die hand. dr. lehmann gab rudi mayer die hand. rudi mayer gab roger salmona die hand. roger salmona gab charles kahn die hand. bedächtig, wie es seine art, gab charles kahn mac greenfield die hand. mac greenfield gab neda sestan die hand. neda sestan gab luther allan die hand. luther allan gab neda sestan die hand. neda sestan gab wieder luther allan die hand. jetzt gab luther allan felix rüegg die hand. felix rüegg gab doris ottlitz die hand. doris ottlitz gab ives acker die hand. ives acker wollte sergio cohen die hand geben. endlich nahm sergio cohen die hand von ives acker und gab sie vera kovar. vera kovar gab willi prucker die hand. willi prucker gab joe plaskett die hand. joe plaskett gab dr. grossblatt die hand. dr. grossblatt gab zitternd jerome reich die hand. jerome reich gab tullio mazotti die hand. tullio mazotti gab paul melin die hand. paul melin schwitzte. er gab hans schär die hand. hans schär gab gusti sieler die hand. gusti sieler lachte und gab michel damase die hand. michel damase gab petroff die hand. petroff sagte: »mein lieber damase«, und gab konsul ganz die hand. konsul ganz gab hellmuth von der höh die hand. hellmuth von der höh gab paolo farkas die hand. paolo farkas gab aage olsen die hand. aage olsen gab phoebe schmidt die hand. phoebe schmidt gab peter szervansky die hand. peter szervansky gab robert mc. bride die hand. robert mc. bride gab fra stefano die hand. fra stefano gab sören friis die hand. sören friis gab xenia davis die hand. schweigend gab xenia davis massimo benazzo die hand. massimo benazzo gab fridolin koch die hand. fridolin koch gab gustav treiber die hand. gustav treiber gab herrn dieter honisch die hand. herr dieter honisch gab nun wieder doris ottlitz die hand. erbost schmiss doris ottlitz die hand auf den boden. goldenberg wurde dringend aufgefordert den empfang sofort zu verlassen.

schon als kind zeigte goldenberg philosophische tendenzen. im anblick des meeres, er war 18, lag bäuchlings am strand, dort wo die wellen sich vorschoben um wieder abzusinken, in mässiger bewegung, lag er unbewegt, und starrte über die wasserfläche, seine augen knapp darüber, seinen mund darunter, so starrte er mit dem wasserspiegel, wie auf einem leitstrahl, in die erdkrümmung, in die perspektive und wo in seinem kopf sich das wasser mit der luft einen flirrenden tapetenstrich leistete, musste der horizont sein, wie es goldenberg nannte, wenn er es nannte, seine umgebung der länge nach entzweigeschnitten vom wasserspiegel, und die schnittlinie schmerzte wie eine berührung, wie ein streicheln, und die luft hielt das wasser nieder, damit es nicht über goldenberg herfalle, und die sonnenstrahlen knallten auf den spiegel, auf goldenberg, verbrannten die haut des torsos, der da zur verfügung stand, und goldenberg liess die beiden medien, die sich in ihm die waage zu halten schienen, an sich herankommen, an seine haut, und erfreute sich des niemandslandes, das er war.

und das meer presste gegen die säule luft über goldenberg, und so kämpften sie um ihn, zentimeter um zentimeter; hier hob sich das wasser, dort drang der himmel, der hier einfach luft war, bis auf goldenbergs kniekehle, bemächtigte sich seiner waden, um im augenblick von dem nächsten kräuseln der brandung emporgetragen zu werden. still und zäh ging der kampf, stunden um stunden.

schon als kind zeigte goldenberg philosophische tendenzen. im anblick des meeres, er war 18, grub er ein loch in den strand, dort wo sich zwischen den sand und die glitzernde luft ein keil von wasser geschoben, warf sich bäuchlings drüber, das wasser spritzte auf und er versank darin.

nur eine scheibe goldenberg, aus der wohl sein hals mit dem kopf stand, lag auf dem wasserspiegel, jederzeit bereit, dem versunkenen teil davonzugleiten auf dieser glatten fläche eis oder blech oder was immer es war.

im anblick des meeres, er war 18, grub er ein loch in den strand, er sah das meer, sowohl als er darin lag, aber er lag an dessen äusserster kante, in flüchtiger berührung, und sein bauch, seine zehen, seine beine, die brust, die arme und handflächen berührten den sand.

18-jährig grub er ein loch in den sand, warf sich bäuchlings drüber und vereinigte sich mit der erde, die ihm damals noch welt war.

bis zu den hüften im wasser hockend, grub goldenberg am schnittpunkt der elemente ein loch in den strand. dann liess er sich fallen und bohrte sich in die erde. so blieb er liegen und fiel in eine allgemeine ruhe. die haut seines rückens, die hemisphären seiner waden trieben wie ballone auf dem wasser.

während goldenberg am meeresboden lag, verfärbte sich seine haut über dem wasser.

goldenberg hatte eine glänzende leere gezeugt, die in seinem kopf strahlte. die sonne war in die perspektive gerutscht. es war kühl geworden. goldenberg zog sein glied aus dem sand, durchquerte damit das wasser, zog die badehose rauf, drängte die erdatmosphäre auseinander, stellte sich auf, nahm platz, sozusagen.

Hans Christoph Buch
Die Ausgrabung

Hier, sagt einer und bleibt stehen an einer bestimmten Stelle. Es ist ein lebhafter junger Mann in einer Soutane, der Pfarrer, nicht wahr, fragt er einen neben ihm Stehenden, der die Hände nach Art der Bauern verschränkt hält, hier war es doch. Der Bauer, denn um einen solchen handelt es sich, nickt mit dem Kopf, er muß es wissen, er hat die Entdeckung gemacht, hier, sagt er bestätigend, hockt sich auf die Erde, klopft auf eine bestimmte Stelle, hier, wiederholt er, will zu einer längeren Erklärung ansetzen, ich, sagt er, ich, genug, fällt ihm der Pfarrer ins Wort, das genügt uns, wir kennen deine Geschichte, wissen Bescheid, er kennt den Bauern, will dessen umständliche Erklärungen verhindern, der Bauer aber gibt sich nicht geschlagen, er hat den Mund wieder geöffnet, es ist zwecklos, gegen den Pfarrer, gegen die Beredsamkeit des Pfarrers vermag er nichts, von Anfang an hat er die Entdeckung des Bauern an sich gerissen, seit dieser ihm die Münzen gezeigt hat, die eigentümlichen Münzen, die er kürzlich beim Pflügen gefunden hat, er hätte sie zur Stadt bringen sollen, zu dem Sachverständigen, der eigens hergekommen ist aus der Stadt heute morgen, der hätte ihn mehr gewürdigt, der Pfarrer tut geradezu, als sei es seine eigene Entdeckung, sehen Sie, wendet er sich in diesem Augenblick an den Sachverständigen, es klingt hohl, und er klopft mit dem Knöchel auf den Boden, legt das Ohr darüber, fordert den Sachverständigen auf, selbst zu hören. Jaja, sagt dieser, ein Herr mit einem Spitzbart, der bis jetzt versonnen geschwiegen, die Münzen in der Hand gedreht, abwechselnd von den Münzen auf den Pfarrer, vom Pfarrer auf den Bauern geblickt hat. Er hat seine eigenen Gedanken, diese Münzen, diese schmutzigen alten Geldstücke, die wieder glänzen werden, wenn sie erst einmal mit den entsprechenden Chemikalien behandelt worden sind, sie sind alt, sehr alt, vielleicht karolingischer Herkunft, vielleicht das fehlende Beweisstück gegen seinen Widersacher, Professor Carlotti aus Mailand, der die Existenz von Geldwirtschaft bestreitet in karolingischer Zeit, eine unsinnige These, Geld gab es schon immer. Hör zu, wendet der Sachverständige sich an den Bauern, der tritt vor, sein Gesicht erhellt sich, die Anrede ehrt ihn, es freut ihn, daß der Herr ihn dem Pfarrer vorzieht, wie war das, als du die Münzen gefunden hast? Das war, sagt der Bauer, und sein Gesicht nimmt einen angestrengten Ausdruck an, er möchte eine erschöpfende Auskunft geben, das war so: Ich habe, ich, sag dem Herrn, was du weißt, fällt ihm der Pfarrer ins Wort, keine langen Geschichten, der Bauer sieht ihn böse an, er ist unsicher geworden, ich habe, sagt er, ich wollte, halt, unterbricht ihn der Sachverständige, sag mir nur: Du hast doch gepflügt? Ja, ruft der Bauer erfreut, pflügen, ich pflüge jeden Tag, es ist jetzt Frühjahr, die Aussaat, nein, sagt der Herr freundlich, ich meine: Wie tief pflügst du, wie tief haben die Münzen gelegen? Er pflügt nicht tief, ruft der Pfarrer dazwischen, höchstens zehn Zentimeter, ich habe mich das auch schon gefragt, ich war sofort an der Fundstelle, ich habe alles Notwendige veranlaßt, laßt alles unberührt, habe ich gesagt, aber jetzt, alles zertrampelt, sehen Sie sich das an, kein Verlaß. Nein, ruft der Bauer erregt, er will sich verteidigen, die ganze Zeit schon versucht er es, der Pfarrer läßt ihn nicht zu Wort kommen, nein, ich habe gesagt, Frau, habe ich gesagt zu meiner Frau, sag allen, der Herr Pfarrer hat gesagt, es sind die Kinder gewesen, was kann ich machen, die Kinder, meine Frau kann alles bestätigen, Hans, ruft er, Hans, geh zur Frau, sag die Frau soll kommen, soll sagen, daß ich ihr gesagt hab, schon gut, ruft der Sachverständige, nicht nötig, er hat Geduld, blickt den Bauern an, die Hand am Spitzbart, sag mir nur, fragt er ihn, stimmt es, was der Herr Pfarrer gesagt hat? Nein, ruft der Bauer mit hochrotem Kopf, stimmt nicht, ich habe doch meiner Frau gesagt, paß auf, habe ich gesagt, meine Frau kann jederzeit. Nein, sagt der Sachverständige, beruhige dich doch, das meine ich nicht, ich meine bloß, stimmt es, was der Herr Pfarrer gesagt hat, zehn Zentimeter, nicht tiefer? Es stimmt, ruft der Pfarrer, zehn Zentimeter, auf Ehre und Gewissen, lassen Sie, sagt der Sachverständige, ich muß den Mann selbst fragen, er weiß es am besten, also, wendet er sich wieder an den Bauern, wie tief war es? Der Bauer ist unsicher geworden unter dem Blick des fremden Herrn, er macht eine undeutliche Handbewegung, so tief, sagt er, nein: so, oder: so. Am besten zeigst du mir einmal deinen Pflug, schlägt der Herr vor, gern, ruft der Bauer, gleich, er hat Vertrauen zu dem Herrn, er spürt: der Herr ist nicht hochmütig im Umgang mit einfachen Leuten, Hans, ruft er, zeig dem Herrn Sachverständigen unseren Pflug. Hans ist ein Knecht, auf die Mistgabel gelehnt schaut er zu aus einiger Entfernung, den Pflug, ruft er fragend, ja, ruft der Bauer bestätigend, den Pflug, jawohl, ruft der Knecht, spießt die Mistgabel in die Erde, entfernt sich in Richtung auf das Haus zu, das im Hintergrund sichtbar wird. Alle stehen und warten. Sehen Sie, unterbricht der Sachverständige nach einer Zeit das Schweigen, die Tiefe ist wichtig, ich muß die Tiefe wissen, verstehen Sie? Verstehe, sagt der Pfarrer, selbstredend, die Tiefe, aber glauben Sie mir, nicht mehr als zehn Zentimeter. Das werden wir sehen, sagt der Sachverständige, dann, zu einem Studenten, der hinter ihm steht mit einer Tasche: Herr Anders, Sie können anfangen. Herr Anders ist ein großer dürrer Mensch mit einer Brille und unordentlichen Haaren, jawohl Herr Doktor, sagt er, ich fange sofort an. Er öffnet seine Tasche, zieht ein Holz hervor, das er zu dreifacher Länge auseinanderklappt, in Augenhöhe schraubt er ein fernrohrartiges Gerät auf, blickt hindurch, dreht daran, blickt wieder hindurch, alles schaut gespannt zu, dann breitet er Rechenpapier vor sich aus, zieht mehrere Lineale, Bleistifte aus der Tasche, bückt sich über das Papier, daß sein Hintern hoch in die Luft ragt, macht sich an die Arbeit. Fertig, ruft er nach einer Zeit, schiebt sich durch die Leute, die ihn im Kreis umstehen und zusehen, schwenkt eine Zeichnung, reicht sie dem Sachverständigen zur Prüfung. Der hält das Papier ans Licht, zieht es ganz nah vor die Augen, es ist nur der erste Entwurf, sagt der Student, wie um sich zu entschuldigen, nein Herr Anders, sagt der Sachverständige, Sie haben die falsche Stelle aufgenommen, die Fundstelle, die Fundstelle interessiert uns. Der Student wird rot, ich dachte, sagt er, nein, sagt der Sachverständige, so nicht, ich will gleich, ruft der Student, beginnt von neuem zu zeichnen. Inzwischen ist der Knecht mit dem Pflug gekommen, der Sachverständige mustert prüfend den Pflug, fährt mit der Hand über die rostigen Messer, der Bauer will zu einer Erklärung ausholen, sehen Sie nur, unterbricht ihn der Pfarrer, solche Messer, bestimmt nicht mehr als zehn Zentimeter. Wollen sehen, sagt der Sachverständige, und zum Bauern: Pflüg mal ein Stück, willst du? Der Bauer lacht übers ganze Gesicht, pflügen, ruft er, klar, greift nach dem Pflug, schiebt den Knecht Hans zur Seite, wo soll ich, fragt er, hier, oder hier, ganz gleich, ruft der Sachverständige, nur nicht hier, ein Stückchen weiter oben, ja, ruft der Bauer, er hat verstanden, er weiß nicht, warum der Herr sich für seinen Pflug interessiert, aber das Interesse ehrt ihn, gleich fängt er an zu pflügen. Hühott, ruft er, die Pferde setzen sich in Bewegung, links und rechts fliegen die Erdschollen nieder, hinter dem Pflug laufen die Kinder her, die vom Hof mitgekommen sind mit dem Knecht, laufen und schreien, ist es recht so, ruft der Bauer, dreht sich um zu dem Sachverständigen, wendet ihm, jetzt schon von fern, sein Gesicht zu, genug, ruft der Sachverständige, viel zuviel, halt, der Bauer versteht ihn nicht im Geschrei der Kinder, er versteht: weitermachen, lacht und winkt, schlägt mit der Peitsche nach den Kindern, die neben dem Pflug hin und her springen. Der Sachverständige ist mit dem Pfarrer zu der Furche getreten, die der Pflug gezogen hat, beide blicken hinein, schätzungsweise zehn Zentimeter, sagt der Pfarrer mit wiegendem Kopf, würde ich sagen, Herr Anders, ruft der Sachverständige, den Zollstock, was, ruft Herr Anders, er hat nicht verstanden, hat sich aufgerichtet, Hand am Ohr, den Zollstock, schreit der Sachverständige. Endlich ist der Student mit dem Zollstock zur Stelle, der Sachverständige mißt die Tiefe der Furche nach, Herr Anders steht hinter ihm mit hängenden Armen, zwanzig Zentimeter, sagt der Sachverständige und zeigt dem Pfarrer den Abschnitt auf dem Meßgerät, sagte ich's nicht, sagt der Pfarrer, nicht viel über zehn. Marsch, ruft der Sachverständige dem Studenten zu, der noch immer untätig hinter ihm steht, an die Arbeit, ich glaube, sagt er dann zu dem Pfarrer, wir können mit der Grabung beginnen, zwanzig Zentimeter für den Anfang, was meinen Sie? Jaja, sagt der Pfarrer, zwanzig Zentimeter, würde ich auch sagen. Wo steckt denn nur unser Herr Markward, fragt der Sachverständige, so ein Faulpelz, haben Sie ihn nicht gesehen? Nichts gesehen, sagt der Pfarrer, kenne den Herrn überhaupt nicht. Herr Markward, ruft der Sachverständige hochaufgerichtet, Hand vorm Mund, Herr Markward! In der Ferne hört es der Bauer, versteht: aufhören, wendet die Pferde, macht kehrt, auch Herr Markward hört es, ein Student wie Herr Anders, er ist im Begriff, Kaffee zu trinken aus einer Thermosflasche, beim Trinken verschluckt er sich, Kaffee gerät ihm in die Luftröhre, ich komme, ruft er mit erstickter Stimme, hustet, schüttelt sich, stöpselt die Thermosflasche zu, schraubt den Becher darauf, läuft im Trab zu dem Sachverständigen. Herr Doktor, ruft er schon von weitem, ich komme, ach Herr Markward, sagt der Sachverständige, holen Sie doch bitte den Spaten, seien Sie so gut, gleich will ich, ruft Herr Markward, den Spaten, läuft zurück zu dem Auto, mit dem sie aus der Stadt hergekommen sind, nimmt den Spaten aus dem Kofferraum, trägt ihn im Galopp zur Grabungsstelle, zu dem Sachverständigen. Der Sachverständige bereitet den ersten Stich vor (Anstich). Der Bauer ist zurückgekommen mit dem Pflug, er ist abgestiegen, die Pferde wiehern leise, der

Knecht Hans klopft sie auf den Hals, alles schweigt, selbst die Kinder scheinen die Bedeutung des Augenblicks zu spüren, im Kreis umstehen sie die Grabungsstelle, halten einander an den Händen, einige Mägde sind herübergekommen von einem angrenzenden Acker, sie haben Frühstückspause, eine hält einen Brotlaib im Arm, eine andere trägt eine Blechkanne mit dampfendem Kaffee, eine dritte eine Wurst, von der sie eine Scheibe abschneidet mit dem Messer und in den Mund schiebt zwischen Daumen und Zeigefinger. Der Sachverständige zieht den Rock aus, reicht ihn Herrn Anders, der ihn an Herrn Markward weitergibt, halten Sie bitte, sagt er (der Sachverständige) mit heiserer Stimme, es ist ein erregender Moment, der erste Stich in ein fränkisches Grab, die Geldwirtschaft im neunten Jahrhundert, Professor Carlotti, er krempelt sich die Ärmel hoch, ein scharfer Wind ist aufgekommen, die nackten Arme des Sachverständigen zittern, seine Haare flattern waagrecht, der Bart biegt sich ihm ums Kinn, er beißt die Zähne zusammen, greift den Spaten, setzt den Fuß darauf, schiebt ihn bis zum Schaft in die bräunliche Ackererde. Störe mich nicht! ruft eine unbekannte Stimme, der Sachverständige zuckt zusammen, läßt den Spaten fahren, daß er zitternd in der Erde steckenbleibt, blickt sich um. Zum Glück war es eine Täuschung, es war nur der Bauer, der gerufen hat: Störche, die ersten Störche, der Sachverständige atmet auf, alles blickt hoch, folgt der Hand des Bauern, tatsächlich, dort am Himmel ziehen Störche, Adebar, Störche bringen Glück, alles lacht und ruft durcheinander, deutet auf die Vögel, eine der Mägde schneidet Wurst auf, die andere Scheiben vom Brot, die dritte will gerade Kaffee einschenken in die Blechnäpfe, die die übrigen Mägde ihr hinhalten, da nähert sich ihr von hinten der Knecht, schlägt ihr aufs Gesäß mit der flachen Hand, daß sie vor Schreck die Kaffeekanne fallen läßt. Zum Glück ist nichts verschüttet, das Frühstück kann beginnen, jeder bekommt ein Brot mit Wurst, einen Napf mit dampfendem Kaffee, zuerst der Pfarrer, dann der Bauer, der Knecht, die Studenten, die Kinder, nur der Sachverständige hat noch nichts, er hat einige weitere Stiche gemacht mit dem Spaten, nachdenklich betrachtet er die Erde, die über den Spaten rinnt, Herr Doktor, ruft der Bauer und zupft ihn am Hemd, Sie müssen essen, nein danke, sagt der Sachverständige, ich habe keinen Hunger, doch, rufen die Mägde wie aus einem Mund, essen, das hält Leib und Seele zusammen, eine wischt einen Napf sauber mit dem Zipfel ihrer Schürze, füllt ihn mit dampfendem Kaffee, hält dem Sachverständigen den gefüllten Napf hin, die Studenten haben zu essen aufgehört, solange der Sachverständige nicht ißt, dürfen auch sie nicht, verdrossen blicken sie auf die angebißnen Brote, die Näpfe mit braunem Kaffee, jetzt schaltet sich auch der Pfarrer ein, hier, ruft er, mhm, kaut mit vollen Backen, hält das Brot, den Kaffee hoch, um den Sachverständigen von der Schmackhaftigkeit des Essens zu überzeugen. Endlich gibt der Sachverständige seinen Widerstand auf, aber nur ganz wenig, sagt er und hebt beschwörend die Hand, umsonst, ein Brot wird ihm aufgenötigt, dick belegt mit Wurst, Kaffee dazu, jetzt scheint es ihm sogar zu schmecken, er setzt sich auf den Rand der Vertiefung, die er inzwischen freigelegt hat, kaut, schluckt, schlürft dazu den Kaffee, auch ein Wissenschaftler braucht Nahrung. Der Wind hat sich gelegt, die Gesellschaft sitzt im Kreis auf der Erde, läßt sich das Essen schmecken, die Pferde wühlen mit dem Maul im Ackerboden nach alten Kornstoppeln, der Hund Hasso springt bellend rundum. Nach dem Essen bietet der Sachverständige zu rauchen an, der Bauer, der Pfarrer zünden sich Zigaretten an, stoßen blaue Rauchwolken aus, der Knecht verwahrt seine Zigarette hinter dem Ohr für später, die Mägde zieren sich, kichern, haben Bedenken hinsichtlich der Schicklichkeit des Rauchens, der Sachverständige fordert sie auf zuzugreifen, greifen Sie zu, sagt er, eine der Mägde nimmt eine Zigarette, bekommt Feuer gereicht von dem Knecht, zieht den Rauch in die Lungen, hustet, schüttelt sich, gib her, sagt der Pfarrer, das ist nichts für dich, er nimmt ihr die Zigarette aus der Hand, drückt sie aus, steckt sie in ein ledernes Etui, das er unter der Soutane hervorgezogen hat. Auch die Studenten, Herr Anders und Herr Markward, bekommen Zigaretten, zuletzt bedient sich der Sachverständige selbst, die Schachtel wirft er fort, sie ist leer. Herr Anders, ruft er, als er seine Zigarette zu Ende geraucht hat, was ist mit der Zeichnung, ist sie bald fertig, gleich fertig, ruft Herr Anders, der hochaufgeschossene Student, nur noch ein Strich, dann beeilen Sie sich, wie lange sollen wir uns noch mit Vorarbeiten aufhalten! Herr Anders hat sich an der Zeichnung zu schaffen gemacht, hat hier etwas wegradiert, dort etwas hinzugefügt, jetzt überreicht er sie dem Sachverständigen, der blickt sie an, vergleicht die Skizze mit der Grabungsstelle, die Grabungsstelle mit der Skizze, endlich nickt er, ungefähr, sagt er, im großen Ganzen. Marsch, ruft er dann und klatscht in die Hände, an die Arbeit. Er erklärt den Studenten, was sie zu tun haben, Herr Anders soll mit dem Spaten zehn Zentimeter tief graben, Herr Markward soll die aufgehäufte Erde durchsieben. Verstanden, heißt es am Schluß, verstanden, rufen die beiden Studenten, Herr Markward sucht das Sieb, wo ist das Sieb, ruft er, wo wird es schon groß sein, ruft der Sachverständige, wo es immer ist, Herr Markward schlägt sich an die Stirn, er läuft zum Auto. Sein Kollege, Herr Anders, hat inzwischen zu graben begonnen, wie ungeschickt er sich anstellt, wuchtet den Spaten viel zu tief in die Erde, beugt den Kopf fast bis zu den Füßen, die Haare fallen ihm in die Stirn, Schweiß rinnt ihm in die Augen hinter den Brillengläsern, verzweifelt müht er sich, eine Erdscholle loszubrechen, zieht und reißt an dem Spaten mit aller Kraft, bis der Spaten umschlägt, Herr Anders fällt hin, die Erdbrocken regnen den Umstehenden auf die Kleider. Doch nicht so, sagt der Sachverständige ärgerlich, Herr Anders, ein wenig praktische Veranlagung könnte man doch bei Ihnen voraussetzen, sehen Sie her. Herr Anders ist rot geworden, die Mägde kichern, der Sachverständige nimmt den Spaten, führt dem Studenten vor, wie er graben soll, langsam, sauber, regelmäßig, alles staunt, wie gut der Herr aus der Stadt den Spaten handhabt, der Bauer und der Knecht Hans nicken einander zu, tauschen fachmännische Bemerkungen aus. Herr Anders ist aufgestanden, hat sich den Staub von den Kleidern geklopft, beginnt zu graben, noch immer ungeschickt, immerhin, es geht. Da naht im Laufschritt mit fliegenden Haaren in höchster Aufregung Herr Markward, gerade wollte der Sachverständige einen Blick auf die Skizze werfen, wollte die Skizze mit der Grabungsstelle vergleichen, ist dabei, mit Bleistift eine Bemerkung einzuzeichnen, da steht Herr Markward neben ihm, atemlos, Herr Doktor, ruft er, entschuldigen Sie Herr Doktor, das Sieb, ich weiß nicht, was ist mit dem Sieb, fragt der Sachverständige, jawohl, antwortet Herr Markward, ich meine: nein, Sie wissen nicht, wo das Sieb ist, wollen Sie sagen, nein, Herr Doktor, keine Ahnung, haben Sie auch alles abgesucht, alles abgesucht, Herr Doktor, was machen wir da, ohne Sieb können wir nicht arbeiten, ohne Sieb ist die Arbeit unmöglich. Er hat ein Sieb, wirft der Pfarrer ein, indem er auf den Bauern deutet, nicht wahr, wendet er sich an den Bauern, du hast eins. Der Bauer versteht nicht, ein Sieb, ruft er verständnislos, was für ein Sieb, ja, ruft der Pfarrer, ein Sieb, ein ganz gewöhnliches Sieb, jetzt begreift der Bauer, ein Sieb, ruft er, natürlich. Der Sachverständige ist vorsichtig, kann man damit auch arbeiten, für unsere Zwecke, meine ich, klar, ruft der Pfarrer, warum nicht, ich habe selbst schon damit gearbeitet. Na ja, sagt der Sachverständige mit halbem Herzen, ein Versuch kostet nichts, willst du uns dein Sieb leihen, wendet er sich an den Bauern, wenn es beschädigt wird, bekommst du ein neues. Natürlich leiht er's, ruft der Pfarrer dazwischen, lauf, bring dem Herrn ein Sieb, ein Sieb, ruft der Bauer, leihen, er steht fragend, du brauchst nicht, sagt der Sachverständige, wenn du nicht willst, doch, ruft der Bauer, ich will, gleich geh ich's holen, und schon will er fort. Halt, ruft der Sachverständige, wart doch, wir fahren mit dem Auto. Kaum hören die Kinder das Wort Auto, sind sie zur Stelle, umringen den Sachverständigen, den Pfarrer, den Bauern, wir wollen mit, rufen sie im Chor, springen an dem Sachverständigen hoch, hängen sich an ihn. Keiner kommt mit, ruft der Pfarrer, laßt den Herrn in Frieden, lassen Sie nur, sagt der Sachverständige, für vier ist Platz, soviel Platz ist im Auto. Sie gehen zum Auto herüber, die Kinder schreien und stoßen einander von der Tür weg, jedes will mitfahren, endlich sitzen vier auf den Hintersitzen, ein fünftes hat der Sachverständige auf dem Schoß, neben ihm sitzt der Bauer, das Auto ist voll, der Pfarrer muß zurückbleiben, wir sind gleich wieder da, sagt der Sachverständige zu den Studenten, arbeitet, bis wir zurückkommen, dann entfernt sich das Auto mit brummendem Motor, während die Studenten von der Grabungsstelle herüberblicken. Die Kinder laufen hinterher, eins ist hintenauf gesprungen, steht auf der Stoßstange, fällt herunter, als das Auto schneller fährt, zum Glück ist nichts passiert, gleich ist es wieder auf den Beinen und lärmt inmitten seiner Kameraden. Kopfschüttelnd blickt der Pfarrer den Kindern nach, er mißbilligt ihr vorlautes Verhalten, er wird sie zur Rechenschaft ziehen. Langsam schlendert er zurück zur Grabungsstelle, entzündet die Zigarette, die er vom Frühstück her in seinem Etui verwahrt hat, nun, meine Herren, fragt er die Studenten, die ohnehin nur untätig mit ihrem Werkzeug gescharrt haben und bei seinen Worten ganz zu graben aufhören, was studieren Sie denn, Medizin? Nein, antwortet Herr Markward, ich studiere nicht Medizin, ich wollte aber einmal Medizin studieren, das Auto, ruft im gleichen Augenblick Herr Anders, das Auto, Herr Anders ist kurzsichtig, dafür sieht er auf weite Entfernungen um so besser, er deutet mit dem Finger in die Richtung, in der er das Auto vermutet, tatsächlich, da ist es, die Türen öffnen sich, die Insassen springen heraus, der Sachverständige, der Bauer, die Kinder, die sofort von ihren Kameraden umringt werden, von der Autofahrt berichten müssen, na, ruft der Pfarrer, haben Sie das Sieb? Nein, ruft der Sachverständige, es ist viel zu klein, ein Teesieb, lächerlich, sagte ich's nicht, sagt der Pfarrer, auf diese Leute ist kein Verlaß. Da hilft kein Lamentieren, sagt der Sachverständige, ohne Sieb können wir nicht arbeiten, ohne Sieb ist das Arbeiten unmöglich, nicht wahr, Herr Markward, jawohl, unmöglich, wiederholt Herr Markward, der Sachverständige ist abseits getreten, er denkt nach, Hand am Kinn. Jetzt ist er fertig mit Nachdenken, er hat einen Entschluß gefaßt, er beauftragt Herrn Markward, mit dem Auto in die Stadt zu fahren, das Sieb holen. Herr Markward versteht nicht, der Sachverständige muß den Auftrag umständlich erklären, er wird ungeduldig, zum Teufel mit Ihnen, ruft er, der Pfarrer bekreuzigt sich, der Student läuft zum Auto. Herr Anders hat Anweisung bekommen, weiterzugraben in der Zwischenzeit, er spuckt sich in die Hände, greift den Spaten, der Sachverständige hockt neben dem immer größer werdenden Erdhaufen, läßt die Erde durch die Finger rinnen, solange wir kein Sieb haben, sagt er erklärend zum Pfarrer. Es ist heiß geworden, die Sonne steht hoch am Himmel, die Mägde haben ihre Arbeit wieder aufgenommen, der Bauer hat sich entfernt mit dem Pflug, den Pferden, dem Knecht Hans, den Kindern, dem Hund Hasso, der Pfarrer hat sich auf einen Stein gesetzt, hat die Soutane am Hals aufgeknöpft, fächelt sich mit dem Taschentuch Luft zu, Herr Anders hält von Zeit zu Zeit im Graben inne, wischt sich mit dem Handrücken den Schweiß von der Stirn, der Sachverständige zerreibt die Erde zwischen den Fingern, er denkt daran, was ihn in der Tiefe des Grabes erwartet, Grabbeigaben, Münzen, Professor Carlotti. Wir gehen auf vierzig Zentimeter, sagt er zu dem Studenten, der die erste Schicht freigelegt hat und auf den Spaten gestützt Luft holt, jawohl Herr Doktor, ruft der Student, sofort, will den Spaten in die Erde stechen, da stößt er auf Widerstand, etwas Hartes. Widerstand, ruft er in höchster Erregung, etwas Hartes, was, ruft der Sachverständige mit vor Aufregung zitternder Stimme, springt auf mit einem Satz, stößt den Studenten beiseite, packt den Spaten, auch der Pfarrer hat sich erhoben, streckt den Kopf vor, zerknüllt das Taschentuch in der Hand, das interessiert auch ihn, schließlich ist er nicht unbeteiligt an der Entdeckung, vielleicht springt Geld dabei heraus, seine Kirche braucht einen neuen Dachstuhl. Der Sachverständige hat den Fund freigelegt, es ist ein länglicher Knochen, ein menschlicher Schenkelknochen vielleicht, prüfend hält er ihn ans Licht, bis zu den Knien steht er in der Grube, im aufgewühlten Erdreich, hinter ihm der Student und der Pfarrer, blicken ihm über die Schulter hinweg auf den Knochen, die Sonne wirft ihre Schatten verkürzt über den Ackerboden, dazu den Schatten des Knochens, riesenhaft vergrößert. Telefon, ruft von fern eine Stimme, wird immer lauter, Telefon, es ist der Bauer, er nähert sich mit rudernden Armen, der Hund Hasso springt voraus, schnappt nach dem Knochen, den der Sachverständige fallen läßt, was ist, ruft der Sachverständige, Telefon, der Bauer, für Sie, der Sachverständige steigt aus der Grube, läuft mit dem Bauern zum Haus, der Pfarrer und der Student bleiben zurück, blicken sich an, was mag das sein, auf dem Boden liegt der Hund und nagt an dem Knochen. Endlich kommt der Sachverständige zurück mit dem Bauern, was war los, fragt der Pfarrer, das Museum, sagt der Sachverständige, das Museum war am Apparat, wir sollen die Grabung einstellen. Einstellen, ruft der Pfarrer, die Grabung einstellen, unmöglich, eine Unmöglichkeit, das dürfen Sie nicht tun, Herr Doktor. Ich habe meine Weisungen, sagt der Sachverständige, es ist nicht meine Entscheidung. Der Pfarrer ist empört, ich werde mich beschweren, ruft er, eine wichtige Entdeckung, eine wissenschaftliche Sensation blockiert durch den Unverstand der Behörden, ich werde dem Bischof schreiben. Der Hund Hasso hat inzwischen den Knochen aufgebrochen, angewidert läßt er ihn liegen, es ist kein Mark mehr darin, der Knochen ist zu alt. Der Sachverständige und der Student packen die Geräte ein, die Zeichnung (vielleicht wird man sie noch brauchen), Zollstock, Lineal, Bleistifte, Thermosflasche, alles wandert in die Tasche zurück, der Spaten wird gereinigt, auf die gefüllte Tasche gelegt, der Sachverständige klopft sich den Staub von den Kleidern, dann bietet er Zigaretten an, hat eine neue Packung angebrochen, alle rauchen, der Sachverständige, der Pfarrer, der Bauer, der Student. Motorengeräusch wird hörbar, das Rattern von Blech, quietschende Bremsen, das Auto; der Fahrer hat den Arm aus dem Fenster gestreckt, schwenkt etwas in der Hand, ich hab's, ruft er, Herr Doktor, das Sieb, schon gefunden, doch im Auto gewesen, unterm Sitz, auf der Rückfahrt entdeckt, schon gut, unterbricht ihn der Sachverständige, wir brauchen kein Sieb mehr, wir fahren ab, was, ruft Herr Markward, wie, warum denn, er versteht nichts mehr, kennt sich nicht mehr aus auf der Welt, keine Fragen, sagt der Sachverständige, wir fahren ab. Schon sind Tasche, Spaten, Sieb verstaut, der Sachverständige und die beiden Studenten, Herr Anders und Herr Markward, haben ihre Plätze eingenommen, das Auto entschwindet hinter einer Anhöhe. Ich werde mich beschweren, sagt der Pfarrer zu dem Bauern, der neben ihm steht, ich werde dem Bischof schreiben, der Bauer schweigt, er lächelt, er krault seinen Hund, er hat jetzt verstanden, er hat etwas von Gold gehört, irgend jemand hat Gold gesagt, heute nacht wird er graben, er wird reich werden.

HUBERT FICHTE
Das Waisenhaus

Detlev steht abseits von den anderen auf dem Balkon. Die Waisenhauszöglinge warten, daß Schwester Silissa und Schwester Appia in den Eßsaal treten, daß sie in die beiden tiefen Suppentöpfe gucken, aus der verborgenen Tasche des schwarzen Habits zwei Eier holen, die Eier am Topfrand zerschlagen, Eiweiß und Eigelb in die Suppe fallen lassen, die zwei Hälften der Schalen mit dem Finger auswischen, daß sie die raschelnden Schalen in den Abfalleimer neben dem Kanonenofen werfen und mit den Kellen Eigelb und Eiweiß schnell vor dem Gerinnen verrühren.

Auf dem Rasenstück neben der Apsis liegt noch die rote Schleife des Osterlamms. Detlev sieht zum Pfarrgarten hinüber. Detlev trägt schon den Anzug für die Reise, den die Mutter ihm vor einem Jahr zum ersten Schultag genäht hatte.

Nach dem Essen wird die Mutter Detlev holen kommen und mit ihm die Nacht hindurch zu den Großeltern nach Hamburg fahren.

Schwester Silissa hat ihn zur Reise gekämmt. Sie hat mit der Ecke des Kammes den Scheitel gezogen, mit zwei Fingern eine Locke in den Haaren zurechtgedrückt. Sie hat ihm die schwarzeingehüllten Arme um den Kopf gelegt und ihr von weißem, gestärktem Leinen eingerahmtes Gesicht auf seine Haare gepreßt.

– Nun wird doch kein Pfarrer mehr aus dir.

Frieda hat Detlev ein Gebet versprochen, das ihn in Hamburg noch vor Kriegsende in einen Katholiken verwandeln würde.

Die Mädchen springen Springtau. Die Jungen spielen Karten. Alfred lauert an der Tür, ob die Schwestern von außen an die Klinke fassen.

Detlevs Gesicht ist weiß.

– Heute bist du wieder besonders weiß im Gesicht, sagten die Schwestern.

Schwester Silissa hatte gesagt:

– Detlev hat schöne große Ohren,

als die Mutter ihn im Waisenhaus abgab.

– Deine Ohren sind so groß wie Judenohren, sagte die Lehrerin, ehe sie ihm mit dem gespaltenen Rohrstock über die

Finger schlug. Der Rohrstock quetschte sich auseinander und klemmte die Haut ein.

Wenn Detlev allein im Waschsaal war – wenn die Mutter ihn in dem Zimmer beim Veterinär oder in ihrem Zimmer auf dem Dachboden allein ließ, sah Detlev sich in den Spiegeln die Ohren an. Auf dem Abort zog er ein Foto von sich aus dem Brustbeutel, den die Mutter ihm nach dem ersten Bombenangriff um den Hals gehängt hatte.

– Meine Lippen sind dick.

– Ich habe eine Locke im Haar.

– Ich bin weiß im Gesicht.

– Mein Kinn steht nicht vor.

– Er hat ein fliehendes Kinn, sagte Schwester Appia zu Schwester Silissa.

Detlev stößt sich von der Mauer ab. Er wischt mit den Fingern an den Traljen des Balkongitters entlang. Am Pfosten bleibt er stehen. Auf dem Pfosten liegt eine kleine Kugel. Grau und weiß.

– Es ist ein Puppenauge.

Detlev faßt hin. Er will es zwischen die Finger nehmen. Er zerquetscht es. An den Fingerspitzen klebt grüner Schleim.

– Detlev hat in Vogelscheiße gefaßt, schreit Alfred.

Die Mädchen lassen das Springtau fallen und sehen zu Detlev hinüber. Die Jungen legen ihre Kartenfächer mit den Bildern nach unten auf den Zementboden und stellen sich vor Detlev hin.

Schwester Silissa und Schwester Appia treten auf den Balkon. Alfred hat nicht aufgepaßt. Die Schwestern sind unbemerkt in den Eßsaal gekommen, sie haben sich nicht bei den Suppentöpfen aufgehalten – sie haben, ohne daß einer der Zöglinge es hörte, die Eier zerschlagen und verrührt.

Schwester Silissa entdeckt die Karten am Boden und kneift Odel und dem Joachim-Teufel in die Ohren. Die Schleier der Schwestern wehen hoch. Die Schwestern gehen auf Detlev zu.

– Wenn das nicht wäre, denkt Detlev.

– Nun hatten wir dich schon saubergemacht für die Abreise.

– Wenn ich nicht auf den Pfosten geguckt hätte. Wenn ich nicht gedacht hätte: Da liegt ein Puppenauge. Wenn die Vogelscheiße da gar nicht gelegen hätte.

– Wasch dir noch einmal die Hände.

– Dann würde mich Schwester Silissa jetzt nicht böse ansehen.

Die Lider hängen halb über Schwester Silissas Augen. Detlev erkennt jede Pore in ihrem Gesicht. Ihre Lippen haben dieselbe rosa Farbe wie die Lider, das Kinn, die Nase. An den Backen quengelt das gestärkte, glänzende Leinen, das die Haare, die Ohren, die Gurgel, die Schläfen verdeckt.

– Wenn es Schwester Silissa nicht gäbe, dann wäre Alfred verschwunden. Mutti sagt, Alfred hat ein Schafsgesicht.

Detlev kneift die Augen zu. Die Zöglinge schwimmen durcheinander. Alfreds Augen bewegen sich nicht. Seine Backen schwellen an. Seine Nase bricht in der Mitte durch. Seine Ohren rücken aufeinander zu.

– Wenn das nicht wäre.

Detlevs Gedanken laufen schneller hintereinander her. Geräusche, Gerüche mischen sich mit den Worten, Wörtern, Wortfetzen, Buchstaben. Detlev wird rot.

– Detlev wird rot.

Er fängt an zu schwitzen. Er möchte einschlafen. Er schließt die Augen ganz. Detlev sieht einen Haselnußstengel.

– Alfred hat die Haselnuß ausgegraben und aufgefressen. Detlev bewunderte seine Mutter, als sie Alfred streng und ohne Furcht ansah. Sie wich Alfreds Blick nicht aus. Detlev sieht Alfred an. Alfreds Augen rutschen übereinander, wie der zusammenlegbare Zwicker der Großmutter, den sie in der mittleren Schublade des Küchenbüfetts aufbewahrte und herausholte, wenn sie beim Backen ein Rezept lesen wollte.

– Hat ein Schaf so häßliche Augen wie Alfred? Ich habe gesagt: Ich mag dich leiden, Alfred. – Ich mag ihn nicht leiden. Wenn er mich lange anguckt, will er mich einschüchtern. Wenn er lieb mit mir tut, horcht er mich aus. Er klatscht alles an den Odel und den Joachim-Teufel und das Wackerl weiter. Die lachen mich aus. Sie helfen ihm. Er will die Macht behalten. Er ist neidisch auf mich. Detlev hört das Flüstern noch einmal. Es ist ganz still auf dem Balkon. Der Wind setzt aus und die schwarzen Schleier der Schwestern fallen wieder auf die Schultern zurück.

Alfreds Stimme. Morgens. In der Kirche:

– Sieh nicht hin. Sieh nicht hin auf das Zeichen. Sei demütig. Wenn du hinsiehst, bist du ein Scheinheiliger. Die Scheinheiligen kommen in die Hölle.

Der Geruch von Urin. Hammerschläge. Schläge an der Tür zum Waschsaal.

– Das ist der Teufel. Der hämmert deinen Sarg.

Detlev öffnet die Augen. Er schließt die Augen. Alfred im Waschsaal. Alfred im Eßsaal. Alfred mit Brot. Alfred mit Haferflockentorte.

– Alfred hat grüne Augen. Weil er Todsünden begangen hat. Ich habe keine Todsünden begangen.

Detlev öffnet die Augen. Er sieht Alfred an. Er will Alfreds Blick aushalten. Heute ist der letzte Tag. Alfred sieht auf Detlevs Finger.

– Alfred denkt jetzt: Du hast dich dreckig gemacht. So drekkig bist du am Tag deiner Abreise.

Alfred sieht Detlev an. Detlev sieht weg.

– Anna. Ob Anna die Krämpfe kriegt, wenn ich wegfahre? Anna kommt in die Hölle. Sie hat es selbst gesagt. Annas Augen sind braun. Da ist nichts Weißes an den Rändern. Ich möchte immer in Annas Augen sehen. Annas Augen sind fromm. Anna kommt in die Hölle. Gleich sind Annas Augen für immer weg. Ich fahre mit Mutti nach Hamburg zurück.

Die Zöpfe ziehen rechts und links von Annas Gesicht schwarze Striche.

– Annas Augen sind schief vom Fallen. Ihr Kopf ist schief und krumm wie der Kopf von Peters Puppe. Vielleicht hat sie in den Trümmern gelegen. Anna hat mich an Alfred verraten, weil sie Angst hatte, in die Hölle zu kommen. Dann hatte sie Angst, noch mal in die Hölle zu kommen, weil sie mich an Alfred verraten hatte; dann hat sie Alfred und den Odel und den Joachim-Teufel an mich verraten. Wenn ich nicht auf den Pfosten geguckt hätte, hätte ich nicht in die Vogelscheiße gefaßt, wäre Alfred nicht da, wäre Schwester Silissa nicht da, hätte Anna Alfred nichts erzählt, wäre der Teufel nicht gekommen.

Detlev saugt Luft in sich hinein. Er zieht die Schultern nach oben. Der Rücken spannt sich. Er atmet nicht mit blubberndem Bauch wie Odel. Er atmet wie der Joachim-Teufel, wie Alfred, Anna, Schwester Silissa, deren Schultern beim Einatmen spitz nach oben stoßen.

Frieda tritt auf den Balkon.

– Frieda ist ein richtiges Vorbild. Ihre blonden Zöpfe. Ihre Augenfarbe. Ihre Ohren sind nicht zu groß, hat Schwester Appia gesagt.

Detlev atmet schneller. Unter seinem Kinn springt eine Ader hin und her.

Detlev erwartet das Verwandlungsgebet von Frieda. Sie stellt sich in die letzte Reihe der Zöglinge.

– Frieda atmet mit dem Bauch.

Detlev kann die Luft nicht wieder aus dem Hals pressen. Er saugt immer mehr Luft in sich hinein. Er kann die Luft nicht wieder loswerden. Detlevs Zunge schlägt gegen den Gaumen.

– Frieda ist Alfreds Schwester. Jetzt verrät mich Frieda zum Schluß doch.

Sie hatte ihm die Nägel geschnitten und ihm, wenn er auf dem Abort gewesen war, die Hosenträger wieder an die Hose geknöpft.

– Frieda ist ein arischer Typ, hatte die Mutter zu Schwester Appia gesagt.

– Frieda weiß ein Gebet, das wissen die andern nicht. Schwester Silissa weiß es nicht. Anna auch nicht, nicht einmal ihr Bruder, dachte Detlev, als Frieda ihm an Alfreds Firmung das Gebet versprach, das ihn weit weg vom Scheyerner Waisenhaus in einen Katholiken verwandeln sollte.

– Wenn ich nicht in die Vogelscheiße gefaßt hätte, wenn Schwester Silissa und Schwester Appia nicht da wären, wenn Anna nicht da wäre, gäbe es den Balkon gar nicht. Detlev stellt sich den Kirchplatz mit dem Waisenhaus ohne Balkon vor. Die Traljen verdicken sich zu einer Wand. Die Pfeiler verwandeln sich in schwarze Klöße. Die Zöglinge kleben mit den Schwestern zu Großvaters Komposthaufen zusammen.

Detlev fliegt hoch in die Luft wie der rote Luftballon vor dem Krieg auf dem Hamburger Dom. Detlev fliegt hoch oben wie ein Bomber.

Detlev sieht von oben auf die vier Mauerpfosten herunter. Er drückt mit dem Finger auf die Traljen des Gitters, und der Balkon fällt ab wie ein Klötzchen seines Steinbaukastens.

– Ich will in Hamburg mit meinem Steinbaukasten spielen. Die Wände fallen um. Detlev zieht die Klötzer aus dem Boden.

– Wenn es keinen Balkon gibt, gibt es auch keine Waschküche.

Die Schwestern flatterten jeden Dienstag durch die Dampfwolken. Detlev hört das Geräusch der seifigen Stoffe auf der Raffel.

– Spart mit der grünen Seife.

Detlev schlägt von oben die Waschküche auseinander. Er schiebt den Schlafsaal weg. Er haut mit der Faust in die Cellophanscheiben. Er trampelt mit den Füßen auf jedem weißen

Balken herum, den er freilegt. Er schmeißt die Betten heraus. Erwins Bett.

Erwin schrie wie Herodes: Nicht auf mich. Joachim-Teufels Bett. Odels nasses Bett. Alfreds Bett biegt er hin und her. Er knickt es kaputt. Detlev bricht die Waschräume ab. Dort hüpfte der Joachim-Teufel morgens im Kreis herum und furzte bei jedem Hüpfer.

Detlev reißt den Abort ein. Er hebt die glitschigen, kalten Fliesen ab, stößt die Wände um, an denen sie die Finger abstreiften, wenn sie sich ohne Papier sauberwischten.

Detlev schlägt die Türen heraus, bricht das Treppenhaus ab, kippt den Mädchenschlafsaal um, preßt den Geschirrschrank zusammen, in dem Peter mit der Puppe – Du, Konung – an Detlevs Stelle bombardiert worden war.

Detlev vergißt, den Eßsaal zu zerstören. Er hebt die Klausur vorsichtig zur Seite.

– Keiner weiß, was da drinnen los ist.

– Wenn sie tot sind, werden sie in der Klausur aufbewahrt.

– Manchmal fliegen die Engel raus und rein.

– In der Nacht klettert der Leibhaftige hinein und vollführt am Fußende der Betten unkeusche Handlungen.

Detlev rollt den Garten zusammen. Im Garten ist ein Loch. Alfred war ihm nachgeschlichen und hatte beobachtet, wie er die Haselnuß pflanzte. Jeden Morgen vor der Messe rannte Detlev hin, um nachzufühlen, ob sie anfing zu wachsen. Alfred schlich ihm jedesmal nach. Die Nuß trieb einen roten Stengel aus der Erde. Alfred riß sie heraus, brach den Stengel ab, warf die Schalen weg, wollte den Rest der Nuß essen. Er spuckte alles wieder aus. Detlev fand den dürren Stengel, die angetrocknete Spucke, die zerkaute Nuß.

Detlev will die Kirche zusammenpacken. Er fürchtet sich vor dem Krach, wenn der Kirchturm umfällt.

– Dann wach ich auf.

Hoch oben über der Spitze sirrte ein silbriges, feindliches Aufklärungsflugzeug.

– Wenn es das Waisenhaus und die Stadtpfarrkirche nicht gäbe, dann gäbe es ganz Scheyern nicht.

Detlev hebt die Hände. Der Vogelkot fällt nicht ab. Detlev reibt die Hände gegeneinander. Detlev verschränkt seine Finger und reibt.

– Er betet. Er kann es nicht lassen. Er betet wie ein Evangelischer.

– Alfred hat nichts gesehen. Er schreit nichts.

Detlev zerquetscht den Kot zwischen seinen Fingern. Detlev legt die Handflächen gegeneinander. Er will den grünen Schleim wegreiben, ohne daß die Waisenhauszöglinge es bemerken.

– Detlev ist ein Ketzer. Mit Scheiße an der Hand faltet er die Hände.

– Nein. Alfred schreit nichts.

Detlev verschmiert den Kot an den Händen. Er legt die Hände mit ausgestreckten Fingern übereinander. Er kreuzt die Daumen.

– Detlev betet wie ein Katholischer. Detlev beschmutzt unseren Heiligen Katholischen Glauben.

Wenn Schwester Silissa das Ave und das Paternoster vorbetete, tippte sie mit den Zeigefingern aneinander, dann tippte sie mit den Mittelfingern aneinander, dann mit den Ringfingern, den kleinen Fingern, wieder mit den kleinen Fingern, den Ringfingern, den Mittelfingern, den Zeigefingern, vorwärts, rückwärts, bis das Gebet zu Ende war.

– Die Katholischen halten die Hände beim Beten anders als die Evangelischen. Hätte ich nicht in die Scheiße gefaßt, würden mich nicht alle ansehen.

Detlev lehnt sich gegen das Gitter. Er will aufhören, an das zu denken, was alles nicht wäre, wenn das kleinste bißchen nicht wäre – der Vogelkot. Er will sich kratzen.

– Detlev kratzt sich mit der Vogelscheiße an der Hand.

– Detlev hat den Sankt-Veitstanz.

– Die Krankheit von Anna steckt an.

– Detlev muß ins Krankenhaus zur Überwachung. Er wird eingesperrt. Er darf nicht nach Hamburg fahren.

Zwischen den Augen juckt es, hinter den Ohren, im Nacken. Die Gegenstände rücken so nahe, daß sie ihm mit ihren Ecken in die Augen stechen.

Detlev kneift die Lider zusammen. Die Waisenhauszöglinge schwimmen durcheinander wie die tutenden Barkassen im Hafen.

Detlev sieht schwarze zackige Flecken, wie das zerknüllte Kohlepapier in der Stadtkämmerei.

– Das Kohlepapier muß wegen Spionagegefahr nach dem Gebrauch vernichtet werden,

wie die halbverfaulten Blätter, die Detlev beim Quittenbaum in Großvaters Garten aufgesammelt hatte. Er hielt sie gegen die hellste Stelle in den Wolken. Die Rippchen waren noch übrig und einzelne, nasse Fetzen. Er hatte nie einen Kopf oder eine Gestalt in einem Blatt erkennen können.

– Wenn es Aichach und Steingriff und Scheyern nicht gäbe, wäre ich nie in dieses Waisenhaus gekommen.

Erich Fried
Die Summ-Summe

Glück des großen Unglücks
Unglück des kleinen Unglücks!
Bienen der Einsamkeit
über Stock und Stein

Honigsammler
Dröhnender Hochzeitsflug
Im Schwarm des großen Unglücks
Umschwärmer des kleinen Glücks

Imker wohin
soll der Schwarm sich wenden?
Umkehr der Flügel
Königin im Gesumm:

Samsara sursum corda
Sodoma Simson
Samen im Samum
sammle das summum bonum!

Der Drohnen Dröhnen
Noahs trunkenes Stöhnen
vor seinen drei Söhnen
Sem Sam und Sum

Die Wiederkehr

Verbrannt der Phönix im Nest
Krieg seiner Asche
Drei Tage dann kriecht der Krieg
als Wurm wieder aus

Keiner erkennt
im weichen Gewand die Verwandlung

Schnabel und Krallen
noch lang unter Haut und Flaum

Mit seinen Linsen
bricht er zum Zerrbild das Licht
kauft er sein Erstgeburtsrecht
immer aufs neue

Endlich mit Flammenstrahl
am Linsengerichtstag
verbrennt er das eigene Nest
und mündet im Wurm

Der Vogel

Der schwarze Vogel
kommt wieder in unsere Gegend
Er baut seine Nester
er legt seine Eier
er brütet

Er hütet die häßlichen Jungen
vor jedem Angriff
er bringt ihnen Futter
er lehrt sie hüpfen und fliegen

Sie kreisen wie Wolkenschatten
über den Straßen
sie sammeln sich kreischend
auf unseren höchsten Bauten

Sie warten den ganzen Sommer
und werden größer
sie warten den Herbst ab
sie fressen unsere Ernte
Sie warten den Winter ab
sie fliegen nicht fort

Die Tiere

Im Winter kommen hungrige Vögel ans Fenster
und manchmal Rehe bis ans Haus heran

Nun ist noch nicht Winter
doch es kommen
die größeren Tiere

Sie stapfen voll Spinnwebmoos hervor aus den Wäldern
Bäume im Maul
die legen sie vor die Türen

Sie zwängen sich lehmverkrustet herauf aus der Erde
kriechende Brunnen
verbissen in blutende Steine

Sie frieren nicht
sie fressen und trinken nicht
sie lassen die Fliegen sitzen auf ihren schwammigen Augen

Sie müssen krank sein
sie müssen erschrocken sein

Auf halbem Weg

Nun kommt der Wald
er hat seine Vögel gefressen
er hat seine Blätter gefressen
er rauscht jetzt anders

Er kommt und knarrt
er reißt sich das Moos von den Stämmen
er reißt sich die Rinde
von jedem krächzenden Ast

Er rauscht jetzt anders
er hat seine Blätter gefressen
er hat seine Vögel gefressen
nun kommt er her

Muspilli

Der Mond hat seinen Mund aufgetan
die Sonne rennt und brennt in ihrer Bahn
die Sterne tropfen nieder in die See
sie zischen sehr

Wer will leben
wenn das Sterben
so groß ist?
wer?

Vielleicht die Guten
die sich mit Göttern gatten?
Aber die Götter
begatten nichts mehr

Mischgericht

Aus den Fischen von gestern
und aus den Kindern von morgen
backen wir eine Pastete
die keiner mehr ißt

Wenn sie vertrocknet
kann sie sich lange halten
und wird zuletzt
von den fremden Steinen gefunden

Die werden staunen
und ihren Metallen melden:
Die Steine auf diesem Stern
müssen hungrig gewesen sein

Der Strohmann

Kinder: ein Herz aus Stroh!
Der Abend wird angezündet
Nun flammt es auf und davon
So laßt mich leben

Herbststroh mein Bett
meine Decke der kalte Rauch
mit Reif bedeckt:
Bei den Sternen knistern die Funken

Herbst, meine Kinder:
Ein Leben aus kaltem Stroh
Meine Decke wird angezündet
Laßt mir den Abend

aus Rauch, aus Rauch!
Bei den Sternen knistert der Reif ...
Auf und davon
mein Bett aus Herzen und Funken

Die Hinrichtung

Drei Bäume wurden
rechtskräftig schuldig befunden
den Landfremden mit ihren Blättern
Deckung gewährt zu haben

Das Urteil wurde vollstreckt
vor versammeltem Volke

vorne die Kinder
nach Schulen mit ihren Lehrern

Die Bäume wurden
zuerst ihrer Blätter beraubt
dann gehenkt an ihren Zweigen
daß sie baumelten wenn der Wind kam

Die Kinder sangen
das Lied von der Waldeinsamkeit
und preßten in Schulbüchern Blätter
als warnendes Beispiel

Der gute Gärtner

Mein Leben gehört
den neuen größeren Blumen
ich habe Geld gespart
für den rechten Dünger
ich pflanze sie mit Liebe
ich begieße sie mit Geduld
ich verstärke den Gartenzaun
um sie besser zu schützen

Ich baue im Garten ein Haus
um Wache zu halten
ich suche mir eine Frau
um mein Haus zu führen
ich lehre meine Kinder
die wachsenden Blumen lieben
und mit Steinen die Vögel jagen
von Zaun und Beet

Wenn die Blumen groß sind
öffnen sie ihre Kelche
die zahnbewehrten
und fangen an zu fressen
die Vögel den Zaun den Garten

das Haus die Frau und die Kinder
alle meine Kinder
und nicht nur meine

Auf freiem Markt

(für H. M. E.)

1.
Gebranntes Kind
fürchtet das Feuer
Gebrannten Kindes Kinder
fürchten das Feuer nicht

Gebrannten Kinds Kindeskinder
malen sich aus
wie schön die Großeltern brannten
und sammeln feurige Kohlen

Nochmals gebranntes Kind
fürchtet kein Feuer mehr

Asche ist furchtlos

2.
Wer warnt wird gebrandmarkt
auf dem Markt der gebrannten Kinder
die das Feuer nicht fürchten
sondern die Brandmarken sammeln

Da gibt es feurige Krieger
und Brandmarketenderinnen
Feuerspeier
am Stammtisch mit Feuerfressern

Die gehören zusammen
wie Krieg und bewaffneter Friede
Sie spielen einander zu
sie geben einander Arbeit

Sie trinken Brandwein
und atmen Fahnen aus
im kalten Wind
und feuersprühende Lieder

Sie atmen auf freiem Markt
ihre Flammen bald aus bald ein
und die Menschen gehn ein und gehn aus
wie gelöschte Lichter

Die Abnehmer

Einer nimmt uns das Denken ab
Es genügt
seine Schriften zu lesen
und manchmal dabei zu nicken

Einer nimmt uns das Fühlen ab
Seine Gedichte
erhalten Preise
und werden häufig zitiert

Einer nimmt uns
die großen Entscheidungen ab
über Krieg und Frieden
Wir wählen ihn immer wieder

Wir müssen nur
auf zehn bis zwölf Namen schwören
Das ganze Leben
nehmen sie uns dann ab

Haus des Brotes

Der Stern steht über dem Haus
aber das Dach ist zerfallen

zerfressen
von den Strahlen des Sternes

oder zerbrochen
als man den Stern hinaufschoß

oder spröde geworden
von der Kälte der Nacht

und zersprungen
mit dem Knacken von Knochen

(Beth-lehem: hebr. Haus des Brotes)

Stämme der Welt

Ihr Stämme der Welt:
der Schnitter
geht durch die Wälder
er hält sie für Halme
er hebt seine Sense
er schlägt

Er schlägt
und der Wald ist geschlagen
die Baumhalme liegen gemäht
auf den Splittern der Sense
auf dem gefällten Schnitter:
Wer war stärker

Wer war stärker
Der Schnitter schlug seinen Wald
Der Wald schlug den Schnitter

die Baumhalme wurden geerntet:
Die Halmbäume haben geerntet
Der Tod ist tot

Bedenken

Nun werden an mir
die Sünden heimgesucht
meiner Kinder
bis ins dritte und vierte Glied

die Gleichgültigkeit von morgen
die Feindschaft von übermorgen
die Krise im kommenden Winter
der Krieg übers Jahr

an denen ich schuldig bin
durch mein Nicht-Tun und Nicht-Lassen

Die Folgen meiner Angst
sind die Ursachen meiner Ängste

Weil du traurig warst

Du bist gestorben
weil du traurig warst
Ich habe dein Lied gesungen
weil du tot bist

Ich werde sterben
weil ich gesungen habe
Ich werde sterben
weil du traurig warst

Ich habe gesungen
weil ich sterben werde
Ich habe gesungen
weil du ein trauriges Lied warst

Du bist gestorben
weil ich gesungen habe
ich werde sterben
weil du kein Lied mehr bist

Rückblick

Dann sage ich:
Ich denke noch an die Liebe
aber den Streit
beginne ich zu vergessen

Dann denke ich:
Ich beginne zu glauben
was ich sage
vom Vergessen des Streites

Dann weiß ich:
Was ich sage und was ich denke
ist nicht wahr
ich glaube mir kein Vergessen

Ich kann nicht die Liebe vergessen
und nicht den Streit
nur was ich sage und denke
nur was ich lüge und glaube

Nicolas Born
Der zweite Tag

Die Konturen im Vordergrund lösen sich auf. Es ist noch ein unruhiges Fahren. Die Glaswand endet plötzlich. Der Zug hat viele Möglichkeiten: er befindet sich mitten unter ihnen. Ich sehe die Gleise zurückfahren, ihre Geschwindigkeit erhöhen. Sie glänzen unbeweglich trotz ihres Zugtempos. Ich wende den Kopf: da vermehren sich die Gleise, werden vielspurig, und die ganze Breite ist gewachsen, daß drüben, am Rand des Bahngeländes die großen Lokomotiven und Wasserkräne winzig erscheinen. Drahtbündel laufen mit, knapp über dem Boden, haben Gefälle und Anstieg zwischen ihren Befestigungen. Wenn man genau hinschaut, sieht man Drähte in Röhren verschwinden, die unterm Basalt weiterlaufen in die Fundamente der Signale. Die ersten großen Weichen kommen, die Gabelungen, ja, hier ist ungefähr der Ort, an dem die Richtungen verteilt werden. Einige Gleise sind schon ausgeschert, haben einen weiten Bogen gemacht, den man noch sehen kann. Wieder kippt ein sechsspuriger Gleiskomplex ab, und zwei, vielleicht auch vier – ich warte es ab –, ja, vier Spuren schwenken fünf Zuglängen weiter wieder nach links ein. Die Höhe habe ich jetzt erreicht. Es sind wirklich Gleise für vier Züge nebeneinander, die diese Strecke unterführen. Das sehe ich von oben, in dem Moment, in dem das Fahren hohl klingt, habe nun wieder festen Boden unter den Rädern. Aber ich höre noch das schwach und schwächer werdende Geräusch der letzten Wagen über der Unterführung.

So sieht nun die Gegend, die ich kenne, tatsächlich aus, so, wie ich sie jetzt sehe, durch ein Zugfenster, von einem etwas erhöhten Fahrpunkt aus. Geschorene Landschaft, unbewohnt, flach, sparsam bewachsen mit kleinen, rußbestaubten Sträuchern und ebenso ungrünem Gras. Niemandsgürtel um einen Industrieblock, und der selbst ist auch zu sehen, tritt einmal nahe heran als Eisenhütte an den Bahnkörper. Ockerfarbener Himmel. Pferdemistfarbene Wolken quellen aus den Schloten. Es ist zu sehen ein heilloses Stahldickicht, Hochofen, ein unordentlicher Turm, verstrebt mit leiterähnlichem Schrägaufzug für Erz, Koks und Kalk, mit den fetten Rohrleitungen zur Abfuhr von Giftgas und Wind. Einblick wird gewährt in die von innen ebenso ausgestrebten Gießhallen: rote Gußlohen schmerzen den Augen; der weiße Glutkern. Vor dieser Kulisse die Rampe für Schlackenabstiche, lange, breite Ausgußlefzen, darunter die dampfenden Kübelwaggons. Übergänge, Durchgänge, Plattformen. Arbeiter sind kaum zu sehen. Sie fügen sich ein.

Vorbei, das ist vorbei, nur noch zu sehen graue Träger und Rohrsilhouetten. Die Hitze geht in Wellen darüber, verflüssigt das Bild. Dies alles, diese Industrie liegt da wie sie liegt, so am Stadtrand, und man könnte jetzt aus der Ferne schauend schon sagen: ... liegt eingebettet in der Landschaft. Oder möchte jemand dagegen etwas sagen, etwa einer, der wie ich aus dem Zugfenster schaut und Ärgernis nimmt an diesem, der Reise ungemäßem Bild? Dem möchte ich sagen, daß sein Ärger darüber unnütz ist und daß es sich höchstens um Minuten handeln kann –; dann erscheint – wie jetzt zum Beispiel – ein langes, rechteckiges Wasser, dann kann man Tauben sehen, die eilig fliegen, dann ist es vielleicht auch kein großer Glücksfall, wenn in der Ferne ein kleiner Bauernhof liegt (ja, in städtischer Umgebung) mit etwas Acker- und Weideland davor. Dann soll man sich spätestens besänftigt zeigen.

Es ist mir klar und ich bin einverstanden damit, daß meine Reise begonnen hat und es für mich kein Zurück mehr gibt. Ich will vorwärts und nicht zurück und habe die Reise vorbereitet. Nicht um sie nicht zu beginnen oder sie schnell wieder abzubrechen. Das wäre eine schöne Blamage.

Aber jetzt!

Aber jetzt kommt ein Gegenzug. Wie soll ich ihn empfangen? Soll ich normal reagieren, mein Gesicht verzerren vor Erwartung, meinen Kopf unbewußt etwas wegnehmen vom Fenster? Soll ich mich überwältigt zeigen von dem Stampfen und Rollen auf dem Nebengleis? Soll ich verehren die materiale Macht, die mich voll ins Auge faßt in dieser Sekunde? Die Lok ist vorbei. Ich sehe ihr nicht nach. Es folgen natürlich die Wagen. Unterwassergefühl kommt auf in mir von Zisch- und Schleifgeräuschen umgeben. Der Klang wird schmaler, läuft spitz zu, das Ende naht. Der Klang erhebt sich und flutscht heraus aus dem ruhigeren meines Zuges. Davon abgesehen ist es nun wieder still. Der Zug verlangsamt seine Fahrt. Ich kann eine leichte Beunruhigung nicht leugnen: ich möchte nicht, daß jemand, der mir nicht gefällt, in Kürze in meinem Abteil Platz nimmt, vielleicht ungeniert die Schuhe auszieht, aus einem Glas Kartoffelsalat ißt, sich mit behaartem Handrücken den Mund abwischt und mich zwischen zwei unterdrückten Rülpsern nach der Uhrzeit fragt. Es wird aber nur ein kleiner Bahnhof sein, nicht so klein, daß wir ihn einfach überfahren können, aber doch so klein, daß meine Befürchtung nun nicht größer wird, als sie ist. Wir fahren vorüber an einer kurzen Verladerampe, auf der sich kein Mensch befindet. Auf den Gleisen davor stehen unbeweglich zwei aneinandergekoppelte Güterwaggons. Ich sehe den Bahnhof noch nicht. Ich muß ihn aber kennen, denn er gehört noch zum Gebiet der Stadt, in der ich wohne. Ich bemerke den Linksbogen der Strecke und das häufige Überfahren der Weichen. Aus Stahlgleisen, Holzschwellen und Basalt erhebt sich ein Stellwerk. Ein Signal mit erhobenem Arm kommt vorbei. Schwarze Schrift auf weißem Grund: das erste Namensschild erscheint, wahrscheinlich, damit ich es lese. Auf schweren Stahlträgern ruht das Dach, dessen Hälften sich strecken mit etwas Gefälle über die Bahnsteige eins und zwei oder Ost und West, über die Bahnsteige, auf deren Mitte zwei verrammelte Kioske hocken, die Rückwände gegen die Träger gelehnt. Ein junger, ordentlich gekämmter Mensch rennt mit dem Postkarren, auf dem sich ein Postsack und mehrere Pakete befinden (im ganzen vielleicht sieben, vielleicht auch acht oder neun), nach vorn. Auch hier steht der Mann mit roter Mütze und Kelle auf dem Bahnsteig. Die Fahrt wird gleich weitergehen. Der Mann mit roter Mütze und Kelle auf dem Bahnsteig blickt nach vorn zur Lokomotive. Langsam dreht sich sein Gesicht, bis es entlanggeschaut hat, bis es den letzten Wagen sieht und sieht, daß alles in Ordnung ist. Hinter seinem Rücken drehen seine Finger die Kelle. Einmal ist der Ring rot, und einmal ist er grün; das wechselt so schnell, daß man es manchmal nicht mitbekommt. Türen schließen! Alles ist in Ordnung. Der Mann mit roter Mütze und Kelle auf dem Bahnsteig hat entlanggeschaut. Gleich werden seine Arme wieder von beiden Schultern herabhängen, eine Hand wird die Kelle halten, ein prüfender, ein letzter prüfender Blick wird gerichtet sein, dann wird sich der Arm erheben müssen zum Abfahrtsignal. Langsam kommt der leere Postkarren zurück, geschoben von einem jungen, ordentlich gekämmten Menschen. Der Bahnhofsvorsteher tritt dicht an den Zug heran, seine Arme hängen locker von beiden Schultern herab.

Günter Herburger
Die Opfer

Er lügt, zeigt immer denselben Prospekt für Ölöfen, das Glanzpapier ist schon ganz zerknittert und schmutzig, und auf der letzten Seite habe ich kleingedruckt gelesen, daß die Ofentypen von 1950 sind. Das gibt es doch nicht, daß eine Firma über zehn Jahre lang nichts ändert. Er verkauft bestimmt nichts, ich weiß doch, daß er den ganzen Tag in unserem Zimmer sitzt oder auf dem Bett liegt und diese kleinen Romanhefte liest, und am Zeitungsstand neben dem Milchgeschäft tauscht er sie wieder gegen andere um, auch gebrauchte. Er muß schon Hunderte davon gelesen haben, aber er soll sie nicht einfach im Zimmer herumliegen lassen, ich brauche für meine Lehrbücher auch Platz. Wenn er kein Vertreter ist, dann ist er eben etwas anderes. Von mir aus soll er nichts tun, es ist mir egal, aber er behauptet auch, daß er immer Kopfweh habe, doch Tabletten nimmt er nicht.

Ich jedenfalls habe meine Pflicht, ich muß mich anstrengen. Morgens um halb fünf stehe ich auf, trinke den Pfefferminztee und nehme die belegten Brote mit, die sie für mich macht, jeden Abend für mich allein, wenn sie von der Arbeit zurück ist. Sie hat die Spätschicht.

Ich sitze in der ersten Straßenbahn und fahre eine Stunde quer durch die Stadt, um sechs beginnt die Frühschicht. Die Straßen sind noch leer, die Bahn stinkt nach kaltem Rauch, jeden Morgen wird mir übel, wenn ich diese Quarkgesichter sehe, die Stengel im Mund und noch die dicke Nachtspucke, wie sie nach vorn hängen und bei jeder Kurve beinahe von den Bänken kippen, du lieber Himmel, sie müßten alle auf Pfefferminztee umstellen, es ginge ihnen bestimmt besser. Dann kommt die Fabrik für Speiseeis, die zur Zeit nach Schokolade riecht, manchmal nach Himbeer, Vanille oder Waldmeister, immer nach der Serie, die gerade auf Band liegt. Sobald ich drin bin und den Gummischurz umhabe, geht es mir wieder gut.

Ich muß jetzt unbedingt schlafen, Kraft sammeln, ich werde immer dünner, aber ich halte das eine Jahr schon noch durch. Morgen nach der Fabrik muß ich die restlichen Zeichnungen für die Abendschule machen. Ich liefere immer mehr ab, als verlangt wird, schließlich zahle ich viel Geld für den Kurs. Ich könnte lachen, wenn ich sie dasitzen sehe, diese Pinscher, die schon vierzig und mehr sind und trotzdem daran glauben, sie könnten es noch schaffen. Wenn der Lehrer kommt, haben sie Ausreden, weshalb sie die Zeichnungen nicht gemacht oder die Logarithmentafeln vergessen haben. Wie in der Schule. Sie stellen sich vor, Sitzen und Zahlen genüge, erzählen sich Bürowitze und würden am liebsten mit nassen Papierkugeln nach dem Lehrer spicken, dem das egal wäre. Er ist ihnen haushoch überlegen, er studiert tagsüber in der Universität, ich verstehe mich gut mit ihm. Neulich hat er gesagt, daß ich die Abschlußprüfung sicher bestehen werde.

Soll ich mich umdrehen und den Dicken anschreien? Wenn er auf der anderen Seite des Ehebettes seine Nachttischlampe anhat, bleibt es so hell, daß ich kaum einschlafen kann. Und neben mir an der Wand hängt der Schatten des Milchglasschirmes. Ich weiß, wie er daliegt, ich brauche nicht hinzusehen, er benützt zwei Kopfkissen, und das Deckbett hat er bis zum Hals hinaufgezogen, dazwischen ruht sein Kopf mit den schwarzen Haaren, die lang und gewellt sind, und außerdem trägt er noch ein Bärtchen auf der Oberlippe. Er bewegt sich nicht, liest, hält das Romanheft am ausgestreckten Arm hoch über sich, es ist ein Wunder, daß er überhaupt die Buchstaben sieht, er behauptet, er sei weitsichtig. Ich habe ihm gesagt, er solle sich eine Brille kaufen, doch davon will er nichts wissen. Wenn er umblättert, wechselt er den Arm, knickt das Heft um und hält es mit der anderen Hand. Und ausgerechnet neben mir, auf seinem linken Unterarm, hat er eine sechsstellige Nummer eintätowiert, die beiden ersten Zahlen sind etwas unscharf. Ich kann mir vorstellen, was das bedeutet, aber ich lasse mich damit nicht erschrekken. Er ist ein Mieter wie ich, wenn er auch nichts tut und immer Kopfweh hat, was ich ihm glaube. Soll ich mich umdrehen? Sicher ist jetzt gerade wieder der linke Arm dran. Meinetwegen kann er ihn mir die ganze Nacht hinhalten, bis er verdorrt, ich frage ihn nicht nach den Zahlen, er wartet ja nur darauf.

Doch sie wird im Zimmer neben der Wohnküche ruhig schlafen können, wie sie es verdient hat. In der Eisfabrik arbeiten meist Frauen, nur im Lagerraum oder an den Schlebecken Männer. Als ich dort anfing, wollten sie mir natürlich Spätschicht geben, aber darauf habe ich mich nicht eingelassen, ich mache das doch nur, um genügend Geld für die Abendschule zu verdienen. Ich brauche die Frühschicht, habe ich gesagt, sonst kann ich nicht studieren, dann hätte ich auch Krankenpfleger bleiben können. Wenn ich nicht morgens arbeiten kann, gehe ich wieder. Also bin ich zur Frühschicht eingeteilt worden.

Die Neuen kommen zuerst in den Lagerraum, damit man sieht, was sie taugen, außerdem gibt es dort keinen Akkord, sondern nur Kältezuschuß. Ich bekam Schuhe mit dicken Holzsohlen, wattierte Jacke und Hose, eine Pelzmütze mit Ohrenklappen und Fausthandschuhe, bei denen außer dem Daumen auch noch der Zeigefinger extra war. Die seien noch vom letzten Krieg, hat einer behauptet, typische Handschuhe mit Maschinengewehrfinger. Wäre dieser Finger nicht gewesen, hätte ich am Anfang wahrscheinlich noch mehr Kartons fallen lassen. Ich mußte mit noch einem, der schon seit Jahren im Lagerraum arbeitet und am liebsten auch dort schlafen würde, so wohl fühlt er sich in der Kälte, die Kisten und Schachteln stapeln, Sahneeis links, Vanille mit Schokoladenüberzug hinten und das einfache Fruchteis, das viel schneller wieder abgeholt wird, an der Tür zur Verladerampe. Es gibt Neonlicht in der Halle, natürlich keine Fenster, und ich habe den ganzen Tag schichten und kramen müssen, während die Schachteln geraucht haben und aus den Schlitzen an der Wand stinkende Schwaden herauskrochen, was neue Kälte war. Auf allem lag Reif, aber ein künstlicher, der sich wie klebriger Puder verstreichen ließ, ich hätte gern darin gezeichnet oder später vor Wut in das Geklitzer Sauereien geschrieben, damit die schleckenden Kunden draußen sich verschlucken. Wir kamen kaum mit, so schnell schossen die neuen Kartons auf dem Förderband durch den Schutzvorhang zu uns herein. Ich bin getorkelt, von einem Stapel zum anderen, habe Schokolade mit Fruchteis verwechselt, der andere hat geschrien, ich auch, manchmal habe ich ihn gar nicht mehr richtig sehen können, das Licht und die Kälte haben sich zu einem Nebel vermischt, daß ich glaubte, es ginge bergauf oder bergab, auch die Kartons auf dem Förderband habe ich verfehlt, weil ich die Entfernung beim Zugreifen verschätzte. Über einen Monat habe ich im Lagerraum gearbeitet, und während der ganzen Zeit konnte ich kein einziges Eis essen. Es war zu fest gefroren, wäre mir im Mund kleben geblieben und hätte mir die Haut von der Zunge gerissen. Doch draußen, an einem Stand, habe ich mir keines gekauft. Ich muß in allem konsequent bleiben, sonst werde ich nicht Konstruktionszeichner.

Wenn ich nach der Schicht um halb vier Uhr die wattierten Kleider ausziehen und endlich wieder ans Tageslicht treten konnte, habe ich mich vogelleicht gefühlt. In den ersten Tagen war ich so schnell, daß ich noch die Straßenbahn erwischte, die fünf Minuten nach Schichtwechsel abfährt und die sonst niemand erreicht. Das hätte ich nicht tun sollen, jedesmal, wenn ich dann drin saß, ist mir das Blut in den Kopf geschossen, Hände und Beine haben gezittert, daß ich glaubte, ich müßte zerspringen. Als ich es dem Vorarbeiter erzählte, wollte er nicht aufhören zu lachen.

Jetzt arbeite ich Akkord an den Schlebecken. Auf der einen Seite der zwei langen Betonrinnen gießen Mädchen die noch warme Masse in Formen und lassen die Metallkästen in die unterkühlte Sohle rutschen. Wenn sie nicht aufpassen und ein wenig von dem chemischen Wasser hineinspritzt, ist alles verdorben. Die Kästen schieben sich zu mir herunter, die Masse erkaltet, und ich tauche dann die Formen mit einem Ruck in Wasser, damit das Eis sich wieder löst und hinter mir verpackt werden kann. Man darf nicht hinhören, was die Mädchen schwätzen, diese dürren Hühner, die nie und nimmer Frauen werden und sich immer neue Vergleiche mit dem Eis am Stiel ausdenken, es ist eintönig, ich muß mit Schwung arbeiten, sonst schmilzt das Eis wieder. Bücke ich mich über die Sohle, schlägt mir Kälte entgegen, tauche ich die Formen bis zum Rand ein, bekomme ich heißen Dampf ins Gesicht. Ich könnte von Kopfweh reden, nicht der Dicke, der nichts tut und sich aus Langeweile ein unsichtbares Leiden herausgesucht hat.

Ich habe mit den Mädchen oft streiten müssen, weil sie behaupteten, ich würde zu schnell arbeiten. Zu viel Eismasse haben sie in die Kästen getan, daß die einzelnen Stücke nicht erkaltet sind und mir beim Lösen die ganze Soße im Becken schwamm, oder meine Gummihandschuhe waren weg, aber ich habe trotzdem weitergemacht, die scharfe Sohle hat gebrannt. Ich hätte sie alle in die Bottiche werfen mögen, diese Mäuse, bis sie ohne Haut und Frisuren gewesen wären. Dann ist sie gekommen und hat Ordnung unter die Mädchen gebracht.

Man muß gesehen haben, wie sie zugreift, keine Bewegung zuviel macht, immer waren genügend Kästen in den Rinnen, wir haben sofort großartig harmoniert. Sie ist stattlich, aber das macht nichts, für mich ist sie schön, wenn sie auch früher schlanker gewesen sein mag, und ihr Gummischurz ist sauber. Mit Ihnen möchte ich immer Schicht machen, habe ich gesagt, das klappt, daß es eine Freude ist. Sie hat sich auch für meinen Abendkurs interessiert und daß ich vorwärtskommen will, und als ich ihr erzählte, wieviel ich für mein Zimmer bezahle, hat sie mir die Schlafstelle angeboten. Es ist mein Ehebett, hat sie gesagt, ich brauche es nicht mehr, derart zart hat sie ihr Schicksal angedeutet und nur an mich gedacht, wenn es Ihnen nichts ausmacht, daß in der anderen Hälfte auch noch einer schläft, könnten Sie viel billiger bei mir wohnen. Für Leute wie Sie habe ich Verständnis.

Sie hat immer ein weiches Herz gehabt, auch für ihren Mann, bis er schließlich seinen Lastzug durch ein Brückengeländer fuhr und unten lag, den Brustkorb übers Steuerrad gestülpt. Das ist schon lange her, doch den Dicken neben mir, den ich nicht einmal atmen höre, hat sie aufgenommen, und ich weiß nicht, warum. Ich kriege das Zittern, heiß vor Wut werde ich, wenn ich daran denke und mir vorstelle, daß er sie anlangt. Ich muß noch besser aufpassen. Leider haben wir nur einmal zusammen Schicht gehabt. Er ist ruhig und höflich, hat sie gesagt, Sie werden nicht spüren, daß er neben Ihnen im Bett liegt.

Endlich habe ich essen können, so viel ich wollte, jeden Morgen als Frühstück Vanilleeis oder Schokolade oder einen Luxusbecher mit Rahm und Nüssen. Nach zwei Papptöpfen war ich für Stunden satt, aber zwischendurch habe ich trotzdem noch Stücke vom Förderband genommen, bevor sie hinten in den Kübel fielen. Ich verdanke es ihr, daß mein Magenweh wieder weggegangen ist. Sie müssen Pfefferminztee trinken und weißes Brot essen, hat sie mir empfohlen, sonst kriegen Sie eine chronische Entzündung. Wie meine Mutter hat sie das gesagt. Machen Sie meinem Bettnachbarn auch Tee? habe ich gefragt.

Er liest nicht mehr, er hat ein paarmal geschnauft. Er wird doch nicht so frech sein, das Bett schon jetzt zittern zu lassen, solange das Licht noch brennt. Seit einer Woche stecken in der Fuge zwischen unseren Bettladen Stücke aus Wellpappe, aber er täuscht sich, ich spüre die Wellen trotzdem durch das Holz kommen, wenn er seine vorsichtigen Bewegungen macht. Doch ich wehre mich dagegen, diese Schande lasse ich nicht mit mir geschehen. Ich war lange genug Pfleger, ich kenne mich aus.

Als sie mich ihm vorgestellt hatte und wieder in der Küche war, hat er sich gleich vor mir ausgezogen. Immer wieder sind wir zusammengestoßen, während er auf dem engen Raum vor dem Waschtisch stand und ich an ihm vorbei mußte, um meine Sachen in den Kleiderschrank zu räumen. Ich habe so schnell wie möglich gemacht und bin sofort ins Bett. Er wusch sich, langsam mit einem Lappen, den er kaum ins Wasser tauchte, unter den Achseln, auf der Brust, überall hat er sich betupft und dabei in den Spiegel geschaut, auf seiner Oberlippe zuckte das Bärtchen.

Er ist braun, was nicht von der Sonne kommen kann, so gleichmäßig ist die Farbe, auch sein Hintern, ich habe es genau gesehen, als er sich bückte und vorsichtig aus der Hose stieg. Plötzlich hat er mich angesehen und leise gesagt: Können Sie mir den Rücken einreiben?

Er benützt eine Salbe gegen Nervenschmerzen. Ich kenne sie, wir haben sie im Krankenhaus auch verwendet, ob sie hilft, weiß ich nicht, der Stationsarzt, den ich fragte, hat gemeint, Hauptsache die Leute glauben daran, die Wärme, die man durch Reiben erzeugt, hilft genausoviel.

Natürlich bin ich höflich gewesen, schließlich ist er viel älter als ich, nackt hat er sich auf den Bauch gelegt und auf meine Hände gewartet. Sein Rücken bekam eine Gänsehaut.

Ich massierte die Salbe ein, wie ich es gelernt habe. Er ist so dick, daß ich kaum die Schulterblätter durch das Fleisch gefühlt habe, vielleicht war es das, was mich gereizt hat, ich wollte seine Knochen spüren. Ich rieb den Rücken hinunter bis vor die Falte, wo das Becken beginnt und selbst die Dicksten kaum mehr Fett haben, und mit zwei Fingern bin ich, so heftig ich konnte, wieder an der Wirbelsäule hinaufgefahren, wäre sie aus Blech gewesen, hätte sie gescheppert. Er hat aufgestöhnt und sich umgedreht.

Vorne auch, hat er gesagt.

Das können Sie selbst tun, habe ich geantwortet und mich abgewandt, wenn Sie tatsächlich Schmerzen haben, dann hinten, wo viele Nervenknoten an der Wirbelsäule sitzen, ich weiß es, ich war lange Zeit Krankenpfleger. Ich habe überall Schmerzen, hat er gesagt, das kommt vom Duschen.

Er übertreibt wie viele Dicke. Ich bin wieder ins Bett gegangen und habe mich schlafend gestellt, ich war auf alles gefaßt. Aber ich habe nichts gehört, er ist einfach liegengeblieben. Als er schließlich aufstand, habe ich doch schnell hinübergeschaut. Er zog ein Nachthemd an, das ihm weit über die braunen Knie hing. Ich hätte lachen können, doch dann hat er stundenlang die Nachttischlampe brennen lassen und seine Romanhefte gelesen. Allmählich gewöhne ich mich daran, damals, beim erstenmal, war ich empört, ich habe ihm auch gesagt, daß ich so nicht einschlafen kann, trotzdem macht er es immer wieder, um mich herauszufordern.

Wenn ich in der Nacht aufwache und er seine Lampe brennen

hat, ist das grüne Zimmer wie Wasser. Alles schaukelt, zerfließt an den Rändern, das Fußende des Bettes, die Stuhlbeine oder der Waschtisch mit der Schüssel darauf, die er nie richtig putzt, wenn er fertig ist, jeden Morgen muß ich den getrockneten Seifenrand wegreiben, bevor ich mich wasche, während er daliegt, oft eines seiner Hefte überm Gesicht, und schnarcht, daß der bunte Einband zittert. Ich kann Krach machen, soviel ich will, er wacht nicht auf.

Im Wasser kann ich mich lösen, das Krankenhaus vergessen, den Dreck, die scharfe Sohle und die Vanillestöpsel, die sie in ganz Deutschland begeistert essen. Ich gehe gern ins Freibad, aber ich liege nicht auf der Wiese herum, um mich von der Sonne verbrennen zu lassen. Beim Sprungturm, wo das Becken am tiefsten ist, tauche ich. Eine Minute und mehr macht mir nichts aus.

Ich warte, bis Kinder unter der Dusche stehen, mit Rippen wie Drahtkörbe, ich beobachte sie, wie sie den Mund aufreißen und mit den Armen schlegeln unterm kalten Wasserguß. Sie sind noch leicht, schnell und heftig, so will ich auch bleiben, um mein Ziel zu erreichen. Der Wille muß später die Jugend ersetzen, höre ich meine Mutter sagen. Ich springe nicht hinein, das mögen diese Angeber tun, die sich federnd auf dem Sprungbrett zeigen, ich lasse mich langsam in der Ecke des Beckens hinunterrutschen, zuerst noch auf die Arme gestützt, während mich, von unten höhersteigend, das Wasser umschließt, ein kühles, sauberes Futteral, in das ich hineingleite, schwer gemacht durch wenig Luft in den Lungen. Ich sinke weiter, höre nur noch ein Ticken aus der Tiefe, schwerelos stoße ich mich mit den Handflächen von der Betonwand ab, drehe mich kopfunter und segle im grünen Licht. Im Sprungbecken sammelt sich der feine Chlorschlamm beim Abflußrohr, die Schwaden brennen mir in den Augen, ein lockender Schmerz, der mich wachhält. Die Entfernungen sind zusammengedrückt wie mein Körper, dem Flossen und Kiemen wachsen, der nicht mehr essen, sich kleiden und behaupten muß, sondern durch den stetig die dünne Nahrung fließt, rein und durchsichtig.

Beim erstenmal warte ich nicht, bis die Luft knapp wird, ich genieße mehr, wenn ich mich allmählich an meinen Zustand gewöhne, oben atme ich den Rest aus, bleibe an der Haltestange hängen und schließe die Augen. Mein Blut muß mit Sauerstoff beladen werden, zu einem neuen Versuch. Jetzt tauche ich schneller und erreiche mit einem Stoß die Tiefe, ganz unten schwebe ich über einer Teerfuge, die sich schlängelt. Über mir sticht ein heller Trichter herab, schäumt und gibt einen hohlen Stoß weiter. Beine zappeln und treten sich wieder nach oben; ich sehe gelbe Hornfersen zusammenschlagen, eine Frau kämpft sich zur Eisenleiter, ihr Entenbug ruckt zwischen den ungeschickten Schenkeln. Gleich darauf eine dünne Sprotte, senkrecht schießt sie durch den Nebel, zwei Mädchenaugen starren mich an und fliehen wieder, während ich sicher in der Tiefe bleibe.

Ich mache meine Übungen meist zehnmal, bis ich mich kaum mehr auf den Beckenrand hinaufstemmen kann, die Leiter benutze ich nie. Neben der Dusche, auf der Bank liegend, erhole ich mich.

Ich kenne sie alle, wenn sie an heißen Tagen dicht nebeneinanderliegen, faul und alles der Wärme hingestreckt. Ich wünsche ihnen, daß sie gesund bleiben, denn ich habe sie auch alle schon im Krankenhaus gesehen, sie unterscheiden sich nicht. Acht Jahre habe ich dort gearbeitet und das Pflegerexamen gemacht. Vielleicht hätte ich mich wehren sollen, als meine Mutter den Einfall hatte, ich solle diesen Beruf ergreifen, doch sie hat geweint und gesagt, ich könne vieles wieder gutmachen.

Der Schmutz lauert überall, in den Freibädern sollte es verboten werden, ungewaschen ins Becken zu steigen, denn ich habe ihre Körper gesehen, jeden auf meiner Station nach der Einlieferung. Besonders der Spätdienst hat viel Arbeit gemacht, wenn nachts die Mädchen gebracht wurden vom Bahnhof, aus der Altstadt nach einer Schlägerei oder wenn ein Betrunkener das Auto gesteuert hatte, in dem sie saßen, man kennt das ja, Hotelzimmer sind zu umständlich. Wir haben sie alle zuerst gewaschen, auch mit gebrochenem Fuß oder leichter Gehirnerschütterung, so verludert, wie die zum Teil waren, konnten wir sie nicht in die frischen Betten tun. Ich habe sie festgehalten, während sie in der Wanne lagen und der Oberpfleger den Rasierapparat durch den Filzfleck zog. Es kommt nicht darauf an, hat er immer gesagt, sicher ist sicher, außerdem wächst es wieder nach.

Manche waren still und froh und konnten sich in dem warmen Wasser entspannen, aber es gab auch welche, die ordinär wurden, ich hätte sie am liebsten untergetaucht, schamlos zählten sie ihre Teile auf, was sie noch häßlicher machte. Ich mußte oft an einen Satz aus dem Biologiebuch denken, das ich gelesen habe, als ich noch das Abitur nachmachen wollte und in einem

Fernkurs war, in der Einführung zu dem Buch stand, daß die Natur immer ihr Gleichgewicht behält und jeden ausmerzt, der nicht hineinpaßt. Das sollte auch für Menschen gelten.

Ich mag nicht mehr ins Freibad gehen, das letzte Mal saß er auf der Bank. Er hatte eine blaue Lastexhose an, die an Bauch und Schenkeln in sein braunes Fleisch schnitt, das Handtuch zum Schutz gegen die Sonne über den Kopf gehängt. Ich freue mich, daß wir uns zufällig treffen, hat er gesagt, ich habe Sie beobachtet, Sie können gut tauchen. Und diese Ähnlichkeit! Als Sie gerade aus dem Wasser kletterten, dachte ich, Ihr Vater kommt auf mich zu. Allerdings hatte er immer eine Uniform an, nur einmal, es war bestimmt nicht als Scherz gedacht, er wollte eine Dusche ausprobieren, da war er auch naß wie Sie jetzt. Die Duschen haben immer großartig funktioniert, stundenlang, aber nur kalt.

Mein Vater, mein Vater, er kann ihn gar nicht gekannt haben, mein Vater ist doch im Krieg gestorben. Ich weiß es noch ganz genau, ich habe zum erstenmal meine Uniform angehabt, habe im Hochstand auf dem Baum gesessen und selbst gesehen, wie an unserem Haus der Sarg vorbeigefahren wurde, ganz mit der Fahne bedeckt. Ich habe gegrüßt, wie es auch für die Jüngsten Pflicht war.

Trotzdem, die Ähnlichkeit mit dem nassen Offizier, hat er nochmal gesagt, haben Sie nicht ein altes Urlaubsphoto von Ihrem Vater? Es würde mich interessieren.

Man könnte meinen, er lauert mir auf. Den ganzen Tag sitzt er im Zimmer und liest seine Hefte, aber wenn ich mir ein bißchen Zeit abschinde, um nach der Schicht schnell zu trainieren, bevor ich wieder lerne, ausgerechnet dann ist er auch im Freibad. Vielleicht weiß sie davon und hat mich zu sich gelockt, weil er es wollte. Ich muß morgen telefonieren, ob ich nächsten Monat nicht im evangelischen Männerheim Platz finden kann. Dort ist es auch billig.

Hermann Peter Piwitt
Stadtrundfahrt

Malchus, den wir Malchus nannten, saß direkt hinter dem Fahrersitz außer seiner Pfeife und ihm selbst. Lale Mau und Schwester Gertrud saßen hinter ihm, alt waren sie geworden, unzweifelhaft alt, doch können wir, ich meine Onkel Rasha und ich, sie aus diesem Winkel kaum näher beschreiben, allenfalls Onkel Rasha, der etwas günstiger sitzt, hätte in dem Moment, wo der Bus um das Siegestor herumfährt, erkennen können, wie Schwester Gertrud die Thermosflasche aufschraubt, Lale von ihrem Tee anbietet, Tee, fragte sie, ob sie Tee wolle, Lale versteht nicht gleich, Tee mit Zitrone löscht den Durst, sagt Schwester Gertrud; nein, sagt Lale, es ist die Galle, die Galle ist raus. – Wir hörten es nicht. Alle sowenig wie Karlchen Korbes, der rechts von den beiden mit Frau Stenzel saß, taub war und sang. Es ist das Siegestor, sagte die Hostesse. Wer hat gesiegt, rief Frau Stenzel. Die da oben, rief Herr Simon, immer die da oben.

Malchus saß direkt hinter dem Fahrersitz allein. Wir haben lange überlegt, ob wir ihn überhaupt mitnehmen sollten, es gab Schwierigkeiten, immer gab es Schwierigkeiten, wenn wir ihn aus seiner Schlafstatt am Ostbahnhof schälten, Malchus spuckte und was er in seiner Pfeife rauchte, war Grünes und Priem; ein räudiges Schaf steckt die ganze Herde an, sagte Herr Simon, die andern rückten von ihm ab, selbst wenn er von städtischen Schwestern gebadet und abgerieben mit Perubalsam, Ristin sich seine Ecke suchte. Was sage ich, kleine Tiere hatte er dann nicht mehr, aber vor großen war niemand sicher, Panzerkäfer, Felle am Band zu schwingen, an den Sperling Waldo hing er sein Herz und trug zwei Frösche im Einmachglas immer bei sich. Und auch jetzt wo ich den Bus die Ludwigstraße hinuntersteuere, Onkel Rasha als Busbegleiter hat den Arm um die Hostesse gelegt und schluckt an seinem Gebiß, muß ich, muß ich den Blick in den Wagenspiegel immer wieder riskieren: bewegt sich denn nichts unter seinem Hut, ist nicht ein Tier sein einziger Freund, ein Tier, ein Nager mit weichem Bauchfell, ein Hamster, leicht unter dem Hut zu tragen, zu verstecken auf der fast kahlen Schädeldecke, die er wie eine Grabplatte auf dem verdorrenden Gehirn trägt? Malchus. – Es ist die Leber, sagt Frau Stenzel. Es war der Herbst; ein naßkalter Morgen für Milch und Brötchen. Fassaden kreidegelb geduldig, mit puppigen Fenstern halten Wappen, Löwen, Krieger auf Konsolen feil, das ist auf der Höhe, steht gerade für nichts.

– Es ist das Armeemuseum, sagt die Hostesse.

– Es ist der Staat, rief Frau Finger, wir haben vierzig Jahre für den Staat; die Kriegsanleihe, das Vermögen, die erste, die zweite und jetzt die dritte Existenz; und unsern Willi bei der Flak. Der Staat nimmt's von den Lebendigen.

– Wir kommen jetzt zur Feldherrnhalle, dem Zentrum der Hitlerdiktatur, sagte die Hostesse. Herr Korbes sang und hörte sich nicht. Gichtig kroch Onkel Rashas Hand unter den blauen Rocksaum.

Ich kannte sie alle. Seit acht Jahren fahre ich sie jetzt. Viele verließen uns, andere traten in das vorgeschriebene Alter. Nur Malchus war von Anfang an dabei. Aber noch jedesmal mußten wir ihm gut zureden, ehe er mitkam und sich von seinen Tieren trennte. Denn andererseits führte er Beschwerde, wurde er nur einmal bei einer Einladung übergangen; und Malchus wandte sich nie an zuständige Stellen, er ging zur Opposition. – Malchus, alter Socken, Insekt du, da saß er in seine Pferdedecke gehüllt, den Pfeifenkloben vor der Nase, er hält mit dem rohen Zahnfleisch den Pfeifenkloben und macht Dampf gegen Insekten, die es nicht gibt, er weiß als alter Kavallerist, daß Geruch durchschwitzter Pferdedecken die Wanzen abhält, aber wieso Wanzen in städtischen Bussen, und was Tradition in einem Verschlag, in einer Höhle am Ostbahnhof, drei mal drei, er braucht bei Regen alles Geschirr und leert es stündlich.

Und Lale Mau; erzähl mal, Rasha, war sie wirklich Malerin, hat sie wirklich den Kaiser porträtiert in Kiel? – so wie sie jetzt dasitzt, das Brot mümmelt, das ihr Schwester Gertrud, ihre Freundin, brockenweise in den Mund schiebt; Ameise und Grille, nannte Herr Simon die beiden, und wenn schon, so war es Lale, die im Sommer einst pfiff. Die ersten Kleider im Charlestonstil trug sie und war auf Münchner Bällen die Ungarin, Bavaria und Silphe, aber als Onkel Rasha, angetan mit Dolman und Tschibuk, durstig, Karst an den Schuhen und in Wirklichkeit von Montenegro aus über sie hereinbrach, saturnisch brach er über sie herein, vertrug ihr Teint bereits das Licht des Tages nicht mehr. Krankheiten, Krankheiten, die auch Gertrud, Gemeindeschwester inzwischen im nahen Bad, nicht heilen konnte. Sie lief barfuß die Tauwiesen ab, Lale, ich sah ihr zu, erzählte Rasha, aber da war sie bereits unfruchtbar, ihr Körper war ihr fremd geworden, ein Anhängsel, ein Geschwür – Alkohol, Kaffee, Zigaretten: wir sind Hirten, sagte Rasha, aber wir trinken trotzdem nicht; es stimmt, zwei Glas Bier hauten ihn um.

Theresienstraße, Galeriestraße, Isartor – wir kommen jetzt zum Rathaus, sagte die Hostesse und hielt still. Karlchen Korbes war eingeschlafen, aus den Lippen hing ihm das Gebiß und drohte herauszufallen, aber noch immer schien Gesang als Pfeifen aus der Nase zu kommen. Dies gute Herz hatte Lieder und wer die Lieder hat, hat das Recht: nie drang ein Laut hinter die Klappen seiner Ohrenschützer, die er pünktlich nach dem Kalender anlegte. Herbst, rufen wir, es wird Herbst, und sehen uns an – nur so, durch Gesang, konnte er sich mitteilen.

Was weiß ich, was weißt du, was wissen wir von diesem Häuflein Gerechter, das da zusammengelesen in einem städtischen Bus, warm angezogen, zu warm für die Jahreszeit, nach Nymphenburg hinausfährt, in Nymphenburg ist Kaffeepause, in Nymphenburg wird der Stadtrat zu ihnen sprechen, sie werden uns Rede und Antwort stehen müssen, ruft Herr Simon, sie werden uns Rechenschaft geben, Auge in Auge! – was kann ein Häuflein Gerechter ausrichten gegen den Staat, gegen die eigenen Frauen, die Frau ist der Feind des Gerechten, ruft Herr Simon. Herr Simon ist gerecht, Malchus ist zufrieden, Onkel Rasha lebt. Was weißt du, was wissen sie von dir, von mir, von sich. Sie alle Insassen des Busses, Personen dieser Geschichte, sie kennen ihren Verfasser, es ist der Fahrer, er kennt sich aus, er kennt auch mich, Simon, Journalist:

Ich, Uno Simon, ich habe dreißig Jahre lang Rente gezahlt, aber ich hole sie nicht ab, ich will von diesem Staat nichts geschenkt, ich will Gerechtigkeit! Und jetzt hat Herr Simon sich erhoben, er ist auf den Sitz gestiegen, und auch uns hält es nicht länger auf unseren Stühlen, wir schreien, lachen, fallen uns in die Arme, jeder weiß, jetzt geht es los, nur der Feind fehlt noch, Gerechtigkeit, ruft Herr Simon, Gerechtigkeit.

So war Uno Simon. Und wir hielten zu ihm. Hunderte, Tausende, Hunderttausende von Künstlern, eine kleine Elite, so umstanden wir ihn, damals, viele barfuß, viele ganz ohne Hut, es war Winter, immer wieder fiel Schnee, dann kam der Sommer, und noch immer umstanden wir ihn, barfuß, frierend, wir traten einander auf die Bärte, wir stießen uns auf die Gullys, Viehsalz lag auf den Gullys, es machte uns nichts, wir, schrien, jubelten, jemand sagte, ein neues Zeitalter ist angebrochen, jemand sagte, einmal und nicht wieder . . .

Herr Simon war unser Wortführer, ein kultivierter, nicht sehr kräftiger Mann, aber zäh, durchgeknöpften Loden trug er immer, ein Anzug in einem Stück, dazu das Halstuch rot, er hatte sich unter uns gesellt, obwohl die kunstsinnige Familie eine Apotheke am Markt besaß, erste Familien einer mittleren Stadt am Lech gingen im Hause Simon ein und aus – er wollte sich, obschon mehr musisch als grob, auch äußerlich nicht von uns unterscheiden und dabei redigierte er gleich zwei Zeitungen so, daß eine stets erschien. Ja, ich, Karlchen Korbes, der in jenem Winter sein Gehör verlor, ich sage es frei heraus, es war sein Verdienst, daß wir damals überlebten. Die Armut war groß. Größer war die Inflation. Viele von uns siechten dahin. Andere liefen zur SA. Malerinnen gingen auf die Straße und trugen die Krankheiten des Bürgertums in unsere Wohnungen. Wieder andere fingen Tiere, brieten Vögel, die erfroren von den Bäumen fielen. Aber dann ging irgendwo das Feuer aus und das war das Signal. Was, schrieb Herr Simon, was für eine Zukunft hat ein Volk zu erwarten, dessen Maler von Hunger so weit entkräftet sind, daß die Hand den Pinsel nicht mehr hält? – Und was für eine Zukunft *könnte* ein Volk haben, dessen Maler gegen Farben eintauschen ihr letztes Stück Brot!

So begann es. Plötzlich gab es alles. Schuhe, Socken, die Wohlfahrt kam. Schwestern reichten Tee. Anzüge, warme Wäsche lieber Toter brachten Witwen, das ganze Viertel war auf den Beinen und taute die Erfrorenen aus ihren Betten, ich, Karlchen Korbes mit tauben Ohren sah sie, die Pinsel waren ihren Fingern entfallen, so lagen sie herum, wie der Frost sie gefällt hatte, wir betteten sie, wir rieben ihnen die schönen Hände warm, Frauen weinten, die Oper spielte umsonst. Und unter allen Herr Simon rastlos, er half die Unterkünfte aufspüren und sorgte dafür, daß man in den Krankenhäusern die Paare nicht auseinanderriß, er schärfte es den Krankenwärtern ein, legt sie zusammen, sagte er, bei Gott, ich kenne ihre Art, ihr mordet sie, wenn ihr sie nicht zusammenlegt. So war Herr Simon. Und dies war sein Triumph: Er erreichte, daß wir aus der städtischen Küche gespeist wurden. Aber als der Wagen mit den dampfenden Suppen auffuhr, ließ er uns die Kessel umwerfen. Wir wollen keine Almosen, rief er, wir könnten selbst die Republik, wir, Künstler . . .

So war Herr Simon. Weich. Und hart. Kein Wunder, daß Lale Mau, die für ihr Bett wegfing, was immer den Kopf über das Mittelmaß hinaussteckte, Uno Simon nicht ausließ. Lale Mau, es taute schon wieder, da sang sie eines Nachts. Ja so war's, Karlchen, sie sang. Was sang sie? Was soll eine Frau wie Lale schon singen? Den Seeräubersong. Und Herr Simon ging mit, Herr Simon, blutarm, kalte Füße von Kind an, aber Lale begriff nur, wie er mitging, er verdrehte die Zehen in Schuhen ohne Kappe und stampfte auf, ein Mann war Herr Simon und klatschte in die erstarrten Hände, Finger! Stenzel! wie hieß das Lokal? – keine Ahnung, Nur: Hoppla! sagte Lale Mau, und alle Bürger wollte sie kopflos sehen, nur Herrn Simon nicht, der knallte die Sohlen auf, daß das Blut vibrierte, warm wollte er werden, aber beileibe nicht mit Lale, so wurde sie seine Geliebte. Das Glück währte nicht lange, Finger! Stenzel! macht euch nur schmal im Spiegel, ihr wißt es.

Wir wissen es. Einer kam, einer, er sitzt, wenn uns unsere Augen nicht trügen, er sitzt vorn beim Fahrer jetzt, bei der blauen Hostesse, er hat die Finger unter ihrem Rock und kaut Ingwerstäbchen, wir sehen es nicht, aber es ist das Übliche, seit er von den Bergen herabstieg, Rasha, mit seinen beiden Kameraden stieg er von den Bergen herab, Hirten, keine Technik, aber die gemalte Welt im Auge, Goldborten an den seidenen Jacken, Orden hinten und vorn, Orden, für jeden toten Türken einen, so stiegen sie von den Bergen herab, Gletscher kalbten, noch einmal schlugen Urstromtäler die Augen auf, weiteten sich, dann Rasha. So stiegen sie herab. Der schlimme Witold und Aroldo C. mit ihm, Witold eher verwegen, Aroldo eher still, aber beide nichts im Kopf und gerade darum alles möglich, so rafften sie dahin, wovon wir glaubten, daß es Hand und Fuß hätte. Wir sind Hirten, sagte Witold, wir fürchten die Frauen nicht, solang es den Wolf gibt.

Rasha aber und Simon wurden Freunde, der Wolf und das Schaf. Der Westwind nährt, der Ostwind zehrt. Lale Mau zehrte Herrn Simon aus. Wirklich war Simon nur noch Hornhaut, nur noch Chitin, als wir ihn wiedersahen, durchgeschlafen wie eine alte Matratze war sein Verstand, ich höre Stimmen, rief er manchmal: Gerüche, Moschus, Rosenöl! Wir erfuhren nicht viel mehr, die Haut unter seinen Augen verfärbte sich von Tiefviolett in giftiges Grün, und eines Tages fanden wir ihn halbtot vor ihrer Tür.

Die Walzenspinne, sagte Rasha. Die weibliche Walzenspinne. Seht ihn euch an: sie hat die Eigenschaft, ihre Freier nach vollzogenem Geschlechtsgenuß einfach auszusaugen. Furchtbar. Du findest seine leere Hülle morgens kläglich vor dem Eingang des Hochzeitshauses. Aber es gibt eine Stelle an der Oberseite ihres Hinterleibes, wo sie verwundbar ist, hypnotisch verwundbar. Man muß sie nur kennen. Wir kennen sie; wir sind Hirten.

Ich der Fahrer. Daneben Rasha. Hinter verschleierten Augen erkennt die Hostesse die Asamkirche und ruft sie aus. Magisch bewegt ruckt Malchus Hut auf Malchus Kopf von einem Ohr aufs andere. Aus einem Wolletui zieht Frau Finger einen heißen Ziegelstein, legt ihn Herrn Finger auf den Leib. Herr Finger wehrt sich ein bißchen, dann nicht mehr. – Wir schweigen, wir denken, wir denken schon lange nicht mehr; einer ist da, der für uns mitdenkt, der weiß, was uns auferlegt ist, die Trauer des Fleisches, der Niedergang des Fleisches, der Galgenhumor, die Schonkost.

Und Rasha nahm sich Lale Mau. Und Uno Simon, der nichts wußte, aber ahnte, Uno Simon, dem Venus davonlief und Saturn in den Rücken stieß, schrieb an den Freund, Rasha, schrieb er: hab keine Freunde, keine Liebschaften mehr, der einzige Betrug, der mir bleibt, ist die Malerei. Und dann, als Nachsatz: Auch du wirst mich verraten.

Von da an verlor sich Herr Simon still und unaufhaltsam aus unserer Aufmerksamkeit. Eine Weile noch erschien eine Zeitung, aber in immer größeren Abständen. Beiträge blieben aus, und, soviel ich weiß, ersuchte er niemanden um neue. Staat, Bürgertum, Ungeist – Begriffe wie diese konnten ihn nicht mehr zum Widersprechen bringen. Feinde, seitdem er die Kraft verloren hatte, sich welche zu machen, hatte er keine. Wir Freunde fanden ihn im Bett, das er nur noch zu den nötigsten Verrichtungen verließ, wieder war es Winter geworden, Kohlen, Kartoffeln, Bier, er hatte alles direkt neben sein Bett, und das Bett selbst an den Ofen gestellt. Wie sieht es draußen aus? fragte er. Schnee, sagten wir, Revolution. Bringt mir Spielsachen, sagte er, ein Malbuch, Farben. – Aber auch so halfen wir ihm nicht mehr.

Denn wir können nicht behaupten, daß er nicht versucht hätte, sich in unserer Mitte zu halten, daß wir unsererseits ihm seinen Platz streitig gemacht hätten. Daß sein Äußeres verfiel, ließen wir angehn, obwohl wir sahen, daß er bereits zu alt geworden war, um seine Fetzen malerisch, wie wir Jüngeren, zur Schau zu tragen. Malerisch gebauscht wirkte nicht mehr das rote Halstuch, sondern schüchtern verknotet, ein schnuddeliger Strick, kein Aufruhr blitzte mehr ab von diesem durchgeknöpften Loden, dessen Knopflöcher keinen Knopf mehr hielten, er demonstrierte nicht, er verbarg sich darin. Immerhin begann er zu trinken, und daß er trank, mehr zu trinken begann als die andern, die viel tranken, sicherte ihm für eine Weile die alte Bewunderung, wenn der Alkohol die Reste seines Verstandes noch einmal zu Gedanken zusammenzwang. Aber schon gewann sein Gesicht keine Farbe, seine Augen keinen Glanz mehr, fahl und verschwiemelt, mit hängenden Augensäcken saß er unter uns und schlief gegen Morgen ein, wenn wir zu unseren Frauen nach Hause zogen.

Jüngere stießen nach vorn. Rasha führte das Wort. Herr Simon, indem wir ihn vergaßen, verlor sich selbst aus dem Gedächtnis. Drei Tage rannte der laufende Saturn gegen Simons Geburtsgebieter, in Gelsenkirchen erschoß man die Arbeiter, Manhattans Irrenanstalt brannte ab, wieder war es Februar, Orkane hielten auf die amerikanische Ostküste zu, dann gab Herr Simon auf. Ich habe, sagte er, diese Krankheit, müßt ihr wissen, wonach man alles vergißt, ihr wißt, diese Krankheit, ich komme nicht auf den Namen, ich habe ihn vergessen.

So dämmerte er dahin. Als sein Gedächtnis endlich stillzuhalten begann, fand der Schlaf zu ihm zurück. Aus seinen Gliedern wich er nicht mehr, unfähig zu größerer Freude wie zu größerem Schmerz, verlor er, was er liebte, ohne es zu bemerken, und übersah, was ihn herausforderte. Er hörte nicht mehr hin, was andere, und verstand nicht mehr, was er selbst sagte. So meisterte er den Alltag, sprach von Briefen, die unterwegs seien, Briefen, in die man keine Einsicht mehr werde nehmen können, es gelte, sagte er, einigen Herrschaften die Maske vom Gesicht zu reißen, die Zeit sei reif, ein Roman, ein Schlüsselroman, ein Sittenbild aus dem Leben gewisser Hirten werde wie Feuer unter die Heuchler fahren, Verträge stünden kurz vor dem Abschluß, Gottes Mühlen mahlen langsam, sagte er, und man hätte meinen können, daß er noch immer kämpfte, aber dies alles, Drohungen, Verwünschungen, war begleitet von dem fröhlichsten Lachen, lachend wahrhaftig gab er Bericht von Dunkelmännern, Verfolgern, die ihm ans Leben oder mit Hypnose, Telepathie zu unzüchtigen Handlungen an Tieren, Hamstern und Tauben womöglich, verführen wollten.

Denn wir haben Zeugen.

Es war zu der Zeit, als Onkel Rasha seine Triumphe feierte. Auf den jours fixes des jungen Wiener Juden Joey Neugröschel, der, weniger erbarmungslos, aber auch ohne dessen Aberwitz die Rolle Simons als unser Wortführer und Mäzen übernommen hatte, erschien er wie immer in der Tracht seines Volkes, er kaute Ingwer wie immer und hatte Lale Mau zur Seite, alt war sie geworden, unzweifelhaft alt, erschöpft ausgezehrt vom Ehrgeiz sich den Stärkeren zu unterwerfen, verwegen und geduldig hatte Rasha die Tarantel das Stillhalten gelehrt, und der ausgreifende Verstand des Autodidakten begann auch uns zu beschämen. Es war einige Tage, nachdem man Herrn Simon ins Sanatorium gebracht hatte, die Familie war erschienen, ein schlohweißer Mann mit gewiß kühnen Augen, offenbar der Vater, stützte ihn, ehrfurchtgebietend, nannte ihn jemand, Malchus ließ den Hamster zwischen seine Beine los, aber selbst jetzt würdigte er uns keines Blickes – es war einige Tage danach, als Rasha jenen Vortrag hielt, der noch einmal in Rashas umschweifiger, etwas ruhmrediger Ausdrucksweise die Tragödie unseres Leidensgenossen wachrief:

– Eben die frühe Kultur der Seele, sagte Rasha, ist die Hauptquelle des Verderbens. Geschärft zu stärkeren Empfindungen fühlt das Opfer alles doppelt, und was andere leicht berührt, erschüttert es. Viel Reizbarkeit, viel Seele, und viel Nahrung zu Leidenschaften. So werden die Jahre, die das goldene Alter des Lebens ausmachen sollen, in den heftigsten Zerstörungen hingebracht, und so wird der spätere Mann, der oft das Glück vieler Tausender werden sollte, in eben dem Alter zugrunde gerichtet, das den Ruhm seiner Ahnen und Nachkömmlinge aufs neue befestigen sollte. Hier ist der Zeitpunkt, wo ihn der vernünftig erzogene kräftige Zeitgenosse völlig einholt und in ein paar Jahren sein Lehrmeister wird. Den andern hingegen begleiten mit jedem Schritt die Folgen seiner Ausschweifungen, das Feuer seiner Jugend ist der Fieberhitze gleich, die mit Schwäche endigt, welche desto eher und in desto höherem Maße kommt, je heftiger die Hitze war; insbesondere, fuhr Rasha fort, ist hier eine Ausschweifung zu bedenken, die man ihrer so allgemeinen Verheerungen wegen mit Recht die Pest der Jugend nennen könnte. Niemand weiß besser als die Ärzte, wie groß die Zahl derjenigen sei, die keiner andern Ursache ihr sieches und kränkliches Leben, ja oft ihren Tod zuzuschreiben haben als diesem Laster: Unzucht und Selbstbefleckung sind Mordgewehre, die zugleich vergiften und zweischneidig sind. Da nichts in der Welt ist, das so viele Reize dem Unbesonnenen zeigt, als dieses Laster, so ist auch hier der erste Schritt schon der sichere zum zweiten, von beiden leidet die Seele und das auf zweierlei Art: schwach wird sie nun einmal von Entkräftung, wird träge und unfähig zu Geschäften, verstört, feige, furchtsam, blödsinnig; nebstdem wird sie aber auch voll von unzüchtigen Bildern, die sie noch mehr von den nötigen Gedanken ihres Berufes abziehen.

Kraftlosigkeit – und hier hob Rasha mahnend, fast drohend die Stimme, Kraftlosigkeit im ganzen Sinne des Wortes! Austrocknung, Schwindsucht und mit denselben das ganze Gefolge von Nervenkrankheiten, bis endlich der Mensch ausdorrt, wie eine abgemähte Blume und von Verzweiflung gefoltert in der Blüte seiner Jugend langsam, aber sicher ins Grab sinkt.

Denn da die Empfindlichkeit seiner Nerven viel größer ist als die Kraft, welche sie reizt, so ist auch der geringste Reiz für das Opfer Erschütterung, und so nagt die kleinste Leidenschaft schon an seiner Gesundheit. Ohne in brausender Gärung sich Erleichterung zu verschaffen, läßt der Mensch sein Geheimnis gleich einem Wurme in der Knospe, im Herzen nagen, härmt sich schweigend, bleich und gelb von betäubender Schwermut niedergedrückt ab, sitzt gleich der Geduld auf einem Grabmal und lacht bei der tötenden Traurigkeit. –

Rasha, alter Heuchler, Gauner, du, Rasha, Haudegen, Wegelagerer, du der Welt größtes Lügenmaul, Großredner und Schwachkopf, muß ich wirklich sagen, jetzt wo dir die Hände gebunden sind und von Ingwer dir der Mund brennt, daß es nicht deine Worte, sondern Herrn Simons letzte Briefe an dich waren, stille Versuche, sich seinen Untergang zu erklären, umständlich, tapsig und ergriffen, du schmücktest dich damit und zäumtest sie auf zu Propaganda.

Rasha, ist es nicht meine Pflicht auch jetzt, wo die Hostesse die Augen schließt und du ihr das Entzücken zwischen den Beinen an fünf Fingern abzählst, die Wahrheit zu bekennen, die Wahrheit über Herrn Simon, der eben zu dieser Stunde drei Plätze hinter dir sitzt, dumpf dasitzt auf seinem versiegelten Gedächtnis und doch zu verzweifeltem Nachdenken verurteilt, in den Scherben seiner Amnesie.

Was soll ich sagen, was muß ich sagen. Ich habe als Fahrer mein Auskommen gefunden, ich nehme nach Feierabend gern einen Bildband zur Hand, die Kinder sind nicht unaufmerksam, meine Freunde wurden nie gedruckt, Onkel Rasha selbst hat nie ein Bild zu Ende gemalt, er lebte den Künstler, den andere schwitzten und empfing die Verehrung aller. Er war allein ein träger verschlafener Mann, den das Lesen ermüdete, er lebte in ständiger Angst vor Skorpionen, er fürchtete Automobile und katholische Geheimbünde; nachts, schlief er allein, schlief er stets bei Licht und wehrte sich tagsüber mit einer Flut von anonymen Briefen gegen Feinde, die nur in seiner Einbildung existierten. Ob es sich um einen Zipfel Salami oder um die Anteile an Schmuggelgeschäften mit serbischem Rindfleisch handelte – stets auf seinen Vorteil bedacht, begriff er nicht, daß er in diesem milden Lande keine Feinde hatte und witterte noch hinter den Schweigegeldern betrogener Ehemänner Finten, den Dolch, der ihm in seiner Heimat gegolten hätte. Vielleicht fürchtete er auf der ganzen Welt nur die Frauen nicht; ich aber wußte was ich tat, als ich ihn zum Patenonkel meiner Kinder machte ...

Nun ist es nicht mehr weit bis Nymphenburg. Die Hostesse hat die Knie wieder zusammen und ist so klug wie vorher. In Nymphenburg ist Kaffeepause. In Nymphenburg wird der Stadtrat zu ihnen sprechen. Ich kann nicht klagen über sie. Herr Simon ist gerecht. Malchus ist zufrieden. Onkel Rasha lebt.

Peter Härtling

Janek läuft los

Wenn das alles so wäre wie jetzt, leichtfüßig rennt es aus dem Kopf hinaus, raubt sich einen Namen, meinen, deinen, macht sich lächerlich über die eilends gerufenen Gesichter: Jetzt! jetzt habe ich dich erwischt, du könntest der meine sein, nicht ich, doch mir ähnlich, für den Augenblick, da ich dich anschaue und du dich leichtfertig aufgibst, deinen Namen fortwirfst, sagst: Setze mich ein. Du könntest, was in mich hineinrinnt, unaufhörlich, schmeichelnd, ätzend, ehe es mich erreicht, diese Augen, die Lippen, bedenke, ich habe nicht nur einen Namen, längst bin ich, bist du darüber hinaus, könntest es abwehren. – Ich werde es nicht tun, Janek, nein. – Du wirst es nicht tun, es reizt dich, mich gefunden zu haben, manchmal hast du Lust, dich mir abzugeben, oft verfluchst du mich. – So können wir anfangen, wenn du willst –

Wenn das alles so war, die beiden rührenden Männer in Regenmänteln, die flachen Gesichter im Korridor, das Kind wartet, die Nonnen um sich, ein Kordon von Pflichtbewußtsein, und die matten Hände der Oberin im Nacken: Es wird wichtig für dich sein, Janek, mach uns Ehre, und er erschrak dennoch, als sie ihn an den Händen nahmen, wortlos, der Oberin ein Bündel von Papieren überreichten, ergeben und aufsässig, ihr entschlossener Griff um seine Handgelenke, als wäre er ein Gefangener, wenn er auch hoffte, daß endlich die Freiheit anbräche, und unversehens auch der Geruch des Hauses, den er vordem nie so inständig empfunden hatte: lauter offene Schränke, in denen Bubenkleider liegen, ein scharfer Dunst nach Sand, Leder und Lysol; das Licht, als sie aus dem Tor traten, die ausgetretenen Stufen hinunter. Immer in der Reihe bleiben, Kinder, zu zweien, was tust du Janek? wirst du dich wohl einordnen wollen?, ob er der Schwester Oberin winken sollte zum Abschied, er konnte sich nicht entscheiden, es war, er hoffte es, für immer, da rief sie ihm nach: Janek, vergiß uns nicht, du bist ein braver Bub gewesen, vergiß uns nicht, du wirst es schön haben! Er hatte sich entschieden, nicht zurückzuschauen, mochte sie ihm Liebe nachseufzen, sie hatten ihn geschlagen, ihre Gerechtigkeit war falsch gewesen, hatte sich auf Äußerlichkeiten verlassen, nur Schwester Thea hatte ihn, wenn sie guter Stimmung war, geschützt vor den Anfällen aus demütiger Habgier und gottesfürchtigem Zorn: sie waren Besitz dieser Weiber gewesen, waren von ihnen berührt worden wie wertvolle, freilich nicht sonderlich zerbrechliche Gegenstände. Er fühlte im Nacken einen Muskel zucken: dort ruhte der Blick der Oberin, er tat, zum letzten Male, weh. Er sei der Johannes Biala, fragte einer der Männer, ja, das sei er, fünfzehn Jahre alt, richtig, sagte einer der Männer und schob ihn in das Auto. Er werde Janek gerufen, von allen. Das werden wir also auch tun: Janek, – der eine hatte kalte, rauhe Hände, schob, den Buben führend, die Ärmel etwas hoch, so daß die Kälte allmählich ihm bis unter die Achseln stieg: Wer aber sie denn seien, ob sie die Babitschka geschickt habe? Sie kämen zwar im Auftrag der Babitschka, der Frau Kolarz, handelten jedoch als Beamte: Sie müßten darauf achten, daß er gut untergebracht werde. Sie sei nicht seine richtige Großmutter? Nein, die Schwester der Großmutter mütterlicherseits. Gut, Janek; sie wollten ihn nicht mehr reden hören, nur der eine Mann hielt ihn fest, als fürchte er, der Bub könnte aus dem Auto springen. Während der Fahrt dachte Janek darüber nach, ob er sich freuen solle, dann hatte er, als wäre es eine Antwort, wiederum den Spindgeruch in der Nase, er hörte Schwester Thea, gegen Abend, die Buben seines Zimmers rufen: Alles in Unordnung, ihr seid kleine Teufel, wahrhaftig, kleine Teufel. Er ist müde, sagte der eine Mann, der am Steuer saß, die Aufregung wird schuld daran sein. Wird schuld daran sein; Janek war es gewöhnt. Er schlief, den linken Ellenbogen gegen die Rippen gepreßt, ein.

Solche Fahrten gleichen einander, erschöpft aus den Sälen, Stimmen noch um sich, die seine?, Applaus, oder später manchmal Pfiffe, Mädchen, die seine Kleider anfassen, sich Segnungen eines zynischen Derwischs zu verschaffen, eine Trillerpfeife, die sein Couplet zerfetzt, dann treten zwei Uniformierte auf ihn zu: Sind Sie Biala Johannes? Meine Herren, was fragen Sie? Es steht draußen auf den Plakaten, lesen Sie das Programm. Er solle die Frage beantworten, mag sein, es ist besser, keine Witze zu machen – Carola war verschwunden, noch hatte sie in der Loge gesessen, was half ihm ihre Gegenwart, ihre Abwesenheit? Meine allerliebste Pflegemama, angebunden und wieder entrissen. Der eine der Männer beugte sich über sein Gesicht, der Atem fährt feucht über seine Stirn: Wo werden sie mich hinbringen? Du weißt es Janek, beunruhige dich nicht. Hast du Angst? Bist du stumm? Er ist verschüchtert, alle, die aus den Heimen kommen, sind so, sagt der Mann am Steuer. Er würde

Carola wiedersehen, vornehme, reiche Leute sind's, hatte die Oberin ihm erzählt, die Babitschka und Carola Kletzki, eine Cousine seiner Mama, und ihretwegen vor allem habe man es erlaubt, ihn aus dem Heim zu entlassen, jüngere Hände braucht's, einen Buben wie ihn zu führen – schon stemmte er sich gegen solche Hände, Babitschka jedoch hatte ihm gefallen, als sie in die Totenstube gekommen war, breit sich auf dem Stuhl niederließ und seinen Kopf in den Schoß nahm. Sie hatte nicht viel geredet. Ob er Angst habe? Nein, die Schwestern im Heim hatten ihn nicht das Fürchten gelehrt, die Nonnen, dazu trieben sie's mit ihrer anschaulichen Frömmigkeit zu weit: wann immer sie Menschen zu werden drohten und schlugen, dann fuhr ihnen Gott in die Stockhiebe. Sie hätschelten ihn sogar: er habe eine hübsche Stimme und sei intelligent. In der Kirche sang er die Sopransoli, seit einiger Zeit nicht mehr, noch aber vernahm er seine helle Stimme in sich, er konnte sich nicht mehr vereinen mit dem Gesang, der in ihm blieb. Dieser Sturz hatte ihn gequält. Hast hungern müssen, bist ein armes Magerl, sagte der eine Mann und fuhr mit seiner trockenen Hand an den Hals des Buben. Nein, er sei schon immer so dünn gewesen, das sei seine Natur, mager aber kräftig, er könne viel durchhalten. Zur Kröna war es nicht mehr weit, die Gegend kannte er, damals hatten die beiden Frauen noch nicht dort gewohnt, die Häuser waren jedoch schon in ihrem Besitz gewesen: Die Babitschka ist reich, Großmutters Schwester, man wird sich an sie halten müssen, wenn's einmal arg über uns kommt, denn sie ist so weitherzig wie vermögend. Ein Kind ohne Vater, das bringt halt seine Schwierigkeiten mit sich. Nie hatte er nach ihm gefragt, hatte es der Mama überlassen, ihn, wann sie es wünschte, heraufzurufen, sie tat es niemals, sie stand im Spiegelkabinett, in dem die fremden Damen sich neue Hüte aufsetzten, einen nach dem andern, bis ihnen einer auf dem Haar pappen blieb, der schönste, nicht der schönste?, in Mutters Laden, das hatte sie gelernt, Hüte zu machen aus Filzlappen, sie zu Pilzen zu nähen, mit ausladenden Krempen, unter denen der Schatten nicht endete: Was willst du, alles hab ich aus eigener Kraft aufgebaut, ich bin eine renommierte Modistin, was willst du, fuhr sie ihn öfter an, ohne daß er ihr etwas vorgeworfen hätte, sie wollte, daß er es höre. Und du, was soll aus dir widerspenstigem Wechselbalg werden, Jesusmaria'ndjosef. Warum hatte sie das Röhrchen geöffnet, die Tabletten genommen? Hatte er sie geärgert? Sie war fröhlich gewesen an ihrem letzten Abend. Es konnte sein, sie hatte sich gefreut auf den endlosen Schlaf, ohne die Hüte, die geifernden Weiber, die sich schöner vorkamen als die Hüte und denen Mama nach dem Mund redete, ohne ihn auch, auch ohne ihn, Janek! geh hinauf, warte auf mich! Hast die Schulaufgaben schon gemacht? Ich muß die Taggelder noch überprüfen. Ihr Gesicht war nah dem seinen, ihre Wange berührte die seine: Bist müd, es ist auch spät geworden für uns beide, viel zu spät, und es wiederholte sich Tag für Tag, der Hauch ihrer Lippen unter seinen Augen, die Lockenwickel drücken an seine Schläfen, der Geruch von angesengtem Haar, der Duft der Cremes, mit denen sie sich den Tagschweiß von der Haut zog, sie hatte, entsann er sich, vor sich hingesummt, seine Kleider ordentlich auf den Stuhl gelegt, du Schlampus!, die Vorhänge zugezogen, er würde sie, kaum ist sie aus dem Zimmer, wieder aufziehen, denn er brauchte fürs Einschlafen das Licht der Straße. Er hörte sie, nebenan, hin und her gehen, sie sang vor sich hin, er schlief darüber ein, wachte von neuem auf, sie wanderte noch immer im Zimmer umher, soll ich hinüber, sie fragen, was ist? Es war still, mit einem Male, mitten im Schritt, sie wird sich hingelegt haben, sie muß erschöpft von der Arbeit sein, Mama, auch die Straßenlaterne war ausgegangen: Es ist nach Zwölf, ob sie über mich nachgedacht hat? Am Morgen weckte sie ihn nicht. Sie lag auf ihrem Bett, er schrak zurück, so, wie er sie noch nie gesehen hatte, schon nicht mehr sie, eine ans Ufer getriebene Nixe, zu Tode geschlagen von Treibholz, nicht mehr See und noch nicht trockenes Land, ihr schwarzes strähniges Haar über die Augen, bis zu den halboffenen Lippen – einer der Männer, der sie ab und zu besucht hatte und nach einigen Monaten davongegangen war, unter den Verwünschungen, abebbenden Flüchen der Frau, was war er denn schon für ein Schlawiner, ist er meiner wert?, der hatte sie gerufen: Allerliebste Judith; das ist eine jüdische Fürstin aus der Bibel, hatte Mutter ihm gesagt; nun war sie Judith geworden, die Beine bloß und schlaff, die Hände unter den Rücken geklemmt, als habe sie versucht, noch einmal sich abzudrücken, vor dem Sturz. War sie gestürzt, und weshalb?, hinab ins Meer oder ins Reich der biblischen Juden? Es war ihr nicht gelungen. Er ging vorsichtig auf sie zu, ekelte und ängstigte sich in einem: sie war in einer Weise aufgerissen, wie er Menschen nie und nimmer zu erblicken wünschte: sie war bloß, ohne Haut, ohne den Schutz der Wärme, des Atems. Er zog die Decke über ihre Beine, betastete ihren versteckten Arm, er war warm, dann sah er die Bläschen auf der Lippe, die sich bildeten und sprangen, unter einem zarten, weichenden Atem. Auf ihren Wangen saßen violette Flecken, nicht Rouge, violett in der Haut, und er meinte zu erkennen, wie sie sich ausbreiteten, ein Purpur, über alles hinweg, unters Hemd, der sie bedeckte und abkühlte, verschlang. Mama! hörst du mich? Auf dem Nachttisch stand ein Glasröhrchen, ein leeres Wasserglas – Mama! Wohin soll ich? Was willst du von mir? Wen soll ich holen? Toll raste er in der Stube umher, die Schranktür riß er auf, Tisch und Stühle schob er zusammen, die Frau nicht aus den Augen lassend, nicht das Wasserglas. Was soll ich tun, Mama? schrie er; erschrak. Hatte sie sich gerührt, war sie zusammengefahren, erreichte sein Schrei sie noch? Er brüllte: Mama! ich bin's, Janek, du mußt aufwachen, ich muß in die Schule, Mama, du hast vergessen, mich zu wecken! Mama, ich bitt dich! Mama! Rennt umher, macht das Fenster auf, die Tür zum Flur zu, wischt eine Zeitung, die auf dem Boden liegt, zur Seite, kämmt sich, mit ihrem Kamm, sein Haar: Aber was denn, was verlangst du von mir, du Hex, du bist gemein! Er war verdutzt über den Haß, der seine Brust klemmte: Hab ich dich nicht lieb? Ja! ja! Aber du hast mich nicht lieb! Du machst das, du Weib, o, das machst du, einfach, so! weg! weg! Er merkte, daß er weinte, und ein anderer stand außer ihm und schaute, starr und schmerzlos, auf ihn, den Krischpl, der nicht an sich halten konnte, der winselte, schrie, Leben erflehte, Erwachen erbat: sie friert, auf ihrem Hals ist Gänsehaut: sie wird mir wegsterben, die Hex: der dünne, bebende Bub zieht sich den Mantel über den Schlafanzug, stolpert die Treppe hinunter, zögert an der Tür, nun schon blind und kein Herz mehr im Leib, allein eine flehende, wispernde Stimme: Was geschieht, ist nicht wirklich, bestimmt nicht, weck mich auf, Mama! Zum Doktor Löbisch? er kennt Mama, er wird ihr helfen können; eine Frau, die aus dem Fenster lugt, sagt, der Doktor befände sich auf der Visit. Wohin? er liest die Schilder, die hüpfen an ihm vorüber, Advokaten, Häusermakler, Steuerberater, Installateure, wer denn? wo denn? bis ihn ein Schild packt, festhält: Dr. med. univ., eine Greisin öffnet ihm die Tür, läßt ihn ein; ein Eichhörnchen tritt ihm entgegen, das einen Teller in der Pfote hält. Mußt nicht erschrecken, es ist ausgestopft, lustig gell? Was fehlt dir denn, bist du krank, Kind? Nicht ich, nein, die Mama, bittschön, schnell, es ist eilig, wo ist der Herr Doktor? Ein Unfall? Ja, ja. Es geschieht, was er nicht erwartet hatte: daß die Leere in seinem Kopf auskühlt, daß alles, was um ihn ist, harte Ränder bekommt, sich aufhellt, nicht mehr in Tränen schwimmt und daß niemand mehr aus ihm hinaus muß und ihn verhöhnt: die Gegenstände rücken weit fort: die illustrierten Zeitungen, durcheinandergeworfen auf einem großen runden Tisch, sieben gleiche Stühle, ein Gummibaum und Bilder mit Hummelfiguren an der Wand, auf den grünen Kacheln des Ofens tanzen Mädchen in kurzen Kleidern und ein ausgemagerter Hund liegt zu ihren Füßen. Der alte Mann, der ihm über den Kopf strich, zitterte an den Händen, auch sein Kopf hielt sich nicht ruhig; die Sehnen am Halse brachen durch die Haut und das Gesicht war gelb. Was ist dir, Kind? Wie heißt du? Biala Johannes – Mama, sie wacht nicht auf, und ein Röhrl liegt auf ihrem Nachttisch, man muß ihr helfen, bitte, aber schnell, ich bitt Sie! Es wird so schlimm nicht sein. Wo wohnt ihr? In der Schulgasse. Da werden wir zu Fuß gehen können. Friert es dich nicht? Du hättest etwas anziehen sollen. Der Arzt stützte sich ein wenig auf ihn. Als sie die Treppe hinaufstiegen, roch er die Gesichtscreme, den Duft des Abends, Gut Nacht, Janek, schlaf schön, Gut Nacht, Mama. Hier hinein? Ja. Warte einen Moment, Johannes, geh auf dein Zimmer, ich werde dich rufen.

Er warf sich aufs Bett, wartete auf den Ruf des Doktors, redete mit Mama, die schlief, redete mit den vergangenen Tagen, mit dem Bett, mit dem Haus gegenüber, mit dem Schulranzen. Ob er durchs Schlüsselloch schauen soll, ob sie noch atmet? Der Arzt ließ Wasser in ein Lavoir ein, verschüttete etwas, es platschte auf die Diele. Er fragte sich, ob es denn so war, und einer der beiden Männer sagte: Wir sind gleich da, Janek, du wirst ein neues Zuhause haben, wir werden bisweilen nachfragen, wie es dir geht, das ist unsere Pflicht, die alte Frau Kolarz ist eine Seele von Mensch, und ihre Tochter wird dir, du wirst sehen, manches ersetzen, was dir fehlte im Heim, und es sind Verwandte, alle deine Wünsche werden dir in Erfüllung gehen, denn es sind vermögende Leute. Das Auto hielt an. Janek, hatte ihm die Oberin dringlich zum Abschied gesagt: Du bist ein vernünftiger Bub, du hast Schweres erlebt, du hast aufs Gymnasium gehen dürfen, dort hast du dich bewährt, wir sind stolz auf dich, nur daß du uns auch Ehre einlegst bei der Frau Kolarz, du wirst es tun. Sie hielt mit ihrer großen Hand seinen Schädel umfaßt und preßte ihn immer stärker, bis er glaubte, die Schädeldecke springe aus den Schläfen.

Sie war zögernd gestorben; das Zögern wurde ihr nicht bewußt. Sie schlief, immerfort rann ihr Schleim aus Nase und Mund, allmählich verwandelte sich ihr Gesicht, um den Mund wanderte das Fleisch aus, verging, das Kinn sprang vor, lila Schatten zogen über Wangen und Stirn, ihr Gesicht, das er am Ende nicht mehr kennen wollte: So hast du nie ausgesehen, Mama, alle Zeit nicht, und darum bist du es nicht mehr, du warst gemein, ich habe dich lieb, nun bist du nicht mehr hier, in diesem Zimmer, du stirbst mir als Fremde. In den drei Tagen, die sie brauchte, den Atem aufzugeben, kam der Doktor häufig zu Besuch, gab Spritzen, horchte sie ab, fragte sich, auch den Jungen, ob eine Einlieferung ins Spital noch von Nutzen wäre, das Herz habe er gestützt, mehr könne man für die Frau nicht tun: Was hat sie dazu gebracht? Sie hat es nicht tun wollen, sie hat länger schlafen wollen. Hatte der Doktor ihn verlassen, setzte er sich auf den Bettrand, wischte mit einem Tuch den Schleim von Mund und Nase, trocknete das Wasser, das aus den Augen träufelte. Nie hast du mir von Papa erzählt, Mama, ich weiß nicht einmal, ob er mich gemocht hat, ob er mich gekannt hat. Bisweilen meinte er, daß nie wieder jemand zu Mama und ihm in die Stube kommen würde. Die Stille verfestigte sich, sie war stärker als er, und er fügte sich, sie drang in ihn ein, er wurde Teil von ihr, er verrichtete alle Arbeit an der lebenden Toten, am Abend, sobald der Doktor gegangen war, wusch er sie, tauchte ihre schlaffen, lauen Hände ins Lavoir. Am Morgen des dritten Tages kam eine Schwester und schickte ihn hinaus. Er hörte, wie sie den Doktor schalt: Das Kind, man muß es aus dem Haus bringen, es wird Schaden leiden. Der Doktor sagte, er wisse keine Verwandten. Janek fiel die Babitschka ein, er öffnete die Tür um einen Spalt, die Mutter lag nackt auf dem Bett, er schlug die Tür zu. Der Arzt rief: Was willst du, Johannes? Haben wir dir nicht verboten, das Zimmer zu betreten? Ich weiß jemanden, zu dem ich gehen kann, oder vielleicht, es ist die Babitschka. Wie sie heiße, die Großmutter. Es ist nicht meine richtige Großmutter. Kolarz heißt sie, und sie hat ein Haus an der Kröna. Er hatte sie mit Mama zweimal besucht, erst hatte sie ihn erschreckt in dem düsteren Kleid, deren sie unzählige besaß; aus einem schwarzen, knisternden Stoff, den gestickten, bunten Bauerngürtel um die Taille, an dem ein Schlüsselbeutel hing, der klingelte allezeit. Sie sprach ein hartes, herrisches Deutsch, und sie wies ihre beiden Besucher nach Herzenslust an, da und dort mitzuhelfen: sie mußten Ribiseln von den Stengeln zupfen, ehe sie die weitläufige Wohnung visitieren durften, und in einem Zimmer, im »Salon« in dem viele verschlissene alte Polstermöbel herumstanden, von der Decke hing ein gewaltiger Kristallüster, der leichtfertig Tag für Tag Sonnen verschlang und Sterne ausspie; im Salon saß Carola: Mama redete sie mit Cousine an, sie glich ihr entfernt, aber Carola bewegte sich kätzisch, Spott führte ihre Gesten, und sie war verschwenderisch gekleidet. In ihrem Gesicht saßen viele Bällchen nebeneinander, drängten auf die Augen zu, die sich, unterm Druck, schräg stellten. Ihr Gesicht schwebte oft durch seine Träume, stellte ihm unaufhörlich Rätsel. Ja, die Frau Kolarz kenne er, sagte der Arzt, er werde sie, sobald er zu Hause sei, anrufen. Hier könne er nicht länger bleiben. Der Arzt und die Schwester verschwanden. Von neuem war er mit der im endlosen Schlaf röchelnden Frau allein. Ob sie noch träumt? ob ihre Seele sie schon verlassen hat und nur den Atem zurückließ? Auf ihrem Hals sprangen die geschwollenen Adern hin und her. Wenn das Herz schlägt, kann die Seele nicht fliehen, so ist sie noch bei mir, sie wird, im Traum, mich hören können. Er rief sie: Mama! in ihrem Gesicht regte sich nichts, doch die linke Hand unterm Laken zuckte, rief: Mama! da kräuselte sich ihre Stirn, er legte seine Lippen an ihr Ohr, flüsterte: Du kannst nicht sterben, Mama, ich bin es, Janek! Ihm schien, als treibe sein Fragen sie in eine noch tiefere Reglosigkeit, ihr Gesicht gehörte nicht mehr ihr. Er schluchzte, rieb sich mit seinen Fäusten die Schläfen, rannte zu den Fenstern, zog die Gardinen zu, hockte sich ans Fußende des Bettes, wo er einschlief, erwachte, als der Doktor ihn trug: Nicht erschrecken, Johannes, du mußt dich ausruhen, wieso hast du dich nicht in dein Bett gelegt: Die Babitschka saß in seinem Zimmer und sagte: Wir werden schon alles richten, Bub.

Wie er im Zimmer auf und ab gegangen war, die Sterbelaute der Frau, das Röcheln und das Zirpen im sich verkrampfenden Schlund, hatte er den Sturz in die Erinnerung erfahren, eine dichte Masse aus Geruch und Bewegung ballte sich zu Stichworten, die ihn peinigten und erquickten, und er versuchte, sich daraus zu befreien. Es vermochte ihn nicht zu halten, doch insgeheim wünschte er, darin unterzugehen, nicht mehr zu sein, nur Teil dieses Geflechtes, das mit ungeheurer Bildkraft ihn erinnerte und die Dinge, die er anrührte, bewahrte. Er verging, was er gewesen war, ordnete sich nach aufblitzenden, wechselnden Bildern, die ihn zu bestimmen begannen: So entstand Janek, noch ohne die aufbegehrende Frivolität des Älteren, dem er zurief: Ich werde dich bald erreichen. Was würde er sich vorsingen lassen von dem, der, schwarzes Haar über der bleichen hohen Stirn, auf die Bühne springt, eine Figur von düsterem Leumund und fragwürdiger Herkunft. Die Mutter habe er kaum mehr gekannt, den Vater gebe es nicht. Die Schlafende entrückte sich ihm nicht, sie schwamm, ohne Schwere, in ihn hinein, sie verfing sich in seinen ängstlichen Fragen: Läßt du es zu, Mama, daß sie mich holen? Sie werden es. Babitschka oder diese Nonne, die meinen Koffer packt? Du bist klein geworden, unter der Decke schrumpfen deine Glieder, dein Leib, sie werden keinen großen Sarg brauchen; sie trugen den Sarg aus der Kapelle, die Babitschka führt ihn, und hinter ihm gingen Carola und die Nonne, der zehnte Oktober, ich habe morgen Geburtstag, Janek, was wünschst du dir? ich weiß nicht, Mama; denk dir was aus; ein Zug von wenigen Leuten, und die redeten ihr übel nach: Das Kind derart zu verlassen! als sie den Sarg in die Grube ließen, das Seil verfing sich an einem Brett und der Totengräber fluchte, kein Priester würde ihren Fortgang segnen, selbstvergessene Selbstmörderin, nur die Blumensträuße klopfen aufs Holz, ehe die Männer zu schaufeln anfangen: als sie den Sarg in die Grube ließen, stürzte das Kind vor die Füße der Babitschka, sie hatte ihn zu halten vergessen; nun, da er schlief, dankte sie dem Gott, der die Frau aus seiner Hut gelassen hatte: Bringen Sie den Buben fort, es ist zuviel für ihn. Sie täuschten sich. Die Ereignisse schoben sich in einen sie böse erleuchtenden Rahmen. Was soll aus ihm werden? Er fragte sich nicht mit der Horde alter Weiber, und Carola war ihm entwichen, es war zu früh für sie. Er hatte ihr Gesicht, am Ende, ohne Erregung angesehen: Du darfst jetzt schlafen, Mama! staunte über die üppigen Lippen, der Tod füllte sie auf, und traute sich nicht mehr, ihr über die Wangen zu streichen. Er starrte sie, sich in sich versteckend, an, der Bub in den blauen kurzen Wollhosen, das weiße Hemd verknöpft über der schmalen Brust, dürr, anfällig, »aber der Junge hat einen zähen Kern«, er roch den Tod, der Geruch würde sich ihm verbinden mit hochbeinigen Betten, bauchigen Federdecken und feuchten Kissen. Wisch ihr den Speichel ab, hatte der Doktor ihm aufgetragen, er hatte es widerwillig getan; der Duft erfüllte das Zimmer, schläferte ihn ein, süß, die Gurgel verklebend. Bist du bös, wenn ich davonlaufe, Mama? Ihn bedrängte ihre versunkene Hingabe: Stirbt man im Sterben? Carola sagte er: Ich begriff, wie Mama aussah, wenn sie liebte;

immer die Toten, meine Tote. Die Babitschka brachte ihn ins Heim; später würde er bei ihr wohnen können.

Carola hatte ihn aufgestört, Babitschka jedoch war die erste gewesen: Sie hatte ihn wiedergefunden. Als er auf Carola zuging, trat sie zwei Schritte zurück, blinzelte, sagte: Das also ist der Janek, größer geworden ist der Janek, willkommen Johannes Biala; Janek duckt sich vor der Stimme, macht einen Diener, und Babitschka lacht: Laß dich von ihr nicht kuschen, Janek, sie spottet gern. Er war langsam die Treppe hinaufgestiegen, allein? und die Männer? hinaufgestiegen, das Treppenhaus war ganz aus Holz, selbst die Decken, viele kleine Bilder hingen an den Wänden, Frauen- und Männerköpfe, keine Ahnengalerie: Phantasieerzeugnisse eines malenden Großonkels der Babitschka: Er sei durchaus anerkannt gewesen als Künstler – »na bitte« pflegte Carola solchen Erläuterungen nachzusetzen, wie sie es verstand, mit Spott Punkte zumachen.

Carola fragte ihn, ob er sich entsänne, wie er angekommen sei, welchen Eindruck ihm das Haus gemacht habe, die Babitschka, sie – es schwang ihn ein, und doch war es nicht faßbar, gerann nicht zur Gestalt, ließ die Wörter aus, Musik hingegen ließ sich daraus schlagen: Seine Couplets? er lachte. Lachst du mich aus, Janek? Nein, mich; nein, uns, das Haus, meine Liedeln, alles. Wie das gewesen war: Die beiden Männer zerrten ihn die Treppe hinauf, Babitschka rief von der Flurtür: Er kommt, unser Bub, und sie schleppten ihn gegen einen unversehens sperrenden Trotz. Laß dich nicht zwingen, Janek, die alte Frau freut sich. Sie busselte ihn, er küßte sie auf die Wangen, auf die Stirn, wie es ihn Mama gelehrt hatte: Nur bei alten Damen, die du gut kennst. Wann aber sind Damen alt? Du wirst es entscheiden lernen, Janek. In die Zimmer, nein, erst die Nudelküche, Bohumila, das Dienstmädchen, wischt sich die Hände am Schurz ab und grüßt ihn in verschlagener Erwartung, und hernach, wie aus Spieluhren, Stimmen, die sich in die Müdigkeit drehen, sich einsenken, die alte, die jüngere, die ihn merkwürdig erregt, ein verzärtelnder Schwall von Sätzen. Der Johannes. Der Janek.

Willst dich baden, erfrischen? es ist alles bereitet.

Ja, schon.

Dann geh, dort, durch die Tür, die Bohumila wird dich weisen. Sie haben lange gebraucht, dich zu finden, Janek.

Fehlt dir etwas, fragt die Babitschka. Nein; kann ich noch eine Weile bleiben? Genieß es nur, Janek. Dann, auf dem zerbrechlichen Stühlchen, vor Tisch und Sofa, vor Carola und Babitschka –: Bist müd, Janek?

Ja.

Mußt uns heute nichts mehr erzählen.

Wie alt bist du eigentlich, Bub?

Sechzehn werde ich im Oktober.

Im Oktober.

Ja, am elften.

Das wollen wir uns merken.

Willst du deine Schlafstelle sehen? Führst Du ihn hin, Carola?

Das Zimmer rückt zusammen, verwelkt, blüht auf. Hier werde ich sein müssen, Babitschkas Hände auf der Lehne des Blumensessels, der Schlüsselbund klingelt. Carola sagt: Schlaf uns hier nicht ein; wie sollen wir Frauen dich tragen?

Ich bin wach.

Das Zimmer ist mit ihm aufgewacht, es wandert mit harten Kanten durch seine Augen, seinen Kopf. Ich werde hierbleiben. Es wird mich aufschlucken und ich werde es verderben. Wenn Mama mich sähe. Gute Nacht, Babitschka. Der Kuß auf die Stirn, die linke Wange, die rechte. Ein freundlicher Geruch von Lavendel, Lauch und mürber Haut.

Voran, Bub, auch ich möchte schlafen gehn.

Ich komm!

Das war sein Zimmer, er wollte es nicht haben, das weißgestrichene Bett nicht, den fahlen Sekretär nicht und nicht die Birke vor dem Fenster. Wird sich das ändern?

Weil er Carola zum ersten Male sieht: Ich halte ein, was hatte mich aufgehalten, Spiele?, sie ist schlank, sie gleicht Mama, die Luft, die um sie ist, wird sichtbar, ein Gekräusel von wartenden Sprüngen. Zieh dich aus, Janek, beeil dich. Es geht rasch, er schlüpft unter die feuchte kühle Decke. Hier, wenn du dich bangst – es ist eine Kuhglocke aus den Beskiden, Großvater hat sie mir geschenkt, dann schüttel sie und schell. Schlaf wohl. Nichts; als eine dunkle Haut, die sich drohend um ihn zusammenzieht, die ihn klumpt und schwer macht, alles, was er spürt, ballt. Er hatte keine Angst mehr, sie war matt von ihm gewichen, was er empfand, war ein heftiger Schrecken, aufgesaugt zu werden von allem, was sich je um ihn ereignet hatte. So schwand die Fahrlässigkeit seiner Gedanken und erhielt ein Ziel: Er begann sich zu erinnern und nistete sich in der Erinnerung ein, bis er kaum mehr war als ein Satz des Vergangenen, der sich nicht nach vorn sprach, der auseinanderriß unter dem

Ansturm der Bilder: Nein, ich war es nicht! Zögernd griff er zur Glocke, sie war nicht laut, wie er es erwartet hatte, lang schwang sie aus. Sie wird kommen. Sie atmete auf seine Stirn, er sah nur Carolas Umriß, ein flauschiger Umhang machte sie groß und breit.

Fürchtest du dich? Das Zimmer ist dir nicht vertraut.

Ich habe keine Angst.

Warum rufst du mich dann?

Es ist hier anders als im Heim.

Du wirst dich eingewöhnen, Janek.

Sie küßte ihn auf die Stirn. Ihre festen, ausgekühlten Lippen streiften seinen Mund und sprachen auf ihn: Schlaf gut, Bursch.

Es war nicht er. Der streckte sich wohlig und wollte einschlafen. Eine entsetzliche, fröhliche Hitze sprengte ihn aber, seine Brust, seinen Hals: Weil ich dich gesehen habe, und wem du auch gleichst, es ist, als ob du bewohnbar wärst, das Feuer streichelte die Muskeln seines Halses, es zündete eine einzige Sekunde an: Seine Zunge fuhr in ihren Mund, schoß wieder zurück. Sie stemmte sich auf ihren Ellenbogen hoch: Bist du verrückt? Wo hast du das gelernt? In deinem Nonnenheim? Sie lachte. Sie ging. Sie kam noch einmal: Du bist ein kleiner Teufel, Janek, tu mir das nicht noch einmal.

Die finstere Haut löste sich von ihm. Er fand sich nicht mehr. Er setzte sich auf den Bettrand, wischte ihr den Schweiß von der Stirn, öffnete die Fenster, taumelte hin und her, rieb die Hand an der Kante der Truhe: Warum hast du mir's angetan, Mama? Als sie ihn holten, hatte er längst aufgehört zu weinen. Er wirkte durchtrieben wie erloschen. Willig schickte er sich in die Leere der täglichen Verrichtungen. Die Nonnen lobten ihn, und er lernte gut.

Bernd Jentzsch

In stärkerem Maße

Zapfentrommler Wald grüner Landsknecht
Mehrfach getarnt: dich erkenn ich am Tritt
Deiner Bäume, ruhelos stampfen sie auf
Auf mich zu, in stärkerem Maße, verdoppeln
Das ist mir bekannt, ihre Besuche, nachts
Oder dienstags, zu Ostern, zu jeglicher Stunde
Erscheinen, wer weiß das nicht, die kürzlich
Im Waldgrab verblichen: Erschlagne, Gehenkte.
Die Drossel sahs, bot Widerstand, sang ein Lied
Sang keins, erdrosselt, wer da in die Grube fiel
So ging er hin, blieb hier in den Bäumen
Kommt, in stärkerem Maße, auf mich zu, warnend
Vor dem, was in mir ist, beharrlich, und sagt:
Wald grünes Blasrohr Geräusche

Mann vor der Niederkunft

Ich vertrau auf die Wirkung der Kräuter.
Krauseminze schlägt ihren Duft ab im Tee
den ich trink, morgens, mittags, abends
zur Beruhigung, aus farbiger Plastetasse
aus Gründen, die rund und bald schon
hörbar sind: stündlich Krauseminze
bis es endlich endlos schreit: was
ich veranlaßt hab damals: während ich
stark atmete und keine Krauseminze trank.

Natur ist wirklich

Natur ist wirklich ein Stück Natur,
Diese mehreren Malven hier, in Gablenz,
Der Ahorn, windig, sie stehen fest, ihre
Wurzeln dort, wohin ich reise, im Tal
Der Fluß, man hörts, fragt sich durch.

Günter Kunert
Meine Sprache

1
Ich spreche im Slang aller Tage derer
Noch nicht Abend ist
In der verachteten und verbissenen der
Sprache die jedermann entspricht.

2
Diese
Von Erstellern entstellte die von Betreuern
Veruntreute von Durchführern früh schon
Verführte die
Mehr zur Lüge taugt denn zur Wahrheit
Ach welche
Unter der erstarrten Syntax sich regt
Wie unter Abfall wie unter Schutt wie
Unter Tonnen von Schlacke.

3
Sprache
Die mehr scheinen will als sein
Aufgebläht
Von sang- und klanglosen tingelnden
Dinglosen Dingwörtern;
Schwabbelnde Gallerte
Quillt sie aus den öffentlichen Mündern
Und Mündungen tropft von
Den Lippen der Liebenden
Trieft aus Radios
Triumphiert.

4
Nichtssagend und blutleer und kraftlos
Ein Kind des Landes finde ich sie
Darniederliegend.

5
Und hebe sie auf
Und nehme sie an mich: Die beste mir

Der nichts besseres hat
Und ein Vermögen dem der durch nichts sonst
Zu leben vermag
Als durch sie.

An einem völlig ungewissen

1
An einem Tag der länger währt
Als ein Tag.
In einem Jahr viele Male kürzer
Als je eines war.
Da um die Morgenstunde

2
Bevor
Auf ihren Ämtern die Wetterhähne
Wach sind: vor dem ersten zweiten dritten
Schrei.
Während
Die Mitläufer noch nicht wissen mit wem
Die Anhänger
Noch nicht an was und die Teilnehmer
Nicht ahnen woran eigentlich
Woran.

3
Bevor dieser verdammte Himmel herabfällt
In sechzehn Millionen Scherben
Pro Quadratmillimeter.

4
Ehe die Därme
Die Menschen besiegen oder die Menschen
Die Därme
Allseits niederzuwerfen
Den Alleinseligmachenden:
Den Widerspruch.

5
Vorher jedoch
Setze ich mir diese Stadt meine mit einem Ruck
Auf den Kopf.

6
Meine zwei Wiegen nehme ich die beiden Särge
Gepäck
Daran die Welt sich schon zu lange schleppt
Und es längst müde ist
In meine beiden Fäuste als zwei Koffer
Und gehe fort.

7
Einmal
Wenn mir alles nicht mehr bunt genug ist.
Wenn mich das Mitleid ergreift
Wie Polizei: Grob und gnadenlos.

An solchem Tage also
Gehe ich
Mit diesem und mit jenem
Davon.

Einer putzt sein Gewehr

Einer putzt sein Gewehr
In der Küche. Ich sehe: Er
Putzt es in der Küche.

Liebe Frau was weißt du
Von dem der nachts über dich
Hersteigt?

Lieber Nachbar was hast du ihn
Angezeigt
Einer blutigen Rose wegen die er
Im Klosett heimlich erblühen läßt?

Wisse jetzt in der Küche
Putzt er
Für einen kurzen Dialog über das
Jenseits
Sein Gewehr.

(Unter Benutzung Vallejos)

Sorgen

Der zu leben sich entschließt
Muß wissen
Warum er gestern zur Nachtzeit erwachte
Wohin er heute durch die Straßen geht
Wozu er morgen in seinem Zimmer
Die Wände mit weißem Kalk anstreicht.

War da ein Schrei?
Ist da ein Ziel?
Wird da Sicherheit sein?

Den Rücken mit wurmigen Adern

Den Rücken mit wurmigen Adern
Bestückt folgt
Eine Hand ihrem Zeigefinger
Der den Zeitungszeilen nachläuft:
Zu den Todesanzeigen zu den Winken
Für Kleingärtner zu den Rätseln
Den oft und immer
Beinahe richtig gelösten.

Rolf Schneider
Aufhebung eines Zustands

Einmal im Monat kam der Fensterputzer, ein verwachsener Mann mit blauen Lippen. Er betrat das Zimmer grußlos, nickte bloß flüchtig, stellte den Eimer ab, er nahm seinen Schwamm heraus und rieb ihn über die Scheiben. Er öffnete die Fensterflügel, kniete auf der Kante, seine unförmige Schulter ins Zimmer reckend; er rieb mit dem Schwamm über das Außenglas und wischte dann nach mit einem gelben Lederlappen. Die Scheibe summte leise unter seiner Behandlung. Am Ende nahm er seinen Eimer wieder auf und trug ihn dem Zimmer des Vorstehers entgegen. Sein Besuch war eine Unterbrechung, und die Unterbrechung war angenehm. Wenn die Tür sich hinter ihm schloß, begann die Blaumilch erneut ihre Buchungsmaschine zu bedienen: als erste. Aus dem Zimmer des Vorstehers ging der Fensterputzer später ins Klosett, um seinen Eimer in das Bekken zu entleeren; seine Geräusche waren deutlich hörbar; er ließ die Klosettür stets geöffnet: ich hatte mich einmal davon überzeugt. Ich selbst

arbeitete seit acht Jahren in diesem Zimmer, Zahl, die ich mit dem Datum auf meinem Anstellungsvertrag errechnen konnte, Zahl, wie ich sie täglich aufschrieb in Geldbeträgen, Liefermengen, Zahlungsfristen: acht Jahre, die Ziffer acht, Doppelschlinge oder die Umrißzeichnung eines Menschen ohne Gliedmaßen. So, wie ich die Rogowski vor mir sitzen sah. Sie war dick geworden. Ihr Kleid, zog wenn sie gebeugt saß, zog fleischige Querfalten über ihren Rücken. Sobald sie die Ellenbogen hob, um sich zu kämmen (wobei sie jammernd die ausgegangenen Haare in ihrem Kamm vorwies), sah ich die schwarzen Flecke unter ihren Achseln, und ihr scharfer Geruch traf mich. Er erinnerte mich daran, daß ich einmal mit ihr geschlafen hatte: das war nach einer Weihnachtsfeier gewesen; wir waren beide angetrunken gewesen; ich hatte sie heimgebracht; im Flur ihres Hauses hatte sie gewispert: Angst vor der Zimmerwirtin, Angst vorm Erwachen ihres Kindes, das einen Herzfehler hatte; übrigens war es unehelich geboren, sein Vater war ein verheirateter Lagerist. Die Rogowski hatte sich an die Kacheln im Hausflur gelehnt, es war dunkel gewesen; ich hatte Mühe gehabt, mit meinen Händen ihre Schultern zu finden; sie hatte mir nicht geholfen, war bloß auf die kalten Bodenfliesen gerutscht, dort hatte ich sie genommen, zähneklappernd und lustlos. Ich hatte zwei Wochen hindurch Furcht gehabt; nach diesen zwei Wochen hatte mir die Rogowski gesagt, es sei alles in Ordnung. Sie hatte es gesagt, ohne die Stimme zu senken, so daß auch die anderen es hören konnten. Sie schienen ohnehin gewußt zu haben, was geschehen war. Vielleicht hatte ihnen die Rogowski selbst davon erzählt, so wie sie mir erzählt hatte,

daß Stitzer hautkrank sei. Stitzer hatte zwei Jahre nach mir seine Arbeit in diesem Zimmer begonnen. Er ging jeden Morgen, kaum daß er das Zimmer betreten hatte, hinüber zum Klosett, um sich zu entleeren. Die Blaumilch wußte, Stitzer wohne mit einer altersblöden Mutter zusammen, die krächzend in ihrem Bett liege und nur manchmal sich erhebe, um sinnlos Müll und Unrat auf die Dielen zu streuen. Eine Viertelstunde, nachdem Stitzer das Zimmer verlassen hatte, hörte ich das Rauschen und Gurgeln der Klosettspülung; Stitzer kam zurück, einen Geruch von Fäkalien und Rosenseife hinter sich herziehend. Er setzte sich an seinen Schreibtisch, nahm ein kleines Schraubdöschen mit Salmiakpastillen aus seiner Aktentasche; er griff während der Arbeit immer wieder nach dem Döschen, um die kleinen schwarzen Romben zum Munde zu führen. Sein Schreibtisch stand im rechten Winkel zum Schreibtisch der Blaumilch, die arbeitete von uns allen in diesem Zimmer am längsten, mehr als zehn Jahre. Sie hatte es übernommen, für uns täglich den Frühstückstee zu kochen; am Lohntag kassierte sie die verauslagten Gelder für Teeblätter und Zucker. Manchmal hatte sie Streit mit der Rogowski deswegen. Es war ein Streit um Pfennigbeträge. Die Blaumilch trank heimlich, in den Mittagspausen offenbar, vielleicht nach dem Arbeitsschluß; das hatte Stitzer entdeckt; er hatte, als die Blaumilch krank war, ihren Schreibtisch öffnen müssen, um nach einem Stempel zu suchen, dabei hatte er die Flaschen gefunden: leere Flaschen und Flaschen halbgefüllt mit klebrigem Likör. Die Blaumilch war, davon erzählte sie oft, früher verheiratet gewesen. Ihr Mann war ihr fortgelaufen. Er war später in einen tödlichen Autounfall geraten: das war die Rache, sagte die Blaumilch. Sie besaß übrigens das besondere Vertrauen des Vorstehers, erworben dadurch, daß sie das Schreibbüro überwachte ohne besonderen Lohnaufschlag. Das Schreibbüro lag unserem Zimmer benachbart: ein Raum, kleiner als unserer, mit sechs Schreibkräften; früher war die Tür zwischen diesen beiden Räumen eine Glastür gewesen; da hatte ich, wenn ich aufblickte von meinem Schreibtisch, die sechs hinter ihren Schreibmaschinen sehen können. Ein Jahr hatte eine junge, sinnliche Frau unter ihnen gesessen. Ich hatte oft zu ihr hinübergestarrt durch die Glasscheibe. Sie hatte es nicht wahrgenommen. Sie war verheiratet gewesen, und ich hatte den dürren Ring an ihrem Finger gesehen, wenn sie die Hand hob, um ein beschriebenes Blatt aus der Schreibmaschine zu nehmen. Es muß die Blaumilch gewesen sein, die mein Starren durch die Glastür zuerst bemerkt hatte; sie konnte mich von ihrem Schreibtisch aus besser beobachten als die anderen; es war aber Stitzer gewesen, der anzügliche Bemerkungen zu machen begann. Später wurde die Glastür ersetzt durch eine schalldichte Holztür, auf Betreiben der Rogowski. Sie hatte behauptet, der Lärm aus dem Schreibbüro behindere sie. Sie hatte sich beim Vorsteher mehrmals darüber beschwert. Der Vorsteher,

ein Greis mit schlaffen Wangensäcken, betrat unser Zimmer niemals. Die Arbeit wurde uns überbracht durch den Hausboten, einen blassen Jungen, der ständig und leise vor sich hinpfiff. Mit dem Ende dieses Jahres würde der Vorsteher seinen Schreibtisch verlassen: er hatte das Alter; ich würde, das konnte als gewiß gelten, sein Nachfolger werden. Es war die Hoffnung, an die ich mich hielt. Ich nahm Kraft und Geduld aus dieser Hoffnung. Die vergangenen acht Jahre wurden erträglich durch die Vorstellung, daß ich bald würde sitzen können in einem Zimmer für mich allein. Meine Gesten und meine Geräusche würden wieder mir gehören. Ich würde, das plante ich, von meinem ersten Gehalt ein kleines Transistorradio kaufen, ich würde es in meiner Aktentasche aufbewahren, und manchmal würde ich es während der Arbeit hervorholen und daran drehen, um den Wetternachrichten zu lauschen oder einem heiteren Klavierstück. Tage vor Weihnachten

rief uns der alte Vorsteher in sein Zimmer. Er sprach wehleidig von seinem nahen Abschied; wir erhielten Kornschnaps, Tee, Glühwein, Zimtplätzchen. Der Vorsteher sagte, die Direktion habe Stitzer zu seinem Nachfolger bestimmt, er selbst wünsche Stitzer Erfolg. Die Rogowski blickte mir höhnisch ins Gesicht. Die Blaumilch kicherte leise. Stitzer hielt die Augen geschlossen, lachte geschmeichelt und stolz; er schien alles vorher gewußt zu haben. Ich verschüttete Kornschnaps aus meinem Glas auf meinen Handrücken, das nahm keiner wahr. Ich trank viel an diesem Abend,

ich ging vor den anderen, schon angetrunken, ich ging in eine Kneipe; sie lag am Wege zu meiner Unterkunft: eine Holzbude, voller Tabakrauch, Bierdunst; ich starrte in die umwölkten Lampen, in die rotäugigen Säufergesichter, ich kannte das alles, war manchmal hier; ich trank jetzt bis zur Übelkeit und übergab mich, als ich wieder auf die Straße trat. Ich ging halberleichtert. Ich setzte unsicher meine Schritte auf dünnen Schnee. Ich hörte was, war aber bloß Täuschung, es hielt sich dennoch, daß ichs genauer sah. Waren zwei Lichter. War ein Umriß. Da ich weiterging, folgte es. Hechelte leise und stieß einmal feucht an meine Fußknöchel. Es war noch nahe, als ich an meiner Haustür stand. Es lief schnell durch die Türöffnung, fror vielleicht, wie hätte ichs vertreiben sollen ohne Lärm. Ein Hund. Ich sah ihn, als ich das Hauslicht angeschaltet hatte. Junger Hund, schmutzig, bettelnd, was sollte ich mit ihm. Er starrte mich aber an, bot mir seine graue Zunge. Verstand nichts, rückte bloß näher. Ich wollte ihn treten und hatte ihn noch vor mir, als ich auf dem Bett saß. Vergaß ihn. Fand ihn

in der Ecke kauernd, neben dem Ofen, am Morgen. Da stand er zögernd auf, kroch mir entgegen und beroch meine Füße. Er lief furchtsam zum Ofen zurück bei jeder Bewegung von mir. Ich ertrug seinen Anblick nicht länger und warf ihm Brot hin, Käse, Wurststücke. Er verschlang alles. Er hockte schmatzend neben dem Ofen, schob die Pfoten vor und legte den Kopf zwischen die Pfoten. Fuhr aber später auf, krümmte sich unter Gejaul, würgte aus seinem Darm Schleim heraus, das Fell der Hinterbeine beschmutzend und die Dielen. Ich nahm einen Eimer, ließ Wasser in ihn, nahm das Wischtuch, ging hinüber und hob den dünnen Kot auf. Der Hund kroch mir ans Knie, zitternd, und rieb seinen Kopf an mir.

Was ist, Hund. Bist du innen faulig, Hund.

Ich nahm seinen Kopf zwischen die Hände. Ich schob dabei seine Zähne frei, unabsichtlich, er ließ es geschehen; ich sah seine Zähne, die gesund und kräftig waren, seine Zähne gefielen mir. Ich ging zum Herd, suchte Reisschleim und Milch; ich kochte einen Brei, den ich ihm vorsetzte. Er schlang ihn widerwillig und brach ihn bald heraus. Ich säuberte das Ofenblech von seinem Erbrochenen.

Sieh meine Faust, Hund, friß sie.

Vorsichtig grub er seine Zähne in meinen Handrücken, löste sie bald wieder, ich sah: die Abdrücke in meiner Haut waren tief. Meine Aufbruchzeit war längst überschritten. Ich überlegte eine Benachrichtigung und vergaß sie. Ich knüpfte einen Strick um den Hals des Hundes, hielt das Ende in der Rechten; der Hund ging daran. Der Tierarzt rieb erstaunt den Strick zwischen seinen Händen, sagte aber nichts. Er wippte mit einem Stecken, nach dem der Hund schnappte und den er mit seinen Zähnen festhielt; der Tierarzt zerrte vergeblich daran.

Gut, sagte er, gesunde Zähne. Sie sollten ihn abrichten lassen.

Er war verärgert, daß ich ihm nichts mitgebracht hatte von dem Exkrement. Er ließ mich den Hund auf den Metalltisch heben; ich mußte das Tier halten, während der Tierarzt das Fell durchwühlte. Das Medikament, das er mir gab, war teuer. Ich bezahlte es ihm, gleichgültig.

Wirklich, sagte der Tierarzt, machen Sie ihn scharf, es lohnt.

Der Hund fraß gut schon an diesem Abend. Ich wusch ihn noch, in einem Trog, zog ihn aus dem schlammigen Wasser, er stand dürr und bettelnd auf den Dielen. – Später heulte er mir entgegen, wenn ich abends zurückkehrte, und wenn ich an meinem Schreibtisch saß, dachte ich häufig an ihn. Zuerst war es, daß sich das Bild von ihm in meiner Vorstellung über das Bild vor meinen Augen legte. Der Hund und der Rücken der Rogowski. Ich konnte die beiden Bilder nicht mehr voneinander trennen. Sie hafteten aneinander, auch wenn ich die Augen schloß. Wenn ich mich meinen Papieren zuwandte, sah ich die Bilder zwischen den Reihen meiner Zahlen. – Daheim, morgens, bürstete ich den Hund, und sein Haar sprühte trocken durchs Zimmer dabei. Ich suchte öffentliche Aushänge ab; ich fand eine Offerte mit einem verläßlichen Versprechen.

Guter Hund, sagte der Dresseur.

Er übernahm das Tier, tätschelte es; dann ließ er es über Planken setzen. Er hetzte es auf die rennende Gestalt mit dem vermummten Arm, Schnee trieb über die Plätze.

Können Sie ihn auf die Gurgel dressieren, sagte ich.

Wie Sie wollen, sagte der Dresseur.

Der Hund wurde kräftiger in diesen Wochen. Er wuchs zu einem großen grauen Klumpen neben dem Ofen meines Zimmers. An den Sonntagen ging ich mit ihm quer durch die Stadt, ich ließ ihn von der Leine am Fluß, er durchstöberte die frostigen Büsche dort, fing Ratten, trug sie zu mir: brotgroße schlenkernde Tiere mit zermalmten Köpfen, aus denen braunes Blut sickerte. So würde auch die Rogowski vor mir liegen. Meine Vorstellung davon war sehr genau, sie war zugleich von völliger Ausschließlichkeit. Gegen wen sonst hätte ich mich wenden sollen; ich kannte nicht den Besitzer des Bürohauses, in dem ich arbeitete, kannte nur seinen Namen, der auf den Briefköpfen und Rechnungsbögen stand: ein blutloser Name, gehörend einem vorstellungslosen Gesicht. Dies aber war vorstellbar: Ich würde den Hund üben und mästen. Er würde wachsen. Er würde mir bis zur Hüfte reichen, so würde er neben mir gehen: die Stufen hinan bis zu meiner Arbeitsstelle. Vor der geschlossenen Tür schon zu dem Zimmer, in dem ich arbeitete, würde er leise jaulen vor Lust. Er würde sich nach dem Öffnen der Tür sofort auf die Blaumilch stürzen und ihre Gurgel in seinem Gebiß haben, noch ehe sie ansetzen konnte zu einem kleinen Laut des Entsetzens. Starr würde es die Rogowski sehen. Sie würde zu schreien beginnen, wenn sich der Hund dann ihr zuwandte. Er würde sich länger abgeben müssen mit ihrem Fleisch, und das Geschrei der Rogowski würde Stitzer aus seinem Zimmer rufen. Er würde in der geöffneten Tür stehen, sich sofort zurückwenden wollen, da er die Gefahr ahnte. In seiner Wendung würde der Hund ihn zu Boden werfen und, Vorderpfoten auf Stitzers Schultern, seine Zähne in dessen Kehle haben. Das alles würde nicht länger dauern als sechs Minuten. Es würde ein vollkommenes Geschehen des Entzückens sein, jenseits davon nichts mehr wichtig war. Bei

einem unserer Gänge am Fluß blieb der Hund fort. Ich schrie nach ihm, suchte nach ihm, ein zerfetzter Wasservogel lag auf meinem Weg; ich fand sonst keine Spur von ihm. Verändert betrat ich am anderen Morgen das Zimmer, in dem ich arbeitete. Ich hörte die Reden der zwei Frauen und sah ihre Tätigkeiten nackt und hoffnungslos wie einst. Stitzer, der einmal unser Zimmer betrat, sah verquält aus; damals bemerkte ich es nicht, wußte nur: ich war ohne den Hund verloren. Ich war fünfzig Stunden allein, da kratzte er daheim an die Tür. Ich ließ ihn ein, er war dürrer geworden, und sein Fell war verkrustet wie damals, als ich ihn aufgelesen hatte, aber ich hatte ihn zurück.

Verlaß mich nicht, Hund, verlaß mich nicht!

Ich rief ihn auf mein Bett, das er beschmutzte mit seinem Fell. Er schlief von nun an ständig auf meinen Füßen, räkelte sich im gemeinsamen Schlaf, daß sein Leib emporwuchs bis zu meiner

Brust und ich schlafend stöhnte unter seiner Last: das löste Träume aus, die mich in stinkenden Schweiß trieben, aber manche dieser Träume waren auch glücklich: darin war er gewachsen übers Menschenmaß und beherrschte mit seinen großen mörderischen Zähnen die Stadt. Er erwachte immer zugleich mit mir, schob dann manchmal die Kanten meines Schlafkittels auseinander und leckte mit rauher Zunge über die weiche Haut meines Bauches, da nahm ich seinen Kopf, sperrte ihm die Kiefer auseinander, rieb meine Fingerknöchel an den Kanten seiner Zähne und ging mit den Fingerkuppen sanft über den grauvioletten und scharf genarbten Gaumen. Der Hund wurde

unförmiger. Dafür gab es keinen Anlaß. Das hatte irgendwann begonnen, ich entdeckte es und suchte sinnlos nach einem Ansatz für meine Erinnerung. Mit aufgetriebenem Leib empfing er mich jetzt, scheute aber das Bett und kehrte wieder zu seinem Platz am Ofen zurück. An einem Abend fand ich ihn unter dem Bett. Ich beugte mich zu ihm. Er wandte sich vom Licht fort. Als ich ihn hervorziehen wollte, biß er nach meinen Händen. Ich hörte sein Schmatzen: er leckte sich; sein Fraß stand noch unberührt. Ich rückte das Bett beiseite, da lag er wie leblos; sein Schwanz, seine Pfoten zitterten aber. Er war bösartig bei meiner Berührung. Seine Nase, an die ich stieß, war trocken. Er drehte langsam den Kopf seinem Leibe zu und leckte mit schleimiger Zunge über seinen Bauch. Ich fand die Stelle: verfilztes, schwärzlich verharschtes Fell; als ich das berührte, biß er wieder nach meiner Hand. Er leckte und nagte die ganze Nacht an seinem Leib, ich saß neben ihm, fror, am Morgen war die Stelle geöffnet: grüner Eiter tröpfelte heraus, den der Hund ableckte. Er wollte nicht stehen, so hob ich ihn auf und trug ihn hinab. Ich legte ihn auf den Karren, mit dem ich sonst meine Kohlen vom Händler holte, und zog ihn durch die Straßen. Der Tierarzt war fremd: ein linkischer Mann stand in dem Zimmer, an dessen Aussehen und Gegenstände ich mich gut erinnerte.

Ich vertrete bloß, sagte der Mann, der Doktor ist unterwegs.

Er half mir, den Hund auf den Metalltisch zu heben. Er betrachtete lange und ratlos den Eiterherd, verkaufte mir dann eine Stanioltube und half mir noch, den Hund zurückzutragen in den Karren. Ich kehrte heim. Der Hund ließ jetzt willenlos geschehen, daß ich ihm die Haut am Bauch zusammenschob; unentwegt rann der Eiter, ich nahm ihn fort mit einem Tuch. Ich schob die Spitze der geöffneten Tube unter die Haut und drückte die Tube aus. Der Hund hob den Kopf dabei, er biß knackend die Zähne in die Luft. Ich mußte neue Tücher holen, drückte immer wieder den Eiter zusammen, der wurde farbloser, hielt sich zuletzt bloß um eine gelbe feste Mitte, die entzog sich meinem Griff mit dem Tuch. Dann faßte ich sie aber: sie ließ sich nicht fortnehmen, war fest verwachsen, war ein Stück gelben fettigen Gewebes aus dem Bauch des Hundes. Das Stück hing leer heraus über den Rand der Wunde. Ich schob vorsichtig das Fell zusammen, und langsam sog es das zernagte Gewebe wieder auf, gelb schimmernd zuletzt am Grund der Wunde. Unvermutet kroch der Hund von mir fort an seinen alten Platz neben dem Ofen. Dort war es dunkler. Sein Leib begann zu zucken, als wolle er sich entleeren. Der Hund öffnete im Liegen die Hinterbeine, da sah ich die rötlichen Warzen an seinem Bauch, sah die Öffnung, aus der Blut quoll und farblose Flüssigkeit, dann stieß sie, schnell, schwappend, eine Blase aus mit grauem Fleisch daran. Der Hund hob den Kopf und schob ihn der Blase entgegen. Er begann die Sehne zu essen, die von der Blase zurückführte zu der Öffnung, aß dann auch das graue Fleisch an der Blase, er aß schmatzend und zitternd und zerbiß zuletzt die Blase, verschlang die Haut, schleckte die Flüssigkeit fort und ging mit der Zunge über das, was Inhalt dieser Blase gewesen war: ein Tier, handgroß, zirpend, mit weißlichem Fell, sinnlos und heftig seine Gliedmaßen bewegend und suchend mit blinden Augen. Da begann das Zucken des aufgetriebenen Leibes abermals, Kot tropfte grau aus dem After, die Schnauze suchte danach, wollte ihn verschlingen; aus der anderen Öffnung rannen wieder Flüssigkeit und Blut und zuletzt ein blinder Kopf und gekrümmte Vorderpfoten: da stockte alles. Der Kopf des Hundes fiel zurück auf die Dielen. Er lag dort inmitten scharfen Geruchs. Der Hund streckte sich etwas und lag ohne Bewegung. Er war tot.

Stirb nicht, Hund, stirb nicht, Hund!

Er war tot. Das Halbgeborene hing schlaff aus der Öffnung heraus. Das Geborene zappelte in der ausgestoßenen Flüssigkeit und zirpte vergeblich. Ich holte einen schmutzigen Sack, da ich nichts anderes hatte; ich tat alles hinein: die Kadaver, das Geborene; ich trug den gefüllten Sack hinab in den Karren, der immer noch vor der Haustür auf dem Pflaster stand. Es gab, das wußte ich, denn ich ging täglich daran vorüber, am Ende der Straße, in der ich wohnte, eine Gießerei. Jetzt zog ich den Karren zu der Gießerei, verfolgt von dem gleichbleibenden Zirpen aus dem Sack. Der Mann im blauen Arbeitskittel, mit dem ich sprach, verstand nur langsam. Er empfing mein Geldstück. Er nahm mir den Sack ab und trug ihn vor den Schmelzofen. Er entleerte den Sack auf eine Schaufel, denn es war unnötig, daß auch der Sack verbrannte. Das Neugeborene auf der Schaufel bewegte sich noch, ich sah es, hörte es aber nicht, es war Lärm in der Halle. Der Mann zog die Tür des Schmelzofens auf und schleuderte die beiden Körper von seiner Schaufel in die Flammen. Er ließ die Tür des Schmelzofens geöffnet. Ich sah, wie die gelben Flammen die Leiber verzehrten, dünner machten, die Leiber lösten sich auf in Helligkeit. Ich bat darum, meinen Karren in der Gießerei lassen zu dürfen bis zum Abend. Als ich das Zimmer betrat, in dem ich arbeitete (ich war einen Tag unentschuldigt fortgeblieben, an diesem Tag hatte ich mich um fünf Stunden verspätet), zeigte sich die Blaumilch aufgeregt, fragte, ob ich wisse, was mit Stitzer sei, ich wußte nichts, Stitzer war tot, Stitzer hatte sich umgebracht mit einem Schlafmittel,

es gab nur noch einen Nachfolger für Stitzer: mich.

Helga M. Novak
Schmerz

der stellt seine Gesichtszüge richtig auf
und tut wie ein Hochzeitsreisender

der Kabeljau hatte wieder viele
braune geringelte Würmer in sich

er zog sie mit der Pinzette aus
über der erleuchteten Glasplatte

– ach die dunklen fetten Spiralen
im weißen Fleisch –

dann stellt er seine Gesichtszüge noch auf
und tut wie ein Hochzeitsreisender

gefaßt

durchtanze die Nacht
gegen Alpträume ist kein Mittel zur Hand

betrachte
verläßt du das Haus beim Schall der Signale
was von der Landschaft noch da ist
befühle die berußten Splitter
zwischen den Lichtquellen und dir

schon ist der Tanzsaal zertrümmert
die Zelte hinter dir sind eingebrochen
gehe solange deine Füße dich tragen
halte den Atem nicht an
deine Poren erliegen so wie so
der herrschenden Atmosphäre
gehe gehe
zum Stillstehen ist kein Platz mehr

beschirme die Augen
damit sie wenn er sie eingekreist hat
den Tod genau erkennen vor deinem Fall

bestreiche deine Lippen mit Pomade
damit sie geschmeidig bleiben
für den letzten Schrei

Reparaturtag

am Strand von Eyrarbakki
dem fahlen stechenden Strand aus Lavakies
verflechten wir strahlende Enden
steifen bereiften Drahtseils
Ebbe und das Schelf
mit glasigen hummerdicken Algen gepolstert
in deren Wurzeln bemooste Muscheln ankern
Seeschwalben stoßen jäh
auf unsere unbedeckten Köpfe
hier liegt noch der Stein
an den man Jon H. gebunden hat
weil er drei Angelschnüre stahl
da wo das Land ist
schneiden die lauten Gänse den Himmel auf
zieht der Wind
den Schafen schwarze Scheitel auf die Rücken
da wo das Meer ist
ist Süden
ich spleiße Seile mit euch
und habe den Faden verloren

bei mir zu Hause

bei mir zu Hause blühen die Kirschbäume
die frische umbrochene Erde spuckt Puppen
und Regenwürmer und riecht stark

bei mir zu Hause werden die Hausmauern
von Tag zu Tag wärmer

in den Wäldern wird das Gras vom Vorjahr so trocken
daß man sich hineinlegen kann
das Laub von den Eichen fällt zuletzt aber jetzt fällt es
nur das Moos schwappt noch unter den Füßen
und bewahrt dem Boden einen säuerlichen Wein

bei mir zu Hause schreit der Kuckuck
fünfzigmal
fünfzig Jahre leben wir noch nein länger nein immer

bei mir zu Hause
daß ich nicht lache
dein Zuhause zeige mir mal

bei mir zu Hause blühen die Kirschbäume
und der Flieder
und in den Kastanien stehen die roten die weißen Kerzen
der heißen guten Liebe

Dezemberklage

ihr toten Fliegen unter den Fenstern
ihr gelähmten im Vorhang
                                        er will daß ich sterbe
                                        er will daß ich tot bin

er sitzt bei der Höhensonne und sagt
du stahlst den Mittsommer
                                und will daß ich sterbe
                                und will daß ich tot bin

ihr Raben über dem milchigen Gletscher
den die Moräne beschrieb
                                er will daß ich sterbe
                                er will daß ich tot bin

ihr von eisernen Kufen zerschnittenen Wehen
                                wann gehen wir los

Gilitrutt

Elfe Gilitrutt lebt mit einem Mann
und sagt – ruder nicht heute
                                ruder nicht morgen
ein Nachttroll hat mit Blei
                                dein Boot versteift
da sagt der Mann –
                                ruder ich heute nicht
                                ruder ich morgen
zieht mich das Blei auf den Grund
                                ist er nicht tiefer
                                ist er nicht nasser
als der Schoß meiner Elfe Gilitrutt

Jörg Steiner
Ein Messer für den ehrlichen Finder

Hier sind die Gärten. Es sind die Gärten des Jahres 1943 in der Schweiz. Noch blüht der Phlox, Rosen blühen, Astern und Dahlien. Die Blumen blühen am Rand der Rabatten, in denen Zwiebeln, Lauch, Kohl, Bohnen, Rüben wachsen. Im August hat es zu lange geregnet. Das Land ist grün und fruchtbar. Die Kartoffeln sind reif. Man pflückt Brombeeren.

Schose ist sechzehn Jahre alt. Auf dem Taufschein heißt er José Claude Ledermann. Sein schlechtes Schulzeugnis wurde im Vertiko hinter Glas aufgestellt, ohne Unterschrift.

Die Turnschuhe, die er sich wünscht, hat er nicht erhalten.

Ein Halbrenner ist gekauft worden, Cycle Wolf. Er hat kleine Räder; Gummi ist rar. Er hat vier Gänge und einen Gepäckträger.

Es ist September, die Anbauschlacht des Jahres 1943 ist vorüber. Schose hat fünfundzwanzig Kilogramm Bohnen geerntet. Nicht nur deswegen bekommt er sein Rad; er fährt mit den andern Jungen um die Wette, Piste Drei – Seerundfahrt beispielsweise. Der heiße Juli hat den Asphalt aufgeweicht, im August sind die Straßen geplatzt. In den Fugen wächst jetzt Gras.

Die Jungen machen auf Kerrs Rad Gleichgewichtsübungen. Kerr hält sich eine Minute, dann kippt er. Kerr hat ein Vorkriegsrad mit breiten Reifen. Wenn das Rad umfällt, kommt der nächste an die Reihe. Es ist schwierig, im Stillstand das Gleichgewicht zu halten. Manchmal versuchen sie es mit einem Trick. Es sind immer die gleichen Spiele. Die Marktgasse eignet sich als Spielplatz genausogut wie die Kanalgasse. Überall sind kleine Kinder dabei mit ihren viel zu lauten Stimmen. Die größeren Kinder und die jungen Leute bilden Gruppen. Wenn sie abends noch draußen sind, spielen sie Schuh-ab oder Fußball. Die älteren haben ihren Gesprächsstoff: die Schule. Ihre Lehrer sind oft im Militärdienst. Manchmal kommen sie für einen Monat zurück, aber eines Tages sind sie wieder weg. Der blonde Albion, Onkel Sam, die gelbe Gefahr: die Lehrer reden mit ihren Schülern vom Krieg.

Der blonde Albion, dem Teufel vom Karren gefallen, sagt der Deutschlehrer. Es ist höchste Zeit, daß ihr die deutsche Grammatik lernt, Kerls, Futter fürs Gehirn.

Schose ist ein schlechter Schüler, aber ein guter Aufsatzschreiber. Er verwendet in seinen Aufsätzen hin und wieder die Wörter: Kraft, Mut, Wahrheit, das Echte, der Feigling. Der Deutschlehrer gibt ihm gute Zensuren für Inhalt und Stil; immer wird seine Schrift beanstandet. Das ist die schlechteste Schrift, die ich in den zweiundvierzig Jahren meiner Lehrtätigkeit gesehen habe, steht unter einem Aufsatz. Die Unterschrift der Mutter muß bis morgen nachmittag beigebracht werden.

Wie oft ist Schose von zu Hause weggelaufen? Vor allem der eine Fluchtversuch hat ihn bekannt gemacht: ein Lastwagenführer, den er unterwegs kennengelernt hat, wenn er nicht doch ein Kunde des Salons ist, hat ihn verraten. Ausgeliefert, sagt Schose, in Genf die Polizei verständigt.

Man hat ihn auf der Straße ausgelacht. Man hat sich gefragt: wo steckt Schose wieder?

Vielleicht ist er im Keller? Dolores weiß Bescheid. Im Keller riecht es nach Eingemachtem, nach Apfel und nach Mazout, den Geruch hat er gern.

Der kommt immer zurück, sagt auch Dolly. Allons, die Gäste rufen. Wir haben keine Zeit zu verlieren.

Die Mädchen schminken sich vor dem Spiegel. Sie machen sich ihre Frisuren zurecht. Es ist bald Feierabend. Im Keller hat Schose sein Leihrad aufbewahrt. Er legt die Kette in Petroleum. Er schraubt die Räder ab und reinigt die Felgen. Am Rahmen hat der Rost die Farbe angefressen. Chrom wird mit Sigolin-Grünbrand auf Hochglanz poliert.

Die Nachbarn behaupten, Schose sei grausam. Sie beobachten ihn während der warmen Maiabende. Sie kommen spät heim, mit vollen Körben; ein Aufruf hat das Pflücken von Lindenblüten in den öffentlichen Alleen erlaubt.

Er fährt mit dem Rad durch die Straßen; in der linken Hand hält er den Tennisschläger. Die Käfer bleiben stecken, er klaubt sie nach jeder Runde aus dem Netz. Er ist unersättlich. Am andern Morgen picken die Spatzen im Rinnstein an den Käfern.

Mit dem Jungen ist nichts los, sagen die Nachbarn. Das ist die Pubertät. Er müßte strenger gehalten werden, mehr arbeiten. Und dann, mit einer solchen Mutter, aus diesen Verhältnissen! Nicht einmal Pfadfinder ist er.

Sie verwenden ihre Lindenblüten-Körbe frühmorgens zum Käferfang. Die Käfer werden aus den Bäumen geschüttelt, bevor die Sonne aufgeht; die Stadt bezahlt vierzig Rappen pro

Kilo. Auf allen Plätzen stehen die Kessel mit kochendem Wasser. Die Burgergemeinde liefert Holz. Jedes Kind kann mitmachen, Holz schleppen, Wasser bringen, Käfer einfangen; sie sind am frühen Morgen wehrlos, kennen die Droh- und Schreckstellung gewisser Raupen nicht, haben keine Schutzfarben, bäumen sich nicht auf, ducken sich nicht; man hat viel mit den Käfern zu tun; die Arbeit lohnt sich.

Schose verschläft die Jagdzeit.

Am Morgen schläft er am besten; abends hat er Mühe, einzuschlafen. Das Haus hält ihn wach. Er hört die Schritte der Männer und das Lachen der Mädchen.

Schose kennt die Namen der erfolgreichen Rennfahrer. Er hat sich ihre Bilder verschafft, Fotografien aus Illustrierten. Meist sind sie in ihrem Trikot abgebildet, mit dem Rad zur Seite, in Turnschuhen. Der Fotograf hat sie gebeten, die Mütze abzunehmen; die Sonne scheint, die Mütze wirft einen Schatten ins Gesicht. Schose hat die Bilder über seinem Bett aufgehängt, vier schwarzweiße, zwei farbige Bilder; Anquetil ist noch nicht dabei, Anquetils Lächeln fehlt noch. Auf Schoses Bildern gibt es kein Lächeln. Die Fahrer blicken ernst auf den schlafenden Jungen.

Nach den Ferien hat Schose ein Amateurrennen nach Grenchen gewonnen. Eine Dame der Firma Wander küßt ihn auf den Mund. Er bedankt sich bei ihr; er bestätigt vor einem Mikrofon, daß Ovomaltine als Kraftnahrung einzigartig ist.

Das Beste, sagt er. Ovomaltine ist das Beste. Die junge Dame lächelt und entfernt sich rasch, niemand weiß, wohin; er will lieber nicht danach fragen. Er bleibt vor Cycle Wolfs Wagen stehen und kühlt sich das Gesicht. Am nächsten Tag ist sein Bild in der Zeitung.

Haben Sie gesehen, Madame, sagt Dolores, unser Schose? Madame schaut sich das Bild an, während das Mädchen ihre Beine massiert.

Er muß bald anfangen, sich zu rasieren. Schau bloß, der Flaum in seinem Gesicht.

Das ist Schmutz. Die Jungen werden bei den Rennen immer schmutzig. Es ist eine große Anstrengung. Ihr Sohn ist ein Sportsmann. Er lebt gesund. Wären nur alle so. Unsere Kunden, wissen Sie.

Madame hat nach dem Tuch gegriffen.

Sie beobachtet im Vertiko das Schiff in der Flasche, den Neapolitaner mit seiner Mandoline und die kleinen Vögel, die zu einem gelben Fleck verschwimmen, wenn man versucht, sie genau ins Auge zu fassen.

Vorsicht, meine Brille, sagt sie zu dem Mädchen. Sie liegt hinter dir auf dem Stuhl; unterm Schwamm liegt sie. Die Gläser sind teuer, und überhaupt, sie kommen aus Deutschland. Woher soll ich mir neue Gläser beschaffen, wenn du mir die Brille zerbrichst, jetzt, mit dieser Grenzsperre.

Alle sagen: wie vorsichtig Dolores geworden ist! Sie läßt nichts fallen, sie zerbricht nichts, sie hat zarte Hände, und doch ist sie eine ausgezeichnete Masseuse.

Madame hat ihre Brille auch noch im September. Schose bringt das schlechteste Zeugnis seiner Schulzeit nach Hause; es wird hinter Glas ausgestellt, zwischen dem Schiff in der Flasche und dem Neapolitaner. Er hat das Leihrad zurückgegeben; man sieht ihn mit einem neuen Halbrenner, Cycle Wolf, auf der Straße. Er fährt mit den Jungen seiner Klasse. Manchmal kommt Wolf herüber, als Starter. Wolf hat Madame den Halbrenner mit fünfzehn Prozent Rabatt verkauft.

Zwar wünscht sich der Junge Turnschuhe, sagt sie zu ihm, aber er hat ein schlechtes Zeugnis, ich werde ihm keine Turnschuhe kaufen.

Wolf kann sich ihrer Meinung nicht anschließen. Wenn er Rennen fahren will, muß er Turnschuhe haben. Sie sind billig, jedenfalls billiger als die Nagelschuhe der Schnelläufer oder die Zapfenschuhe der Fußballer.

Schose hat auch andere Wünsche; er kauft sich einen Vierkantschlüssel. Die Räder des Halbrenners sind nicht mit Flügelmuttern befestigt. Im Keller legt er die Kette in eine Blechwanne mit Rohöl. Er versucht, einen größeren Gang einzubauen. Der Versuch mißlingt.

Wo steckt der Junge nun wieder? fragt Madame, wenn sie sich zu Tisch setzt.

Wo wird er stecken, sagt Dolly; im Keller wohl; er mag den Kellergeruch.

Madame sagt: Unser Keller ist sauber. In unserem Keller riecht es nach nichts.

Er behauptet, es riecht nach Apfel, nach Öl, nach Eingemachtem, nach Faulem, nach geplätteter Wäsche.

Der mit seiner Nase, sagt Madame.

Die Mädchen kichern. Nach dem Essen kleben sie Marken ein, Lebensmittelmarken, Rabattmarken. Schose hat vor einer Woche zwei Rabattmarkenhefte gestohlen.

Wenn Madame nichts merkt, sagt Dolores, mir solls recht sein. Hast du jetzt wenigstens deine Turnschuhe?

Klar, daß die Mädchen nichts von der Schule halten. Was kann man auf einer Schule lernen, denken sie. Der Sport ist noch das beste daran. Der Sport und die langen Ferien. Ein sechzehn Jahre alter Mann sollte sich Arbeit suchen. Er könnte Geld verdienen. Er hätte das nicht nötig gehabt, mit den Rabattmarken! Schose ist ein hübscher Junge; für diesmal ist der Diebstahl entschuldigt. Aber wie soll das weitergehen? Immer öfter muß man ihn in Schutz nehmen. Schüler seiner Klasse arbeiten als Packer im elterlichen Betrieb, auf umliegenden Bauernhöfen, in einer der Uhrenfabriken, beim Hochbauamt.

Schose lächelt. Kommt mir nicht damit! Habt ihr eine Ahnung! Er knöpft sein Hemd auf. Die Mädchen staunen. Außerdem bin ich ein Rekordmann, sagt Schose.

Er geht mit Wolf jeden Abend zum Training. Manchmal kommt noch einer mit, ein Mann in Wolfs Alter.

Was mit dem wohl los ist? fragt Madame. Woher kommt er? Was treibt er?

Er heißt Reubell. Dolly weiß es von einem Kunden. Er hat keinen Schweizerpaß, deshalb ist er dienstfrei; ein Ausländer.

Aber auch Wolf ist nicht aufgeboten worden. Weshalb? Man weiß es nicht. In dieser Zeit ist alles unklar.

Wolf hat ein schwaches Herz, sagt Dolores. Früher oder später leiden alle Sportler unter Herzklappenfehlern. Die Untersuchungskommission nimmt keine Leute mit Herzfehlern an. Wolf hat es erklärt; es hat etwas mit der Militärversicherung zu tun; ich habe vergessen, was er sagte.

Du mit deinem Sportlertick; Dolores ist eifersüchtig.

Madame auf dem Ledertisch wird unruhig. Sie hebt den Wattebausch vom linken Auge. Sie will nicht, daß sich die Mädchen streiten.

Dolores sagt: Sie fahren jeden Abend zum Training, alle drei. Reubell hat ein schwarzes Militärrad. Manchmal nimmt Wolf einen Ersatzreifen mit.

Wozu einen Ersatzreifen?

Wenn wir Naturstraßen haben, sagt Schose, am Bözingenberg beispielsweise. Der Berg ist nichts für die Dicken. Sie haben keinen Atem. Sie führen in den ersten Runden, das ist wahr. Sie lassen sich durch den Applaus anspornen. Dann wird die Straße schmal, am Waldrand sind dann keine Zuschauer mehr; es ist lustig, sich an einen Dicken zu hängen.

Die Mädchen brechen in Lachen aus. Wollten sie nicht eben wissen, wozu der Ersatzreifen gut sei? Sie lachen sich tot über die Dicken. Haben sie vielleicht schlechte Erfahrungen mit ihnen gemacht? Schose möchte sie gern danach fragen; er lacht nicht. Er arbeitet am Berg. Wolf ist mit seinen Fortschritten zufrieden.

Im September fängt es an zu regnen; es ist kühl geworden; nachts hat es Nebel. Der Blätterfall am Berg beginnt im Oktober. Die Verhältnisse sind schwieriger geworden, sagt Reubell. Wir müssen uns nach den Verhältnissen richten.

Wolf ist nicht seiner Meinung. Verhältnisse, dummes Zeug! Du bist kein Rennfahrer. Du hast es nicht im Blut. Du spielst bloß.

Reubell läßt sich nicht einschüchtern. Ich sehe eben mehr als ihr beide. Ich berechne die Chancen. Wir könnten das Talfahrt-Training fallenlassen. Hübsch hintereinander zu Tal fahren, was meint ihr? Wolf und Schose sehen es nicht so. Die Talfahrtzeit wird gestoppt; die Zeiten werden in ein schwarzes Wachstuchheft eingetragen. Jeden Sonntag stellt Wolf mit Tintenstift auf einer neuen Seite die Kolonne auf.

Reubell redet noch immer von Gefahr.

Mach mir den Jungen nicht kopfscheu, sagt Wolf.

Schose hat einen Traum. Er träumt von Schlachthöfen, von einem Haus aus Backsteinen mit einem Dach, aus dem viele Kamine ragen.

Dolores ist eine Traumdeuterin.

Jeder Mensch träumt, sagt Dolores. Das muß man sehr ernst nehmen! Du hast träumerische Augen, sagt sie. Es gibt Leute, die Tag und Nacht träumen. Sie sind eigentlich nie richtig wach.

Da kommt Wolf. Er trägt einen blauen Pullover und zu weite Hosen; sie sind mit Klammern zusammengehalten. Wenn Wolf erscheint, wird Dolores unsicher.

Guten Abend, Herr Wolf.

Guten Abend, Dolores.

Dann also, ich habe zu tun. Was wird Madame sagen! Ich habe vergessen, das Kabinett herzurichten.

Auf der Straße rufen die Mütter nach ihren Kindern. Die Kinder hocken in den Oleanderbüschen an der Marktgasse.

Meine Mutter ruft mich viermal, sagt ein Junge. Wenn ich dann nicht komme, gibt es kein Abendbrot.

Meine ruft zehnmal, sagt ein Mädchen, und zu essen bekomme ich auch nachher noch.

Wo sich die Kinder wieder herumtreiben, sagen die Mütter. Man müßte sie besser beaufsichtigen. Man hat zu viel Arbeit. Die Männer sind im Militärdienst; man muß alles allein machen. Gott sei Dank gibt es keinen Verkehr. Die Straßen sind sicherer als vor dem Krieg. Bis der Krieg vorbei ist, sind die Kinder groß genug, um auf sich selbst aufzupassen.

Guten Abend, Herr Wolf.

Guten Abend.

Reubell wartet am Zentralplatz. Er sieht Wolf schon von weitem. Wolf hat das Blei mitgebracht. Er zieht die flachgewalzte Rolle aus der Hosentasche; sie wiegt ein Kilogramm. Sie wird unterm Sattel festgebunden. Reubell schüttelt den Kopf: ihr seid verrückt, drei Gewichte für den Jungen.

Wolf hat vergessen, den Bindfaden mitzubringen.

Bastschnur gibt es genug, sie ist stark genug für Tomaten und Rosen.

Draht wäre besser, sagt Reubell. Er hat eine Drahtrolle im Werkzeugkasten. Draht ist besser als der beste Bindfaden. Er will morgen welchen mitbringen, Stahldraht.

Wolf hat nichts dagegen. Er kann einen Tag warten; es ist Oktober, die Wetterprognose sagt für Dienstag und Mittwoch schönes Wetter voraus, Flugwetter; Europa 1 warnt die Bewohner im Raum Mitteldeutschland; das Wetter wird sich halten, Bisenlage. Wolf hat von einem jungen Sprinter gelesen, Zeitfahrer, Strecke B in acht Minuten fünfunddreißig Sekunden je Runde.

Man hat oft von der einen Kurve gehört; die Leute reden viel. Die wirklichen Entscheidungen trifft die Stoppuhr; das Geschwätz zuvor und danach gehört nicht dazu.

Die Sportler selbst sind schlimmer als ihre Anhänger, sagt Reubell immer.

Wolf hat die Stoppuhr mitgebracht. Er legt sie neben das Wachstuchheft, er lehnt sich an sein Rad, er wartet in der untersten Kurve vor Neuenstadt. Der Sekundenzeiger zuckt übers Zifferblatt. Wie groß eine Sekunde ist. Die Uhr tickt zu laut. Die teuren Uhren ticken leise; man hört sie kaum; man muß sie ans Ohr halten, wenn man sie hören will.

Reubell wartet auf halber Höhe am Berg. Er hat keine Uhr mitgenommen.

Wozu eine Uhr? Ich habe euch gewarnt. Ihr hört nicht auf meine Ratschläge.

Reubell ist zu vorsichtig. Er rechnet dauernd mit einem Unglück. Hat er sich beklagt? Ist er unzufrieden? Er darf mitfahren. Wolf läßt ihn dabei sein. Schose hat nichts dagegen einzuwenden.

Reubell sieht die Spuren des Rades, da, wo sie vom Weg abkommen, sogar jetzt, in der Dämmerung. Er entdeckt die abgeschürfte, weiße Stelle an der freistehenden Kiefer weit unten am Hang; er findet das Rad im Unterholz, wo der Laubwald dicht steht, mitten in den jungen Stämmchen des aufgeforsteten Versuchsfeldes; hier ist es schon Nacht. Er findet Schose vierundzwanzig Schritte waldabwärts.

Reubell hält sich gut; er macht niemandem einen Vorwurf; er handelt mit Umsicht.

Jeder hat die Anleitungen gelesen, aber wer von uns erinnert sich daran, wenn es gilt: Kopf zur Seite, Achtung, Erstickungsgefahr, Knöpfe öffnen, Vorsicht, Rückenverletzungen, wenn nötig künstlich beatmen, stark blutende Wunden abbinden, immer herzwärts, Zeit der Abbindung auf Begleitzettel notieren.

Reubell ist ein wirklicher Samariter; er wäre gerne Arzt geworden, Arzt, Förster, Künstler, Rennfahrer; Reubell ist ein Mensch mit Phantasie, ein empfindsamer Mensch, einer, der in jeder Krise vernünftig handelt.

Zusammen mit Wolf bringt er Schose im Zug nach Hause. Der Zug kommt aus Genf; er hat einen Wagen erster Klasse. Die meisten Reisenden sind in Lausanne oder in Auvernier ausgestiegen; ein oder zwei Fenster werden geöffnet, man sieht ein paar Gesichter.

Vorhänge zu! rufen die Schaffner. Verdunkelung! Wir fahren gleich weiter!

Der Bahnhofvorstand verabschiedet sich. Er hat telefonisch um einen Halt in Neuenstadt gebeten. Der Zugführer winkt mit einem Tuch in die Richtung des Bahnhofs. Es ist zehn Uhr.

Der Junge hat Glück gehabt; eine Hirnerschütterung, sagt der Neuenstädter Arzt; Beinbruch, Waden- und Schienbein des linken Beines; Quetschwunden am Körper; ein Riß an der Stirn.

Wolf studiert die Kolonnen in seinem Wachstuchheft. Er hat die Beine ausgestreckt. Er schwitzt.

Ich werde das Rad in Ordnung bringen. Das Rad muß in Ordnung sein. Ich werde einen größeren Gang einbauen; den hat sich Schose schon lange gewünscht. Im ungeheizten Abteil beginnt Wolf laut zu reden.

Der Bruch, das ist rasch ausgeheilt. Daran liegt es nicht. Noch vor Weihnachten kann der Junge wieder im Sattel sitzen. Er ist begabt. Er hat das Zeug zu einem guten Rennfahrer; Tour de Suisse, Giro d'Italia, das Zeitfahren von Lugano, das Omnium im Hallenstadion. Ich habe mir immer einen begabten Schüler gewünscht. Jetzt der Unfall, noch bevor wir überhaupt angefangen haben; nach einem Unfall sind sie anders.

Reubell blättert in der Revue des Verkehrsvereins. Sie hängt in jedem Wagen der SBB. Er schaut die Bilder an; er liest den Kommentar in den vier Landessprachen. Ein kleiner Pfeil ohne Schaft zeigt das zugehörige Bild, oben, links, links unten.

Er ist schon lange nicht mehr in einem Zug gefahren. Er ist müde. Er müßte den Jungen besser zudecken. Vielleicht friert er? Man muß an die Schockwirkung denken.

Schose liegt den beiden Männern gegenüber auf der gepolsterten Bank; er ist noch nicht erwacht. Im Gepäcknetz über seinem Gesicht pendelt die Verordnung des Kriegswirtschaftsamtes. Reubell versucht sie zu lesen.

Seine Augen sind schlechter geworden. Er müßte vielleicht doch eine Brille tragen. Ältere Leute sollen weitsichtig sein, sagt man; er ist kurzsichtig. Das Fettgedruckte kann er zur Not entziffern: Vorräte, Fliegeralarm, Reden schadet der Heimat.

Ein Reisender hat die drei letzten Buchstaben mit seinem Taschenmesser ausgekratzt.

Wolf öffnet das Fenster. Der See schiebt sich an die Straße; der Zug legt sich in die Kurve vor der Bahnhofeinfahrt. Ein schwaches, bläuliches Licht liegt über der Stadt. Das Glasdach der Bahnhofhalle hat eine Blende.

Die Samaritergruppe hat Vorbereitungen getroffen. In Uniformen stehen FHD-Mädchen herum. Sie haben eine Bahre mitgebracht und zwei Armee-Wolldecken aus Kamelhaar, mit dem roten Kreuz darauf. Schose wird ausgestreckt, zugedeckt und festgebunden. Wolf kümmert sich um die Rennräder im Postwagen.

Was ist los? sagen die Reisenden.

Eine kleine Aufregung, ein Unfall, nichts von Bedeutung. Schon auf dem Bahnhofplatz ist alles vorbei. Die Straßen sind leer unter dem blauen Licht der Laternen; und hier sind die Gärten. Es sind die Gärten des Jahres 1943; der Phlox blüht nicht mehr, die Rosen blühen noch. Die Gärten an der Marktgasse: hat es da je Gärten gegeben? Es ist erlaubt zu fragen; man möchte die Wahrheit wissen. Man weiß es nicht besser. Wenn man die Wahrheit erfahren will, fragt man. Wer sich Gärten vorstellt, redet von Gärten. Wer die aufgerissene Asphaltdecke in Erinnerung behält, sagt: in den Fugen wächst Gras. Wenn es nicht Asphalt war, was ist es denn gewesen? Nun, Pflastersteine könnten es gewesen sein.

Asphalt und Pflastersteine, Asphalt, Pflaster und Hecken. Die Gärten des Jahres 1943 sind jetzt Novembergärten. Weitsichtig planende Hausbesitzer haben winterharte Sträucher gepflanzt: Thuja, Buchs, Eibenhecken. Wer hat im Quartier schon Meisen gesehen? Ja, Spatzen, Tauben, Amseln; und jetzt auch Möwen.

Es wird ein strenger Winter werden, sagen die Leute. Die Möwen sind früh gekommen dies Jahr. Die Schwalben sind im Oktober weggezogen; da waren die Möwen schon da. Im Hafen, auf den Leuchttürmen, an den Molen. Der Nebel ist zu früh gekommen.

Schoses Kameraden erkundigen sich nach der Gesundheit des Verletzten. Sie versuchen, Dolores oder Dolly unter der Tür anzutreffen. Sie verstecken sich in der Nähe des Hauses in einem seit Jahren halbverfallenen Bau. Wenn sie eines der Mädchen sehen, gehen sie über die Straße. Sie überholen es sogar, schlendern weiter und schauen sich um, bei Gelegenheit.

Ach, guten Tag, das ist ja Fräulein Dolores.

Guten Tag, Herr Kerr. Wie es regnet! Haben Sie keinen Schirm mitgenommen? Nicht einmal einen Mantel tragen Sie.

Es wird wieder aufhören, hoffe ich.

Das glaube ich nicht. Im Radio sprechen sie von einer Kältewelle; es soll Schnee geben, bis tausend Meter. Aber ich langweile Sie, Herr Kerr, Sie haben zu tun, ich muß gehen, auf Wiedersehn.

Auf Wiedersehn, Fräulein Dolores. Sagen Sie Schose einen Gruß.

Ich werds ausrichten, danke.

Nicht einmal den Hund hat sie mitgenommen, sagt Kerr zu seinen Kameraden. Die verdammte Bulldogge müßte ja manchmal an einem Baum stehenbleiben.

Dolores redet gerne vom Wetter. In ihrem Dorf reden alle Leute vom Wetter, wenn sie sich auf der Straße begegnen.

Der See, Herr Kerr, im Sommer ist er ja herrlich; aber im Winter bringt er Nebel. Dagegen kann man nichts machen. Manche Leute mögen den Nebel. Die Engländerinnen bekommen davon einen schönen Teint.

Kerr ahmt Dolores Stimme nach. Die Jungen lachen.

Sie haben sich im Kino an der Marktgasse ihren Beobachtungsposten eingerichtet, auf der Höhe von Schoses Zimmer. Das Opernglas zeigt Schatten hinter dem Vorhang.

Der Arzt kommt zweimal in der Woche. Er fährt einen Citroën elf mit Holzkohlenvergaser. Er hat Militärkontrollschilder. Der Arzt ist in Uniform. Er fährt in die Marktgasse, wendet den Wagen, parkt ihn am linken Straßenrand, steigt aus, greift nach seiner Tasche, drückt sorgfältig die Tür ins Schloß, richtet sich auf und blickt auf die Uhr. Es ist halb fünf. Er schiebt den Perlenvorhang zur Seite und öffnet die Tür; er betritt das Haus durch den Eingang zum Salon. Auf der Treppe steht Madame.

Oh, Doktor, ich kann Ihnen heute nicht die Hand geben.

Sie hat in Paris Konversation gelernt. Sie zeigt ihre Hand, eine kleine fette Hand, die mit Lippenstift beschmiert ist.

Unsere Kundinnen, Doktor, Sie wissen, wie die Frauen sind. Die Farbe eines Lippenstiftes läßt sich nur auf der menschlichen Haut zeigen. Ich stelle zur Verfügung, was ich habe: meine Hände.

Der Doktor scheint von der Affäre wegen ihres Salons gehört zu haben. Er kümmert sich nicht um Gerüchte.

Nun, wie steht es, Madame?

Es geht ihm besser. Sie haben vollkommen recht gehabt, das Fieber ist gesunken.

Hat er schon etwas Appetit?

Dolores! ruft Madame. Er hat Kompott gegessen und Tee getrunken. Er hat sogar Zwieback verlangt. Übermorgen ist sein Geburtstag. An einem Dreizehnten, an einem Freitag, Doktor.

Dolores lächelt. Sie haben mich gerufen, Madame?

Tragen Sie dem Doktor die Tasche.

Der Doktor wehrt sich. Er will die Tasche nicht aus der Hand geben. Vorsichtig betritt er die Treppe.

Nach Ihnen, Madame.

Dolores, geh dem Doktor voran. Setz den Tee auf.

Sie nehmen doch nachher den Tee mit uns, Doktor? Ich dulde nicht, daß Sie heute wieder ablehnen. Wir sind Ihnen alle zu Dank verpflichtet; lassen Sie uns etwas für Sie tun.

Um sieben steht der Wagen noch immer da. Die Scheiben sind beschlagen. Mit dem Finger läßt sich auf den Kotflügel schreiben: Pfui, Schwein.

Der Doktor sagt, der Junge werde nicht gut gepflegt. Er veranlaßt nach dem vierten Besuch, daß eine Pflegerin, eine Witwe, eine ältere Frau mit Krankenschwesterdiplom, eingestellt wird. Er glaubt nicht, daß Senfwickel das Richtige sind. Er hält Wechselbäder im Augenblick für verfrüht. Er möchte, daß Schoses Kameraden am Geburtstag zu Besuch kommen. Die Mädchen werden eine Möglichkeit finden, sie heraufzubitten. Er wird seinen Wagen nicht mehr in der Marktgasse parken. Die Kanalgasse ist, auch während der Verdunkelungszeit, besser beleuchtet. Ihre Asphaltdecke ist nicht beschädigt.

Die Kanalgasse ist kein Hinterhausgang wie die Marktgasse. Madame führt im Vorderhaus an der Kanalgasse einen gut besuchten Friseursalon für Damen; Massage und Körperpflege inbegriffen. Über das Hinterhaus wird viel geflüstert.

Dolores hat zu Schoses Geburtstagsfest eine Torte gebacken. Madame wundert sich, daß Dolores backen kann; auch Dolly ist erstaunt. Wo sie das wohl gelernt hat? Vielleicht zu Hause? Woher kommt Dolores?

Am Wegrand gefunden worden. Von der Mutter verstoßen. An einem heißen Sommertag in einem Apfelbaum aufgegangen. Dolores lacht nur. Sie hat einen Kuchen gebacken. Was ist dabei? Butter, Zucker und Schokolade: sie kennt die Kriegsrezepte nicht. Sie hat den Kuchen groß genug gemacht für sechzehn Kerzen.

Erst gegen Abend erscheinen die Schulfreunde. Sie haben die Einladung rechtzeitig bekommen. Tillmann trägt seine Sonntagshose. Dewald hat sich gekämmt. Sie haben Geschenke mitgebracht, in Papier eingewickelt und verschnürt, als müßten sie die Pakete zur Post bringen. Kerr zieht sein Messer aus der Tasche; er ist Pfadfinder und seit Monaten in Uniform, selbst jetzt, im November.

Setzt euch doch, sagt Schose.

Er hat ein eigenes Zimmer. Die Schulfreunde sind verlegen. Wie geht es dir? Was machst du den ganzen Tag? Bist du immer allein hier drin? Und dein Bein? Was sagt Wolf?

Dewald faltet die Papiere. Auf der Bettdecke liegen die Geschenke; Schose freut sich am meisten über ein Schachlehrbuch.

Wie geht's in der Schule?

Sie haben Schwierigkeiten in der Schule.

Es ist nicht viel los. Es lohnt sich kaum, davon zu reden. Höchstens die Sache mit dem Singlehrer und dem Rektor. Sie mögen ihren Singlehrer nicht; sie haben schon alle den Stimmbruch. Der Singlehrer soll den Juden der Klasse, Aron Dewald, geohrfeigt haben. Dewald hat mit einem Zwanzig-Rappen-

Stück Namen in die Aulabänke geschnitten; er hat Herzen und Buchstaben ins Holz geritzt. Der Singlehrer hat einen Verweis erhalten. Die Schweiz ist ein neutrales Land; man hat Rücksichten zu nehmen.

Der Lehrer sitzt im Glashaus, sagt der Rektor zu ihm. Sind nicht Körperstrafen durch Kommissionsbeschluß im März 1910 verboten worden?

Schose kann sich den Singlehrer vorstellen, wie er sich entschuldigt. Wenn er verlegen ist, fährt er sich durchs Haar. Er hat dichtes, graues Haar. Er ist einen Meter neunzig groß; ein großer Mann mit schweren Augenlidern. Er hat die Lehrstelle vor dem Krieg angenommen; von Zeit zu Zeit komponiert er ein Lied.

Die Klasse mag ihn nicht. Er ist anders als die andern Lehrer. Er schlenkert die Arme beim Gehen; er wackelt mit dem Kopf. Er ist kein Sportler.

Er hat sich in der Aula öffentlich zu seinem Fehler zu bekennen. Die Klasse ist vollzählig versammelt. Auch die Eltern sind da.

Der Singlehrer liest seine Entschuldigung von einem Blatt ab. Er spricht Hochdeutsch.

Lauter reden! ruft einer in der dritten Bank; noch lauter! Und jetzt?

Kerr sagt: Jetzt kommen wir gut mit ihm aus. Er liest uns alle Briefe vor, die unsere Eltern an ihn schreiben. Er erklärt uns die Briefe. Manche beschimpfen ihn. Viele beglückwünschen ihn zu seiner Tat. Manche haben keine Unterschrift und sind nur eine Zeile lang.

Das also ist die Schule; es lohnt sich nicht, davon zu reden. Es gibt wieder Zensurarbeiten, wie immer vor Weihnachten. Darf Schose Kerrs Hefte haben? Das läßt sich machen; Kerr will schon morgen vorbeikommen.

Auf dem Kuchen brennt nur noch eine Kerze, ein kleines rotes Stäbchen. Nach einer Weile neigt es sich über die Kandisfrucht am Rand und erlöscht jäh im Zuckerguß. Der Kuchen muß angeschnitten werden. Kerr zieht sein Messer.

Solingen, der beste Stahl der Welt, sagt sein Vater immer.

Kerr rühmt die Unterschrift seines Vaters. Wie gestochen, jeder Buchstabe, mit immer derselben schwarzen Tinte, die man nirgends kaufen kann.

Dolores bringt Tee und Gläser.

Dolores beobachtet Kerr. Wie geschickt er sein Messer handhabt. Pfadfinder lernen am Samstagnachmittag mit dem Messer umzugehen. Sie schneiden Haselstecken für die Erste Hilfe; der Rover zeigt ihnen, wie das Messer zu führen ist, Spitze nach unten, Klinge vom Körper weg.

Dolores wartet auf ein Lob; die Jungen haben seit Monaten keine Zuckertorte bekommen. Die Schokoladerationen sind klein; wer keine Butter hat, nimmt Mandelfett. Nicht jedermann hat Dolores' Beziehungen.

Der Kuchen schmeckt den Jungen. Sie reden mit vollem Mund; sie haben Dolores vergessen.

Ach, die Rennen, sagt Tillmann. Wir haben jetzt doch keine Zeit mehr. Kerr ist Rover, Schiegg nimmt Klavierstunden im Konservatorium, und mir hat man mein Rad gestohlen. Wie ich von der Schule komme, ist es nicht mehr da.

Sie haben neue Pläne: Kerr, der Wolf, der nie schläft; Dewald, ab nach Schweden mit roten Stiefeln. Schiegg wird Klavierlehrer, Tillmann Versicherungsmann; man hat ihm sein Rad gestohlen; er wird daraus eine Lehre fürs Leben ziehen. Er versucht, aus den täglichen Erfahrungen zu lernen. Die Zukunft kann nur durch die Lehren der Vergangenheit gemeistert werden, sagt er.

Manchmal schweigen alle. In der plötzlichen Stille sind die Töne des Harmoniums zu hören, seltener die Stimmen. Die Heilsarmee unterm Dach hat ihre Feierabendversammlung begonnen. Es ist auch schon dämmerig. Kerr macht Licht. Der Kuchen wird aufgegessen, der Tee muß ausgetrunken werden.

Schose sagt: Wolf hat mein Rad geflickt. Du kannst es haben, bis ich es wieder brauche, Tillmann. Ich gebe dir einen Zettel mit. Ohne Zettel gibt Wolf nichts her. Er bewahrt die Zettel in Ordnern auf. Er wird grob, wenn man keine Quittung hat. Wenn er dir das Rad gibt, schau nach, ob die Reifen gut gepumpt sind; er legt Wert darauf.

Tillmann läßt sich gerne beraten. Er wird zunächst bei Wolf herumstehen; er wird einen günstigen Augenblick abwarten. Tillmann verspricht alles.

Schön, dann auf Wiedersehen, morgen oder übermorgen. Kerr, bringst du deine Hefte mit?

Gleich kommt die Pflegerin. Alles hat seine Ordnung. Die Pflegerin darf nicht durch die Gäste behindert werden. Sie schüttelt dem Kranken die Kissen auf. Sie liebt ihren Beruf; sie kennt ihr Handwerk. Linkische Menschen werden den Krankenpflegerinnenberuf nicht ergreifen. Sie holt Wasser und Seife; sie schirmt die Lampe ab; sie öffnet das Fenster.

Schlafen Sie rasch ein! Heute sind wir aber spät dran. Ich wünsche Ihnen gute Nacht. Morgen fühlen Sie sich wie neugeboren. Morgen ist das Fieber weg! Hier, nehmen Sie Ihre Tropfen.

Schose schließt die Augen; er ist nicht müde. Die Maikäfer! Das war eine schöne Zeit. Sie bereiten sich zum Abflug vor. Man darf sie dabei nicht stören. Sie klettern auf einen Grashalm. Sie atmen. Ihre Deckflügel heben und senken sich, ihre Fühler tasten herum. Sie starten; man schlägt zu. Wie schön ihr lateinischer Name ist. Melolontha melolontha. Hunderte von ihnen getötet.

Schose öffnet die Augen. Sein Zimmer ist dunkel. Es hat keine Wände.

Die Stadt schläft noch nicht. Leute gehen auf der Straße, Stimmen sind im Haus; vielleicht kommt Dolores? Er liebt ihren Duft. Sie sagt: Du bist erst sechzehn. Was würde Madame sagen, wenn sie wüßte, daß ich zu dir komme?

Er ist schon sechzehn. Er ist kein Junge mehr.

Er wird wieder zur Schule gehen. Er wird kein Rennfahrer werden. In den Geschäften werden sie ihn bald Herr Ledermann nennen.

Dolores, nimm das Kissen weg.

Im Salon lacht Madame. Sie lacht lange, mit einer tiefen Stimme. Sie unterbricht sich plötzlich; dann folgt ein kurzes Lachen, hoch, leise.

Männer werfen Steine nach dem eisernen Schild über der Straße. Das Schild ist an zwei Ketten an einem Mauerhaken befestigt: es zeigt ein offenes Messer über einer Schere. Salon Ledermann. Ein Bordell, wenn man den Gerüchten glauben darf.

Am Morgen schläft Schose. Der Morgenlärm stört ihn nicht. Er schläft tief. Die Pflegerin schüttelt den Kopf. Sie liebt es nicht, wenn ihre Patienten um neun Uhr noch schlafen. Im Krankenhaus beginnt der Tag um sechs. Morgenschläfer mag man nicht in Krankenhäusern. Für sie ist hier kein Platz. Anständige Menschen gehen früh zu Bett und stehen früh auf. Die Pflegerin ist der Meinung, daß Schlaf vor Mitternacht erholsam sei. Sie ist um zehn Uhr abends müde. Die Arbeit im Krankenhaus hat ihr gefallen. Um sieben wird Fieber gemessen. In Privathäusern ist das anders. Die Pflegerin hat gelernt, Rücksicht zu nehmen. Sie geht durchs Zimmer und klappert mit dem Geschirr. Sie räumt die Bettdecke ab. Sie raschelt mit Packpapier. Sie redet vor sich hin. Sie öffnet das Fenster, sie schließt das Fenster. Sie setzt sich an den Tisch. Die Fotografien über Schoses Bett gefallen ihr nicht. Auch Anquetils Lächeln würde daran nichts ändern. Die Wand ist ihr fremd. Das Tapetenmuster stößt sie ab, es macht sie unsicher.

Herr Schose, es ist Zeit.

Die Risse in den Schränken sind mit Kitt gestopft und dann übermalt worden. Der Sprung in der Gipsdecke reicht jetzt bis an die Rosette, er zieht sich über die ganze Ostwand. Die Wand wölbt sich unter der Tapete.

Wie haben wir geschlafen, Herr Schose? Hatten Sie eine gute Nacht?

Welche Anstrengung, den Jungen zu wecken!

Am Nachmittag kommt Wolf. Es ist sein erster Besuch. Er hat die Mütze nicht aufgehängt. Er trägt keine Jacke. Er hat ein Bild von Fausto Coppi mitgebracht. Wo ist Reubell? Wolf weiß es nicht. Wolf hat in seinem Geschäft zu tun. Der Radfahrerverein von Biel und Umgebung hat ihn als Trainer aufgeboten. Ist Schose noch nie bei einer Radfahrersoirée gewesen? Die Kunstradfahrer werden trainiert. Sie fahren auf dem Einrad Ballett zur Grammophonmusik. Wolf hilft jedes Jahr bei den Vorbereitungen. Es ist eine Art Reklame, er tut es gerne. Der Radfahrerverein braucht ihn. Er kann mit den Jungen umgehen, er sorgt für Disziplin. Es freut ihn, wenn man ohne ihn nicht auskommt. Die Frauen der Radfahrer schmücken den Rößlisaal; sie spannen Kreppapier von Lampe zu Lampe, Girlanden, heißt es richtig.

Manchmal hilft ihnen der Wirt. Es gibt viel zu tun; die Polizei wird eingeladen; ein Erlaubnisschein für die Freinacht ist einzuholen. Tische müssen mit Abdeckpapier belegt werden. Die Jungen verlangen eine andere Musik.

Immer nur Polka und Walzer, das paßt uns nicht, sagen sie. Man muß ihren Wünschen Rechnung tragen, sagt Wolf. In einem Verein müssen sich die jungen Leute wohlfühlen. Hat man vergessen, die Tanzerlaubnis einzuholen? Ein Mann der Securitas verkauft die Tanzbänder mit den Eintrittskarten; Behördenmitglieder dürfen gratis teilnehmen. Ein Journalist fotografiert einen Gemeinderat; zwei Stadträte stellen sich vor die Kamera. Der Verein ist über den Besuch von Behördenmitgliedern erfreut. Er hat seine Anliegen; die Behördenmitglieder nehmen an der Abendunterhaltung Kenntnis von den Problemen; sie versprechen dem Verein volle Unterstützung; der Verein wird ihre Wiederwahl in die Behörde im nächsten Frühling befürworten. Reden werden gehalten; dann folgt der zweite Teil, der bunte. Erst wenn alle Lose verkauft sind, kommt Wolf dran. Er wird auf die Bühne geführt; die Augen werden ihm verbunden. Die Leute klatschen. Zwei Ehrendamen führen Wolf zwischen den Bühnenvorhängen auf und ab. Wolf ist überall beliebt. Die Ehrendamen küssen ihn und kontrollieren den Sitz der Augenbinde. Sie bringen ihn zum Glücksrad; er spürt die Hitze der Scheinwerfer im Rücken. Im Saal wird es still. Das Rad dreht sich; Metall schlägt auf Metall, das Rad steht. Die Ehrendamen rufen Zahlen aus. Im Saal antworten aufgeregte Stimmen. Wie viele schöne Preise es wieder gibt! Sogar Schinken, Wein, Fruchtkörbe mit Malagatrauben aus dem Tessin, selbstgebackene Kuchen.

Schweißgebadet und von den Gewinnern umringt, dreht Wolf das Glücksrad. Viele Stimmen wiederholen die Treffer-Nummern. Die Ehrendamen sind heiser geworden.

So fröhlich geht es im Radfahrerverein zu. Schose wäre gerne dabei; er ist sechzehn gewesen.

Von sechzehn an darf er ohne Begleitung Erwachsener am Fest teilnehmen.

Wolf, im Krankenzimmer, zieht die Mütze, kratzt sich im Haar, setzt die Mütze auf. Ist er gekommen, um von der Soirée zu reden? Hat nicht Tillmann mit ihm gesprochen? Das Rad ist geflickt worden. Man hat auch einen vierten Gang eingebaut. Es ist ein gutes Rad; der Rahmen hat eine Schweißstelle an der linken Hinterradgabel.

Auf einmal ist die Pflegerin wieder im Zimmer. Wolf steht auf.

Ich habe noch zu tun. Niemand will bei den Vorbereitungen helfen; erst am Fest wollen alle dabei sein. Das Weihnachtsfest des Radfahrervereins will keiner versäumen. Vielleicht wirst du doch kommen können?

Wolf gibt Schose die Hand. An der Tür dreht er sich nochmals um.

Ich habe dein Rad zurechtgemacht, den vierten Gang. Soll ichs Tillmann ausleihen? Versteht er etwas von der Sache?

Er hat eine Dreiseen-Rundfahrt mitgemacht, sagt Schose.

Dann also, auf Wiedersehen! Mach, daß du bald gesund wirst. Nach Neujahr nehmen wir das Training wieder auf, verstanden? Dann hast du harte Arbeit vor dir. Ein Sportsmann: das ist Arbeit, Mühe, Geduld. Bis später also.

Wolf gibt ihm die Hand. Er hat schmale Hände.

Die Pflegerin lächelt.

Auf Wiedersehen, Herr Wolf.

Auf Wiedersehen.

Wolf findet sich allein zurecht. Das Haus ist still. Er benützt den Haupteingang an der Kanalgasse. Er überquert die Gasse; da ist der Kanal. Wolf spuckt ins Wasser; das macht hier jeder so. Er greift unter den Pullover und holt das Wachstuchheft hervor. Er öffnet es nicht, er zerreißt es nicht. Das Heft fällt ins Wasser.

Wolf geht weiter; hier ist der Kanal schon gedeckt.

Horst Bienek
Die Zelle

Wenn ich es recht überlege, ist kein Grund zum Pessimismus vorhanden, ich kann zwar nicht mehr von meiner Pritsche herunter, aber daran gewöhne ich mich schon mit der Zeit, zunächst war auch die Begrenzung meiner Freiheit durch die Zelle unerträglich, dann habe ich mich in ihr eingerichtet und mich schließlich damit abgefunden, ich kann auch sagen, wir sind miteinander ausgekommen, die Zelle mit mir, ich mit der Zelle; nicht anders wird es mit der Pritsche sein, ich kann mich ohnehin kaum bewegen, immer nur wenige Zentimeter zu beiden Seiten oder nach oben und nach unten, die Pritsche ist also für mich ausreichend, eines Tages werde ich mit noch weniger Platz auskommen müssen, doch bis dahin hat es, wie ich hoffe, noch eine Weile Zeit; seitdem mir der Sanitäter hin und wieder eine Spritze gibt, fühle ich mich besser, zumindest der Schmerz hat merklich nachgelassen, jetzt ist er nur mehr ein Jucken auf der Haut, das geht von den Füßen bis zum Geschlecht und erstreckt sich von dort über den ganzen Unterleib bis zum Nabel, ich unterdrücke mein Bedürfnis, an diesen Stellen mit den Fingern zu reiben oder mit der Handfläche daran zu scheuern, ich weiß aus Erfahrung, daß dies am Anfang den Schmerz verstärkt und meine Krankheit nur schlimmer gemacht hat, damals fehlte es mir eben an Erfahrung in diesen Dingen, jetzt weiß ich, Erfahrung ist alles, was man in solchen Situationen besitzt, viel ist nicht mehr los mit mir, das ist wahr, aber was die Erfahrung betrifft, nimmt es so leicht keiner mit mir auf, Erfahrung ist eben Erfahrung, immerhin; – da gibt es einen Brief von Dostojewski an seinen Bruder, man hatte ihn eingesperrt in die Festung von Petersburg, weil er angeblich einem Verschwörerkreis angehörte, eines Morgens, so schrieb Dostojewski an seinen Bruder, wurden sie aus den Zellen geholt und draußen im Gefängnishof an Pfähle gebunden, man kleidete sie in weiße Hemden und verband ihnen die Augen mit schwarzen Tüchern, das Peloton marschierte auf, irgend jemand verlas das Todesurteil, dann wurde getrommelt, die Soldaten setzten die Gewehre an und warteten auf den Befehl zur Exekution, in diesem Augenblick kam ein Offizier und brachte die Mitteilung des Zaren, die Verurteilten seien begnadigt, ihre Strafe werde in sibirische Verbannung umgewandelt, drei der Verurteilten, schrieb Dostojewski, wären in diesen Minuten der Todesangst wahnsinnig geworden, für ihn selbst war es die grausamste Erfahrung, die er je gemacht hatte, er verbrachte zehn Jahre in einem sibirischen Ostrog, im Totenhaus dieser Welt, aber was ist das schon, wenn man *das* als Erfahrung hinter sich hat; man übersteht leichter – mit Erfahrung ... Mich würde es nicht erschrecken, wenn sie jetzt kämen und mich holten, jetzt oder in der Nacht, oder im Morgengrauen, wenn sie die Gewehre auf die Schultern legen und den Befehl zum Schießen erhalten, dann werden sie auch schießen, das ist meine Erfahrung, aber zu dieser Erfahrung gehört ebenfalls, sie werden mich nicht aus der Zelle holen und in den Hof bringen, um mich zu töten, das haben sie bisher nicht getan, warum sollten sie es mit mir machen, vieles kommt einem hier, im Gefängnis, seltsam vor, aber das mit dem Erschießen hat seine feste Ordnung, das geschieht nur in den Butyrki, ich muß abwarten, ob sie mich dorthin bringen werden, doch ich habe keine Furcht, ich habe Erfahrung, es ist nicht viel, aber immerhin: es ist Erfahrung. Und mit dieser Erfahrung ausgerüstet, sollte ich versuchen, ein Stück weiterzukommen, wenigstens so lange bis Alban wieder da ist, ich bin mir ganz sicher, er wird noch einmal zu mir zurückkehren, ich glaube an ihn, ich glaube daran, daß er mich nicht allein läßt, zumindest dann nicht, wenn es wirklich ans Abkratzen gehen sollte, dann wird er bestimmt da sein, es wäre gut, wenn ich für alle Fälle Vorsorge treffen würde, es kann ja, wie die Dinge nun einmal stehen, ganz rasch gehen, sie hatten mir schon einmal einen Mann in die Zelle gesetzt, es war ziemlich am Anfang meiner Zellenzeit, ich war überhaupt nicht darauf vorbereitet, ehe ich mit ihm ins Gespräch kam, holten sie ihn wieder heraus, wahrscheinlich haben sie ihn irrtümlicherweise in meine Zelle gelegt, ich habe seinen Namen herausbekommen aber nicht viel mehr, er hieß Derfflinger oder Dertinger, war mal Außenminister gewesen, schade, wir haben nicht viel reden können; diesmal will ich jedenfalls besser gerüstet sein, vor allem sollte ich für Alban jetzt schon Platz auf der Pritsche schaffen, damit er sich, wenn er da ist, gleich ausruhen kann, die Pritsche ist breit genug, sie reicht für uns beide aus, aber keinesfalls der Strohsack, sie werden hoffentlich Alban einen Strohsack mitgeben, ich rücke dann einfach mehr an die Wand, es wird eng werden, vor allem für meine Gerätschaften hinterm Kopfkissen, aber das macht nichts, der Platz wird ausreichen, wir werden miteinander auskommen, denke ich. Alban wird endlich neben mir liegen, und ich werde ihn zum ersten Mal von Angesicht zu Angesicht betrachten können, seine Stirn, seine Augen, seine Nase, seinen Mund, ich werde nichts sagen, ich werde mit meiner Hand über sein Gesicht streichen, die Wange herunter bis zum Hals, vielleicht werde ich seine Augen mit meinen Lippen berühren, vielleicht werde ich auch daliegen und mich vor Glück nicht rühren können, und er, Alban, wird sich über mich beugen und meinen Namen aussprechen, den ich schon so lange nicht mehr vernommen habe. Ich sollte nachsehen, ob ich noch die Schachfiguren besitze, sie müßten sich ebenfalls hinter meinem Kopfkissen befinden, wenn sie mir nicht bei einer Filzung weggenommen wurden, ich habe sie seit langem nicht mehr gebraucht, genau gesagt, seitdem Alban nicht mehr in der Nebenzelle ist, früher haben wir oft gespielt, jeder in seiner Zelle, die weißen und schwarzen Schachfiguren auf das ins Holz der Pritsche eingeritzte Schachbrett gestellt, und haben uns die Züge durch die Wand zugeklopft, an manchen Tagen spielten wir fünf bis acht Partien, ich weiß noch, an einem Tag haben wir dreiunddreißig Partien gespielt, das war der Rekord, es ging anfangs immer ziemlich schnell, weil wir auf die Eröffnungszüge schon eingeübt waren, erst beim zehnten oder zwölften Zug fingen die Schwierigkeiten an; – die Schachfiguren werden wir brauchen können, damit uns die Zeit nicht zu lang wird, wir werden uns zwar vieles zu sagen haben, aber auch das Schweigen wird zwischen uns sein. Mit Alban zusammen, so glaube ich jedenfalls, würde es mir nichts ausmachen, hier in der Zelle, auf meiner Pritsche zu bleiben, bis zum Ende, bis zu meinem Ende, mit Alban würde sich alles verändern, ich könnte beim Wärter vielleicht ein paar Vorhänge für das blinde Fenster erbetteln, ich könnte auch aus meiner Wohnung ein paar Möbel herbeischaffen lassen, eine Couch für die Kübelecke, meine Stehlampe aus dem Arbeitszimmer, und zwei Stühle – falls sie die Sachen nicht beschlagnahmt haben, und wenn das nicht alles hineingeht in die Zelle, dann würde ich auf die Couch verzichten, aber einen Polsterstuhl, einen tiefen, weichen Polsterstuhl, den möchte ich schon haben, und natürlich auch Bücher, ja, und einige Zeichenblocks und Zeichenstifte, vielleicht auch meinen alten Plattenspieler, Alban könnte ihn aufziehen und die Platten auflegen, ich würde daliegen und zeichnen, frei nach der Natur, den Löwenzahn zum Beispiel, den ich nachts manchmal sehe, oder die Fliege, die von der Decke herabgefallen ist, vielleicht – wenn es mir besser ergehen wird – würden sie uns auch wieder in den Gefängnishof spazieren führen, dort fände ich genügend Abwechslung; ich könnte übrigens auch meine Wertsachen verkaufen lassen, meine Uhr, einen goldenen Ring, Teppiche, die Kollwitz-Zeichnung, für die bekäme ich sicher eine Menge Geld, ich würde mir dafür Ölfarben kaufen lassen, Leinwände und vielleicht sogar eine Staffelei, ich würde Alban porträtieren, Alban vor dem Fenster, Alban vor der Tür, Alban sitzend, Alban liegend, Alban essend, Alban auf dem Kübel, Alban neben dem Heizungsrohr, Alban mit einer Schüssel in der Hand, Alban eine Zeitung lesend (die Zeitung könnte ich aus dem Gedächtnis malen), ich würde später auch versuchen, einen Spiegel zu organisieren, um mich selbst zu porträtieren, Selbstbildnis des Künstlers vor dem Spiegel, ja, ja, eine große Zeit begänne für mich, eine große Zeit, für uns beide, ich sollte unverzüglich mit den Vorbereitungen dafür anfangen, viel kann ich in meiner jetzigen Situation nicht tun, ich will den Sanitäter bitten, mir häufiger eine Spritze zu geben, ich will meine Kräfte schonen ... vielleicht sollte ich auch damit anfangen, jetzt einen kleinen Vorrat an Brot anzulegen, das Brot kann ich auf dem Heizungsrohr trocknen lassen, ich sollte mir auch ein paar weitere Stücke Seife erschwindeln, zu zweit brauchen wir mehr, und wer weiß, vielleicht wird Alban auch seine Schwierigkeiten mit dem Kacken haben, nach seinen Andeutungen kann er auch nicht mehr der Jüngste sein; aus Brot könnte ich auch Würfel formen, richtige Spielwürfel, in denen die Punkte durch Löcher ersetzt sind, damit könnten wir uns später die Zeit vertreiben, früher habe ich gern gewürfelt, um bescheidene Einsätze, versteht sich, mal um ein Glas Bier oder einen Schnaps, auch mal um eine Zigarre, aber das war auch alles, ich war nie ein besessener Spieler, weder mit Würfeln noch mit Karten, das Schachspiel habe ich auch erst in der Zelle gelernt; ich weiß nicht, wie Alban über das Würfelspiel denkt, ob er sich freuen wird, wenn ich ihm die Würfel zeige, drei müßten es unbedingt sein, wir könnten dann um unsere Pflichten würfeln: wer die Zelle auskehrt, wer den Kübel leert, vorausgesetzt ich bin wieder gesund, aber wir könnten auch um unsere letzten privaten Sachen würfeln, um meinen Pullover zum Beispiel, oder um meine blauen Wildlederschuhe, vielleicht besitzt Alban noch ein Hemd oder eine Jacke; wir könnten auch um Geld würfeln und die Gewinne oder Verluste in die Zellenwand einkratzen, allabendlich, dann könnte der Gewinner sich eines Tages als reicher Mann fühlen, ohne daß der andere ihm etwas zu zahlen brauchte, aber vielleicht sollte ich das mit den Würfeln lieber lassen, würfeln bringt auch Ärger und Streit ins Haus, so sagt man, ja, es könnte hier, in der Zelle, unabsehbare Folgen haben, Bücher wären da wichtiger, und wenn jeder nur das Anrecht auf eines hätte, das wäre schon etwas, ich sollte beim nächsten Rundgang der Kommission nach Büchern fragen, einmal haben sie es mir schon abgelehnt, aber ich sollte nicht aufhören zu fragen, vielleicht habe ich das nächste Mal mehr Glück, ich würde mir dann die Bibel wünschen, nein, Quatsch, natürlich nicht, ich habe doch schon erklärt, daß ich niemals ein Kirchgänger war, warum sollte ich die Bibel nach dem Kommunionunterricht noch einmal in die Hand nehmen, keine Ursache ... ich würde ein Lehrbuch für die spanische Sprache verlangen, das würde mich die nächste Zeit beschäftigen – und außerdem, sollte ich noch einmal aus diesem Loch herauskommen, könnte ich nach Südamerika gehen, auswandern, emigrieren, ich sage: *emigrieren,* und für Alban würde ich die Odyssee verlangen, damit kämen wir eine ganze Weile aus, es könnte zwar sein, Alban wünschte sich ein anderes Buch, ich weiß schließlich nicht, was er gerne liest, aber das würde ich ihm schon ausreden, ich traue mir zu, ihm die Odyssee schmackhaft zu machen, ich hab noch ein paar Zeilen im Kopf: Sage mir Muse die Taten des vielgewanderten Mannes welcher so weit geirrt nach der heiligen Troja Zerstörung vieler Menschen Städte gesehn und Sitte gelernt hat und auf dem Meere so viel unnennbare Leiden erduldet Leiden erduldet seine Seele zu retten und seiner Freunde Zurückkunft, ja den Anfang kann ich noch, was man gelernt hat, hat man gelernt, viel ist es ja nicht, immerhin der Anfang, weit über den Anfang sind wir niemals hinausgekommen Sage mir Muse die Taten des vielgewanderten Mannes undsofort, es könnte sein, Verse stören ihn, aber die Odyssee sollte es sein, auf jeden Fall, allerdings, ich weiß es, Alban kann auch starrsinnig sein, vielleicht hat er nur wenige Bücher gelesen, vielleicht nur in seiner Jugend, dann wäre vielleicht der Lederstrumpf das Richtige für ihn, damit könnte ich mich auch anfreunden, ich kann mich ohnehin nicht mehr an Einzelheiten erinnern, also diese Wahl würde ich akzeptieren, keinesfalls würde ich mich auf Karl May einlassen, falls er unbedingt Karl May lesen wollte, es könnte ja sein, daß er unbedingt auf Karl May besteht, was bliebe mir dann übrig, ich könnte ihm gut zureden, ich könnte ihm Versprechungen machen, wenn auch nur erfundene, und wenn das alles nichts hilft, würde ich ihn nicht mehr auf die Pritsche lassen, er müßte dann mit seinem Strohsack auf den Boden (wenn er bis dahin überhaupt einen Strohsack hat), ja, auch wenn Alban mein Freund ist, in diesem Fall würde ich's tun, natürlich brauchte es nicht für lange zu sein, höchstens für zwei, drei Tage, so als kleine Strafe, ich würde ihm dann, während er auf dem Boden liegt, von oben her aus meiner Grammatik vorlesen (falls ich sie wirklich bekomme), die Deklination, die Konjugation, die Umstandswörter, die regelmäßigen und die unregelmäßigen Verben, die Satzstellung mit Subjekt Objekt Prädikat undsofort, vielleicht sollte ich doch besser die Bibel für ihn verlangen, ich könnte ihm dann aus dem Buch Hiob vorlesen, das tröstet immer, ich erinnere mich auch an eine schöne Stelle in den Korintherbriefen, die ging mir schon ein paarmal im Kopf herum, paßt recht gut für Notzeiten, fester Bestand frommer Katholiken, ich habe damals ein Stück auswendig gelernt, beim Pfarrer Patas, das war nach dem Krieg, vielleicht kriege ich es noch zusammen: Wir haben allenthalben Trübsal aber wir ängstigen uns nicht uns ist bange aber wir verzagen nicht wir leiden Verfolgung aber wir werden nicht verlassen wir werden unterdrückt aber wir kommen nicht um ... und danach später weiter Wir geben niemand Ärgernis auf daß wir nicht verlästert werden in allen Dingen erweisen wir uns ... in großer Geduld in Gefängnissen in Aufruhren in Arbeit ... in Wachen in Nöten ... in Ängsten in Schlägen ... als die Verführer und doch wahrhaftig als die Unbekannten und doch bekannt ... als die Sterbenden und siehe wir leben ... als die Geschlagenen und doch nicht ertötet als die Traurigen aber allezeit fröhlich ... als die nichts haben und doch alles haben ich glaube, so ähnlich war es, ganz schön tröstend jedenfalls, es ist doch gut, wenn man ein Bibelzitat zur Hand oder besser im Kopf hat, nächstes Mal werde ich mir einen größeren Vorrat an Zitaten anlegen, es hilft doch weiter, meinen Eichendorff müßte ich auch noch zusammenbekommen, aber ich laß es bleiben, auch das ist nur eine Geschichte, und zwar eine ziemlich banale, Bibel ist eben Bibel, ich will nur hoffen, die Lektüre wird Alban nicht langweilen, vielleicht sollte ich sogar versuchen, ihn zur Konversion zum Katholizismus zu bewegen, die Kraft der Überzeugung, mal sehen, hat mich noch nicht verlassen, außerdem, wenn einer von uns glaubt, ich meine richtig glaubt, das brächte uns sogar ein Stück weiter, aber was geschieht, wenn wir keine Bücher in die Zelle bekommen, keine Bibel, keine Odyssee, kein Lehrbuch der spanischen Sprache, was dann? Ich könnte ihm etwas aus meiner Erinnerung erzählen, das Glaubensbekenntnis kann ich noch auswendig, wenn man das einmal als Kind gelernt hat, vergißt man es nie mehr, wenn Alban es jeden Tag fünfzig Mal aufsagt, würde er bald so weit sein, ich meine mit der Konversion, viel mehr freilich kann ich ihm nicht bieten, vielleicht haben wir auch Glück und irgendwann einmal wird in die Nebenzelle ein katholischer Priester verlegt, oder Alban kommt nach der Verurteilung im Lager mit einem Priester zusammen, dann braucht er nur noch das Gelübde abzulegen, der Sieg der Mächte des Lichts über die Kräfte der Finsternis Mächte des Lichts über die Finsternis Licht über Finsternis Finsternis undsofort; ... aber wie, wenn Alban katholisch ist? ich habe ihn niemals danach gefragt, ich hätte ihn fragen sollen, – jetzt, wo ich darüber nachdenke, kommt es mir in den Sinn, ich habe Alban überhaupt zu wenig über seine Biografie ausgefragt, nun gut, ich werde es trotzdem mit der Konversion versuchen, wenn er katholisch ist, kann er immer noch zum Luthertum übertreten oder zu den Bibelforschern oder zu den Mormonen, am liebsten wäre mir allerdings der Katholizismus, ich hoffe außerdem, irgendwas wird uns schon einfallen, wichtig ist nur, daß Alban überhaupt kommt, ich werde den Sanitäter bitten, wenn er das nächste Mal zum Verbinden kommt, die Zellentür offen zu lassen, damit Alban ohne Hindernisse zu mir eindringen kann, ich werde ihm sagen ... als die Unbekannten und doch bekannt als die Sterbenden und siehe wir leben ...

Barbara Frischmuth
Meine Großmutter und ich

Micky? fragt meine Großmutter, sie ist römisch-katholisch.

Ja, sag ich, Micky. Micky ist Micky. Er kommt mich abholen und wir gehen zum See rüber, schwimmen.

So, sagt meine Großmutter. Sie schlägt ein Kreuz, bleibt mit dem Finger wo hängen und reißt sich den Nagel ein. Tss, tss, kommt mir da was zu Ohren und noch gar unter die Augen. Micky, sagst du. Ein Witz, ein Witz, so ein Witz. Hol mir schon endlich die Schere aus dem Nähzeug und such die Feile oder soll ich so bleiben. Die Sache verhält sich so oder so. Du weißt, was du mir schuldig bist. Lauf nicht in die Küche, dort ist keine Feile, es muß sie jemand verlegt haben.

Weil man in diesem Haus nichts, aber auch gar nichts findet. Da steht sie und fuchtelt mit dem Finger in der Luft, als hätte sie sich gebrannt. Die Luft tut ihr gut. Drum zieht es immer bei uns.

Stell dich nicht so an, du wirst doch die Feile finden, wenn ich dir sage, daß sie in der Küche nicht ist.

Da geb ich ihr die Schere in die Hand.

Wie verhext ist alles, steht denn das Haus kopf? Ich kann die Gedanken nicht überall haben, und wenn du mir noch was von diesem Micky erzählst, dann erzähl ich dir was. Sie dreht sich auf dem Absatz herum, ihr Kleid rauscht kurz auf, die Vase, die sie mit dem Ellbogen vom Fenstersims gefegt hat, war aus bemaltem Glas, die Splitter springen vom Fußboden auf den Teppich, sie stellt sich darauf, der Rock bedeckt alles – ich weiß, warum ich lange Röcke trage – ihr Haar flattert in der Zugluft und draußen biegen sich die Bäume.

Ich bin neugierig, wann du mir die Feile bringst. Wenn es noch lange dauert, werde ich selbst danach sehen. Heil hat deine Mutter dich zur Welt gebracht, vielleicht hast du unterdes Schaden genommen, oder willst du sagen, dieser Micky hätte dich um den Verstand gebracht, den will ich mir ausborgen, da wirst du staunen, was von dem übrigbleibt.

Rück ein Stück, damit ich die Scherben aufkehren kann, sag ich mit Besen und Schaufel, sonst schneidet sich jemand, dann haben wir die Bescherung, der Teppich wird blutig, vielleicht muß man den Doktor holen und überhaupt die Aufregung und was sonst noch mit so was zusammenhängt.

Sie steht wie ein Fels. Du süßer Heiland! Sie wird die Scherben in den Teppich treten, wo wir keinen Staubsauger haben, keine Teppichstange und keinen Dienstboten mehr.

Ich will die Feile, habe ich dirs gesagt oder habe ich dirs nicht gesagt oder bist du von Gott verlassen. Wenn ich die Feile nicht bald habe, verliere ich den Verstand, du weißt, was das heißt. Und komm mir noch einmal mit diesem Micky und daß du zum See rüber möchtest, schwimmen. Ich weiß gar nicht, wer das ist, mit wem du dich da herumtreibst, das hast du von deinem Vater, ich hätte mirs denken können.

Jetzt ist der Nagel ab und die Haut dazu. Ich werde mir das Tuch zerreißen, ich kann nichts angreifen mit dem Nagel. Schwer von Begriff, wie du bist, schau in die Tischlade, die Feile muß da sein, du hast zu folgen, aufs Wort, wann wirst du das endlich verstanden haben, oder rede ich gegen eine Wand.

Da stampft sie schon mit dem Fuß, die Splitter werden an ihrem Schuh kleben bleiben, und ich kann mit dem Besen hinterdreinlaufen. Sie wird die Splitter durch die Wohnung tragen, jemand wird sich schneiden, dann ist die Hölle los.

In der Tischlade ist sie nicht, sag ich, die Schere genügt doch einstweilen, willst du nicht selber nachsehen, du hast die Feile zuletzt gehabt. Aber laß mich um der Liebe Jesu willen die Scherben aufkehren, bevor noch ein Unglück geschieht, du wirst die Splitter im Haus herumtragen, man kann keinem Menschen die Tür öffnen, wenn zerbrochenes Glas auf dem Boden liegt.

Du willst mir weismachen, daß ich die Feile zuletzt gehabt hätte, mir nicht, mag da sein, was da will, du vergißt, daß ich im Geiste jung bin. Sag das noch einmal und dann sage ich dir, zeig deine Hände. Wer hat sich für diesen Micky, den ich gar nicht kenne – mit wem du dich da herumtreibst –, die Nägel gefeilt, den ganzen Abend lang, gestern, daß man es durch die Wände hörte. Wenn ich es war, will ich den verdammten Besen da – gelobt sei Jesus Christus – schlucken und noch in dieser Stunde den Bürgermeister zur Abdankung zwingen. Wenn ich es nicht war, rate ich dir, bring mir die Feile, solange ich dich noch bitte, denn wenn ich es nicht mehr tue, dann kannst du diesen Micky anläuten und ihm sagen, daß es heute nichts ist und daß er gar nicht erst zu kommen braucht. Ich werde nämlich an der Tür stehen und die Klinke nicht aus der Hand lassen, bis er sich aus dem Staub gemacht hat und pfeifen oder Steinchen werfen gibts nicht.

Herrjeh, denk ich mir, sie wird die Splitter durchs ganze Haus tragen und wenn Micky kommt, wird er sich schneiden, es ist nicht weit bis zum See und sommers gehen wir immer barfuß, nur in der Schule haben wir Schuhe an.

Ich find die Feile nicht und die Nägel hab ich mir schon gestern gemacht und die Feile hab ich gleich wieder heruntergebracht und auf den Tisch gelegt, aber auf dem Tisch liegt sie nicht und in der Tischlade auch nicht und in der Küche auch nicht, hast du gesagt.

Jetzt wird es ihr bald zu bunt, sie wird sich vom Fleck rühren und ich kann die Splitter aufkehren. Da droht sie mir mit der Schere.

Bitte, sag ich, stich nur zu, wenn du es vor deinem Gott verantworten kannst, und ich knöpf mir die Bluse auf. Da, sag ich, stich zu, aber denk an dein Gewissen. Und wenn Micky kommt, sag ihm, er kann meine Bücher haben und das Kaninchen. Die Eidechse laß ich dir, zur Erinnerung.

Sie sieht die Schere an, dann mich, dann die Schere.

Ich vergesse mich, schreit sie, rede ich gegen eine Wand? Die Feile muß her, du hast sie gehabt, und dieser Micky kommt mir nicht ins Haus, damit du es weißt und was soll ich mit der Eidechse, sie ist ungenießbar, die kannst du diesem Micky ruhig schenken, aber das Kaninchen bleibt und die Bücher bleiben. Und nimm endlich die Schere und leg sie zurück ins Nähzeug, was soll ich mit der Schere, der Nagel ist ab und die Haut dazu.

Da knöpf ich die Bluse wieder zu und nehm die Schere.

Je lauter sie schreit, desto kleinlauter wird sie. Ihre Augen sind feucht. Jetzt wird sies wohl zulassen, daß ich die Splitter aufkehre, damit Micky sich nicht die Füße daran zerschneidet, wenn er kommt und mich abholt, zum See. Wie ich mich bück, mit Schaufel und Besen, rührt sie sich nicht, und ich geb ihr einen Stoß. Sie taumelt weder noch rückt sie zur Seite, doch erwischt sie mich an den Haaren und zieht mich empor, mit ihrer welken Hand.

Du sollst mir die Feile bringen, sonst bleibe ich hier stehen, bis ich umfalle, dann kommen die Leute und sehen mich liegen, tot, dich aber wird man einsperren, weil du deine leibliche Großmutter umgebracht hast. Weil du den Gehorsam nicht kennst, noch das vierte Gebot, auch wenn ich nur deine Großmutter bin, jawohl, das vierte Gebot, weil du aufbegehrst und mit dem Schädel durch die Wand willst, weil du keine Augen im Kopf und kein Herz im Leib hast. Diesem Micky werde ich reinen Wein einschenken und wenn ich mir dabei was vergebe, aber gewarnt muß er sein.

So zieht sie sich aus der Affäre, und ich steh da mit Schaufel und Besen und soll ihr die Feile bringen. Wenn ich nachgeb, wird sie sich im Leben nie mehr die Feile suchen, und ich werd ihr den Nagel feilen müssen, den Nagel ihrer welken Hand. So war es mit der Milchkanne, die ich suchen mußte, und dann war die Milch zu holen.

So gibt ein Wort das andere, ein Schimpf den anderen, eine Tat die andere.

Hilf dir selbst, dann hilft dir Gott.

Ich versuch es ja, alles und in Güte. Man muß es ihr klarmachen, sie zwingen, das Rechte zu tun, ihr die Zähne ziehen, wenn sie beißen soll, sie strecken, damit sie sich bückt, den Wind aufhalten, um sie fliegen zu lassen.

Diesem Micky kannst du schon sagen, daß es heute nichts ist und morgen auch nichts und übermorgen auch nichts und überhaupt nichts. Wo gibt es denn so was. Ungehorsam ist der Anfang des Übels, du wirst sehen, wie weit du es bringst, daß dir der Leibhaftige . . . Gott gebs nicht!

Ich hab dich in Windeln gewickelt, dir zur Erstkommunion eine Kerze gekauft, die teurer war als ein Adventskranz, ich habe dir von Kain und Abel erzählt, von Noemi, Ruth und den Richtern, ich habe dir die Höschen gewaschen und die Brote gestrichen, ich habe dir im Winter den heißen Ziegel ins Bett gelegt und dich im Sommer mit Butter – mit echter Butter – eingerieben, wenn deine Haut verbrannt war, wie du krank warst, habe ich dich schwitzen lassen, und als du Angst hattest, blieb das Licht brennen, ich habe deine Schuhe geputzt und dich zur Kirche geschickt, ich habe dir erklärt, was mein ist und was dein und wie man die Hände richtig faltet, ich habe dich vor Hunger bewahrt und vor schlechtem Umgang, vor Hexen, Pest und Bedrängnis, ich habe dich angehalten zu Fleiß und Sorgfalt und dir gesagt, wie man sich kämmt und die Milch nicht überkochen läßt, ich habe dich in den Wald geführt und in die Stadt mitgenommen, ich war beim Zahnarzt mit dir und auf dem Jahrmarkt, du weißt, wie man Feuer anfacht und es wieder ausbläst, du kennst das Wetter am Wind und die Zeit am Himmel, du hast einen Namen, meinen Namen, und du hast eine Bleibe, bei mir, du bist gewachsen unter meinen Händen – unter ihren welken Händen – und hast den Tod nicht erfahren, noch Laster und Unfrieden, du bist am Leben geblieben, weil ich es wollte, und ein Mensch geworden, weil ich dich dazu gemacht habe ...

Hilf dir selbst, dann hilft dir Gott. Hundertmal hin und einmal her. Ich versuchs ja, alles und in Güte.

Und da steig ich sachte, aber fest auf einen der Splitter – im Sommer gehen wir immer barfuß, nur in der Schule haben wir Schuhe an – und spür, wie er sich tief in mein Fleisch bohrt, wie er eindringt in meine Fußsohle, wie mein Gesicht sich verzerrt und dann blaß wird, wie es warm aus mir quillt und dann heb ich langsam den Fuß auf und dreh die Sohle nach oben. Das Blut rinnt in einem dünnen Faden bis zur Zehe, und ich zeig mit dem Finger darauf.

Da, sag ich, ich hab mir einen Splitter eingetreten, es blutet, und ich weiß nicht, wie ich ihn herausholen soll, wenn du mir keine Nadel holst.

Wer Mauern einreißt, den beißt die Schlange.

Noch zögert sie, da laß ich den Fuß mit dem Blut wieder zu Boden sinken, auf einen noch größeren Splitter zu, und bin schon dabei, aufzutreten.

Heilige Jungfrau, flüstert sie, und ich seh, wie sie einen kleinen Schritt macht und noch einen und dann noch einen und mit dem Saum ihres Rockes streift sie ein paar der größeren Scherben mit. Komm, sagt sie, und greift mich an, mit ihren welken Händen, zieht mich an sich, drückt mich, legt ihren Kopf an den meinen, und bevor sie zu klagen beginnt, sag ich, hol mir die Nadel, dann wird es gehen. Und ich weiß, daß sie weinen wird, und bevor sie zu weinen anfängt, schieb ich sie, humpelnd auf einem Bein, bis zum Stuhl hin, damit ich mich setzen kann.

Und es tropft schon aus ihren Augen und sie klagt, ach Gott, ich habe es gewußt, daß du mir alles heimzahlst, aber warum muß dieses Kind es leiden, kann es doch nichts dafür, so ohne Vater und Mutter, und wenn du mich strafst, o Gott, ist es richtig und doch nicht recht, o Gott, o Gott, o Gott ...

Und da sag ich, schnell, sonst tropft das Blut auf den Teppich oder ich krieg den Krampf und da läuft sie schon, wie schnell sie nur laufen kann und ihre Röcke rauschen kurz auf – ich weiß, warum ich lange Röcke trage – und sie streift mit dem Saum ein paar der größeren Scherben mit.

Als sie wiederkommt, hat sie meine Erstkommunionskerze in der Hand, zündet sie an und brennt eine Nadel aus, und dann kniet sie sich nieder, nieder vor mir. Sie nimmt meinen Fuß in die Hände – in ihre welken Hände – doch ich sag, laß das, du zitterst, ich mach es selber. Ihre Tränen rinnen, von ihren Lippen stürzen Klagen und sie ruft Gott und mich als Zeugen an.

Als der Splitter heraußen ist und das Blut stockt, kommt sie mit einem Verband, den ich nicht haben will, noch das Jod und auch kein Pflaster.

Und gleich darauf hat sie die Feile gefunden. Siehst du, sag ich, und mach schnell einen Krug Limonade. Wenn Micky kommt, wird er durstig sein und mir klebt schon die Zunge am Gaumen.

Sie stutzt, da verzieh ich das Gesicht vor Schmerzen, und sie stellt sich vor mich hin und sagt, ja, aber nur von einer Zitrone. Die Eidechse kannst du ja diesem Micky schenken, aber das Kaninchen bleibt und die Bücher bleiben.

Also glaubt sie an meinen Tod.

Elisabeth Plessen
Die Antwort der Fliegen

Sie saßen wiederum in der Bar, er und sie, und sie war nicht froh darüber. Sie schaute ihn an, wenn er den Kopf weggedreht hatte, und wenn er sie ansprach, sah sie sich um in der Bar. Sie hatte die Etiketts auf den Flaschenbäuchen gelesen, auf und ab, und die Handgriffe des Barkeepers verfolgt, der verschiedene Getränke mischte und dazu eine Zitrone verschnitt. Sie hatte sich die Griffe des Barkeepers in allen Einzelheiten wiederholt, auch rückläufig, so daß sich die Zitrone wieder zusammenfügte aus den einzelnen Scheiben. Da hörte sie seine Stimme, blickte hinüber, betrachtete sich die hellen Monde seiner Hände, die dicht neben den ihren auf der Tischplatte lagen, die Hände eines jungen Mannes, der redete. Sie hatte nicht behauptet, er sei ihre ganze Welt. Man kann nicht zwei Dinge auf einmal tun; das ist Redensart und sicher auch wahr. Sie hatte auch die Fliege nicht gewollt, die immer wiederkam, wenn sie mit ihm zusammen war, die Fliege auf der Fensterscheibe, auf ihrem Strumpf, auf der Hand, die Fliege, die läuft und verfolgt, den Rüssel auf den Poren abstellt, auffliegt, wenn sie zuschlägt, und zurückkommen muß, aber er glaubte nur, daß sie lüge, wenn sie ihm sagte, schon eine Fliege lenke sie ab.

Er hatte zwei-, dreimal in das Würstchen-Sandwich gebissen, das er sich bestellt hatte. Jetzt ließ er den Rest liegen, obwohl er großen Hunger zu haben behauptete. Mit solch einem Sandwich komme man immer am günstigsten weg, sagte er, es sei billig und verderbe den Appetit, während man noch bei der Bestellung sei. Schon das Wort »Würstchen« mache ihm Unbehagen auf der Zunge, in der Magengegend, der erste Biß übersättige ihn jedesmal. Sie merkte, daß sie dieses Gefühl teilte, ohne es zu wollen, und schob den Teller beiseite. Ihr war plötzlich übel beim Anblick des feuchten Weißbrots, des aufgesaugten, ins Brot gezogenen Senfs, des Wurstzipfels, der zwischen den Brotdecken rot hervorpellte.

Er hatte angefangen, über die Leute zu reden. Da saß, übereck, ein Mann, der mit sich selbst würfelte, und auf der anderen Seite saß ein älterer Herr mit einer Blondine, die er für eine Französin hielt und von irgendwoher zu kennen behauptete. So kam er auf Paris zu sprechen, das er letztesmal »von der Hintertür angegangen« sei, das heißt: Paris zeigte sich ihm bei seinem letzten Besuch von der Hintertür her, obwohl er es eigentlich nicht auf diese Weise gewollt hatte. Zwar einige Tage die Stadt, die ein Jahr seines Lebens gemacht hatte, mit ihr umgehen, sie sachlich, halbwegs sachlich bestimmen, ständig das Gefühl des Türgriffs in der Hand. Das sei schön, fügte er hinzu und leistete sich, ihre Zustimmung voraussetzend, ein Grinsen, schön und leicht, ein Abenteuer. Hinter den Türen aber hingen Geräuschfetzen von Leben in muffigen Treppenhäusern und ungewaschenes Dasein bis in Pantoffel und schmutzige Kämme hinein.

Er machte ihr keinen Eindruck mit seiner Erzählung. Die Fliege hatte sich auf ihren Handrücken gesetzt und tastete die Poren ab, kroch, rieb sich die Vorderbeine. Sie jagte sie weg und schlug ein zweites Mal zu, als sie im Bogen zurückkehren wollte. Warum kam sie zurück? Warum zog der rote Wurstzipfel sie diesmal nicht an. Als sie langsam die Hand ausstreckte und zuschlug, traf sie nur die Tischkante, und er redete weiter ...

Seine Geschichten. Hatte er Angst vor Gefühlen? Er zwängte sie hinein in hämische Ladenhüter, die nach Weihrauch und Gemeinheit rochen und in denen der abwesende Partner jedesmal schlecht wegkam. Sie ließ ihn reden, ließ ihn in seinem Topfe rühren, daß das Unterste nach oben kam. Sie ließ ihn seine Schrecken ausspucken, die sie nicht einmal verwirrten, seine Liebschaften, die sie nichts angingen. Es interessierte sie kaum, daß er redete, noch viel weniger, was oder was es gewesen war. Sie wollte keinen Platz in diesen Geschichten haben, auch nicht am Rand. Sie wehrte sich gegen seine Spiegelfechterei. Sie hörte, daß sie nichts hörte, und als seine Geschichten sogar für ihn selber durchsichtig wurden, wollte er plötzlich, daß sie sich ihm gegenüber so und so verhalte, wie ihre Freundinnen. So und so sagte er. Sie war wie ihre Freundinnen, die auch Arme, Beine, Hände und Finger an den Händen hatten und alles Mögliche damit anstellen konnten, aber sie konnte nicht vollständig wie sie sein, wenn er sie auch gerne so gehabt hätte: leicht auf der Hand, die offene, spontane Geste, das, was er Freizügigkeit nannte. Was wollte er sonst, wenn er sagte: »Man wird sehen, was daraus wird ...«? Was hieß das? Man sah nichts, man sah nie etwas. Was hieß es mit seinen Worten – und mit ihren?

Ihre Freundinnen schrieben nicht »keusche Seekrankheit« aufs Papier oder »roter Ziegeleihof«, und es sprach für sie, daß sie es nicht taten. Aber war das eine Schuld, groß genug, sich ihretwegen unterlaufen lassen zu müssen?

Immer war ein junges Mädchen in seiner Geschichte. Sie wurde seine Geliebte, von weitem; man wußte, wie es kam. Man hatte den Ablauf schon beim ersten Wort im Kopf, denn in einem Märchen ist es leicht, der Rechtschaffene zu bleiben: er hat seine Geliebte im rechten Auge, hat sie durch ein Guckloch in der Hinterwand des Glaskastens erspäht, vor dem er auf und ab gegangen ist, sieht sie, wie sie dort hinter der Wand hinter dem Glase schläft. Sie ist weit weg und nur mit einem Auge zu erspähen, abwechselnd rechts oder links, so eng ist der Nabelknopf, der sie beide entbinden müßte, wenn sie jetzt plötzlich aufwachte. Vielleicht wäre es sein Glück, wenn sie wach würde. Er würde sie aus den Augen verlieren. Sein Blick träfe auf der Glasscheibe auf und fiele die Strecke zurück. Oder würde er sich jetzt selbst in der Glasscheibe sehen? Vielleicht ist Selbstbespiegelung das, was erwartet werden kann – aber Narziß? Es wäre übertrieben. Er käme nie auf den Gedanken, daß ihm aus dem Spiegel je ein anderer entgegenblicken könnte als er selbst. Er merkt auch den Bruch nicht, der an dieser Stelle jedesmal in seine Geschichten kommt: er behauptet zu wissen, daß »seine Geliebte« eine Wolldecke brauche, die nach Wolldecke riecht, aber gleich darauf gibt er vor, er habe sie schon erobert und die Nacktheit wärme sie jetzt. In Wahrheit wird er nie seinen Arm um sie legen und ihre Hüften nicht antasten. Sie würden zusammenfallen in Pappe, und das Bild wäre verstört. Er hat nicht das Recht sie wiederaufzubauen, einmal, zweimal, denn er wagt nicht einmal Potemkins arme Hoffnungen. Er sagt: »Man wird sehen, was wird ...« Da ist es zu spät, und er steht wieder, den Türgriff in der Hand, denn »man sieht« nichts. Die Türen sind zu, in seinem Paris.

Sie sieht ihn an, und jetzt hört sie, daß sie zugehört hat. Da sieht er sie an und sieht jetzt, daß sie nicht mitreden kann. Er hat seinen Trumpf, sieht sie: sie war noch nicht in Paris. Sie war in Siena zwei Tage – aber ist Siena etwas, was man ihm sagen kann?

Schon als sie angefangen hatten, die Reihe seiner Bars durchzumachen, war es vorbeigewesen, aber sie hatte ihm nicht gesagt, daß alles vorwegzunehmen sei, er, sie und sie beide, mit einem Augenaufschlag. Jetzt saß er hier neben ihr und sog durch seinen Strohhalm Coca-Cola mit Rum. Er wiegte sich auf dem Barhocker, wippte in der Musik aus dem Lautsprecher, nickte mit dem Kopfe den Schritten nach, die er sich tanzen sah. Sein Adamsapfel ging auf und nieder, und sie schaute ihn von der Seite her an. Was will er von mir? Und weil sie es wußte, dachte sie weiter: wer bin ich denn? Wir sind ein Paar wie die anderen, und er trinkt Rum und ich Gin, weil es Gin und Rum in der Bar eben gibt, und es ist ein Gesellschaftsspiel, zu dem wir uns gegenseitig aufgefordert haben. Er hat mich eingeladen, und ich zahle, denn wir sind die Figuren auf dem Schachbrett und werden gezogen, einmal er, dann ich, und ich bin es selber, die mich zieht, es braucht ihn nicht dazu, und nur die Fliege auf dem Brett weiß, was sie will, und tut's. Wir könnten genausogut jetzt schon im Auto sitzen und vor meiner Haustür. Er wird den Motor abstellen, und ich werde nach dem Türgriff fassen, um auszusteigen, aber vielleicht lege ich mir auch nur die Handtasche auf den Schoß; wer bin ich denn ... Sie wollte weder sein Schaumschläger noch sein Handtuch oder Strohhalm sein. Diese Dinge fand er recht gut in seiner Küche. Sie wollte auch nicht den Schwamm spielen, den er morgendlich, abendlich auswringen konnte. Keiner kann den anderen zwingen, in anderen Bildern zu leben als den eigenen. Trotzdem würde es vielleicht genug sein, sich die Handtasche auf die Knie zu legen und einzubilden, daß eine Fliege jetzt ihren Strumpf heraufkröche, so daß sie auch ihre Beine festhalten könnte. Da war sie schon, kaum gerufen, wieder die Fliege, denn gerade da sagte er, er habe »sie weggeschickt, morgens immer«. Weggeschickt, und immer ihr Weinen, so daß er ihr jedesmal sagen mußte, ja, gut, sie könne ja wiederkommen, am Abend. Da war das Weinen vorbei. Aber immer lief ihr die Nase, wenn sie endlich ging. Alma, sagte er, nein, das war Alma. Er war beim Erzählen, und das Gelächter stieß ihn, und er stieß das Lachen.

Warum verfolgten die Fliegen sie und kamen immer wieder zurück? Wie ein Stummfilm rollten die vier Nächte in seinen Bars herauf, aber sie fand nicht den Grund, warum es vier geworden waren, nicht in seinen Geschichten. Sie trafen sie nicht. Sie betrafen ihn nicht einmal selber, denn als er erfuhr, daß Alma die Abtreibung vorhatte, kümmerte sich ja der Photograph schon um sie, und es ging alles in Ordnung, und die nächste Geschichte war kurz: er hatte sich einfach betrunken, sich jedesmal vollaufen lassen, wenn sie bei ihm gewesen war. »Sie fürchtete sich, wenn ich trank, das verstehst du? Nein, sie war das Tier, und nicht ich. Ich ließ mich nur vollaufen, versteh' doch. Helga bekam dieses Gesicht ...«

Da nickte sie, neben ihm an der Bar, obwohl sie den Punkt nicht finden konnte. Der Film lief, vorwärts, zurück, und sie konnte den Punkt nicht finden, den Moment, in dem sie eingestiegen war in den Film. Er war verschwunden, abhanden, eine Lücke füllte die Stelle, und die Fliege saß wieder auf ihrem Bein, lief ihr über die Wade, und sie schlug danach. Aber konnte sie alle Fliegen verjagen, die in die Küche kommen, auf die Speisen schwirren, Fleischwürfel, Käse, Kartoffeln und Wurstzipfel besetzen, sich auf den Strümpfen niederlassen, von Aas leben, Kot aussaugen, wie man mit einem Strohhalm Coca-Cola saugt? Da ist kein Unterschied. Sie lecken die Milch auf und kommen aus Abfalleimern hervor, wenn man die Deckel hebt. Sie dachte: Warum hebst du den Deckel?

Es war wirklich ein Spiel, Zug um Zug, war wie Schach, die Regeln festgelegt. Die Reihe kam an jeden, und man kam nach, übte seine Rolle, übte sie aus, tat den Ansprüchen Genüge, leistete Nachschub und ging mit sich hausieren. Sie würde die Handtasche nehmen, nahm sie sich vor, oder vielleicht doch gleich aussteigen, wenn er den Motor abstellte vor ihrem Hause und nach ihrem Knie faßte, und das würde heute sein oder morgen, denn jetzt war es soweit, und an einem von diesen Abenden würde es geschehen, wenn er anhielt. Alle Beispiele und Geschichten, Seitensprünge und Schmackhaftigkeiten, die er heranzog, während sie hier auf den Barhockern saßen, wollten sie eifersüchtig machen und in sein Fahrwasser setzen. Er will sich ausbessern und aufbessern und vollpumpen mit mir. Könnte er sich die Illusion nehmen, wir wären ein Leben voran.

»Du sagst nichts?« sagte er. »Du bist daran!«

Aber sie sagte: »Nein, du.«

Da erzählte er weiter. Es war wirklich ein Spiel: diese ungeheueren Zinsen von nichts; es war wie ›Monopoli‹. Aber er spielte jetzt schlecht und merkte nicht, daß er seinen Einsatz verspielt hatte und auch ihren schon. Mitleid stellte sich ein, aber an die große Glocke würde sie das nicht hängen. Zuneigung und Vorwürfe hatten sich losgelöst, losgesagt, den Bogen geschlagen und waren zurückgekehrt, wieder zu ihr. Sie war abgewandt. Sie hatte nichts mehr mit ihm zu tun. Er hatte sie gefragt, vor vier Tagen; das war der erste Zug, und sie war mit ihm in die Bar gegangen. Aber seine Ermächtigung hatte nicht mit seiner Frage begonnen, auch nicht mit der Antwort, daß sie mitkommen werde, sondern mit ihrer Zusage, die Spielregeln halten zu wollen. Das wußte er nicht. Jetzt war es vorbei, und auch das wußte er nicht. Er wußte alles zu spät.

Aber sie sagte ihm nicht, daß es zu Ende war. Sie lachte ihn an und überbrückte den Abend. Es war ›Monopoli‹, was sie spielten, und er zog, und sie zog, und dann zog wieder er, und sie tat ernst und hinterging ihn mit ihrer Unaufmerksamkeit, ihrer Sucht nach Erinnerung. Sie hätte ihm nicht erklären können, was mit der Fliege hinlief, quer über den Bartisch. Er wäre unzufrieden gewesen, hätte es unwichtig gefunden und nicht eingesehen, was da sechsfüßig spazierte, ohne den schwarzen Körper zu heben oder zu senken, würde das Tier in dieser Unrast von Tier nie bemerkt haben, dem die Beine davongehen. Jetzt gerade rieb es sich die Vorderfüße, ansetzend zu neuen Zielen, denn bei den alten war es überall gewesen, beim Milchglas, auf dem Mundwinkel, auf dem Strumpf und im Kot. Sie sagte ihm nichts davon, denn er war am Zuge, und als sie am Zug war, wollte sie gehen.

Vor ihrer Haustür stellte er den Motor ab. Sie sah durch die Windschutzscheibe die schwarze Straße hinauf und horchte auf das verebbende Geräusch des Motors, als der Schlüssel gedreht war.

Er zog die Füße unter dem Steuerrad an, lehnte sich zu ihr herüber und suchte nach einer Zigarette in seiner Tasche.

Die Straße war leer, die Fassaden der Häuser ohne Licht. Heimlich versuchte sie, im Mantelärmel das Zifferblatt ihrer Armbanduhr zu erkennen.

Er knipste den Scheinwerfer aus, fingerte am Feuerzeug, legte die Hand auf ihr Knie.

Sie hielt den Türgriff und die Handtasche fest. Die Fliegen waren ausgesperrt, und sie wußte nicht, wer jetzt am Zuge war.

Seine Hand lag auf ihrem Knie.

Sie strich sich den Mantel über dem anderen Knie glatt und setzte die Handtasche darauf. Die Spielregeln waren bekannt, und ihr war übel. Für einen Moment war sie noch einmal in Siena, allein im Café über dem Campo, der in der Sonne lag ...

Er sah sie nicht an. Nur in seinen Augenwinkeln war etwas Blick.

... doch der Vorhang aus grünen Plastikstreifen hielt die Sonne draußen und es brauste von Stille in dem Café ...

»Du?«

War sie jetzt am Zuge?

Seine Hand bewegte sich noch nicht. Sie fühlte das Leder der Handtasche unter ihren Fingerspitzen. Es war vorbei, und so fing es an.

»Müde? Du sagst gar nichts.«

... aber die grünen Plastikstreifen hielten auch die Fliegen draußen. Sie sah ihre Schatten gegen die blassen Strähnen tupfen und schwanken in lautloser Seekrankheit ...

Jetzt fühlte sie seine Hand auf dem Knie. Er war am Zuge, und sie rührte sich nicht.

... denn grade jetzt fuhr der Wind unter die taumelnden Schatten der Fliegen, und gleich darauf teilte er den Vorhang für einen Moment, so daß sie das Pflaster absehen konnte, ein Dreieck Pflaster vor der Tür eines Cafés in Siena, und das Pflaster war leer gewesen, den ganzen Campo hinab, unzählige Steine. Roter Ziegeleihof und kein Schritt drüberhin. Da waren die Plastikstreifen zurückgesunken, und der Vorhang hatte sich wieder geschlossen. Kein Schritt auf den Steinen. Sie war allein gewesen, die Schatten der Fliegen verschwunden. Sie wunderte sich, daß es ihr jetzt erst auffiel, drei Jahre danach.

Renate Rasp
Emblem

Die
ohne Brust
mit der Schuppenhaut
in die sich drängt
was nicht zusammengeht
sich noch nie gepaart hat
sich frißt
Mann und Fisch –
wieder
sobald es vorbei
noch starr vor Lust
ineinandergesteckt
seine Zähne hineinschlägt
der Fisch
in das Fleisch
das zwei Öffnungen füllt
zweimal befriedigt.

Selbst

Ich lege nie
das Messer ans Ohr
oder an den Daumen der
rechten Hand
aus Furcht
es könnte nicht weh tun
der Zwang
durchzuschneiden
stärker sein
als der Schmerz.
Ich rühre nichts
Schneidendes an
weiß ich –
es könnte sein

ich ziehe mir selbst
die Haut ab
hacke mein eigenes Fleisch
glasig weiß auf dem
Holzbrett
scharf
daß die Augen tränen.

Der Chef

Kinder
die flüsternd im Kreis stehn
wie man es kennt
aus Geschichten
oder selbst
um den einen gedrängt
älter schon
blöde vielleicht oder stumm
den man am Glied durch den Hof zieht –
den
hat jeder gekannt
oder sich um ihn herumgedrückt
gehört:
im Nachbarort soll ein Mann ...
Unsrer war groß
und hatte ein rotes Gesicht
wenn er die Hose aufmachte
jung
gerade gewachsen
die Hoden hingen ihm lang
wie wir ihn zerrten
im knalligen Hemd
stöhnte erst ganz zum Schluß
der Chef
gut in der Schule gewesen
zwei Wäschereien
und beliebt
der schönste Mann

wie er sich umgedreht hat
von uns
heiter ins Haus zurückging.

Gib ihm recht

Nicht mehr
Schattenboxen
gegen eine Meinung
die er vor sich hält
aus der Zeitung
ausgeschnitten
unterstrichen
was sie alles sagen schreiben
hat er Tag und Nacht
bereit.
Kleine Puppen
mit sehr großen Köpfen
die da für ihn streiten
ständig wechseln
vor dem Bett
das er sich gemacht hat
und an dessen weiße Stäbe
er sich klammert.

Vorbereitet

Ich habe immer Angst
ich müßte anhalten
unbeweglich
wenn ich den Arm ausstrecke,
vorgeneigt, über den Tisch,
oder beim Trinken,
das Glas in der Hand.

Ich schlafe nicht.
Einen Fuß vorgestellt
halte ich die Augen
fest auf dem grauen Fleck
an der Wand,
warte
die Hände über den Knien
leise atmend
daß es mich nicht
unvorbereitet trifft

Guntram Vesper

Einberufen

In den Straßen
keine Fahnen, aber

Männer ohne Wohnsitz
lernen die Verwendung der
Handgranate. Die Front
läßt sich nur ahnen, aber
wie der Gegner spricht
ist bekannt.

Anschläge. Soldbücher.
Sonst
hinter Backsteinmauern
nichts Gedrucktes
kein Stück Papier
im Fadenkreuz der Geduld.

Korruption

Mit zwanzig bejahte mein Vater den Sozialismus
mit dreißig fiel er in Rußland ein.
Als er zurück war, interessierte er sich nur noch für den
Schmied von gegenüber, der eine Ölmühle im Keller hatte.
Heute sagt er beim Abschied, wenn ich ihn besuche:
tu deine Pflicht sie lohnt sich
halt keine Reden
Revolution, Gerechtigkeit, Schwindel das alles
ich lese Trotzki zur Entspannung
da
sagt er dann und gibt mir fünfzig Mark

Rückkehr über Herleshausen

Aus verstopften Luftwegen grüßt mich Westdeutschland, Puder
in den Falten, rasselt sein Atem über die
Mittelgebirge, daheim daheim, Regen im Gesicht
als Kinogag Träne, Heimwehwetter
mit jeder Wurzel empfunden der Haare, die sich
aufstellen unter dem Luftsack in Richtung
Restauration.
Hinter dem Rastplatz auf Privates wieder, ein Rübenfeld
gepinkelt, bin erleichtert, weil
zu Hause, aufgenommen nicht gerade mit Freude,
doch sprach Wohlwollen aus dem Grüßgott
der Beamten, allerdings
überlege ich, wäre es eine Untersuchung wert zu wissen
ob sie in der
Ukraine auch oder anders, vielleicht gar nicht.
Später jedenfalls fahre ich über Felder, Trassen
Grundbücher
Projekte
Erbschaften, über das Motiv unserer Ordnung, den Besitz
mühsames Alibi, falle
mit der Tür ins Haus am Steuer eines geborgten VW
mit einem Lied: nieder das Eigentum
denn ich bin
mit mir allein.
Wer öffnet da nicht den Mund zum Widerspruch, selbst
das Gras im
Graben würde nicht wachsen, wie es wächst
ohne 38. Breitengrad und die Schafe des Ritterguts, auch
für den Mann auf dem Traktor, den ich überhole, wird
zurückgeschlagen in Vietnam, Weidmannsheil auch
den Griechen, lächelt er, hat Gründe
wie alle an diesem Freitagnachmittag im September und
immer.
Und der Mann an der Spitze schreibt Briefe über das Vaterland
die niemanden erreichen, ins Blaue oder ins rote Berlin-Ost
aber infam
vergeht auch dieser Tag, zerredet, zerfahren
neuerlicher Eingewöhnung bring ich jedes
Opfer, auch

das Gedächtnis der Schlacht
vom Altmeister aus Trier
beschrieben
ich streiche ihr das Echo aus, mag er verzeihen, keine
Revolution also
kein Ungehorsam, Zweifel nur, solange das Niemandsland
ohnehin wäre ich genötigt, sein Grab
in London zu suchen, obgleich ich hier
genügend Friedhöfe für Juden kenne, passend
in die freundlichen Hausbücher der Heimat.
Und was da war und werden wird, kann ich
der Landschaft
den Häusern
den Fenstern und Türen nicht ansehen
auf der Rückfahrt hinter Herleshausen.

Erbschaft

1834 im hessischen Dorf Steinheim
am Wintermorgen eilig mit
der Kerze zum Herd
Papier zu verbrennen
die Flugschrift die am Zaun hing
ließ zögernd der Häusler
in rissiger Lehmwand übernachten
neben
der Schlafstatt der Familie

vier Bretter, heute
in meinem Besitz: ein Ort
für die Lektüre des Landboten
noch immer

Dieses ›Lesebuch der Gruppe 47‹ hat einen Vorgänger in dem 1962 erschienenen ›Almanach der Gruppe 47‹, der eine große Zahl der zwischen 1947 und 1961 auf den Tagungen der Gruppe vorgelesenen Texte enthielt. Er ist seit langem vergriffen. Also muß ein neues ›Lesebuch‹, das vor allem darauf ausgerichtet ist, zu dokumentieren, wie es denn weiterging mit der Gruppe 47, mit ihrer Anziehungskraft und ihrer Ausstrahlung, auch die ersten fünfzehn Jahre ihres Bestehens erfassen. Diese Jahre sind hier durch jene Lesestücke dargestellt, für die der Preis der Gruppe 47 vergeben wurde. Das, was in den Jahren 1947 bis 1961 die Literatur kennzeichnete, die bei den Tagungen der Gruppe 47 zu Gehör gebracht wurde, wird dadurch wie in einem filmischen Zusammenschnitt von Höhepunkten vor die Augen des Lesers gestellt. Dies Verfahren zwang zum Verzicht auf manchen Autor, dessen Name mit der Entstehung und Entwicklung der Gruppe 47 eng verbunden ist, ein Verzicht zugunsten einer dritten Generation von Schriftstellern, die mit der Gruppe 47 in Verbindung trat und die fortan die Tagungen der Gruppe mitprägte, bis hin zur letzten Tagung 1967 in der Pulvermühle, mit der diese Lesebuch-Dokumentation schließt. Daß diese letzte Tagung die letzte war und doch nicht die letzte, hängt mit der Grunderfahrung zusammen, die jeder Betrachter mit der Gruppe 47 macht, die eine Gruppe war und doch keine. Zum unverkennbaren Ärger der Literaturwissenschaft läßt sie sich nicht eigentlich festmachen, nicht recht orten, nicht oder schwer klassifizieren. Die Tagung von 1967 in der Pulvermühle war im Grunde genommen nur deshalb die letzte, weil Hans Werner Richter sie als letzte ordentliche Tagung ansah und ansieht. Es folgten noch Zusammenkünfte in Richters Berliner Wohnung, vielleicht den ersten Tagungen unter lauter Gleichgesinnten am ähnlichsten, aber doch ohne die große Hoffnung der frühen Zeit. Es folgte noch eine Tagung, in Saulgau 1977, aber hier waren die Signale deutlich auf Abschied gestellt, ein einziger Debütant las noch: Michael Krüger. Seine Gedichte hätten auch bei anderen, früheren Tagungen bestehen können. Warum aber ging es eigentlich nicht weiter? Hans Werner Richter schrieb 1979 dazu: »Noch eines ist hier zu klären: die Gruppe 47 ist nicht elend zugrunde gegangen. Auf der letzten Tagung in Saulgau zeigte sie sich noch völlig intakt. Ich selbst habe diesen Schlußstein gesetzt, und zwar aus der gleichen Überzeugung, mit der ich diese Arbeit dreißig Jahre zuvor, 1947 in Bannwaldsee, begonnen hatte.«

Eines ist sicher, er hätte weitermachen können, und sie, die Autoren, wären wiedergekommen, nicht alle vielleicht, nicht alle von den alten Freunden. Es hätte auch Absagen gegeben, wie es immer Absagen gegeben hatte, aber die Anziehungskraft, die die Tagungen der Gruppe, bei allen Krisenerscheinungen, vor allen Dingen in den sechziger Jahren, stets wiedergewonnen hatte, sie würde sich erneut bewährt haben. Die Tagung von 1967 hatte es, trotz der dabei auftretenden Störung, recht nachdrücklich bewiesen. Richter glaubte, nachdem die Gruppe 47 nun drei Schriftstellergenerationen integriert hatte, könne sie dies für die heutige junge Generation nicht mehr leisten. Aber hatte die Gruppe nicht seit jeher neben ihrer integrierenden Funktion auch eine katalysatorische? Hielt sie nicht schon immer, was sich ihrem Prinzip assimilieren ließ, und stieß sie nicht ab, was ihr fremd bleiben mußte?

Kritik an der Gruppe 47 von außen, Kritik an der Gruppe in den eigenen Reihen und von seiten Neuhinzukommender hat es immer gegeben. Und bei einer Gruppe, in der Kritik ein immanentes Prinzip war, kann es nicht wundernehmen, daß sich Kritik bald nicht nur auf Literatur bezog, sondern auch auf Verfahren und Wirkung. Was aber hat etwa Peter Handkes spektakulärer Auftritt bei der Tagung in Princeton 1966 bewirkt, bei dem er die dort vorgelesenen Arbeiten und die Gruppe selbst verwarf? (Peter Handke hat übrigens folgerichtig seine eigenen dort vorgelesenen Texte für dieses ›Lesebuch der Gruppe 47‹ nicht freigegeben.) Sind die jungen Autoren 1967 deshalb zuhause geblieben? Sicher war der Antrieb, an einer Tagung teilzunehmen, ein anderer, als er es bei den Teilnehmern der ersten Stunde oder auch der frühen Jahre überhaupt war. Aber sie kamen, die Arbeit innerhalb der Gruppe war intakt, um mit Richter zu reden, aber nicht nur mit ihm, sondern zum Beispiel mit einem der Debütanten, Guntram Vesper, dessen Bericht über die Reise zur Pulvermühle und die Tagung des Jahres 1967 in diesem Buch zu lesen ist. Auch er hatte schon die Einladung zur nächsten Tagung auf Schloß Dobris bei Prag, die am 10. September 1968 stattfinden sollte, aber »fremde Soldaten«, wie Vesper jetzt richtig schrieb, besetzten zuvor Prag und die Tschechoslowakei; die Tagung konnte nicht stattfinden. Doch die Autoren und Kritiker wären auch woandershin wiedergekommen. Warum also das Ende?

Die Gruppe 47, die aus einer politischen Situation heraus, der nämlich der ersten Nachkriegszeit, entstanden war, wurde in ihrer, von Richter hartnäckig verteidigten, Grundkonzeption, die rigoros die literarische Auseinandersetzung in den Mittelpunkt stellte, durch die allgemeine Politisierung des geistigen Klimas in den späten sechziger Jahren schwer bedrängt. Eine Gruppe, bei deren Zusammenkünften es nach wie vor darum ging, ob ein literarischer Text etwas taugte oder nicht, schien nicht mehr in die Welt zu passen. Natürlich gab es 1947 einen ideologischen Ansatz – im ›Almanach der Gruppe 47‹ von 1962 entschuldigt sich Fritz J. Raddatz noch leicht ironisch für diese Feststellung –, aber es war ein ideologischer Ansatz zur Literatur hin, während der neue sich entweder von der Literatur abwandte oder sie beherrschen wollte. Der Frage nach ihrer Funktion, die damals gestellt wurde, hat die Literatur, wenn ich es richtig sehe, ganz gut standgehalten. Die These vom Tod der Literatur (aus der Hoch-Zeit des ›Kursbuch‹) ist ad absurdum geführt. Kunst und Ideologie spielen seit jeher die Geschichte vom Hasen und dem Igel, und die Kunst – und damit die Literatur – findet sich gottlob stets in der Rolle des Igels. Auch die Gruppe 47 konnte lange den Igel spielen. Der Riß der ideologischen Auseinandersetzung ging aber auch durch die Gruppe selbst. Handkes Auftritt in Princeton 1966 hätte nicht einmal das augenblickliche Furore gemacht, das es machte, ohne das geistige Klima, in dem dieser Auftritt stattfand. Der Streit zwischen Reinhard Lettau und Grass 1967, bei dem Lettau eine Anti-Springer-Resolution abgeben wollte und Grass es sich verbat, daß Lettau in seinem Namen und im Namen der Gruppe 47 spreche, war ein Symptom dafür, daß das Selbstverständnis der Gruppe in äußerste Gefahr geraten war. Aber da war immer noch Hans Werner Richter, und wir lesen in seinem hier abgedruckten Beitrag, wie er Günter Eich, dessen Vorschlag folgend, lesen ließ, und wie noch einmal die Literatur obsiegte über den Streit der Meinungen. Noch einmal? Wie oft noch?

Eine andere Veränderung des geistigen Klimas in der Bundesrepublik seit den Nachkriegsjahren war auf die Gruppe 47 nicht ohne Wirkung geblieben: die Kommerzialisierung des Lebens in allen Bereichen. In der Rückschau schrieb Hans Werner Richter 1979:

»In einer vorwiegend kommerziellen Gesellschaft, ganz gleich, ob als Befürworter oder Opponent, hatte die Gruppe 47 keinen Platz mehr. Ihre Ausgangspositionen mußten von Jahr zu Jahr mehr verloren gehen, und schließlich wäre etwas daraus entstanden, was ich unter gar keinen Umständen wollte: eine Institution, ein Interessenverband vielleicht, eine Art Lobby, wofür ja Verbände und andere Organisationen zuständig sind. Die Gruppe 47 hatte es nur mit Literatur zu tun. Alles andere, was in den vielen Jahren geschrieben wurde, ist Unsinn.«

Nun war ja gerade dies, die Lobby-Qualität der Gruppe 47, und die kommerzielle Nutzbarkeit ihres Tuns wesentlicher Angriffspunkt der Gegner. Friedrich Sieburg, ein Gegner, dessen sich die Gruppe gewiß nicht zu schämen brauchte, schrieb schon 1952:

»Sie brauchen nur zu einem ›Dichtertreffen‹ zusammenzukommen, so sind schon die Lektoren, Reporter und Funkwagen zur Stelle, um das erste Piepsen des ausschlüpfenden Kükens für die Nachwelt festzuhalten und für den Betrieb zu erwerben.«

Gegen den Betrieb hat sich Hans Werner Richter immer wieder zur Wehr gesetzt. Aber es war ein Kampf gegen Windmühlenflügel. Die Entwicklung zum »Betrieb« hin begann sehr früh und wie auf leisen Sohlen. Schon die Verleihung eines Preises der Gruppe 47 war ein erster Schritt in die falsche Richtung. Richter bemerkte es sofort, aber »ich konnte auch nicht auf die tausend Mark«, damit war der erste Preis von einer amerikanischen Werbefirma dotiert, »für andere verzichten. Den Schriftstellern ging es zu dieser Zeit mehr als schlecht.« Sollte man sich wehren, wenn Schriftstellern geholfen werden konnte? Und so ging es weiter. War es nicht ein Glück, daß der Schriftsteller Ernst Schnabel zugleich Intendant des NWDR war und so Autorenlesungen an die Rundfunkanstalten vermitteln konnte? War es nicht rückhaltlos zu begrüßen, daß die Verleger, nach dem Krieg zunächst ganz mit dem Nachholbedarf an ausländischer Literatur beschäftigt, durch die Aktivität der Gruppe 47 darauf aufmerksam wurden, daß es eine neue deutsche Literatur gab, um die es sich zu kümmern lohnte? Die Kehrseite der Medaille war eine nicht gewünschte Öffentlichkeit. Aber Autoren bedürfen oder besser gesagt: Literatur bedarf der Öffentlichkeit. Wer hätte auch das Recht, ein Talent zu entdecken und es dann zu verheimlichen. Die Gruppe 47 stand immer unter dem Doppelvorwurf, zugleich Geheimbund und Publizitätsmaschine zu sein. Auch der Vorwurf, die Gruppe 47 habe ein deutsches Literatur-Monopol beansprucht, ist nie verstummt. Helmut Karaseks Aussage in der ›Stuttgarter Zeitung‹ 1967, die

Gruppe repräsentiere die deutsche Literatur womöglich widerwillig, bringt noch heute Erforscher der Gruppe 47 auf die Palme (so im Sonderheft ›Die Gruppe 47‹ von ›Text und Kritik‹, 1980); gerade jenes »womöglich widerwillig«. Ist es denn möglich, daß einer ein Monopol gar nicht haben will, das ihm schon zugesprochen ist? Nach vielen Gesprächen mit Hans Werner Richter bin ich der Überzeugung: es ist möglich. Es gab einen merkwürdigen Versuch, den Monopol-Vorwurf zu entkräften – oder war eher ein vermuteter Monopol-Anspruch gemeint? 1967 erschien, herausgegeben von Hans Dollinger, eine Anthologie mit dem Titel ›Außerdem. Deutsche Literatur minus Gruppe 47‹. Geduldig setzte Richter in einem ›Brief an den Herausgeber‹, der einem Grußwort gleicht, auseinander, daß es einen Anspruch, die Gruppe 47 umfasse die gesamte deutsche Gegenwartsliteratur, nie gegeben habe, er weist auf die ständige Fluktuation innerhalb der Gruppe hin. Er begrüße, so schreibt er, diese Anthologie wie alle Bestrebungen, Gründungen und Veranstaltungen, die zur Intensivierung des literarischen Lebens in Deutschland beitragen – nicht ohne vorher pfiffig erwähnt zu haben, daß es eine solche Anthologie als Reaktion auf die Gruppe 47 ohne diese ja nicht hätte geben können: »Ohne ihre Existenz (die der Gruppe 47) gäbe es dieses ›Minus‹ oder ›Außerdem‹ ja nicht.«

Nun ist ja nicht zu bestreiten, daß die Gruppe 47 einen starken Einfluß auf das literarische Leben in der Bundesrepublik ausgeübt hat, daß zu ihrem Kreis ein Großteil der Autoren gehörte, die für die deutsche Literatur seit 1947 maßgebend sind und die in der Gruppe 47 ihr erstes Podium fanden. Es gab andere, nicht weniger repräsentativ für die deutsche Literatur, die sich der Gruppe bewußt versagten, wieder andere, die sich von ihr zurückzogen. Der öffentliche »Erfolg« der Gruppe 47, zwanzig Jahre hindurch, ist unbestreitbar; die Motive von Autoren, der Einladung Richters zu folgen, waren nicht unbeeinflußt davon. Die Hoffnung, sich zu profilieren, Öffentlichkeit zu ernten, kann nicht unterschätzt werden. Aber auch das Risiko, bei den Schriftstellerkollegen und den Kritikern durchzufallen, werden viele bedacht haben, obwohl der Verriß eines Textes kein Urteil über den Autor war oder sein sollte. Öffentlichkeit aber war seit den fünfziger und verstärkt in den sechziger Jahren immer zu erreichen. Und mit der Öffentlichkeit kam, mit deren fortschreitender Kommerzialisierung, ebenso unerwünscht von denen, die die Gruppe trugen, wie unerbittlich die kommerzielle Umzingelung des Gruppengeschehens, von Richter zunächst als unangenehm empfunden und schließlich als unerträglich angesehen. Bis zuletzt hielt er die Fernsehkameras draußen, wenn gearbeitet wurde. Er wußte, daß Show die Gruppe 47 in dem, was sie bedeutete, zerstören würde.

Was aber war sie eigentlich?

Heinz Friedrich kommt im Nachtrag zu seinem Beitrag ›Das Jahr 47‹ zunächst zu dem Ergebnis: »Es hat sie gegeben«, fast so, als wollte er sich selbst noch einmal vergewissern. Solcher Vergewisserung bedarf es durchaus, wenn man immer wieder auf die wiederum in sich verläßliche Aussage stößt, daß es keine Mitglieder wie keine Mitgliedsbücher der Gruppe 47 gegeben hat, wenn geschrieben wurde, die Gruppe fände ja schließlich »nur« auf ihren Tagungen statt, während Hans Werner Richter im Gespräch die Meinung zum Ausdruck bringt, eigentlich wichtig sei die Kommunikation der Autoren zwischen den einzelnen Tagungen gewesen. Nicht umsonst ist im Zusammenhang mit der Gruppe 47 stets das Wort »Phänomen« zur Hand. Aber Heinz Friedrich sagt ja noch mehr. Er schreibt vom »Gespräch zwischen den Generationen«, und das ist über Lesung und Kritik hinaus ein Wesenskern dessen, was in der Gruppe 47 geleistet wurde. Wenn man die Gedichte und Prosastücke, die in diesem ›Lesebuch‹ versammelt sind – vor allem die im zweiten Teil abgedruckten –, liest, muß man sich vor Augen halten, in welchem Kreis sie vorgelesen wurden. »Es ist wie immer«, schreibt Hans Werner Richter über den Beginn der Tagung in der Pulvermühle 1967, »Günter Eich sitzt vor mir, Wolfgang Hildesheimer, Günter Grass, Walter Höllerer, Joachim Kaiser, Martin Walser, Marcel Reich-Ranicki ...« – und mit ihnen saßen da nun Barbara Frischmuth, Elisabeth Plessen, Renate Rasp, Horst Bienek, Guntram Vesper und und und. Die zuletzt Genannten sind »die Neuen«, wie Böll, Walser und Grass einmal die Neuen waren. Keiner von ihnen, weder von den Älteren noch von den Jüngeren, hat *für* die Gruppe 47 geschrieben, sie stellten ihre Arbeiten zur Diskussion, sie setzten sich der Kritik aus und überlebten sie, und sie suchten das Gespräch. Nach Alter, Herkunft und persönlicher Biographie sind sie grundverschieden, jene, die noch Krieg und Nachkriegszeit prägte, und die Kinder des Wohlstands, wiewohl der auch schon Brüche hat. Was sie verbindet, ist, daß sie Schriftsteller sind oder Kritiker, die dies, nämlich Schriftsteller, auf eigene Weise auch sind, wenn nicht sogar Schriftsteller und Kritiker in einer Person.

Aber auch in dem, was sie schreiben oder wie sie schreiben, unterscheiden sie sich untereinander, was aber gar nicht eindeutig eine Generationenfrage ist. Wenn man eine Namensliste einer Gruppentagung anfertigte, hätten die Namen stets einen Gang durch die deutsche Nachkriegsliteraturgeschichte ermöglicht. Formal wie inhaltlich wurde da ein gewaltiges Wegestück zurückgelegt.

Das ist auch an den in diesem ›Lesebuch‹ abgedruckten Stükken ablesbar. Es ist kein geradliniger Weg, bei weitem nicht. Es ist auch kein Weg ohne Umkehr und schon gar nicht ein Weg ohne Wiederkehr. Welche Wegstrecke immerhin liegt zwischen Günter Eichs ›Ende eines Sommers‹, Ingeborg Bachmanns ›Die große Fracht‹ und Erich Frieds ›Die Summ-Summe‹ oder den Gedichten von Bernd Jentzsch und Renate Rasp; welcher Weg aber auch von der frühen Erzählung von Heinrich Böll über das ›Blechtrommel‹-Kapitel von Günter Grass bis zu Prosastücken von Jürgen Becker oder zu denen von Konrad Bayer. Ein ›Lesebuch‹ wie dieses erlaubt es, das alles in einem Zusammenhang zu lesen, es ist der Zusammenhang, den die Gruppe 47 erkennen ließ. Er führt weit, wie sich hier ablesen läßt.

Eine Literatur der Gruppe 47 gibt es nicht, was dort gelesen wurde, ist ein Ausschnitt der Gesamtliteratur, freilich ein wesentlicher und charakteristischer. Von der sogenannten Kahlschlag-Literatur, die das Sentiment verpönte, weil sie die Sentimentalität fürchtete, von der Verbannung des Ich finden wir wiederlesend zu Formen neuer Poesie, zur Wiederentdeckung des Ich in den Erzählungen und Romankapiteln der sechziger Jahre, zu neuen Formen der Abstraktion, zu Versuchen, das scheinbar Unbeschreibbare beschreibbar zu machen.

Eine Aussage der Gruppe 47 wird man in den Gedichten und Prosastücken, die auf den Tagungen der Gruppe 47 vorgelesen wurden, nicht entdecken. Sie geben nicht mehr und nicht weniger als in Auszügen ein Bild von deutscher Literatur während zwanzig Jahren. Die Beispiele widersprechen übrigens auch der These von der Trennung zwischen einer bundesrepublikanischen Literatur und einer Literatur der DDR. Gerade die Tagung des Jahres 1965 mit den Gästen aus der DDR exemplifiziert in den hier wiedergegebenen Texten eindrucksvoll das Gegenteil. Daß die Autoren aus Österreich und der Schweiz eingeschlossen waren und deshalb hier vertreten sind, erscheint uns wie selbstverständlich und war es für die Gruppe, die keine Nationalliteratur auf den Schild hob, sondern aller bohrenden

Nachfrage zum Trotz wohl wirklich nur mit Literatur zu tun hatte, wenn man so will, mit Weltliteratur deutscher Sprache.

Bei einer Gruppe ohne Mitgliedsbücher und vor allem ohne Mitgliederlisten und ohne Tagungsprotokolle ist es nicht leicht, festzustellen, welcher Autor denn bei welcher Tagung gelesen haben könnte. Ich war, um diese notwendigen Feststellungen zu treffen, zunächst ganz auf das Erinnerungsvermögen von Hans Werner Richter und Toni Richter angewiesen, die, durch die Fotos, die sie auf den Tagungen machte, in der Lage war, vielfach weiterzuhelfen. Ich danke beiden sehr. Zu danken habe ich auch den Autoren, die, mit der bekannten Ausnahme von Peter Handke, alle umstandslos bereit waren, ihre Texte zur Verfügung zu stellen, auch, wenn manche sich heftig darauf besinnen mußten, was sie denn damals gelesen hatten, und nicht immer mit letzter Sicherheit Auskunft geben konnten. Es gab einige wenige Autoren, die nicht erreichbar waren und in deren Fall auch kein Freund oder Lektor weiterhelfen konnte. Das Prinzip – es gilt für den zweiten Teil –, die Stücke aufzunehmen, die bei der ersten aktiven Teilnahme an einer Tagung der Gruppe 47 vorgelesen wurden, verhindert jede herausgeberische Manipulation an dem Bild der Literatur, wie es sich auf den Tagungen jener Jahre darbot.

Als Vorlage für den Abdruck wurde in fast allen Fällen die erste Buchausgabe herangezogen. Ausnahmen gibt es in den Fällen, in denen nur Zeitungs- oder Zeitschriften-Veröffentlichungen erreichbar waren. Einige Texte sind nach dem Manuskript wiedergegeben. Im einzelnen geben darüber die bio-bibliographischen Notizen Auskunft. Die jeder Kurzbiographie beigegebene Auswahl wichtiger Werke des jeweiligen Autors soll über den hier abgedruckten Text hinaus Hinweise auf den ganzen Umfang seiner schriftstellerischen Tätigkeit geben, und sie läßt in vielen Fällen auch Rückschlüsse auf die Entwicklung seiner Arbeit zu. Schon die Titel von Büchern haben eine Informationsqualität.

Besonders herzlich danke ich Helga Dick vom Deutschen Taschenbuch Verlag, die den Großteil der detektivischen Sucharbeit nach Autoren und Texten auf sich nahm und dabei erfreulicherweise bei Verlagskollegen, Journalisten, Rundfunkredakteuren Unterstützung fand, die den Weg der Gruppe 47 begleitet haben.

Das ›Lesebuch der Gruppe 47‹ erscheint zum 75. Geburtstag von Hans Werner Richter, ihrem Gründer und Mentor. *Eine*

Feststellung läßt sich ohne Zweifel treffen, und zwar ohne die weiterwirkende Frage, was denn die Gruppe 47 nun wirklich war, noch einmal aufzuwerfen: Es gab die Gruppe 47, weil es Hans Werner Richter gab. Und ihn, den Schriftsteller Hans Werner Richter, gibt es gottlob auch ohne die Gruppe 47, die es, um das Maß der Verwirrung voll zu machen, doch noch gibt, und zwar in Gestalt der Freunde.

»Wissen Sie«, sagte Hans Werner Richter und hielt auf dem Weg vom »Luisengarten« zu seiner Wohnung inne, »wissen Sie, was das Besondere an der Gruppe 47 war? Die Verbindung von Literatur und Fest.«

Hans A. Neunzig

Ilse Aichinger, geb. 1921 in Wien, arbeitete nach begonnenem Medizinstudium zunächst als Verlagslektorin und als Mitarbeiterin der Hochschule für Gestaltung in Ulm und später als freie Schriftstellerin. Im Kreis der Gruppe 47 las sie zum erstenmal 1951 in Bad Dürkheim, 1952 erhielt sie den Preis der Gruppe 47. Seit 1953 war sie mit Günter Eich verheiratet, der 1972 starb. Ilse Aichinger lebt heute in der Nähe von Salzburg.

Auswahl wichtiger Werke: ›Die große Hoffnung‹, Roman (1948); ›Der Gefesselte‹, Erzählungen (1953); ›Eliza Eliza‹, Erzählungen (1965); ›Nachmittag in Ostende‹, Hörspiel (1968); ›Die Schwestern Jouet‹, Hörspiel (1969); ›Auckland‹, Hörspiele (1969); ›Schlechte Wörter‹, Prosa (1976); ›Verschenkter Rat‹, Gedichte (1978); ›Zu keiner Stunde‹, Szenen und Dialoge (1980).

(Erschienen in: ›Rede unter dem Galgen‹, Jungbrunnen Verlag, Wien 1952. Das Werk von Ilse Aichinger wird vom S. Fischer Verlag, Frankfurt am Main, betreut. ›Spiegelgeschichte‹ ist dort 1963 erschienen in: ›Wo ich wohne‹, Erzählungen, Gedichte, Dialoge.)

Ingeborg Bachmann, geb. 1926 in Klagenfurt, starb 1973 in Rom. Sie studierte Philosophie, promovierte und arbeitete als Redakteurin am Wiener Sender ›Rot-Weiß-Rot‹. Im Kreis der Gruppe 47 las sie zum erstenmal 1952 in Niendorf, 1953 erhielt sie den Preis der Gruppe 47. 1959/60 hatte sie den ersten Lehrstuhl für Poetik an der Universität Frankfurt am Main inne.

Auswahl wichtiger Werke: ›Ein Geschäft mit Träumen‹, Hörspiel (1952); ›Die gestundete Zeit‹, Gedichte (1953/1957); ›Anrufung des großen Bären‹, Gedichte (1956); ›Der gute Gott von Manhattan‹, Hörspiel (1958); ›Das dreißigste Jahr‹, Erzählungen (1961); ›Malina‹, Roman (1971); ›Simultan‹, Erzählungen (1972). 1978 erschien eine vierbändige Gesamtausgabe der Werke von Ingeborg Bachmann.

(Erschienen in: ›Die gestundete Zeit‹, Gedichte, Frankfurter Verlagsanstalt, Frankfurt am Main 1953; Texte entnommen aus: ›Ingeborg Bachmann Werke. Erster Band: Gedichte, Hörspiele, Libretti, Übersetzungen‹, R. Piper & Co. Verlag, München 1978.)

Konrad Bayer, geb. 1932 in Wien, nahm sich 1964 das Leben. Seit 1951 verband ihn eine enge Zusammenarbeit mit H. C. Artmann, Gerhard Rühm, Oswald Wiener und Friedrich Achleitner, der »Wiener Gruppe«. Bis 1957 hatte Bayer einen bürgerlichen Beruf, er war Bankkaufmann. Die Lesung im Kreis der Gruppe 47, 1963 in Saulgau, verschaffte ihm Aufmerksamkeit über den Wiener Kreis hinaus.

Auswahl wichtiger Werke: ›kosmologie. acht kurze stücke von Konrad Bayer und Gerhard Rühm‹ (1961); ›starker tobak. kleine fibel für den ratlosen‹, zusammen mit Oswald Wiener (1962/1963); ›der stein der weisen‹, Traktat (1963); ›bräutigall & anonymphe‹, Theaterstück (1963); ›der kopf des vitus bering‹, Roman (posthum 1965); ›der berg‹, Hörspiel (1966); ›der sechste sinn‹, Roman (posthum herausgegeben von Gerhard Rühm 1977).

(Vier Teile aus dem Band ›der sechste sinn. texte von konrad bayer‹, Rowohlt Verlag GmbH, Reinbek bei Hamburg 1966; Texte entnommen aus: ›Das Gesamtwerk‹, Rowohlt Verlag GmbH, Reinbek bei Hamburg 1977. Der Abdruck erfolgt mit freundlicher Genehmigung von Traudl Bayer.)

Jürgen Becker, geb. 1932 in Köln, Schriftsteller, Verlagslektor und Rundfunkredakteur (seit 1974 Leiter der Hörspielabteilung im Deutschlandfunk), lebt seit 1968 wieder in Köln. Im Kreis der Gruppe 47 las er zum erstenmal 1960 in Aschaffenburg, 1967 erhielt er den Preis der Gruppe 47.

Auswahl wichtiger Werke: ›Phasen‹, Prosa mit Typogrammen von W. Vostell (1960); ›Felder‹, Prosa (1964); ›Ränder‹, Prosa (1968); ›Bilder, Häuser, Hausfreunde‹, 3 Hörspiele (1969); ›Umgebungen‹, Prosa (1970); ›Erzählungen finden in Geräuschen statt‹, Hörspiel (1971); ›Die Zeit nach Harrimann‹, Theaterstück (1971); ›Schnee‹, Gedichte (1971); ›Das Ende der Landschaftsmalerei‹, Gedichte (1974); ›Erzähl mir nichts vom Krieg‹, Gedichte (1977); ›In der verbleibenden Zeit‹, Gedichte (1979); ›Erzählen bis Ostende‹, Prosa (1981); ›Gedichte 1965–1980‹ (1981).

(Erstes Kapitel aus dem Prosaband ›Ränder‹, Suhrkamp Verlag, Frankfurt am Main 1968.)

Peter Bichsel, geb. 1935 in Luzern, lebt, nach dreizehnjähriger Tätigkeit als Lehrer, als Schriftsteller und Journalist in Bellach bei Solothurn. Im Kreis der Gruppe 47 las Peter Bichsel zum erstenmal 1964 im schwedischen Sigtuna, 1965 erhielt er den Preis der Gruppe 47.

Auswahl wichtiger Werke: ›Eigentlich möchte Frau Blum den Milchmann kennenlernen‹, Kurzprosa (1964); ›Die Jahreszeiten‹, Roman (1967); ›Kindergeschichten‹ (1969); ›Geschichten zur falschen Zeit‹ (1979).

(Das erste und der Anfang des zweiten Kapitels aus ›Die Jahreszeiten‹, Hermann Luchterhand Verlag GmbH, Neuwied und Berlin 1967. Der Autor las Stücke des Textes, um einige verkürzt und in anderer Reihenfolge. Der Abdruck folgt der endgültigen Fassung.)

Horst Bienek, geb. 1930 in Gleiwitz in Oberschlesien, lebte nach dem Krieg in Potsdam und Berlin, war vorübergehend Schüler von Bertolt Brecht, wurde aus politischen Gründen 1951 verhaftet und zu fünfundzwanzig Jahren Zwangsarbeit verurteilt. Vier Jahre lang lebte er in Gefängnissen und Arbeitslagern in Workuta/Sibirien. Er wurde in die Bundesrepublik Deutschland entlassen, arbeitete von 1957 an als Rundfunkredakteur in Frankfurt am Main und von 1961 an als Verlagslektor in München. Heute lebt er als freier Schriftsteller in Ottobrunn bei München. Im Kreis der Gruppe 47 las er 1967 in der Pulvermühle.

Auswahl wichtiger Werke: ›Traumbuch eines Gefangenen‹, Gedichte (1957); ›Nachtstücke‹, Erzählungen (1959); ›Sechs Gramm Caratillo‹, Hörspiel (1960); ›Werkstattgespräche mit Schriftstellern‹ (1962); ›was war was ist‹, Gedichte (1966); ›Bakunin, eine Invention‹, (1970); ›Die Zelle‹, Roman (1968, Film 1972); ›Die erste Polka‹, Roman (1975); ›Gleiwitzer Kindheit‹, Gedichte (1976); ›Septemberlicht‹, Roman (1977); ›Zeit ohne Glocken‹, Roman (1979); ›Erde und Feuer‹, Roman (1982); ›Beschreibung einer Provinz‹, Aufzeichnungen. Materialien. Dokumente (1983).

(Erschienen in: ›Die Zelle‹, Roman, Carl Hanser Verlag, München 1968.)

Johannes Bobrowski, geb. 1917 in Tilsit, studierte Kunstgeschichte in Berlin, war Kriegsteilnehmer und blieb bis 1949 in russischer Kriegsgefangenschaft. Von 1950 bis zu seinem Tod im Jahre 1965 lebte und arbeitete er als Verlagslektor in Ost-Berlin. 1960, in Aschaffenburg, las er zum erstenmal im Kreis der Gruppe 47. 1962 erhielt er nach seiner Lesung, zu der er für einen Tag nach West-Berlin hatte kommen dürfen, den Preis der Gruppe 47. Bobrowski war vor allem Lyriker. 1959 erschien sein erstes Prosastück, dem mehrere Erzählungen und zwei Romane folgten.

Auswahl wichtiger Werke: ›Sarmatische Zeit‹, Gedichte (1961); ›Schattenland Ströme‹, Gedichte (1962); ›Levins Mühle‹, Roman (1964); ›Boehlendorf und andere‹, Erzählung (1965); ›Das Mäusefest‹, Erzählung (1965); ›Litauische Claviere‹, Roman (posthum 1966); ›Im Windgesträuch‹, Gedichte aus dem Nachlaß (1970); ›Gedichte

1952–1965‹ (Auswahl, 1974); ›Ja, ich sprech gegen den Wind‹, Gedichte und Prosa (Auswahl 1978).

(Erschienen in: ›Wetterzeichen‹, Gedichte, Verlag Klaus Wagenbach, Berlin 1967.)

HEINRICH BÖLL, geb. 1917 in Köln, Nobelpreisträger für Literatur 1972, begann eine Buchhändlerlehre, war 1938/39 beim Arbeitsdienst und von Sommer 1939 an Soldat. 1945 kehrte er aus amerikanischer Kriegsgefangenschaft nach Hause zurück. Er schrieb zunächst Kurzgeschichten, 1951 erschien sein erster Roman. Nach seiner ersten Lesung im Kreis der Gruppe 47, 1951 in Bad Dürkheim, erhielt er, nach einer Stichwahl mit einer Stimme vor Milo Dor, den Preis der Gruppe 47. Heinrich Böll war Präsident des westdeutschen PEN-Clubs (1970/71) und des internationalen PEN-Clubs (1971–1974). Er lebt heute in der Eifel.

Auswahl wichtiger Werke: ›Der Zug war pünktlich‹, Erzählungen (1949); ›Wanderer, kommst du nach Spa. . .‹, Erzählungen (1950); ›Wo warst du, Adam?‹, Roman (1951); ›Nicht nur zur Weihnachtszeit‹, Erzählung (1952); ›Und sagte kein einziges Wort‹, Roman (1953); ›Haus ohne Hüter‹, Roman (1954); ›Doktor Murkes gesammeltes Schweigen‹, Satiren (1958); ›Billard um halbzehn‹, Roman (1959); ›Ansichten eines Clowns‹, Roman (1963); ›Gruppenbild mit Dame‹, Roman (1971); ›Die verlorene Ehre der Katharina Blum‹, Erzählung (1974); ›Berichte zur Gesinnungslage der Nation‹, Satiren (1975); ›Fürsorgliche Belagerung‹, Roman (1979); ›Essayistische Schriften und Reden‹ (1979–1980); ›Das Vermächtnis‹, Erzählung (1982).

(Erschienen bei Friedrich Middelhauve, Opladen 1951; Text entnommen aus: ›Heinrich Böll Werke. Romane und Erzählungen 1. 1947–1951‹. Rechte liegen beim Lamuv Verlag GmbH, Bornheim-Merten.)

NICOLAS BORN, geb. 1937 in Duisburg, starb 1979 in Breese bei Dannenberg. Er lebte in Berlin und auf dem Land in Niedersachsen, war 1963/64 Gast des Literarischen Colloquiums, 1969/70 Stipendiat in den USA und 1972/73 der Villa Massimo in Rom. Im Kreis der Gruppe 47 las er 1964 zum erstenmal während der Tagung in Sigtuna/Schweden.

Auswahl wichtiger Werke: ›Der zweite Tag‹, Roman (1965); ›Schnee‹, Hörspiel (1966); ›Marktlage‹, Gedichte (1967); ›Innenleben‹, Hörspiel (1970); ›Wo mir der Kopf steht‹, Gedichte (1970); ›Fremdsprache‹, Hörspiel (1971); ›Das Auge des Entdeckers‹, Gedichte (1972); ›Die erdabgewandte Seite der Geschichte‹, Roman (1976); ›Die Fälschung‹, Roman (1979); ›Gedichte 1976–1978‹ (1981).

(Ausschnitt aus dem gleichnamigen Roman, Verlag Kiepenheuer & Witsch, Köln und Berlin 1965. Der Abdruck erfolgt mit freundlicher Genehmigung von Irmgard Born.)

Hans Christoph Buch, geb. 1944 in Wetzlar, studierte Germanistik und Slawistik in Bonn und Berlin, promovierte bei Walter Höllerer in Berlin, war Stipendiat des Writers' Workshop der University of Iowa, später Gastdozent an der University of California in San Diego. Heute lebt er als freier Schriftsteller und Herausgeber (›Literaturmagazin‹, ›Tintenfisch‹) in Berlin. Im Kreis der Gruppe 47 las er zum erstenmal 1963 in Saulgau.

Auswahl wichtiger Werke: ›Unerhörte Begebenheiten‹, Sechs Geschichten (1966); ›Ut Pictura Poesis. Die Beschreibungsliteratur und ihre Kritiker von Lessing bis Lukács‹, Dissertation (1972); ›Kritische Wälder‹, Essays, Kritiken, Glossen (1972); ›Aus der Neuen Welt. Nachrichten und Geschichten‹ (1975); ›Die Scheidung von San Domingo. Wie die Negersklaven von Haiti Robespierre beim Wort nahmen‹ (1976); ›Das Hervortreten des Ichs aus den Wörtern. Aufsätze zur Literatur‹ (1978); ›Bericht aus dem Inneren der Unruhe. Gorlebener Tagebuch‹ (1979); ›Zumwalds Beschwerden. Eine schmutzige Geschichte‹ (1980); ›Jammerschoner. Neue unerhörte Begebenheiten‹ (1982).

(Erschienen in: ›Unerhörte Begebenheiten‹, Sechs Geschichten, Suhrkamp Verlag, Frankfurt am Main 1966. Rechte liegen beim Autor.)

Günter Eich, geb. 1907 in Lebus an der Oder, starb 1972 in Salzburg. Von 1918 an lebte er mit seinen Eltern in Berlin. 1927 veröffentlichte er die ersten Gedichte, 1929 schrieb er, zusammen mit Martin Raschke, seine erste Hörfolge. Er studierte Sinologie, später mehrere Semester Handelsökonomie und Volkswirtschaft. Von 1932 an war er ständiger Mitarbeiter des Berliner Rundfunks, von 1939 bis 1945 Soldat, 1945 und 1946 in amerikanischer Kriegsgefangenschaft. Danach lebte er, der 1953 die österreichische Schriftstellerin Ilse Aichinger heiratete, zunächst in Oberbayern und schließlich in Groß Gmain bei Salzburg. Im Kreis der Gruppe 47 las Eich zum erstenmal 1948 in Jugenheim an der Bergstraße, 1950 erhielt er den Preis der Gruppe 47.

Auswahl wichtiger Werke: ›Gedichte‹ (1930); ›Abgelegene Gehöfte‹, Gedichte (1948); ›Untergrundbahn‹, Gedichte (1949); ›Träume‹, Hörspiel (1950); ›Geh nicht nach El Kuwehd‹, Hörspiel (1950); ›Der Tiger Jussuf‹, Hörspiel (1952); ›Die Gäste des Herrn Birowski‹, Hörspiel (1952); ›Botschaften des Regens‹, Gedichte (1953); ›Zinngeschrei‹, Hörspiel (1955); ›Die Stunde des Huflattichs‹, Hörspiel (1956/59); ›Festianus, Märtyrer‹, Hörspiel (1958); ›Zu den Akten‹, Gedichte (1964); ›Man bittet zu läuten‹, Hörspiel (1964); ›Anlässe und Steingärten‹, Gedichte (1966); ›Maulwürfe‹, Kurzprosa (1968); ›Ein Tibeter in meinem Büro‹, ›Maulwürfe‹, Kurzprosa (1970); ›Zeit und Kartoffeln‹, Hörspiel (1972); ›Nach Seumes Papieren‹, Gedichte (1972).

(Alle Gedichte – außer ›Novemberstrand‹, aus: ›Gesammelte Werke. Band 1. Die Gedichte‹, Suhrkamp Verlag, Frankfurt am Main 1973 – erschienen in: ›Botschaften des Regens‹, Gedichte, Suhrkamp Verlag, Frankfurt am Main 1955.)

Gisela Elsner, geb. 1937 in Nürnberg, studierte Germanistik und Theaterwissenschaft in Wien. Arbeitete als freie Schriftstellerin in London, Paris und Hamburg, heute lebt sie in München. Im Kreis der Gruppe 47 las sie zum erstenmal 1962 in Berlin.

Auswahl wichtiger Werke: ›Triboll. Lebenslauf eines erstaunlichen Mannes‹ (zusammen mit Klaus Roehler 1956); ›Die Riesenzwerge. Ein Beitrag‹ (1964); ›Der Nachwuchs‹, Roman (1968); ›Das Berührungsverbot‹, Roman (1970); ›Herr Leiselheimer und weitere Versuche, die Wirklichkeit zu bewältigen‹, Prosa (1973); ›Der Punktsieg‹, Roman (1977); ›Die Zerreißprobe‹, Erzählungen (1980); ›Abseits‹, Roman (1982).

(Teil des Kapitels ›Der Achte‹ aus: ›Die Riesenzwerge. Ein Beitrag‹, Rowohlt Verlag GmbH, Reinbek bei Hamburg 1964.)

Hubert Fichte, geb. 1935 in Perleburg in der Westpriegnitz, kam noch im selben Jahr nach Hamburg. Schauspielstudium bei Helmut Gmelin. 1953 bis 1957 war er Landwirtschaftseleve in der Provence, in Schleswig-Holstein und in Schweden (dort pädagogische Mitarbeit in einem Heim für schwererziehbare Kinder); 1958 bis 1961 arbeitete er wieder im Agrarfach in der Provence. Seit 1962 lebt Fichte als freier Schriftsteller in Hamburg. 1963, in Saulgau, las er zum erstenmal im Kreis der Gruppe 47.

Auswahl wichtiger Werke: ›Der Aufbruch nach Turku‹, Erzählungen (1963); ›Das Waisenhaus‹, Roman (1965); ›Die Palette‹, Roman (1968); ›Versuch über die Pubertät‹, Roman (1974); ›Xango. Die afroamerikanischen Religionen II: Bahia, Haiti, Trinidad‹ (1976); ›Hans Eppendorfer. Der Ledermann spricht mit Hubert Fichte‹ (1977); ›Wolli Indienfahrer‹, Roman (1978); ›Xango: Petersilie. Die afroamerikanischen Religionen III: Santo Domingo, Venezuela, Miami, Grenada‹ (1980); ›Genet‹, Porträt (1981).

(Der Anfang aus dem gleichnamigen Roman, Rowohlt Verlag GmbH, Reinbek bei Hamburg 1965; dann S. Fischer Verlag GmbH, Frankfurt am Main 1977.)

ERICH FRIED, geb. 1921 in Wien, emigrierte 1938 nach London. Dort lebt er seither. Von 1952 bis 1968 war er Mitarbeiter der deutschen Abteilung von BBC. Im Kreis der Gruppe 47 las er 1963 in Saulgau. Fried ist vor allem Lyriker, arbeitet außerdem als Übersetzer aus dem Englischen (Dylan Thomas, T. S. Eliot, Shakespeare) und schreibt neben Gedichten auch Hörspiele, Essays und Prosa.

Auswahl wichtiger Werke: ›Deutschland‹, Gedichte (1944); ›Österreich‹, Gedichte (1945); ›Gedichte‹ (1958); ›Ein Soldat und ein Mädchen‹, Roman (1960); ›Die Expedition‹, Hörspiel (1962); ›Reich der Steine‹, Gedichte (1963); ›Warngedichte‹ (1964); ›Kinder und Narren‹, Prosa (1965); ›und Vietnam und‹, Gedichte (1966); ›Befreiung von der Flucht. Gedichte und Gegengedichte‹ (1968, erweitert 1983); ›Die Beine der größeren Lügen‹, Gedichte (1969); ›Die Freiheit den Mund aufzumachen‹, Gedichte (1972); ›Gegengift‹, Gedichte (1974); ›Höre Israel! Gedichte und Fußnoten‹ (1974); ›Fast alles Mögliche. Wahre Geschichten und gültige Lügen‹ (1975); ›Am Beispiel Peter-Paul Zahl. Eine Dokumentation‹ (Mitherausgeber H. M. Novak), Initiativgruppe P.-P. Zahl (1976); ›Lebensschatten‹, Gedichte (1981); ›Zur Zeit und zur Unzeit‹, Gedichte (1981); ›Das Unmaß aller Dinge‹, Fünfunddreißig Erzählungen (1982); ›Das Nahe suchen‹, Gedichte (1982).

(Erschienen in: ›Warngedichte‹, Carl Hanser Verlag, München 1964.)

HEINZ FRIEDRICH, geb. 1922 in Roßdorf bei Darmstadt. Von 1940 bis 1945 war er Soldat; beim Untergang der Stadt Königsberg geriet er schwerverwundet in russische Kriegsgefangenschaft. Friedrich gehörte zum Gründungskreis der Gruppe 47. Nach dem Krieg arbeitete er als Feuilletonredakteur sowie als freier Journalist und Theaterkritiker. 1949 ging er als Redakteur zum Hessischen Rundfunk. 1956 bis 1958 war er Cheflektor der Fischer Bücherei im S. Fischer Verlag, von 1959 bis 1961 Programmdirektor von Radio Bremen. Seit 1961 ist Friedrich Geschäftsführender Gesellschafter des Deutschen Taschenbuch Verlags in München. Neben seiner Tätigkeit als Verleger schreibt Heinz Friedrich als Kulturkritiker für Rundfunksender, Zeitschriften und Zeitungen. 1983 wurde er zum Präsidenten der Bayerischen Akademie der Schönen Künste gewählt.

Veröffentlichungen u. a.: ›Die Straße Nirgendwo. Dramatische Vision‹ (1948); Gedichte in verschiedenen Sammlungen, u. a. in ›Deine Söhne, Europa‹, Kriegsgefangenenlyrik (1948); ›Lebendiges Wissen‹, Sammlung von Vorträgen (Hrsg. 1950/1954); ›Die Inschrift‹, Kurzprosa (1951); ›Wirkungen der Romantik‹, Essay (1951); ›Schwierigkeiten beim Versuch, die Wahrheit zu schreiben. Eine Umfrage unter Schriftstellern‹ (Hrsg. 1963); ›Mensch und Tier‹ (Hrsg. 1968); ›Im Narrenschiff des Zeitgeistes‹, Marginalien (1972); ›Kulturkatastrophe‹ (1978).

(Erschienen in: ›Gedichte‹, ausgewählt von Horst Bienek, Privatdruck 14. Februar 1982. Rechte liegen beim Autor.)

(Der Beitrag wurde 1962 für den ›Almanach der Gruppe 47‹ geschrieben. Er erscheint hier in überarbeiteter Form. Rechte liegen beim Autor.)

BARBARA FRISCHMUTH, geb. 1941 in Altaussee in der Steiermark, studierte Sprachen (Türkisch und Ungarisch) und Orientalistik. Sie lebt seit 1977 als freie Schriftstellerin und Übersetzerin in Wien. Im Kreis der Gruppe 47 las sie 1967 in der Pulvermühle. Neben Romanen und Erzählungen schreibt die Autorin Kinderbücher und Hörspiele.

Auswahl wichtiger Werke: ›Die Klosterschule‹ (1968); ›Amoralische Kinderklapper‹, Geschichten (1969); ›Tage und Jahre‹ (1971); ›Rückkehr zum vorläufigen Ausgangspunkt‹ (1973); ›Das Verschwinden des Schattens in der Sonne‹, Roman (1973); ›Die Mystifikationen der Sophie Silber‹, Roman (1976); ›Amy oder Die Metamorphose‹, Roman (1978); ›Kai und die Liebe zu den Modellen‹, Roman (1979). Die drei letztgenannten Romane bilden eine Trilogie. ›Bindungen‹, Erzählung (1980); ›Die Ferienfamilie‹, Roman (1981); ›Die Frau im Mond‹, Roman (1982); ›Traumgrenze‹, Erzählungen (1983).

(Erschienen in: ›Rückkehr zum vorläufigen Ausgangspunkt‹, Erzählungen, Residenz Verlag, Salzburg 1973.)

GÜNTER GRASS, geb. 1927 in Danzig, 1944–1946 Kriegsdienst und Kriegsgefangenschaft, arbeitete zunächst in verschiedenen Berufen, studierte Bildhauerei in Düsseldorf und Berlin. Seit 1956 lebt er als freier Schriftsteller, Maler, Graphiker und Bildhauer in Berlin (1956–1960 zeitweise in Paris) und seit einigen Jahren zeitweise auch im schleswig-holsteinischen Wewelsfleeth. Im Kreis der Gruppe 47 las Grass zum erstenmal 1955 in Berlin, und zwar das Gedicht ›Polnische Fahnen‹, 1958 erhielt er den Preis der Gruppe 47.

Auswahl wichtiger Werke: ›Die Vorzüge der Windhühner‹, Gedichte, Prosa und Graphik (1956); ›Onkel Onkel‹, Theaterstück (1958); ›Noch zehn Minuten bis Buffalo‹, Theaterstück (1959); ›Die Blechtrommel‹, Roman (1959); ›Die bösen Köche‹, Theaterstück (1961); ›Katz und Maus‹, Erzählung (1961); ›Hundejahre‹, Roman (1963); ›Dich singe ich, Demokratie‹, Politische Reden (1965); ›Die Plebejer proben den Aufstand. Ein deutsches Trauerspiel‹ (1966); ›Örtlich betäubt‹, Roman (1969); ›Aus dem Tagebuch einer Schnecke‹ (1972); ›Mariazuehren‹, Gedichte und Graphiken (1973); ›Der Bürger und seine Stimme‹, Reden, Aufsätze, Kommentare (1974); ›Der Butt‹, Roman (1979); ›Das Treffen in Teltge‹, Erzählung (1979); ›Kopfgeburten oder Die Deutschen sterben aus‹ (1980); ›Ach Butt! Dein Märchen geht böse aus‹, Gedichte (1983).

(Erstes Kapitel aus dem Roman ›Die Blechtrommel‹, Hermann Luchterhand Verlag GmbH, Darmstadt, Berlin-Spandau, Neuwied am Rhein 1959.)

PETER HÄRTLING, geb. 1933 in Chemnitz, besuchte im schwäbischen Nürtingen die Schule. Er arbeitete als Redakteur und Lektor, war von 1967 bis 1973 Cheflektor und Geschäftsführer des S. Fischer Verlags in Frankfurt am Main, seither lebt er als freier Schriftsteller in der Nähe von Frankfurt. Im Kreis der Gruppe 47 las er zum erstenmal 1965 in

Berlin. Härtling schreibt neben Gedichten und Romanen Kinderbücher, Hörspiele und Fernsehfilme.

Auswahl wichtiger Werke: ›Yamins Stationen‹, Gedichte (1953); ›Unter den Brunnen‹, Gedichte (1958); ›Im Schein des Kometen‹, Roman (1959); ›Niembsch oder Der Stillstand‹, Roman (1964); ›Janek. Porträt einer Erinnerung‹, Roman (1966); ›Das Familienfest oder Das Ende der Geschichte‹, Roman (1969); ›Zwettl. Nachprüfung einer Erinnerung‹, (1973); ›Hölderlin‹ (1976); ›Anreden‹, Gedichte (1977); Hubert oder Die Rückkehr nach Casablanca‹, Roman (1978); Ausgewählte Gedichte 1953–1979‹ (1979); ›Nachgetragene Liebe‹, Prosa (1980); ›Die dreifache Maria. Eine Geschichte‹ (1982); ›Vorwarnung‹, Gedichte (1983); ›Das Windrad‹, Roman (1983).

Janek läuft los 300
(Erstes Kapitel aus: ›Janek. Porträt einer Erinnerung‹, Henry Goverts Verlag GmbH, Stuttgart 1966. Rechte heute bei S. Fischer Verlag GmbH, Frankfurt am Main.)

ROLF HAUFS, geb. 1935 in Düsseldorf, lebt seit 1960 in Berlin. Zunächst arbeitete er als freier Schriftsteller, seit 1972 ist er Redakteur beim Sender Freies Berlin. Die Geschichte ›Der Weg ins Dorf S.‹ wurde auf der Tagung des Jahres 1962 in Berlin, stellvertretend für den Autor, der nicht anwesend sein konnte, von Günter Grass vorgelesen.

Auswahl wichtiger Werke: ›Straße nach Kohlhasenbrück‹, Gedichte (1962); ›Sonntage in Moabit‹, Gedichte (1964); ›Vorstadtbeichte‹, Gedichte (1967); ›Das Dorf S. und andere Geschichten‹ (1968); ›Der Linkshänder‹, Prosa (1970); ›Die Geschwindigkeit eines einzigen Tages‹, Gedichte (1976); ›Größer werdende Entfernung‹, Gedichte (1979).

Der Weg ins Dorf S. 157
(Erschienen in: ›Die Zeit‹, Hamburg, 23. 11. 1962. Rechte liegen beim Autor.)

GÜNTER HERBURGER, geb. 1932 in Isny/Allgäu, studierte Philosophie und Sanskrit, lebte in Stuttgart, Berlin und arbeitet seit 1969 als freier Schriftsteller in München. Im Kreis der Gruppe 47 las er zum erstenmal 1964 in Sigtuna/Schweden. Herburgers Werk umfaßt neben Romanen, Erzählungen und Gedichten Hörspiele, Fernsehfilme und den Kinofilm. Außerdem schreibt er Kinderbücher, die ›Birne‹-Bücher.

Auswahl wichtiger Werke: ›Ein Tag in der Stadt‹, Erzählungen (1962); ›Der Reklameverteiler‹, Hörspiel (1963); ›Eine gleichmäßige Landschaft‹, Erzählungen (1964); ›Die Ordentlichen‹, Hörspiel (1965); ›Blick aus dem Paradies‹, Hörspiel (1966); ›Tätowierung‹, Film (1967); ›Die Söhne‹, Fernsehfilm (1968); ›Training‹, Gedichte (1969); ›Die Messe‹, Roman (1969); ›Jesus in Osaka‹, Roman (1970); ›Die Eroberung der Zitadelle‹, Erzählungen (1972); ›Operette‹, Gedichte (1973); ›Flug ins Herz‹, Roman (1973); ›Die Augen der Kämpfer‹, Roman (1980). Die beiden letztgenannten Romane bilden den ersten und zweiten Teil der geplanten Thuja-Trilogie. ›Blick aus dem Paradies. Thuja. Zwei Spiele eines Themas‹ (1981); ›Makadam‹, Gedichte (1982); ›Das Flackern des Feuers im Land. Beschreibungen‹ (1983).

(Erschienen in: ›konkret‹, Dezember 1964. Nicht verwendetes Anfangskapitel für den Roman ›Die Messe‹, Hermann Luchterhand Verlag GmbH, Neuwied und Berlin 1969. Rechte liegen beim Autor.)

BERND JENTZSCH, geb. 1940 in Plauen im Vogtland, studierte Germanistik und Kunstgeschichte in Leipzig, arbeitete von 1965 bis 1975 als Verlagslektor, dann als freier Schriftsteller in Ost-Berlin. Sein Protest (im Oktober 1976, während eines Arbeitsaufenthalts in Bern) gegen den Ausschluß von Reiner Kunze aus dem Schriftstellerverband der DDR und gegen die Ausbürgerung Wolf Biermanns machte ihm die Rückkehr in die DDR unmöglich. Der Autor lebt heute als Verlagslektor und Herausgeber in Küsnacht. Als Gast aus der DDR las er 1965 in Berlin im Kreis der Gruppe 47.

Auswahl wichtiger Werke: ›Alphabet am Morgen‹, Gedichte (1961, Auswahl daraus unter dem Titel ›Quartiermachen‹, 1978); ›Jungfer im Grünen‹, Erzählungen (1973); ›Ratsch und ade!‹, Erzählungen (1977).

Bernd Jentzsch hat eine Reihe von Nachdichtungen geschrieben, u. a. nach Werken von Mikis Theodorakis (zusammen mit K.-D. Sommer), Harry Martinson, Jannis Ritsos, und von Lyrik flämischer, polnischer, rumänischer, tschechischer und sowjetischer Autoren. Wesentlicher Bestandteil seiner Arbeit sind seine Lyrikeditionen. Außerdem schreibt er Kinderbücher.

(Erschienen in: ›Akzente‹, Heft 1/2/1966. ›In stärkerem Maße‹ und ›Natur ist wirklich‹ sind später erschienen in: ›Quartiermachen‹, Carl Hanser Verlag, München und Wien 1978. ›Mann vor der Niederkunft‹ wurde mit freundlicher Genehmigung des Autors aufgenommen.)

ALEXANDER KLUGE, geb. 1932 in Halberstadt/Harz, studierte Jura, Geschichte und Kirchenmusik in Marburg und Frankfurt am Main, er promovierte zum Dr. jur. Er arbeitete als Schriftsteller und Filmregisseur, wurde einer der wesentlichen Wegbereiter des »jungen deutschen Films«. Er lebt heute in München. Im Kreise der Gruppe 47 las er zum erstenmal 1962 in Berlin.

Auswahl wichtiger Werke: ›Lebensläufe‹, Erzählungen (1962); ›Schlachtbeschreibung‹ (1964, erweiterte Neuausgabe 1978); ›Abschied von gestern‹, Spielfilm (1966); ›Die Artisten in der Zirkuskuppel: ratlos‹, Spielfilm (1968); ›Der große Verhau‹, Spielfilm (1971); ›Lernprozesse mit tödlichem Ausgang‹, Erzählungen (1973); ›Gelegenheitsarbeit einer Sklavin‹, Spielfilm (1973); ›Der starke Ferdinand‹, Spielfilm (1976); ›Neue Geschichten. Hefte 1–18. Unheimlichkeit der Zeit‹ (1977); ›Die Patriotin‹, Spielfilm (1979); ›Ulmer Dramaturgien. Reibungsverluste. Ein aktuelles Gespräch‹ (Zusammen mit Klaus Eder 1980).

(Erschienen in: ›Lernprozesse mit tödlichem Ausgang‹, Suhrkamp Verlag, Frankfurt am Main 1973.)

GÜNTER KUNERT, geb. 1929 in Berlin, wegen seiner jüdischen Herkunft vom Besuch einer Höheren Schule und später vom Wehrdienst ausgeschlossen, studierte ab 1946 an der Hochschule für angewandte Kunst in Berlin Graphik. 1948 erschienen erste Gedichte in der Zeitschrift ›Ulenspiegel‹. Kunert arbeitete für Film, Funk und Fernsehen in der DDR, er wurde 1977 aus der SED ausgeschlossen, nachdem er 1976 die Petition für Wolf Biermann unterschrieben hatte. Mit einem Visum der DDR lebt er heute in Holstein. Als Gast aus der DDR las er 1965 in Berlin im Kreis der Gruppe 47.

Auswahl wichtiger Werke: ›Unter diesem Himmel‹, Gedichte (1955); ›Tagträume‹, Prosa (1964); ›Der ungebetene Gast‹, Gedichte (1965); ›Im Namen der Hüte‹, Roman (1967); ›Kramen in Fächern‹, Prosa (1969); ›Offener Ausgang‹, Gedichte (1972); ›Der andere Planet. Ansichten von Amerika‹ (1974); ›Warum schreiben‹, Essays (1976); ›Unterwegs nach Utopia‹, Gedichte (1977); ›Camera obscura‹, Prosa (1978); ›Unruhiger Schlaf‹, Gedichte (1979); ›Die Schreie der Fledermäuse‹, Geschichten, Gedichte (Ausw. 1979); ›Abtötungsverfahren‹, Gedichte (1980); ›Verspätete Monologe‹, Prosa (1981); ›Diesseits des Erinnerns‹, Aufsätze (1982); ›Stilleben‹, Gedichte (1983).

(Erschienen in: ›Verkündigung des Wetters‹, Gedichte, Carl Hanser Verlag, München 1966.)

REINHARD LETTAU, geb. 1929 in Erfurt, studierte Germanistik, Philosophie und vergleichende Literaturwissenschaft in Heidelberg und Harvard. Seit 1967 ist er Professor für vergleichende Literaturwissenschaft an der University of California in San Diego; einen Teil des Jahres lebt er in Berlin. Im Kreis der Gruppe 47 las er zum erstenmal 1962 in Berlin.

Auswahl wichtiger Werke: ›Schwierigkeiten beim Häuserbauen‹, Erzählungen (1962); ›Auftritt Manigs‹, Prosa (1963); ›Die Gruppe 47. Bericht. Kritik. Polemik‹ (Hrsg. 1967); ›Feinde‹, Prosa (1968); ›Täglicher Faschismus. Amerikanische Evidenz aus 6 Monaten‹ (1971); ›Immer kürzer werdende Geschichten‹ (1973); ›Frühstücksgespräche in Miami‹, Hörspiel und Theaterstück (1978); ›Zerstreutes Hinausschaun. Vom Schreiben über Vorgänge in direkter Nähe oder in der Entfernung von Schreibtischen‹, Essays (1980).

(Geschichten aus dem gleichnamigen Prosaband, Carl Hanser Verlag, München 1963.)

JAKOV LIND, geb. 1927 in Wien, emigrierte 1938 mit seinen Eltern nach Amsterdam, überlebte die Judenverfolgungen in Holland in einem Versteck. Nach dem Zusammenbruch des Dritten Reichs Aufenthalt in Palästina, 1950/51 Studium am Max-Reinhardt-Seminar in Wien. Von 1954 an lebte er in London, seit 1966 längere Aufenthalte in den USA, u. a. als Dozent für creative writing an verschiedenen Universitäten. Er schreibt in deutscher und englischer Sprache. Im Kreis der Gruppe 47 las Lind 1962 in Berlin.

Auswahl wichtiger Werke: ›Eine Seele aus Holz‹, Erzählungen (1962); ›Landschaft in Beton‹, Roman (1963); ›Die Öse‹, Film (1963); ›Das Sterben der Silberfüchse‹, Hörspiel (1965); ›Eine bessere Welt‹, Roman (1966); ›Counting My Steps‹, Autobiographie, Bd. 1 (1969, deutsch ›Selbstporträt‹, 1970); ›Israel. Rückkehr für 28 Tage‹ (1972); ›Numbers‹, Autobiographie, Bd. 2 (1972, deutsch ›Nahaufnahme‹, 1973); ›Der Ofen. Eine Erzählung und sieben Legenden‹ (1973). Ein dritter Band der Autobiographie ist in Vorbereitung.

(Zweiter Teil aus dem gleichnamigen Roman, Hermann Luchterhand Verlag GmbH, Neuwied am Rhein und Berlin-Spandau 1963.)

ADRIAAN MORRIËN, geb. 1912 in IJmuiden, Niederlande, ist Lyriker, Erzähler und Essayist. Er schreibt Niederländisch und Deutsch, war Chefredakteur der Zeitschrift ›Litterair Paspoort‹, lebt in Amsterdam. Im Kreis der Gruppe 47 las er zum erstenmal 1951 in Bad Dürkheim, 1954, in Cap Cicero, erhielt er den Preis der Gruppe 47.

Auswahl wichtiger Werke: ›Landwind‹, Gedichte (1942); ›Ein unordentlicher Mensch‹, Erzählungen (im niederländischen Original 1951, deutsch 1955); ›Alissa und Adrienne oder Die Erziehung der Eltern‹,

Prosaskizze (im Original 1957, deutsch, übersetzt von Johannes Piron, 1957); ›Ein besonders schönes Bein‹, Prosaskizze (im Original 1955, deutsch, übersetzt von Johannes Piron, 1957); ›Laß dir Zeit‹ (1960, übersetzt von Johannes Piron); ›Avond in een tuin‹, Gedichte (1980).

(Erschienen in: ›Ein unordentlicher Mensch‹, Erzählungen. Deutsch von Georg Goyert, Wolfgang Bächler und Heinrich Böll, Biederstein Verlag, München 1955.)

HELGA M. NOVAK, geb. 1935 in Berlin-Köpenick, studierte in Leipzig Philosophie und Journalistik, lebte zeitweilig mit ihrem Mann in Island, studierte später am Literaturinstitut Johannes R. Becher. 1966 wurde ihr die Staatsbürgerschaft der DDR aberkannt. Sie lebt als freie Schriftstellerin in West-Berlin. Im Kreis der Gruppe 47 las sie 1966 in Princeton.

Auswahl wichtiger Werke: ›Ballade von der reisenden Anna‹ (1965); ›Colloquium mit vier Häuten‹, Gedichte und Balladen (1967); ›Geselliges Beisammensein‹, Prosa (1968); ›Wohnhaft im Westend‹ (Zusammen mit H. Karasek 1970); ›Aufenthalt in einem irren Haus‹, Erzählungen (1971); ›Die Landnahme von Torre Bela‹, Prosa (1976); ›Palisaden. Erzählungen 1967–1975‹ (1980); ›Die Eisheiligen‹ (1979); ›Vogel federlos‹ (1982).

(Erschienen in: ›Colloquium mit vier Häuten‹, Gedichte und Balladen, Hermann Luchterhand Verlag GmbH, Neuwied und Berlin 1967; Neuveröffentlichung in: ›Grünheide Grünheide. Gedichte 1955–1980‹, Sammlung Luchterhand Band 460, 1983.)

HERMANN PETER PIWITT, geb. 1935 in Volksdorf bei Hamburg, studierte Literaturwissenschaft und Soziologie in Frankfurt am Main und Berlin. Er arbeitete als Verlagslektor und lebt seit 1969 als freier Schriftsteller in Hamburg, war Stipendiat des Literarischen Colloquiums in Berlin und der Villa Massimo in Rom. Im Kreis der Gruppe 47 las er zum erstenmal 1964 in Sigtuna/Schweden.

Auswahl wichtiger Werke: ›Herdenreiche Landschaften‹, Zehn Prosastücke (1965); ›Das Bein des Bergmanns Wu. Praktische Literatur und literarische Praxis‹ (1971); ›Rothschilds‹, Roman (1972); ›Boccherini und andere Bürgerpflichten‹, Essays (1976); ›Die Gärten im März‹, Roman (1979).

(Erschienen in: ›Herdenreiche Landschaften‹, Zehn Prosastücke, Rowohlt Verlag GmbH, Reinbek bei Hamburg 1965. Rechte heute beim Pendragon-Verlag, Bielefeld.)

ELISABETH PLESSEN, geb. 1944 in Neustadt in Holstein, studierte Philosophie, Geschichte und Literaturwissenschaft in Berlin und Paris, promovierte bei Walter Höllerer. Sie lebt in Berlin. Im Kreis der Gruppe 47 las sie 1967 in der Pulvermühle.

Auswahl wichtiger Werke: ›Fakten und Erfindungen. Zeitgenössische Epik im Grenzgebiet von *fiction* und *nonfiction*‹, Dissertation (1971); ›Katja Mann: Meine ungeschriebenen Memoiren‹ (Hrsg. zusammen mit Michael Mann, 1974); ›Mitteilung an den Adel‹, Roman (1976); ›Kohlhaas‹, Roman (1979); ›Zu machen, daß ein gebraten Huhn aus der Schüssel laufe‹, Geschichten (1981).

(Erschienen in: ›Jahresring 68–69. Literatur und Kunst der Gegenwart‹, Deutsche Verlags-Anstalt GmbH, Stuttgart 1968. Rechte liegen bei der Autorin.)

RENATE RASP, geb. 1935 in Berlin, studierte nach einer Schauspielausbildung Malerei an der Hochschule für Bildende Künste in Berlin und der Akademie der Bildenden Künste in München. Im Kreis der Gruppe 47 las sie 1967 in der Pulvermühle. Renate Rasp lebt in München und zeitweise in Cornwall.

Auswahl wichtiger Werke: ›Der Spaziergang nach St. Heinrich‹, Erzählung (1967); ›Ein ungeratener Sohn‹, Roman (1967); ›Eine Rennstrecke‹, Gedichte (1969); ›Chincilla. Leitfaden zur praktischen Ausübung‹ (1973); ›Junges Deutschland‹, Gedichte (1978); ›Zickzack‹, Roman (1979).

(Die ersten vier Gedichte sind erschienen in: ›Eine Rennstrecke‹, Gedichte, Verlag Kiepenheuer & Witsch, Köln und Berlin 1969. Rechte liegen bei der Autorin.)

HANS WERNER RICHTER, geb. 1908 in Bansin auf Usedom in Pommern, absolvierte eine Buchhandelslehre und arbeitete von 1927 an als Buchhändler in Berlin (1933/34 emigrierte er vorübergehend nach Paris). Den Krieg erlebte er als Soldat, anschließend amerikanische

Kriegsgefangenschaft. Er gründete 1946, zusammen mit Alfred Andersch, die Zeitschrift ›Der Ruf. Unabhängige Blätter der jungen Generation‹, deren Vorgänger die Kriegsgefangenenzeitschrift gleichen Namens war. Nachdem Andersch und Richter die Redaktion des ›Ruf‹ aufgeben mußten, versuchte Richter, eine neue literarische Zeitschrift zu gründen, für die er aber keine Lizenz bekam. Statt dessen begann die Geschichte der Gruppe 47. Bis 1967 lud Hans Werner Richter jährlich (bis 1955 oft zweimal im Jahr) zu den Tagungen, zu Lesung und Kritik, ein. 1977 fand eine letzte Tagung der Gruppe 47 in Saulgau statt, dreißig Jahre nach ihrer Entstehung. Hans Werner Richter lebt heute als freier Schriftsteller in München. 1978 verlieh ihm die Philosophische Fakultät der Universität Karlsruhe die Ehrendoktorwürde, und der Senat der Stadt Berlin ernannte ihn zum Professor ehrenhalber. Neben Romanen und Erzählungen schrieb Richter eine Reihe von Kinderbüchern.

Auswahl wichtiger Werke: ›Die Geschlagenen‹, Roman (1949); ›Sie fielen aus Gottes Hand‹, Roman (1951); ›Spuren im Sand‹, Roman (1953); ›Keiner wird gefragt‹, Hörspiel (1953); ›Du sollst nicht töten!‹, Roman (1955); ›Der große Verzicht‹, Hörspiel (1956); ›Linus Fleck oder Der Verlust der Würde‹, Roman (1959); ›Die Mauer oder Der 13. August‹ (Hrsg. 1961); ›Almanach der Gruppe 47‹ (Hrsg. zusammen mit W. Mannzen 1962); ›Menschen in freundlicher Umgebung‹, Satiren (1965); ›Karl Marx in Samarkand. Eine Reise an die Grenze Chinas‹ (1967); ›Blinder Alarm. Geschichten aus Bansin‹ (1970, 1982 unter dem Titel ›Geschichten aus Bansin‹); ›Rose rot, Rose weiß‹, Roman (1971); ›Briefe an einen jungen Sozialisten‹ (1974); ›Die Flucht nach Abanon‹, Erzählung (1980); ›Die Stunde der falschen Triumphe‹, Roman (1981); ›Ein Julitag‹, Roman (1982).

(Ein Kapitel aus dem in Arbeit befindlichen Manuskript mit dem vorläufigen Titel: ›Freunde, Mitstreiter, Gegner, Feinde und andere‹. Abdruck mit freundlicher Genehmigung des Autors.)

Rolf Schneider, geb. 1932 in Chemnitz, studierte Germanistik in Halle an der Saale, arbeitete als Redakteur der Zeitschrift ›Aufbau‹ und ist seit 1958 freier Schriftsteller. Er lebt in Schöneiche bei Berlin, arbeitet auch als Berater des Mainzer Theaters, was ihm ein Visum der DDR ermöglicht. Als Gast aus der DDR las er 1965 in Berlin im Kreis der Gruppe 47. Rolf Schneider hat seine literarische Arbeit mit Hörspielen begonnen, er schreibt weiterhin neben Romanen Hörspiele, Fernsehspiele, Theaterstücke und Essays.

Auswahl wichtiger Werke: ›Das Gefängnis von Pont-L'Evêque‹, Hörspiel (1956); ›Der König und sein Dieb‹, Hörspiel (1958); ›Der Tag des Ludger Snoerrebrod‹, Fernsehspiel (1961); ›Die Tage in W.‹, Roman (1962/1965); ›Brücken und Gitter‹, Erzählungen (1965); ›Zwielicht‹, Hörspiel (1966); ›Prozeß in Nürnberg‹, Theaterstück (1968); ›Der Tod des Nibelungen‹, Roman (1970); ›Einzug ins Schloß‹, Theaterstück (1971); ›Die Reise nach Jaroslav‹, Roman (1974/75); ›Das Glück‹, Roman (1976); ›November‹, Roman (1979); ›Unerwartete Veränderung‹, Erzählungen (1980).

(Erschienen in: ›Unerwartete Veränderung‹, Erzählungen, VEB Hinstorff Verlag, Rostock 1980. Rechte für den Westen beim Autor.)

Jörg Steiner, geb. 1930 in Biel in der Schweiz, arbeitete als Lehrer, Verlagslektor und künstlerischer Berater des Stadttheaters Basel. Er lebt in Biel. Im Kreis der Gruppe 47 las er 1966 in Princeton.

Auswahl wichtiger Werke: ›Episoden aus dem Rabenland‹, Gedichte (1956); ›Eine Stunde vor Schlaf‹, Erzählung (1957); ›Abendanzug zu verkaufen‹, Erzählungen (1958); ›Strafarbeit‹, Roman (1962); ›Der schwarze Kasten‹, Prosa (1965); ›Ein Messer für den ehrlichen Finder‹, Roman (1966); ›Auf dem Berge Sinai sitzt der Schneider Kikrikri‹, Geschichten (1969); ›Als es noch Grenzen gab‹, Gedichte (1976); ›Eine Giraffe könnte es gewesen sein‹, Ausgewählte Erzählungen (1979); ›Das Netz zerreißen‹, Roman (1982).

(Erstes Kapitel aus dem gleichnamigen Roman, Walter-Verlag AG, Olten 1966. Rechte liegen beim Autor.)

Guntram Vesper, geb. 1941 in Frohburg in Sachsen, kam 1957 in die Bundesrepublik Deutschland. Er arbeitete in verschiedenen Berufen, ging dann noch einmal in die Schule, machte 1963 sein Abitur, studierte Germanistik und Medizin in Gießen und Göttingen, war 1978/79 Stipendiat der Villa Massimo in Rom. Im Kreis der Gruppe 47 las er 1967 in der Pulvermühle. Neben Gedichten und Prosa schrieb der Autor eine große Zahl von Hörspielen. Darüber hinaus erarbeitete er mehrere umfangreiche Studien zur Sozial- und Kriminalgeschichte des 19. Jahrhunderts. Er lebt als freier Schriftsteller in Göttingen und in Steinheim am Vogelsberg.

Auswahl wichtiger Werke: ›Am Horizont die Eiszeit‹, Gedichte (1963); ›Fahrplan‹, Gedichte (1964); ›Kriegerdenkmal ganz hinten‹, Prosa (1970, erweiterte Neuausgabe 1982); ›Nördlich der Liebe und südlich des Hasses‹, Roman (1979); ›Die Illusion des Unglücks‹, Gedichte (1980); ›Die Inseln im Landmeer‹, Gedichte (1982).

(Die ersten drei Gedichte sind erschienen in: ›Kürbiskern‹, Heft

2/1967, 4/1967, 2/1968; ›Erbschaft‹ ist erschienen in: ›Akzente‹, Heft 3/1968. Rechte liegen beim Autor.)

(Zu diesem Beitrag schrieb der Autor: »Der Bericht ist sozusagen eine Erzählung für Freunde gewesen, nämlich Oberprimaner an einem Gymnasium in Dillingen, mit denen ich seinerzeit in einem ausführlichen Briefwechsel über das Schreiben, die Literatur stand.« Der Artikel erschien unmittelbar nach der Tagung in der Schülerzeitung ›Schnakenstich‹. Abdruck mit freundlicher Genehmigung des Autors.)

Martin Walser, geb. 1927 in Wasserburg (Bodensee), studierte Literaturwissenschaft, Philosophie und Geschichte, promovierte und arbeitete als Funk- und Fernsehredakteur und -regisseur beim Süddeutschen Rundfunk. Seit 1957 lebt er als freier Schriftsteller in seiner Heimatregion am Bodensee. Ersten Kontakt mit der Gruppe 47 bekam Walser schon 1951 durch seine Arbeit für den Funk, 1953 las er zum erstenmal in diesem Kreis und erhielt 1955 den Preis der Gruppe 47.

Auswahl wichtiger Werke: ›Beschreibung einer Form. Versuch über Franz Kafka‹ (1952/1961); ›Die Dummen‹, Hörspiel (1952); ›Ein grenzenloser Nachmittag‹, Hörspiel (1955); ›Ein Flugzeug über dem Haus und andere Geschichten‹ (1955); ›Ein Angriff auf Perduz‹, Hörspiel (1956); ›Ehen in Philippsburg‹, Roman (1957); ›Halbzeit‹, Roman (1960); ›Eiche und Angora. Eine deutsche Chronik‹, Theaterstück (1962); ›Das Einhorn‹, Roman (1966); ›Der Abstecher‹, ›Die Zimmerschlacht‹, Theaterstücke (1967); ›Heimatkunde‹, Aufsätze und Reden (1968); ›Die Gallistl'sche Krankheit‹, Roman (1972); ›Der Sturz‹, Roman (1973); ›Wie und wovon handelt Literatur‹, Aufsätze und Reden (1973); ›Das Sauspiel. Szenen aus dem 16. Jahrhundert‹ (1975); ›Jenseits der Liebe‹, Roman (1976); ›Ein fliehendes Pferd‹, Novelle (1978); ›Seelenarbeit‹, Roman (1979); ›Das Schwanenhaus‹, Roman (1980); ›Selbstbewußtsein und Ironie. Frankfurter Vorlesungen‹ (1981); ›In Goethes Hand. Szenen aus dem 19. Jahrhundert‹ (1982).

(Erschienen in: ›Ein Flugzeug über dem Haus und andere Geschichten‹, Suhrkamp Verlag, Frankfurt am Main 1955.)

Peter Weiss, geb. 1916 in Nowawes bei Berlin, 1934 Emigration mit den Eltern, lebte seit 1939 bis zu seinem Tod im Jahre 1982 in Schweden. Er arbeitete als Schriftsteller, Graphiker, Maler und Filmemacher. 1962, in Berlin, las er zum erstenmal im Kreis der Gruppe 47.

Auswahl wichtiger Werke: ›Der Schatten des Körpers des Kutschers‹, Erzählung (1960); ›Abschied von den Eltern‹, Erzählung

(1961); ›Fluchtpunkt‹, Roman (1962); ›Nacht mit Gästen. Eine Moritat‹, Theaterstück (1963); ›Die Verfolgung und Ermordung Jean Paul Marats, dargestellt durch die Schauspielgruppe des Hospizes zu Charenton unter Anleitung des Herrn de Sade‹, Theaterstück (1963, Buchausgabe 1964); ›Die Ermittlung. Oratorium in elf Gesängen‹ (1965); ›Gesang vom lusitanischen Popanz. Politische Revue‹ (1967, Buchausgabe 1968); ›Diskurs über die Vorgeschichte und den Verlauf des lang andauernden Befreiungskrieges in Viet Nam als Beispiel für die Notwendigkeit des bewaffneten Kampfes der Unterdrückten gegen ihre Unterdrücker sowie über die Versuche der Vereinigten Staaten von Amerika, die Grundlagen der Revolution zu vernichten‹ (1968); ›Trotzki im Exil‹, Zweiakter (1970); ›Hölderlin‹, Zweiakter (1971/1973); ›Die Ästhetik des Widerstands‹, Roman in 3 Bänden (1975, 1978, 1981).

(Erschienen in: ›Das Gespräch der drei Gehenden‹, Suhrkamp Verlag, Frankfurt am Main 1963.)

Ingeborg Bachmann

»Was ich früh aber über mein Leben gesetzt habe, sind ein oder zwei Gebote, an die habe ich mich gehalten. Und sie haben mich bis heute gehalten, mein einziger Schutz. Wenn ich sie verschweige, so darum, weil ich, sie aussprechend, sie und mich verraten würde, und deswegen möchte ich, daß ich einfach gelesen werde.« Aus einer Rede, 1972

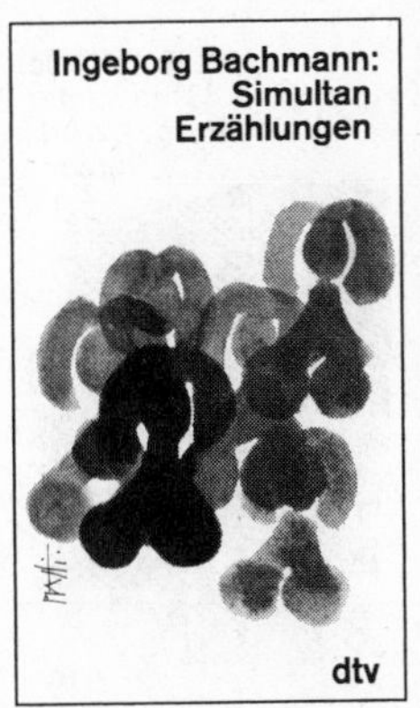

Das dreißigste Jahr
Erzählungen
dtv 344

Simultan
Erzählungen
dtv 1031

Der Fall Franza
Requiem für
Fanny Goldmann
dtv 1705

Die Fähre
Erzählungen
dtv 10014

Im dtv großdruck:
Simultan
dtv 2512

Heinrich Böll

»Ohne daß er es wollte, verkörpert er heute die deutsche Literatur und mehr als die Literatur.«
(Marcel Reich-Ranicki)

dtv 856

dtv 1518

dtv 1631

dtv 991

dtv 400

dtv 959

Barbara Frischmuth

»Es geht um die Frauen ... Ihnen schafft Barbara Frischmuth eine sehr lebendige Mythologie, ihnen gibt sie das Material an die Hand zum Entwerfen der Zukunft.« (Die Zeit)

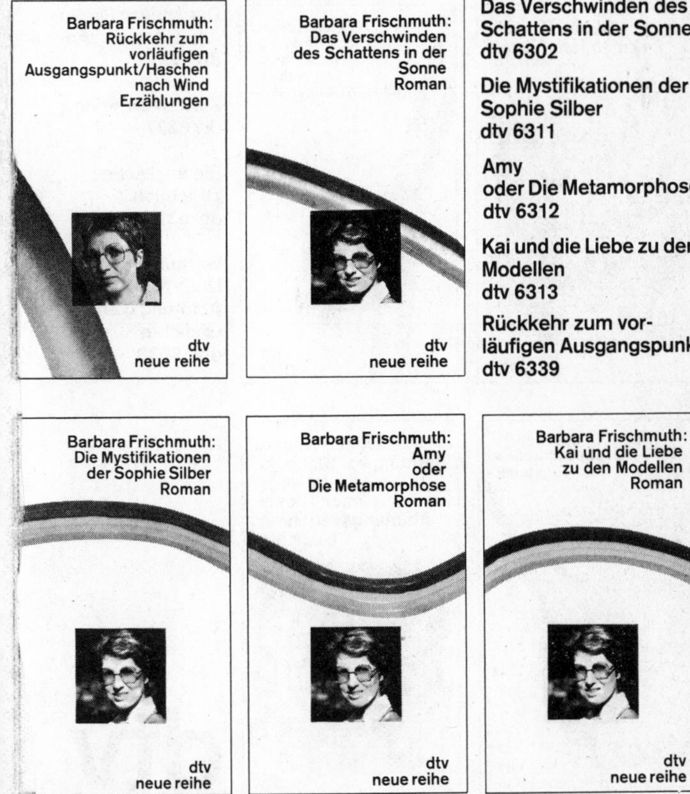

Das Verschwinden des Schattens in der Sonne
dtv 6302

Die Mystifikationen der Sophie Silber
dtv 6311

Amy
oder Die Metamorphose
dtv 6312

Kai und die Liebe zu den Modellen
dtv 6313

Rückkehr zum vorläufigen Ausgangspunkt
dtv 6339

Günter Kunert

»Zu häufig hat sich mir meine Umgebung in niederdrückende Fremde verwandelt. Der einzige Gewinn dabei besteht darin, daß der amtliche Entfremdete in eine erkenntnisgünstige Position versetzt ist.« Tagebuch, 1975

Günter Kunert:
Ziellose Umtriebe
Nachrichten
vom Reisen
und vom Daheimsein

dtv
neue reihe

Der andere Planet
Ansichten von Amerika
dtv 1781

Ziellose Umtriebe
dtv 6327

Ein englisches
Tagebuch
dtv 6310

Warnung vor Spiegeln
Unterwegs nach Utopia
Abtötungsverfahren
Gedichte
dtv 10033

Günter Kunert:
Warnung vor Spiegeln
Unterwegs
nach Utopia
Abtötungsverfahren
Gedichte